Le Québec
un pays, une culture

Françoise Tétu de Labsade

Le Québec
un pays, une culture

Boréal

Photo de la couverture:
Pierre Soulard
(Musée de la civilisation, Québec)

Données de catalogage avant publication (Canada)
Tétu de Labsade, Françoise
Le Québec: un pays, une culture
Comprend des références bibliographiques.
ISBN 2-89052-296-2
1. Québec (Province) – Civilisation.   2. Québec (Province) – Vie intellectuelle.
I. Titre
FC2911.T47   1989   971.4'04   C89-096398-3
F1052.T47   1989

Préface

Un grand nombre d'études ont été publiées sur le Québec, particulièrement depuis une trentaine d'années. La Révolution tranquille a remis en question les structures de notre société tout autant que les idées reçues qu'on entretenait sur elle. Beaucoup de ces livres ont une saveur polémique ou trahissent quelque parti pris. Ce qui n'est pas condamnable: toute interprétation, surtout quand elle porte sur un pays en mouvance, suppose le choix d'un angle d'interprétation. On peut penser que la divergence et la convergence des points de vue dessinent une certaine objectivité, s'il en est pour pareille matière.

Le présent ouvrage se situe en retrait de ces querelles. Madame Tétu de Labsade est discrète quant à ses prises de position sur le destin de notre peuple. Non pas qu'elle y soit indifférente: ces pages sont animées par son profond attachement pour le Québec où elle enseigne à l'Université Laval. Le Québec, elle a voulu le connaître sous tous ses aspects; en retour elle le fait connaître à ses étudiants, et elle le leur fait aimer. Elle nous donne ici le fruit de son travail dans une somme qui est aussi une œuvre d'amitié.

Pressés par de nouvelles interrogations sur l'avenir de la langue française au Québec, sur le déclin de la natalité, sur l'intégration des immigrants, sur la dépopulation de certaines régions, sur tant d'autres problèmes angoissants, il nous faut certes définir des orientations et des politiques. Mais, en deçà, nous avons à mieux assumer le pays dont il est question, à redescendre vers les raisons d'être de notre collectivité. Et, pour cet enracinement, une prise de conscience s'impose un peu à distance des idéologies. Ainsi, on a souvent souligné les carences de nos étudiants (et que dire de leurs aînés?) quant à la connaissance de l'histoire, indispensable à une authentique conscience politique. On pourrait faire semblable observation pour la géographie du Québec, pour notre patrimoine, pour l'ensemble d'un héritage, qui, après tout, est l'assise de notre volonté de survivre et de nous épanouir comme collectivité. Avant la politique, et afin de lui conférer pleine signification, vient ce que j'appellerais la tâche *pédagogique*, en donnant à cette expression sa teneur la plus large et la plus incisive.

Quiconque voudra s'initier à la connaissance du Québec, à l'écart des représentations trop globales ou pour dépoussiérer celles qu'il a déjà adoptées, trouvera dans cet ouvrage un outil indispensable. La première partie offre une vue panoramique de la géographie, de l'histoire, des institutions, du mouvement des idées; sur la langue, ses pratiques et ses politiques, les indications essentielles sont réunies. Une deuxième partie est consacrée à la culture, mais toujours au ras des choses, si je puis dire: architecture, mobilier, peinture, sculpture, métiers d'art et art populaire, chanson, musique et danse, cinéma. La tradition orale, fort heureusement, n'est pas oubliée.

Je ne sache pas qu'on ait rassemblé en un volume aussi attrayant autant d'informations pondérées. Ce livre sera non seulement utile à ceux du dehors qui voudraient aborder notre pays sans passer d'abord par les clichés convenus. Il sera un précieux instrument de travail pour les étudiants des collèges et des universités. Le grand public y aura son compte, partagé qu'il était jusqu'ici entre des sources disparates et difficilement accessibles.

Pour ma part, attaché depuis longtemps à l'étude de la société québécoise, et forcément enclin par mon métier de sociologue à proposer théories et méthodes, j'ai eu plaisir et profit à refaire mes classes en compagnie de l'auteur. J'en souhaite autant aux lecteurs qui, de tous les horizons, viendront à ce bel ouvrage.

Fernand Dumont

Avant-propos

«Un pays, une culture»...

Voilà bien, en effet, les plus évidents et les plus simples éléments qui s'imposent dans les faits pour définir cette étonnante réalité que constitue le Québec.

Irréductible à sa seule filiation d'origine — dans le genre: berceau de la civilisation française en Amérique, ou encore: héritier de la Nouvelle-France — le Québec contemporain ne se laisse pas facilement circonscrire ou présenter sous la bannière des slogans, fussent-ils adroits ou éloquents.

L'un d'entre eux, il n'y a guère, affichait ainsi: «Québec — la belle province». C'était la formule un peu désuète qui figurait sur toutes les plaques minéralogiques d'alors, à la façon nord-américaine. Elle fut remplacée par la devise du Québec: «Je me souviens».

Ces trois seuls mots traduisent mieux la certitude d'un peuple de pouvoir concilier la permanence de la mémoire et sa volonté de lui donner vie dans son contexte continental et sociologique actuel.

Le Québec n'est pas un État, au sens plein du terme. Il ne se résume pas non plus à être compté comme l'une des provinces de la Confédération canadienne que les atlas géographiques nomment Canada. Il est tout à la fois, pour ce

Canada, l'une de ses origines et sa différence. Il en est en grande partie la cause et pourtant, fondamentalement, il lui échappe.

Ce curieux paradoxe a fait l'objet de nombreuses études sociologiques, historiques et anthropologiques. En faire la recension des principaux thèmes eût entraîné une glose impressionnante, nécessairement difficile d'accès pour les non-initiés et, de toute façon, incomplète pour les spécialistes. Nous avons, bien entendu, rejeté cette approche a priori insatisfaisante pour tous.

Restait le choix d'une sorte d'introduction à la civilisation québécoise, au sens ethnographique du terme, avec une présentation panoramique de ses attraits, coutumes et institutions.

Là aussi, nous avons refusé cette hypothèse parce qu'elle sous-tendait potentiellement une recherche quasi entomologique ou encore — et au mieux — menait tout droit à une exploration touristique du sujet, ce que d'excellentes publications ont déjà réalisé.

Le présent ouvrage s'attache essentiellement à *mettre en présence* ces différents aspects. C'esr un livre ouvert sur «un certain reflet» historique, géopolitique et culturel du Québec et pour lequel ont été effectués, à l'occasion, certains choix personnels.

Nous souhaitons donc que ceux que le Québec intrigue ou intéresse y trouvent des jalons, des pistes, des références. Les pages qui suivent sont destinées à tout lecteur qui voudra bien, à son gré, effectuer sa propre exploration, établir des associations ou en tirer des conclusions. Tout en étant relié aux autres, chaque chapitre tend à être relativement autonome, d'où les éventuels recoupements que, chemin faisant, on pourra rencontrer. Nous espérons aussi que ce livre fasse mieux connaître cette «société distincte» qui fut et demeure l'enjeu d'un débat national.

Mais, considéré comme un pays* avec sa culture propre, le Québec n'est-il pas voué à échapper, dans son essence comme dans son vrai visage, à toute tentative d'en formuler le statut par ses seuls éléments définitoires?

---

* Au sens où l'entend Gaston Miron, en exergue de l'*Homme rapaillé*, citant Aragon: «en étrange pays dans mon pays moi-même».

Remerciements

Nombreuses sont les personnes qui m'ont aidée à la réalisation de cet ouvrage, trop nombreuses pour que je puisse les remercier individuellement. Certaines ont relu tout ou partie du manuscrit avec attention et rigueur pour me donner leur avis ou me conseiller des modifications; d'autres — je pense aux conservateurs et archivistes des Musées — ont cherché une photographie ou un renseignement indispensable. L'équipe du Groupe de recherches sur la francophonie — Université Laval (GREF) m'a fourni un soutien logistique indispensable. L'entreprise nécessitait un encouragement continu que j'ai trouvé dans ma famille. Tous m'ont offert un peu ou beaucoup de ce temps qui nous est précieux. Que chacun d'entre vous sache lire en ces lignes avares de mentions précises l'expression de ma reconnaissance.

FRANÇOISE TÉTU DE LABSADE

PREMIÈRE
PARTIE

Une nation ne peut *être* qu'au prix de se chercher elle-même sans
fin, de se transformer dans le sens de son évolution logique, de
s'opposer à autrui sans défaillance, de s'identifier au meilleur, à
l'essentiel de soi.

Fernand Braudel

1
La géographie

LE QUÉBEC EN AMÉRIQUE DU NORD

COLOMBIE-
BRITANNIQUE

ALBERTA

SASKATCHEWAN   MANITOBA

C A N A D A

ONTARIO

TERRE-NEUVE

É T A T S - U N I S

M E X I Q U E

■ L'Amérique française
avant le traité d'Utrecht, 1713

▨ Le Québec actuel

0   800 Kilomètres

Page précédente: «Ce triangle massif et dru qui s'appuie sur deux mers [...], ce triangle qui enfonce sa pointe jusqu'aux Grands Lacs, qui s'enfonce comme un coin pour écarteler, ce lourd triangle avec la respiration du Fleuve et la dentelure des côtes; [...] cet escarpement du nord-est continental qui se projette vers l'Europe comme un élan dernier de la terre américaine.» André Laurendeau, *Méditation devant une carte du monde*.

photo: Laboratoire de cartographie, Université Laval.

LE TERRITOIRE

SA SUPERFICIE

Le Québec est une péninsule – à l'échelle continentale – située au nord-est de l'Amérique du Nord, baignée au nord par la grande mer intérieure de la baie d'Hudson et à l'est par l'océan Atlantique. Au sud, le Québec a pour voisins le Nouveau-Brunswick et les États-Unis, et à l'ouest l'Ontario. Au nord-est, le Labrador, territoire de la péninsule qui a été rattaché à Terre-Neuve en 1927, n'est donc pas inclus dans la superficie québécoise ni dans les chiffres suivants:

Avec 1 540 681 km², le Québec couvre:
• 15,4 % de la superficie totale du Canada (9 976 147 km²)
• 7,7 % de la superficie de l'Amérique du Nord
• 4,3 % de la superficie des Amériques[1].
• Sa population était de 6 532 461 personnes en 1986.

Le Québec est, de loin, la plus vaste province canadienne (l'Ontario représente 10,7 % du Canada). À l'échelle européenne, le Québec à lui seul équivaut à la superficie de sept pays: l'Allemagne de l'Est, l'Allemagne de l'Ouest, la Belgique, l'Espagne, la France, le Portugal et la Suisse (ou encore trois fois la France ou 54 fois la Belgique).

Adossé à des voisins souvent plus riches que lui (Ontario, États-Unis), le Québec, par l'immense voie maritime que constitue le Saint-Laurent, permet toutes les communications avec les Amériques et tous les pays d'Europe.

SON RELIEF

Dans cet immense espace, on distingue trois grandes régions géographiques:
• Au nord, le Bouclier canadien, appelé aussi Bouclier laurentien, région montagneuse en fer à cheval autour de la baie d'Hudson. Ce sont les plus vieilles montagnes du monde: elles datent du pré-cambrien, donc d'avant l'ère primaire (mont Raoul-Blanchard, 1160 m)
• Au sud, les Appalaches, ancienne chaîne de montagnes mais de formation plus récente, offrent un paysage de plateaux vallonnés (Beauce, Estrie) qui devient plus escarpé en Gaspésie (mont Jacques-Cartier, 1270 m, dans les Chics-Chocs).
• Entre ces deux systèmes montagneux, la vallée du Saint-Laurent, où s'est installée et vit encore la très grande majorité de la population, contrastant avec l'espace quasi inoccupé du nord du Québec.

À la très pauvre végétation de la toundra, caractéristique des sols gelés plus ou moins en permanence, succède, en descendant vers le sud, une forêt boréale d'abord clairsemée qui se transforme peu à peu en zone forestière exploitable et d'ailleurs exploitée. Ce manteau forestier qui couvrait le pays à l'arrivée des Blancs est constitué, au nord, de bouleaux et de conifères, puis se mélange vers le sud à d'autres feuillus (chênes, hêtres, érables, etc.) dont les couleurs automnales réservent aux visiteurs d'admirables paysages.

SON HYDROGRAPHIE

Ce relief plutôt montagneux est troué d'une multitude de lacs et de rivières, dont certaines se dirigent vers le nord (baie James, baie d'Hudson et baie d'Ungava). Les plus connues sont celles qui se jettent dans le Saint-Laurent. Les eaux intérieures, vestige de l'époque des grandes glaciations, sont si nombreuses et étendues qu'avec le Saint-Laurent elles représentent 21,5% du territoire entier. On dénombre en effet 400 000 lacs[2] dont les plus importants sont le lac Saint-Jean, le lac Mistassini et les lacs-réservoirs Gouin, Manicouagan et La Grande, qui alimentent de grandes centrales hydro-électriques.

Outre sa richesse énergétique (le Québec vend de l'électricité à ses voisins), cette eau douce représente un potentiel qui n'est guère utilisé que par une faune riche et variée, assez bien protégée par la forêt qui couvre la moitié du territoire.

Le Saint-Laurent

Long de 3680 km, avec un débit de 8776 m^3/sec., le Saint-Laurent traverse le territoire du sud-ouest au nord-est. Son gabarit exceptionnel en fait un des plus grands fleuves du monde. Son estuaire est si important que les océanographes le subdivisent en trois: maritime, fluvial et intérieur. Il atteint par endroits une très grande profondeur — jusqu'à 300 m, le long de la Côte-Nord — et abrite plusieurs variétés de cétacés (de la baleine blanche au grand rorqual bleu). Sa largeur — le premier pont possible est à la hauteur de la ville de Québec — ne simplifie pas les communications entre ses deux rives. L'eau devient progressivement salée en aval de Québec, où l'amplitude moyenne des marées est encore de 4,50 m, et cette marée remonte sur plus de 1000 km à l'intérieur des terres jusqu'au lac Saint-Pierre, à mi-chemin entre Québec et Montréal. Malgré ce mouvement perpétuel, le fleuve gèle en hiver: ce qui permettait autrefois les communications entre les rives par «ponts de glace». Sur tout le réseau hydrographique, l'accumulation des glaces flottantes peut créer des embâcles juste avant le dégel. Puis se produit la «débâcle» soudaine et spectaculaire mais dangereuse pour les riverains.

[...] un mugissement souterrain, comme le bruit sourd qui précède une forte secousse de tremblement de terre, sembla parcourir toute l'étendue de la Rivière-du-Sud, depuis son embouchure jusqu'à la cataracte d'où elle se précipite dans le fleuve Saint-Laurent. À ce mugissement souterrain, succéda aussitôt une explosion semblable à un coup de tonnerre, ou à la décharge d'une pièce d'artillerie du plus gros calibre. Ce fut alors une clameur immense.

— La débâcle! la débâcle! Sauvez-vous! sauvez-vous! s'écriaient les spectateurs sur le rivage.

En effet, les glaces éclataient de toutes parts, sous la pression de l'eau, qui, se précipitant par torrents, envahissait déjà les deux rives. Il s'ensuivit un désordre affreux, un bouleversement de glaces qui s'amoncelaient les unes sur les autres avec un fracas épouvantable, et qui, après s'être élevées à une grande hauteur, s'affaissant tout à coup, surnageaient ou disparaissaient sous les flots.

PHILIPPE-AUBERT DE GASPÉ, père, *Les Anciens Canadiens*, 1863.

Le Saint-Laurent a joué un rôle de voie de communication dès les débuts

Le lac Mistassini.

*photo: Direction générale du tourisme,
Gouvernement du Québec.*

de la colonisation: ce fut la première voie de pénétration des colons comme des envahisseurs. Il est maintenant navigable jusqu'à Montréal toute l'année et par la Voie maritime qui contourne les rapides de Lachine, il relie les Grands Lacs à l'océan Atlantique.

Parmi ses affluents importants, notons l'Outaouais (1110 km), le Saint-Maurice (520 km), le Saguenay (760 km), la Manicouagan (500 km) sans oublier le Richelieu qui relie le bassin de l'Hudson (État de New York) et celui du Saint-Laurent en passant par le lac Champlain.

Le fleuve a, de tout temps, joué un rôle primordial dans le développement du Québec. C'est une voie idéale d'immigration, de commerce, donc de développement. C'est une porte continentale dont l'importance n'a pas échappé aux Britanniques. Pour les Québécois, il est presque toujours au centre de la vie

L'HIVER AU XVIIᵉ SIECLE

Le 27 du mois de novembre, l'hiver, qui avait déjà paru comme de loin, de temps en temps, nous assiégea tout à fait. Car ce jour et les autres suivants, il tomba tant de neige qu'elle nous déroba la vue de la terre pour cinq mois.

Voilà les qualités de l'hiver: il a été beau et bon et bien long. Il a été beau, car il a été blanc comme neige, sans crottes et sans pluie. Je ne sais s'il a plu trois fois en quatre ou cinq mois, mais il a souvent neigé. Il a été bon, car le froid y a été rigoureux; on le tient pour l'un des plus fâcheux qui ait été depuis longtemps. Il y avait partout quatre ou cinq pieds de neige, en quelques endroits plus de dix, devant notre maison, une montagne; les vents la rassemblant, et nous d'un autre côté, la relevant pour faire un petit chemin devant notre porte, elle faisait comme une muraille toute blanche, plus haute d'un pied ou deux que le toit de la maison. Le froid était parfois si violent que nous entendions les arbres se fendre dans le bois, et en se fendant, faire un bruit comme des armes à feu. Il m'est arrivé qu'en écrivant tout près d'un grand feu, mon encre se gelait, et par nécessité, il fallait mettre un réchaud plein de charbons ardents; autrement j'eusse trouvé de la glace noire au lieu de l'encre.

Cette rigueur démesurée n'a duré que dix jours ou environ, non pas continuels, mais à diverses reprises; le reste du temps, quoique le froid surpasse de beaucoup les gelées de France, il n'y a rien d'intolérable, et je puis dire qu'on peut ici plus aisément travailler dans les bois qu'on ne fait en France, où les froids de l'hiver sont importuns. Mais il se faut armer de bonnes mitaines si on ne veut avoir les mains gelées. Nos Sauvages néanmoins s'en venaient quelquefois chez nous à demi nus sans se plaindre du froid. Ce qui m'apprend que si la nature s'habitue à cela, la nature et la grâce pourront bien nous donner assez de coeur et de force pour le supporter joyeusement; s'il y a du froid, il y a du bois.

J'ai dit que l'hiver a été long; depuis le 27 novembre jusqu'à la fin d'avril, la terre a toujours été blanche de neige; et depuis le 29 du même mois de novembre jusqu'au 23 avril, notre petite rivière a toujours été glacée, mais en telle sorte que cent carosses auraient passé dessus sans l'ébranler. Tout cela ne doit épouvanter personne. Chacun dit ici qu'il a plus enduré de froid en France qu'en Canada. Le scorpion porte son contrepoison; dans les pays plus sujets aux maladies, il y a plus de remèdes. Si le mal est présent, la médecine n'est pas loin.

Relations des Jésuites,
Père Paul Le Jeune, 1636

(80% de la population du Québec habitent dans le quadrilatère Montréal, Sherbrooke, Québec, Trois-Rivières). Il est donc naturel qu'il soit l'un des thèmes favoris de l'expression culturelle, qu'il s'agisse de littérature, de peinture ou de cinéma. Le fleuve charrie de lourdes charges émotives: il est le cordon ombilical des origines; les artistes ont bien saisi la place qu'il tient aussi bien psychologiquement que physiquement dans la vie des Québécois d'hier et d'aujourd'hui.

LE CLIMAT

Nos faces brûlent dans l'air vif d'hiver
Et l'été est un soleil impatient de mourir
Dans mon pays tout est excessif et
[lointain
...
Nous dirons cette terre attachée à nos
[corps
Et le flot farouche du fleuve
Et le vent vaste qui vient des trois
[océans
Nous dirons la peine qui nous prend
[chaque soir
Et le pas dur des hommes
[dans la neige

GATIEN LAPOINTE,
Ode au Saint-Laurent, 1963.

**PRÉCIPITATIONS ET TEMPÉRATURES MOYENNES ENREGISTRÉES
DANS QUELQUES STATIONS MÉTÉOROLOGIQUES
SUR UNE PÉRIODE DE 30 ANS (1951-1980)**

Station	PRÉCIPITATIONS		TEMPÉRATURES MOYENNES				TEMPÉRATURES ANNUELLES			HORS GEL
	Neige (en mètres)	Pluie (en mm)	JANVIER		JUILLET		Moyenne	Maximum absolu	Minimum absolu	Nombres de jours sans gel par année en moyenne
			Max.	Min.	Max.	Min.				
Chicoutimi	2,76	677,2	− 9,7	− 19,5	24,5	13,5	3,4	39,4	− 45,0	135
Gaspé	3,21	645,2	− 5,8	− 15,3	22,4	12,3	3,5	35,0	− 41,7	105
Montréal	2,43	776,5	− 5,2	− 12,1	26,1	17,4	7,3	36,1	− 33,9	157
Québec	3,43	836,4	− 7,5	− 16,6	24,9	13,2	4,1	35,6	− 36,1	137
Schefferville (Nouveau-Québec)	3,86	397,9	− 18,0	− 27,6	17,4	7,8	− 4,8	31,7	− 50,6	77

Sources: *Le Québec statistique* (janvier 1986) et Environnement Canada.

Il est rude, souvent excessif dans ses froids et chaleurs extrêmes, caractérisé par la rapidité de certains écarts[3] de température; sur les bords du Saint-Laurent, il peut pleuvoir un matin d'hiver et faire moins 25 degrés la nuit suivante.

La rigueur habituelle des hivers constitue ainsi un des éléments de l'inconscient collectif marqué de magnifiques et terribles tempêtes de neige. On en oublie parfois l'ensoleillement qui rend plus belles et supportables les journées de courte durée et le froid vif qui les accompagne. L'hiver fait en quelque sorte partie du patrimoine national comme du répertoire des plaisanteries populaires, l'une d'elles voulant que, si l'on demande à un Québécois ce qu'il fait l'été, il réponde: «Ce jour-là, je vais à la pêche.»

L'allusion est évidemment caricaturale. L'été est court mais si le printemps est tardif, il gagne en rapidité. Feuilles et fleurs se bousculent pour profiter des 145 (plus ou moins) jours hors gel propices à l'agriculture. L'automne prolonge très agréablement la saison chaude qu'il rappelle une ultime fois, à la faveur de «l'été des Indiens». De très belles journées, une lumière splendide, permettent à tous d'admirer un paysage magnifique: les forêts mixtes offrent des panoramas de couleurs vives, le jaune des bouleaux et le rouge vif des érables ressortent sur un camaïeu de vert. Légumes et fruits abondent en cette saison tempérée et permettent l'emmagasinage nécessaire pour passer l'hiver qui revient bientôt.

Vers huit heures du soir, la poudrerie se déchaîna. Les volets disjoints battaient; on entendait parfois comme une déchirure de zinc au toit des maisons; les arbres noirs se tordaient avec des craquements secs au cœur de leur tronc noueux; les vitres crépitaient sous des poignées de grenaille. Et la neige continuait à tourbillonner, s'infiltrait sous les portes branlantes, glissait dans les joints des fenêtres et cherchait partout un asile contre la fureur du vent.

GABRIELLE ROY,
Bonheur d'occasion, 1945.

C'est donc un climat vif, tonique, balayé de grands vents, surtout dans le couloir que fait le Saint-Laurent; les reliefs trop modestes de ses abords n'arrêtent ni les vents du Nord (si le «Nordet» est le vent du mauvais temps, le vent d'ouest est en général signe de beau temps) ni les vents du Sud. Le système de circulation d'air observé sur le continent nord-américain amène continuellement — ou peu s'en faut — audessus du Québec la pollution[4] atmosphérique générée par les États-Unis tout proches. Tombent alors les tristement fameuses pluies acides qui détruisent l'équilibre écologique, affaiblissant entre autres les érables, source de revenus saisonniers importants pour l'agriculteur québécois et faisant périr la flore et la faune de quantité de lacs qui constituent, par ailleurs, un des plus grands réservoirs d'eau douce au monde.

PARTICULARITÉS RÉGIONALES

Un territoire aussi grand se différencie d'une région à l'autre: les caractéristiques purement géographiques ne sont pas sans entraîner certaines particularités socio-culturelles assez définies.

Le Saint-Laurent apparaît ici comme l'axe vital, économique du Québec; les grandes régions urbanisées se sont greffées sur ses rives: celle de Québec, la capitale (plus de 600 000 habitants), celle de Trois-Rivières (130 000 personnes) et celle de Montréal, la grande région métropolitaine (près de trois millions d'habitants).

Le Saint-Laurent arrose les terres les plus fertiles, surtout au sud-ouest, et la masse d'eau tempère en général le climat qui peut être rigoureux. Le Saint-Laurent sépare nettement le Québec en deux supra-régions: la rive sud d'un abord plus facile que la Côte-Nord (ne parle-t-on pas en général de la rive d'un fleuve et de la côte d'une mer et d'un océan?)[5].

LA RIVE SUD DE MONTRÉAL[6] À QUÉBEC

Cette région où se côtoient les activités agricoles, industrielles et manufacturières longe la frontière avec les États-Unis. Elle a été marquée par d'intenses communications avec d'autres peuples, une immigration massive à certains moments, par des guerres ou des tentatives d'invasion. C'est aussi la région qui jouit du climat le plus tempéré et où se côtoient des terres les plus riches. L'agriculture — en dehors des centres urbains importants — y trouve une place de choix dans plusieurs régions qu'on peut identifier ainsi d'ouest en est:

• La région de Valleyfield, immédiatement au sud de Montréal, qui connaît, grâce à sa proximité avec la métropole, une forte industrialisation.

• La vallée du Richelieu (Saint-Jean, Sorel), naturellement fertile, mais qui n'est plus uniquement agricole.

• L'Estrie (Sherbrooke). On appela cette région les Cantons-de-l'Est («Eastern Townships») au moment de la colonisation des Loyalistes à la fin du XVIIIe siècle, pour les différencier des «Western Townships» de l'Ontario.

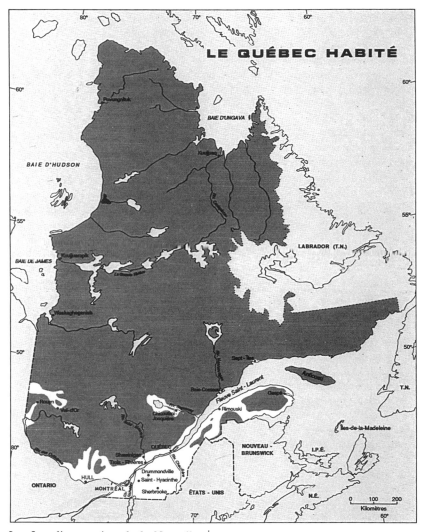

LE QUÉBEC HABITÉ

Les Loyalistes, sujets de la Nouvelle-Angleterre, décidèrent par loyauté à la couronne d'Angleterre, après la Guerre d'indépendance des Treize colonies (1776-1783), de déménager dans les colonies anglaises de l'Amérique du Nord. Les Appalaches en font une région montagneuse.

La partie claire correspond à la partie où vit la très grande majorité des Québécois.

photo: Laboratoire de cartographie, Université Laval.

• Les Bois-Francs (Drummondville, Victoriaville). Les feuillus à bois dur (frêne, érable, bouleau, chêne) font de cette région un centre réputé pour l'industrie du bois et du meuble.

• La région de l'Amiante (Thetford et Asbestos), en déclin depuis l'interdiction des États-Unis d'utiliser cette matière première pour raison de santé;

• La Beauce (Saint-Georges, Saint-Joseph, Sainte-Marie). La Chaudière arrose cette région vallonnée et fertile. Les Beaucerons ont en outre une identité culturelle particulière: ils ont la réputation d'être de bons «travaillants» et n'hésitent pas, encore aujourd'hui, devant une «corvée» pour reconstruire au plus vite une usine incendiée, par exemple, et manifestent un esprit d'entreprise qui met en valeur leur région.

LA RIVE SUD VERS LE BAS-DU-FLEUVE ET LE GOLFE DU SAINT-LAURENT

Régions très accessibles à la colonisation des XVIIe et XVIIIe siècles, la Côte du Sud, le Bas Saint-Laurent et la Gaspésie ont gardé une toponymie évocatrice: Rivière-du-Loup, Trois-Pistoles, Anse-Pleureuse, Cap-aux-Os, Gros-Morne, Mont-Joli, etc. Rimouski est la métropole régionale du Bas Saint-Laurent, dont l'économie mixte d'agriculture et de pêche n'est pas une des plus rentables du Québec.

La Gaspésie. Cette péninsule avancée dans le golfe du Saint-Laurent (Matane, Gaspé) où Jacques Cartier prit possession du territoire au nom du roi de France en 1534, n'a qu'une très étroite bande côtière à consacrer à l'agriculture. La pêche n'est plus, ici comme dans les pays occidentaux, une activité économique rentable. Les mines de cuivre des Chics-Chocs, depuis la dépréciation des minerais à l'échelle mondiale, n'insufflent pas non plus à cette région le dynamisme dont elle aurait besoin. La Gaspésie doit beaucoup compter sur le tourisme favorisé par la diversité des paysages. La baie des Chaleurs ou la vallée de la Matapédia sont tout à fait différentes des villages côtiers du nord et de l'est. Le centre d'art de Percé attire beaucoup de monde, mais seulement l'été. Au peuplement original de colons français s'est ajouté un fort contingent d'Acadiens — on y retrouve quantité de Leblanc, de Richard et d'Arsenault — d'après le Grand Dérangement, et de Loyalistes du côté de la baie des Chaleurs (New Carlisle, New Richmond). On y trouve aussi des familles venues d'Irlande ou de l'île de Jersey, dont les ancêtres se sont échoués aux abords souvent dangereux de la côte. Loin des centres de décisions, la Gaspésie souffre de sous-développement économique à l'état endémique. Le taux de chômage y frôle les 20%. L'essai malheureux de colonisation agricole des années trente pour mettre en valeur l'intérieur du territoire s'est soldé par un échec: depuis 1970, on a dû fermer une dizaine de villages fondés quarante ans plus tôt, dont Saint-Octave-de-l'Avenir, au nom pourtant prometteur.

Les Îles-de-la-Madeleine. Très au large, au sud-est de la Gaspésie, cet archipel n'offre pas grande ressource à ses 17 000 Madelinots qui dépendent entièrement de la mer. La pêche et l'extraction du sel de mer ne suffisent plus à l'économie. La chasse aux phoques a récemment subi un cruel revers quand l'actrice française Brigitte Bardot et le mouvement Greenpeace ont spectaculairement attiré l'attention du monde sur cette activité saisonnière. Du coup, la Communauté économique européenne (CÉE) interdit l'importation de la fourrure du blanchon, les phoques adultes prolifèrent sur les glaces et consomment d'imposantes quantités de poissons, privant les habitants de ce qui est désormais pratiquement leur seule ressource économique.

L'île d'Anticosti. Entre la Gaspésie et la Côte-Nord, cette île, où abondent les cervidés, autrefois propriété d'un Français, Henri Menier, «roi du chocolat», appartient maintenant au gouvernement du Québec. C'est un paradis pour les chasseurs.

LE NORD DU QUÉBEC ET LES CÔTES

La Côte-Nord, de Tadoussac à Blanc-Sablon, baptisée «Terre de Caïn» par Jacques Cartier, est une région sauvage et magnifique (Baie-Comeau, Sept-Îles). Dans les années cinquante et soixante, elle a connu une forte croissance économique en raison de sa richesse en minerai de fer que l'on exportait aux États-Unis. La décennie soixante fut aussi celle du harnachement hydro-électrique du complexe Manicouagan-Outardes. Les richesses minières perdant plus tard de leur valeur, on dut fermer Schefferville (1983). Depuis les années quatre-vingt, l'économie de cette région a décliné très sensiblement: elle reste fragile et n'est pas sinplifiée par des communications difficiles.

Le Labrador. Le Québec et Terre-Neuve traditionnellement se disputaient la côte du Labrador. En 1927, une cour de justice anglaise a reconnu comme limite territoriale la ligne de partage des eaux (mont d'Iberville, 1620 m) et a attribué le Labrador à Terre-Neuve, privant ainsi le Québec d'un vaste territoire qu'il revendiquait.

Charlevoix. De Saint-Joachim au Saguenay, cette région est bordée d'une série de caps qui plongent directement dans le Saint-Laurent, offrant de grandioses panoramas, mais peu de conditions favorables pour la culture. Le climat tonique de La Malbaie y attirait l'été une élite en majorité anglophone. S'y ajoutent aujourd'hui nombre de touristes québécois et européens, attirés par la beauté du site et ses ressources hôtelières. À Baie-Saint-Paul, ce sont les peintres qui ont mis à la mode au début du XXe siècle les environs de la rivière du Gouffre. Au XIXe siècle, c'est de Charlevoix que sont partis des colons pour le Saguenay puis le Lac-Saint-Jean; vers les années trente, des familles entières iront encore coloniser l'Abitibi et l'arrière-pays de la Gaspésie.

La Côte-de-Beaupré. De Québec au cap Tourmente, le climat plus doux, l'agriculture rentable expliquent que dès le XVIIe siècle les premiers colons aient décidé de s'installer ici. En face, l'île d'Orléans, verger de Québec, est réputée pour ses cultures maraîchères et fruitières. On trouve enfin, sur cette côte toute proche de Québec, de très nombreux bâtiments anciens, églises, maisons ou moulins, témoins de l'esprit

Le fleuve, à Québec; en arrière-plan, la côte de Beaupré et le pont de l'île d'Orléans.

photo: Ministère des Affaires culturelles, Pierre Lahoud.

d'organisation qui a prévalu sous le Régime français.

Québec. Cette capitale, pôle administratif important et un des ports du Saint-Laurent, est, depuis 1986, la seule ville d'Amérique du Nord inscrite au patrimoine mondial de l'Unesco. La ville de Québec a en effet joué dès 1608 un rôle de premier plan dans l'histoire du Québec. C'est là, entre autres temps forts, que s'est joué et perdu, aux mains des Anglais en 1759, le destin d'une Amérique qu'on avait rêvée française. Avec les 600 000 habitants de sa région immédiate, la ville de Québec a su garder taille humaine et conserver à travers les âges une allure et une qualité de vie très différentes des autres villes d'Amérique du Nord.

Le Saguenay-Lac-Saint-Jean. Majestueux affluent du Saint-Laurent, le Saguenay est un fjord de l'époque postglaciaire. À son confluent avec le Saint-Laurent, les cétacés y trouvaient dans des eaux déjà salées le calme et la nourriture nécessaire à leur reproduction. Ils s'accommodent mal aujourd'hui de la pollution industrielle que le Saint-Laurent draine depuis les Grands Lacs. La colonisation de ces régions a débuté au milieu du XIXe siècle et s'est prolongée au début du XXe. Louis Hémon en a romancé et immortalisé l'histoire avec *Maria Chapdelaine* (1913). Au milieu du manteau forestier qui recouvre tout le sud du Bouclier laurentien, la dépression du Lac-Saint-Jean bénéficie d'un micro-climat autorisant des cultures qui s'accommodent d'une saison courte. L'industrie de l'aluminium, grande consommatrice d'électricité, s'est installée sur les bords du Saguenay, à cause de son potentiel hydro-électrique considérable. C'est une région dynamique, autonome, et peut-être, de ce fait, volontiers «engagée»: la population saguenéenne avait largement répondu Oui au référendum de 1980.

Vers les années soixante, l'architecture religieuse a connu en ces lieux un élan tout à fait remarquable: à Roberval, Bagotville, Jonquière ou Chicoutimi, les églises sont la preuve de l'esprit de créativité original qui anime Saguenéens et Jeannois. Cette vaste région a repris aujourd'hui le nom de «Royaume du Saguenay[7]». Le témoignage des Amérindiens attestait en effet des richesses potentielles d'un ensemble territorial mal défini et plutôt mythique.

LA RIVE NORD

En remontant le Saint-Laurent après Québec, on longe les régions de Portneuf, de la Mauricie puis de Lanaudière (Joliette). Plus on remonte le fleuve vers Montréal, plus on descend vers le sud et plus s'aplatit le relief en une plaine élargie qui incite les deux régions riveraines du Saint-Laurent à la vocation agricole.

La Mauricie. De Portneuf à Lanaudière, il faut traverser le Saint-Maurice. Le bassin fluvial de cette rivière arrose une large contrée forestière dont les chemins de compagnie rayonnent à partir de La Tuque. Dès 1730, les forges du Saint-Maurice, près de Trois-Rivières, semblaient tracer la destinée

Montréal.

photo: Service des affaires corporatives, Ville de Montréal.

industrielle du bas Saint-Maurice. Grand-Mère, Shawinigan et Trois-Rivières sont, au centre du Québec, les pôles d'une région industrielle de premier ordre (électricité, aluminium, industries chimiques, bois, papier, etc.). Cette région est en outre tout près des grands centres puisque Trois-Rivières, ville fondée en 1634, est à mi-chemin entre Québec et Montréal.

Montréal. Jusqu'à tout récemment métropole du Canada, maintenant distancée par Toronto, Montréal, sise dans une grande île au milieu du Saint-Laurent, au confluent du fleuve avec la rivière des Outaouais, occupe un site stratégique privilégié. Ville dynamique depuis le XIXe siècle, à la fois industrielle, commerciale et financière, grand port moderne, Montréal — nonobstant son cosmopolitisme — a su respecter les témoins de son histoire qui remontent à 1642 quand la ville s'appelait Ville-Marie. Du point de vue culturel, le rôle de Montréal depuis la dernière guerre mondiale en fait une des villes les plus actives, dont la renommée internationale n'est plus à faire depuis la tenue de l'Exposition universelle de 1967 et des Jeux olympiques de 1976. Plus de la moitié de la population québécoise habite la grande région de Montréal.

LE NORD-OUEST

Les Laurentides[8]. Le Bouclier laurentien que l'on retrouve partout au nord de la vallée du Saint-Laurent présente à l'aplomb de Montréal une région qui doit son peuplement au curé Labelle et à sa lutte acharnée pour le développement des «Pays d'en Haut» au milieu du XIXe siècle. D'abord colonisées pour l'agriculture, les Laurentides ont su tirer profit de la proximité d'une grande métropole pour se convertir à la villégiature et au tourisme qui y sont de toutes saisons.

L'Outaouais. C'était la route de l'Ouest pour les découvreurs. Hull et Gatineau doivent en partie à leur situation géographique en face d'Ottawa, capitale administrative du Canada, le développement rapide de ces dernières années.

L'Abitibi-Témiscamingue (Val-d'Or, Rouyn-Noranda, Ville-Marie). Sur la route de Montréal à la baie d'Hudson, dans cette région de commerce des fourrures et de harnachement hydro-électrique (rivière La Grande), l'économie régionale repose principalement sur les ressources naturelles, (forêts et mines, tourisme, chasse et pêche) et en second lieu sur l'agriculture.

Nouveau-Québec — Baie James. Le Nouveau-Québec couvre la moitié de la superficie du Québec. C'est le royaume de l'Arctique avec ses aurores boréales et sa végétation de toundra, miniaturisée, riche d'une faune terrestre et aquatique diverse (loups, caribous, ombles, oiseaux de toutes couleurs, etc.). Amérindiens et Inuit habitent ces grands espaces depuis plusieurs millénaires, en harmonie avec la nature.

Le complexe hydro-électrique de la baie James, avec son barrage en enrochement, a créé le plus grand lac de barrage du monde. Il fournit déjà suffisamment d'électricité pour que le Québec puisse en exporter entre autres aux États-Unis.

LA GÉOGRAPHIE
D'UN PEUPLE

Au cours de l'histoire, le Québécois apparaît comme tiraillé entre deux tendances antagonistes qui peuvent être en même temps facteurs d'équilibre. On retrouve cette ambiguïté fondamentale dans des romans (*Les Têtes à Papineau* de Jacques Godbout) ou des essais (*Le Canadien-français et son double* de Jean Bouthillette). À la tentation de l'aventure — à quoi s'abandonnaient, non sans difficultés, les coureurs de bois, les découvreurs, les fondateurs et premiers colons des nouvelles paroisses — s'oppose le désir profond d'enracinement, que souhaitait Louis XIV et que concrétiseront les «habitants», ainsi nommés parce qu'ils habitaient la terre qu'ils cultivaient et qui dès lors leur appartenait. Sans perdre de vue que le climat est difficile et quelquefois violent, on a parfois défriché dangereusement sans penser aux conséquences de l'érosion; on a parfois colonisé à tort et à travers et au détriment de familles entières que l'on déplaçait en des terres impropres à la culture, tout cela à cause du principe d'occupation des sols. À côté de la mobilité des trappeurs, il faut la stabilité des commerçants. Au-delà de l'événement, il est nécessaire de s'appuyer sur une permanence. Et c'est ainsi que le Québec prit corps et dure encore.

Le sentiment aigu de solitude physique qui étreint l'individu au milieu de grands espaces deviendra collectif lorsque la société québécoise se sentira, dans son ensemble, isolée des autres groupes qui pratiquent une langue autre que la sienne à l'échelle d'un continent. Pour y remédier: l'accord magique avec une nature dont le tellurisme ne tolère pas d'à-peu-près, le repli sur soi accompagné d'une certaine xénophobie, le sens du voisinage et une bonne humeur indéracinable. Ne faut-il pas faire contre mauvaise fortune bon cœur?

La société québécoise a évolué plus lentement que les autres sociétés occidentales, du moins au début du siècle. Prise dans un moule qui faisait l'affaire des autorités, longtemps fidèle à son image, il lui a soudain fallu se remettre en question, plus vite que les autres, ne serait-ce que pour rattraper un retard économique qui aurait pu être fatal. À la civilisation traditionnelle de l'habitant se superpose dès le début de ce siècle une civilisation urbaine qui redéfinit espaces, lignes de force et valeurs. En 50 ans, le XXᵉ siècle va redessiner un Québec que les vieux ne reconnaissent pas.

La population n'est répartie, à peu de choses près, que dans la vallée du Saint-Laurent, mais de façon inégale[9]. Un Québécois sur deux habite la grande région de Montréal. Cinq Québécois sur six habitent des villes de bonne taille: il ne reste plus qu'un bon million de Québécois pour animer le reste du pays. À une concentration urbaine énorme, s'oppose la dispersion d'un tout petit nombre. Ce qui ne va pas sans poser de gros problèmes de communication, et non seulement de transport, mais même de compréhension entre les personnes. Un slogan publicitaire resté plus fameux que le produit qu'il voulait vendre ne disait-il pas: «On est six millions, faut se parler»?

Déblaiement d'une rue: le budget de déneigement de la Ville de Montréal est de 47 millions de dollars pour l'année 1988. Cette somme équivaut au revenu national de la Zambie en 1987 (39 millions de dollars US) et se compare au budget de développement du Rwanda pour la même année (50 millions de dollars US).

photo: Université du Québec.

La petite souffleuse déblaie les entrées particulières; le stationnement des voitures sur la voie publique est très réglementé en hiver.

photo: Gouvernement du Québec 71-415-B-1.

Si l'on a un peu vite tourné le dos à une vocation agricole qui semblait une gageure à tenir tous les printemps, on a, dans la même foulée, urbanisé les meilleures terres arables, parfois pour y installer des raffineries de pétrole qui fermeront leurs portes vingt ans plus tard. Les temps changent, le visage du Québec aussi. On dompte les chutes, on transforme de tranquilles cours d'eau en kilowatts-heure, on reboise, on fait d'une économie domestique et rurale une économie urbaine et technologique. Les problèmes sont nombreux, les solutions également.

L'HIVER

C'est là un bel exemple de cette adaptation de la société québécoise à une nature souvent ingrate. Cette saison, deux fois plus longue que dans les vieux pays d'où venaient la majorité des colons aux XVIIᵉ et XVIIIᵉ siècles, a forcé les habitants à changer leurs habitudes dans la construction des maisons, dans l'agriculture, dans leur mode de vie. C'est ainsi qu'on a apprivoisé l'hiver: en milieu urbain, ce sont les sports d'hiver et le retour à la nature qui font marcher commerce et tourisme des régions avoisinantes; en milieu rural, on avait compris depuis longtemps le salutaire exercice du rire et de la détente collective («veillées», «soirées canadiennes»). À l'isolement forcé qu'imposent les «bancs de neige», on répond par le sens de la fête: le groupe mange et boit — pas toujours à doses homéopathiques — chante, danse, et prend ainsi ses distances[10] vis-à-vis de conditions difficiles.

L'hiver est au centre de beaucoup de préoccupations comme en témoignent les nombreux tableaux, les poèmes et les chansons. L'hiver coûte une fortune en isolation, en chauffage, en déneigement[11]. Le Québécois a cependant réussi le tour de force de tourner avec bonheur ce désagrément à son avantage. Bien plus, l'inconscient collectif s'est littéralement approprié l'hiver avec la tranquille assurance du propriétaire qui n'entend pas laisser les autres jouir de son bien. Naïm Kattan note qu'un écrivain étranger ou néo-québécois, comme lui originaire d'Irak, n'a pas vraiment le droit d'écrire sur l'hiver. Cette relation de la pensée à une réalité très spécifique au Québec dénote l'importance de la représentation mentale qu'on se fait de l'hiver.

Si la civilisation du temps paraît caractériser l'Europe ou l'Asie ne pourrait-on pas dire que l'espace est une des données essentielles du continent américain? Aussi les problèmes que posait le territoire aux hommes qui voulaient se l'approprier étaient-ils nombreux; plus nombreuses encore étaient les solutions trouvées avec imagination et un sens de l'adaptation assez phénoménal. N'est-il pas rassurant, par ailleurs, de penser qu'individuel ou collectif, l'imaginaire ne se satisfait jamais d'une situation de confort?

Notes

1. Ces données sont extraites de *Le Québec tel quel*, Québec, Éditeur officiel du Québec, 1978.

2. Dont 287 lacs Long, 169 lacs-à-la-Truite, 127 lacs Croche.

3. La nuit du 24 juin 1988, il faisait 3 °C dans la banlieue de Québec.

4. Les étrangers louent la qualité de l'air qu'ils respirent, à de rares exceptions près; sans ses conséquences sur l'environnement on ne soupçonnerait pas cette pollution invisible.

5. Les résidents, le long du fleuve, parlent souvent de la mer: ainsi, en amont de Québec, une partie du village de Saint-Augustin s'appelle Saint-Augustin-sur-mer.

6. On appelle Montérégiennes les montagnes isolées, comme le mont Royal, qui s'élèvent au milieu de la plaine dans la vallée du Saint-Laurent. Aussi appelle-t-on cette région la Montérégie.

7. Relation du deuxième voyage de Jacques Cartier, le 13 août 1535. Les Espagnols avaient trouvé de brillantes civilisations sur ce même continent; il paraissait sans doute logique aux Français d'expliquer des termes connus en Europe à ces réalités qui pouvaient ressembler aux leurs.

8. C'est l'historien François-Xavier Garneau qui baptisa ainsi en 1845 «ces montagnes qui suivent une direction parallèle au Saint-Laurent».

9. Environ 88% de la population habitant au sud du 48e parallèle; 56,4% dans la seule région de Montréal.

10. Cartier, Cartier, oh Jacques Cartier
Si t'avais navigué à l'envers de l'hiver
.....
Aujourd'hui on aurait toute la rue
[Sherbrooke
Bordée de cocotiers
Avec perchés dessus des tas de
[perroquets
Et tout le mont Royal couvert de bananiers
.....
Robert Charlebois, *Cartier*
(Musique de Robert Charlebois, paroles de D. Thibon.)

11. Le budget de déneigement de la ville de Montréal est de 47 millions de dollars pour l'année 1988. Cela équivaut au revenu national de la Zambie en 1987 (39 millions de dollars US) et se compare au budget de développement du Rwanda pour la même année (50 millions de dollars US).

Bibliographie

BLANCHARD, Raoul, *Le Canada français*, Paris, Fayard, 1960.

BLANCHARD, Raoul, *Le Canada français*, Paris, PUF, 1966 (Coll. «Que sais-je?»).

BUREAU, Luc, *Entre l'éden et l'utopie, les fondements imaginaires de l'espace québécois*, Montréal, Québec/Amérique, 1984.

COLLET, Paulette, *L'hiver dans le roman canadien-français*, Québec, PUL, 1962.

GUÉRIN, Marc-Aimé, *Petit Manuel de géographie québécoise*, Montréal, Guérin, 1977.

GEORGE, Pierre, *Le Québec*, Paris, PUF, 1980 (Coll. «Que sais-je?»).

HAMELIN, Louis-Edmond, *Nordicité canadienne*, Montréal, HMH, 1975.

LASSERRE, Jean-Claude, *Le Saint-Laurent, grande porte de l'Amérique*, Montréal, Hurtubise-HMH, 1980.

MORISSONNEAU, Christian, *La terre promise: le mythe du Nord québécois*, Montréal, Hurtibise-HMH, 1978.

SIEGFRIED, André, *Le Canada, puissance internationale*, Paris, A. Colin, 1937.

TELLIER, Luc-Normand, *Le Québec, État nordique*, Montréal, Quinze, 1977.

Atlas du Québec, Saint-Bruno, Cartex, 1977.

Filmographie

Le Beau Plaisir, (Île-aux-Coudres), P. Perrault, B. Gosselin, M. Brault, coul. 1968, 15 min.

Chez nous, c'est chez nous, (Saint-Octave-de-l'Avenir), Marcel Carrière, coul., 1974, 82 min.

Percé on the Rocks, Gilles Carle, coul. 1964, 10 min.

Le Québec vu par Cartier Bresson, Wolf Koenig, n. b., 1969, 10 min.

La vie heureuse de Léopold Z, Gilles Carle, n. b., 1969, 69 min.

Série: *Les Québec d'Amérique*, divers
réalisateurs, coul., 1974, 15 min.

Discographie

Les références à l'hiver sont légion. Pour la
toponymie on retiendra *Les noms* de
Monique Miville-Deschênes; 3 min 50 s;
disque Gamma GS 134.

Page précédente: La devise du Québec a été ajoutée aux armes de la province en 1883. Elle a remplacé récemment sur les plaques d'immatriculation l'expression «la belle province».

photo: Françoise Tétu de Labsade.

LES GRANDES ÉTAPES

Les Vikings, hommes du Nord qui ne redoutaient pas les tempêtes de l'Atlantique, ont très probablement exploré certaines parties du Québec. Le Saint-Laurent, très poissonneux, attirait également des pêcheurs, ceux-ci plutôt du sud de l'Europe: les Portugais, les Basques venaient traditionnellement y faire provision d'huile de baleine.

LES AMÉRINDIENS

Au moment de l'arrivée des Blancs, ils étaient répartis en groupes organisés, «familles» ou «nations». Certains étaient nomades, tels les Montagnais, les Micmacs, les Cris et les Outaouais. D'autres avaient déjà opté pour la sédentarisation: la famille iroquoienne vivait dans des maisons longues et des villages pallissadés. Pour les uns, la chasse et la pêche fournissaient l'essentiel de l'alimentation. Les autres y ajoutaient des produits agricoles, tels les courges ou le maïs, que les Européens appelleront blé d'Inde.

Parfaitement adaptés au climat, les Amérindiens savaient s'habiller légèrement de peaux souples, se chausser de mocassins et de raquettes, se déplacer le long des «chemins qui marchent» avec des canots d'écorce. Ils fumaient

Jacques Cartier érige une croix à Gaspé en 1534. Pastel de George-Agnew Reid.

photo: Archives nationales du Canada: C 96999.

**Les Amérindiens en Nouvelle-France
d'après la communauté d'origine et de langue**

Les Inuit dans le Grand Nord parlent l'Inuktikuk

Les Beothuks (Terre-Neuve) aujourd'hui disparus

La famille algonquienne très étendue:
— les Micmacs (Acadie)
— les Etchemins (Acadie)
— les Montagnais et Naskapis (rive nord du Saint-Laurent vers l'est)
— les Algonquins (rive nord du Saint-Laurent vers l'ouest)
— les Outaouais ou Odaois (plus au nord)
— les Ojibwés (plus à l'ouest)
— les Nepissingues (autour du lac du même nom)
— les Cris (au nord de ce qui est aujourd'hui l'Ontario; on trouve des tribus
  jusqu'aux pieds des Rocheuses)

La famille huro-iroquoise au sud des Grands Lacs:
— les Hurons (autour du lac du même nom)
— les Iroquois (ou les Cinq Nations)
    — les Agniers
    — les Onneiouts
    — les Onontagués
    — les Goyogouins
    — les Tsonnontouans
— les Neutres n'ont pris parti ni pour les Hurons ni pour les Iroquois
— les Pétuns qui cultivent et fument le tabac
— les Ériés

Les Sioux viennent du sud et sont installés dans la partie sud des Prairies.

aussi le tabac, une de ces solanées[1] du continent nord-américain promises à un grand avenir comme la pomme de terre et la tomate.

LE RÉGIME FRANÇAIS

Le XVIᵉ siècle

Les Européens décident de se tailler un empire à même ce continent au début du XVIᵉ siècle. Jacques Cartier y fait trois voyages (1534, 1535-1536 et 1541-1542) au cours desquels il améliore les connaissances cartographiques du fleuve Saint-Laurent et noue de fra-giles relations avec les autochtones. Entre ces voyages, il tente de persuader la France de fonder un établissement au Canada. Ces tentatives se soldent par des échecs: les Français supportant mal les rigueurs de l'hiver périssent du scorbut et les relations avec les Amérindiens deviennent tendues. Les diamants et l'or rapportés de Québec s'avèrent n'être que mica et pyrite de fer. Cependant, au même moment, commence timidement le commerce des fourrures entre Amérindiens et trafiquants, qui n'entretiennent que des installations de fortune.

Conflits avec l'Angleterre

Dates	Faits marquants	Traités
Phase 1 **1689-1697**	• Victoire sur l'amiral Phipps à Québec en 1690. • D'Iberville balaie les Anglais d'Acadie, de Terre-Neuve et de la baie d'Hudson.	• Le traité de Ryswick rétablit les frontières telles qu'elles étaient auparavant.
Phase 2 **1703-1713**	• Les Anglais prennent Port-Royal. • À l'île-aux-Œufs: la flotte bostonaise de l'amiral Walkeren route pour Québec se jette sur des récifs.	• Le traité d'Utrecht cède l'Acadie, Terre-Neuve et la baie d'Hudson à l'Angleterre.
Phase 3 **1744-1748**	• Les Anglais prennent Louisbourg.	• Le traité d'Aix-la-Chapelle rend Louisbourg à la France.
Phase 4 **1756-1763**	• Offensives victorieuses des Français sur terre. • Les Anglais reprennent Louisbourg. • Les Anglais font le siège de Québec qui capitule en 1759. • Montréal capitule en 1760.	• Le traité de Paris signifie pour la France la perte presque totale de ses territoires en Amérique du Nord.

Le XVIIe siècle

À l'instar des autres puissances d'Europe, les visées expansionnistes de la France se précisent. Elle élabore divers projets de colonisation avec Champlain, avec des compagnies privées comme la Compagnie des Cent-Associés, avant que Louis XIV ne prenne lui-même des décisions d'importance pour la Nouvelle-France.

Au Canada, la France poursuivait trois objectifs: la traite des fourrures[2], l'occupation des sols bien identifiés par les transformations que l'homme fait subir à la nature et l'évangélisation des autochtones. À ces derniers, les «rois très chrétiens» veulent apporter la civilisation et le salut éternel. Feront partie des premiers voyages des Récollets et des Jésuites, des Augustines et des Ursulines, tous chargés de faire naître la foi et de l'entretenir sur les bords du Saint-Laurent.

Les impératifs de la géographie — il reste tout un continent à découvrir — et le besoin de renouveler constamment le bassin de castors qui s'épuise encouragent les Français à s'aventurer à l'intérieur des terres. Pierre De Monts et Samuel de Champlain commencent par s'installer sur la côte Est, en Acadie. Après y avoir fondé Port-Royal, Champlain s'enfonce dans le continent en suivant le cours du Saint-Laurent. Il en explore même les affluents, le Richelieu puis le lac Champlain, l'Outaouais jusqu'à la rivière des Français. Il assurera la pénétration du continent avec la fondation de villes toujours plus à l'intérieur des terres.

1604	Port-Royal
1608	Québec
1634	Trois-Rivières

En 1642, le sieur de Maisonneuve, accompagné de Jeanne Mance, de missionnaires et de courageux volontaires, fonde Ville-Marie sur l'île de Montréal. Cette équipée met aux prises deux civilisations aux antipodes l'une de l'autre. De la précarité de l'installation et de la violence de certains comportements reste dans l'imaginaire de certains Québécois l'impression que l'Amérindien est un «méchant sauvage». En 1663, Louis XIV et Colbert restructurent la colonie et la fin du siècle est marquée par un très net effort de colonisation: pacification des Iroquois qui signeront la Grande Paix de Montréal (1701), essai d'un nouveau système de colonisation agricole autour de Québec et exploration du territoire. La France s'installe sur les Grands Lacs, dans la vallée du Mississipi et jusqu'en Louisiane (Louis Jolliet, Cavelier de La Salle, le père Marquette). Jean Talon essaie de diversifier l'économie de la Nouvelle-France; son intendance correspond à une période de croissance plus rapide et d'organisation plus systématique.

La rivalité avec l'Angleterre

La France n'est pas seule à convoiter le continent. Si le Portugal et l'Espagne s'affrontent en Amérique centrale et en Amérique du Sud, l'Angleterre, pour sa part, cherche à prospecter le même territoire que la France. Les deux pays vont se faire une lutte quasi continue jusqu'en 1763. Dès le début, l'Acadie passe pour un temps aux mains des Anglais. Un peu plus tard (1629), les frères Kirke occupent Québec pour trois ans. C'est le premier de toute une série de conflits sur ce continent.

Les pays d'Europe entretiennent de grandes rivalités qu'ils tentent de résoudre par la guerre. L'Amérique du Nord devient un champ de bataille où la France et l'Angleterre peuvent intervenir, mesurer leurs forces et trouver une monnaie d'échange. Chaque phase de la guerre intercoloniale correspond à une guerre européenne qui empêche la France de consacrer tous les efforts qu'il faudrait au seul continent américain. En général, les Français, qui se sont attiré l'alliance des Amérindiens, en ont appris le style de combat et dominent les armées anglaises sur terre (exemple: le Pain de Sucre, 1757). En revanche, les Anglo-Américains ont une supériorité manifeste sur mer[3]: à plusieurs reprises, ils prennent Louisbourg, forteresse construite au XVIIIe siècle par les Français pour pallier l'absence de débouchés sur l'Atlantique après le traité d'Utrecht (1713) qui avait cédé l'Acadie à l'Angleterre.

Les périodes d'accalmie sont utilisées à bon escient pour occuper les Grands Lacs, la vallée de l'Ohio, du Missouri et du Mississipi, fonder la Louisiane en 1701, puis la Nouvelle-Orléans en 1718 (Le Moyne d'Iberville et Le Moyne de Bienville), découvrir l'Ouest du pays jusqu'aux Rocheuses (les La Vérendrye). La dernière accalmie est cependant beaucoup moins heureuse que les précédentes. Les frictions dans la vallée de l'Ohio augmentent et, en Acadie, les Anglais décident de déporter les Acadiens sous domination anglaise depuis 1713. Le «Grand Dérangement» (1755) touche environ 10 000 personnes de façon radicale: familles désunies et privées de leurs biens, demeures rasées... Certains iront rejoindre en Louisiane le peuplement français déjà installé[4]. D'autres avaient tenté une installation en Virginie ou dans les Carolines. De ceux là, un certain nombre reviendra un siècle plus tard et refera avec d'autres une Acadie sur le territoire actuel du Nouveau-Brunswick[5].

La Conquête: Le dernier affrontement oppose une colonie française, qui n'a pu, avec 70 000 personnes, réussir à occuper l'immense territoire qu'elle revendique, à une colonie anglaise 20 fois plus nombreuse, qui se sent à l'étroit sur une bande de terre à l'est du continent. De premières victoires (Monongahéla, Carillon) n'empêchent pas la morosité de gagner les Canadiens. Les habitants devenus soldats n'ont pu assurer les cultures essentielles; les secours attendus de la métropole n'arrivent pas; la disette se fait sentir et Louisbourg tombe pour la deuxième fois. L'été 1759 commence mal: la France subit une série de revers (Fort Niagara, Carillon et Saint-Frédéric) sur terre où, jusque-là, elle avait su garder une certaine supériorité. Le 13 septembre, le général Wolfe veut mettre un terme au siège de Québec; il prend le risque d'installer l'armée anglaise sur le plateau (les plaines d'Abraham). Montcalm n'attend pas l'aide que Bougainville aurait pu lui apporter. Il tente une sortie: le combat dure moins d'une heure et se solde par une autre défaite pour les Français. Quelques jours plus tard, Québec capitule; l'année suivante, Lévis entreprend de regagner Québec. Peine perdue, les renforts qui arrivent battent pavillon anglais. En septembre 1760, Montréal capitule à son tour. Par le traité de Paris (1763), la France reconnaît l'autorité de l'Angleterre sur presque toute son ancienne colonie.

LE RÉGIME ANGLAIS

La survivance d'un peuple conquis

Les 65 000 Canadiens qui ont décidé de rester après la Conquête passent sous domination britannique. L'administration et le commerce sont alors presque entièrement aux mains des Anglais. Aux Canadiens, ne reste que les métiers d'agriculteurs, d'artisans ou de petits commerçants. On leur a concédé quelques avantages, on leur demande un serment d'allégeance envers la couronne britannique, et l'on exige pour un temps qu'ils prêtent le Serment du Test[6], s'ils veulent jouer un rôle quelconque dans la vie politique ou commerciale du Québec.

En 1774, le gouvernement anglais assouplit la législation concernant la religion catholique et supprime le Serment du Test. L'Acte de Québec régit le statut de la colonie pendant une vingtaine d'années jusqu'en 1791. La conciliation s'étend jusqu'au pouvoir judiciaire: aux lois criminelles de l'Angleterre, on juxtapose les lois civiles françaises. Ce système juridique s'applique toujours. Cette attitude conciliante de l'Angleterre s'explique par l'agitation qui gagne les colonies américaines. Elles tentent sans succès de convaincre les Canadiens de se joindre à elles dans leur mouvement pour se séparer de la métropole.

En 1791, l'Angleterre divise sa colonie en deux: le Haut-Canada et le Bas-Canada. Ce dernier territoire correspond à peu près au Québec actuel moins sa partie nordique[7]. La grande nouveauté de cette période est la naissance du parlementarisme. Chaque province doit élire des députés qui représentent le peuple à sa propre Chambre d'assemblée. L'anglais est langue officielle, mais on peut utiliser le français, à l'Assemblée et dans les tribunaux.

La conquête de l'autonomie

L'avènement du parlementarisme favorise la naissance d'une classe politique canadienne. Au début du XIXe siècle, les professions libérales prennent de plus en plus de poids dans la vie sociale et politique des Canadiens. Leurs membres commencent à devenir les porte-parole du peuple. On fonde un Parti Canadien, appuyé par un journal, *Le Canadien*. Les seigneurs, pour la plupart se sont ralliés au gouvernement.

Très rapidement des tensions se font jour entre le gouvernement et la Chambre d'assemblée. Le parlement élu n'est pas responsable des finances de la colonie. Cette question des subsides (qui doit gérer les fonds de la colonie: Londres par l'intermédiaire du gouverne-

ment ou les élus de la colonie en question?) résume le mécontentement de l'assemblée non responsable et du Parti Canadien. Louis-Joseph Papineau montre une autorité de chef et défend la position du peuple et de ses élus à l'Assemblée et jusqu'en Angleterre.

En 1812, les États-Unis attaquent le Canada: du côté de Montréal, ils essuient une défaite magistrale à Châteauguay (1813). Une seconde fois, l'invasion américaine est repoussée: la bravoure des Canadiens de Salaberry empêche la conquête du Canada par les États-Unis.

Le quart de siècle qui suit n'arrange pas les affaires entre Londres et sa colonie. Les Canadiens, de plus en plus

Louis-Joseph Papineau harangue une foule. Aquarelle de Charles William Jefferys.

photo: Archives nationales du Canada: C 73725.

conscients de leur poids économique et démographique, présentent pétition sur pétition. Papineau porte à Londres les *Quatre-vint-douze résolutions* présentées par le parlement du Bas-Canada. Au Haut-Canada, une situation semblable se développe. L'exaspération des Canadiens est à son comble en 1837. Le Parti Canadien d'autrefois est devenu le Parti Patriote.

1837-1838: la rébellion des Patriotes. En ce début de XIXe siècle, on note une effervescence des nationalismes dans le monde: la Grèce et la Belgique, ainsi que onze pays d'Amérique latine, ont obtenu leur indépendance. Au Bas-Canada, l'agitation populaire est très sensible à Montréal et gagne les environs. Les assemblées populaires se multiplient; on prend la décision de ne se vêtir que d'étoffe du pays pour ne plus avoir de commerce avec l'Anglais. Les Patriotes organisent la résistance, arrêtent la progression des forces anglaises à Saint-Denis. Ils sont défaits à Saint-Charles, Saint-Eustache et Saint-Benoît. La répression sera terrible, à la mesure de la peur qu'ont les autorités de cet esprit frondeur et indépendant qui anime à juste titre les Patriotes. Les villages sont brûlés, les combattants décimés, les meneurs emprisonnés ou exilés.

L'année suivante, à partir des États-Unis tout proches où s'étaient réfugiés Papineau et Robert Nelson, une deuxième insurrection agite encore une fois la vallée du Richelieu. Robert Nelson proclame la République du Bas-Canada,

---

EXTRAITS D'UN TESTAMENT POLITIQUE

Je meurs sans remords, je ne désirais que le bien de mon pays dans l'insurrection et l'indépendance, mes vues et mes actions étaient sincères et n'ont été entachées d'aucun des crimes qui déshonorent l'humanité, et qui ne sont que trop communs dans l'effervescence de passions déchaînées. Depuis 17 à 18 ans, j'ai pris une part active dans presque tous les mouvements populaires, et toujours avec conviction et sincérité. Mes efforts ont été pour l'indépendance de mes compatriotes; nous avons été malheureux jusqu'à ce jour. La mort a déjà décimé plusieurs de mes collaborateurs. Beaucoup gémissent dans les fers, un plus grand nombre sur la terre d'exil avec leurs propriétés détruites, leurs familles abandonnées sans ressources aux rigueurs d'un hiver canadien. Malgré tant d'infortune, mon coeur entretient encore du courage et des espérances pour l'avenir, mes amis et mes enfants verront de meilleurs jours, ils seront libres, un pressentiment certain, ma conscience tranquille me l'assurent. Voilà ce qui me remplit de joie, quand tout est désolation et douleur autour de moi. Les plaies de mon pays se cicatriseront après les malheurs de l'anarchie et d'une révolution sanglante. Le paisible Canadien verra renaître le bonheur et la liberté sur le Saint-Laurent.

Quant à vous, mes compatriotes, mon exécution et celle de mes compatriotes d'échafaud vous seront utiles. Puissent-elles vous démontrer ce que vous devez attendre du gouvernement anglais!... Je n'ai plus que quelques heures à vivre, et j'ai voulu partager ce temps précieux entre mes devoirs religieux et ceux dûs à mes compatriotes; pour eux je meurs sur le gibet de la mort infâme du meurtrier, pour eux je me sépare de mes jeunes enfants et de mon épouse sans autre appui, et pour eux je meurs en m'écriant: «Vive la liberté, vive l'indépendance!»

Chevalier de Lorimier

mais les insurgés sont arrêtés tout près de la frontière. Parmi les gens emprisonnés, il y a des exilés et des condamnés à mort dont douze seront exécutés. Parmi eux, des cultivateurs, des médecins, des notaires qui croyaient au droit des peuples à disposer d'eux-mêmes.

1840: Union des deux Canadas et octroi du gouvernement responsable. Londres avait dépêché sur place un gouverneur, Lord Durham, chargé de faire rapport sur les problèmes et de trouver des solutions: pour minoriser les Canadiens français, il faut les noyer dans un ensemble dans lequel ils n'auront ni le poids démographique ni le poids politique qu'ils avaient dans le Bas-Canada. C'est ainsi qu'en 1840, l'Angleterre déclare l'union de ses deux colonies malgré le vif mécontentement des Canadiens français qui, en outre, doivent contribuer à éteindre les énormes dettes du Haut-Canada. Seule consolation: Londres accordera bientôt la responsabilité ministérielle, un pas important vers l'octroi de l'autonomie à sa colonie.

Cette première union est d'une importance capitale: elle signifie le début de la minorisation de l'élément français qui, de fait, était toujours majoritaire au Bas-Canada. C'est la première étape du processus qui aboutira à la fédération de 1867. L'Angleterre affirme ainsi sa volonté de subordonner les Canadiens, que Durham avait appelés «Canadiens français», à ceux que ces derniers continuent à appeler les Anglais.

LA CONFÉDÉRATION

La logique qui avait mené à l'union des deux Canadas aboutit à l'Acte de l'Amérique du Nord britannique. Les provinces de Nouvelle-Écosse et du Nouveau-Brunswick, en s'unissant à l'Ontario et au Québec, assurent ainsi la présence britannique au nord du continent américain. La nouvelle constitution est votée par le parlement britannique; elle restera à Londres jusqu'en 1982. Pendant les années qui suivent, d'autres provinces vont ajouter leur voix à la Confédération, minorisant chaque fois le Québec un peu plus. Il avait une voix sur deux en 1840, il ne représente plus qu'une province sur dix en 1949.

Les provinces et la Confédération	
1867	Québec + Ontario + Nouvelle-Écosse + Nouveau-Brunswick
1870	+ Manitoba
1871	+ Colombie-Britannique
1873	+ Île-du-Prince-Édouard
1905	+ Saskatchewan + Alberta
1949	+ Terre-Neuve

Le partage du pouvoir entre les niveaux de gouvernement fédéral et provincial n'est pas toujours clair. En principe, il revient au Québec de s'occuper de droit civil, d'enseignement, des questions de langue, des hopitaux, par exemple. Le fédéral voit aux questions d'ordre général: défense, économie, relations extérieures. Mais certaines sphères d'activité, immigration, santé, communications, relèvent des deux paliers de gouvernement, ce qui ne simplifie pas les relations fédérales-provinciales.

D'un certain côté, le Québec pouvait ainsi affirmer une certaine autonomie basée sur la langue, la religion et la culture, mais en même temps, il lui fallait participer aux décisions prises par l'ensemble des provinces qui n'avaient en vue que l'avenir du Canada. Il y aura tout au long de la Confédération des moments de tension entre Québec et Ottawa qui iront s'accentuant au XXᵉ siècle. Dans les années quatre-vingt, le fédéral et le provincial s'accuseront respectivement d'ingérence.

La question des Métis

Les mariages inter ethniques avaient créé des communautés qui se retrouvaient par affinités culturelles. Un nombre important de Métis parlant français était installé en 1869 sur les bords de la Rivière Rouge. Inquiets du pouvoir central d'Ottawa, ils insistent pour que l'on reconnaisse leurs droits. Louis Riel, leur porte-parole, forme un gouvernement provisoire et force le fédéral à créer la province du Manitoba.

Les Métis, devant l'arrivée d'une civilisation avec laquelle ils étaient plus ou moins d'accord, étaient partis vers l'Ouest, dans ce qui deviendra plus tard la Saskatchewan. Ils y sont rejoints par cette même civilisation, qui construit des chemins de fer et qui les force à se sédentariser sans leur en assurer les moyens. Quinze ans plus tard, ils se soulèvent une deuxième fois, rappelant Louis Riel qui vit aux États-Unis. La résistance armée durera peu: les troupes fédérales sont de beaucoup supérieures. Riel, emprisonné, subit son procès dans des conditions étonnantes (jurés de langue anglaise seulement, refus d'audition de témoins, etc.) et est condamné à mort. Il sera exécuté en novembre 1885. Sa mort aura des échos longtemps encore dans tout le Canada où se retrouvent des francophones, et donc au Québec. Le sentiment d'unité du Canada «en prend pour son rhume». La presse francophone fait l'unanimité contre ce châtiment qu'elle juge inique. On peut voir dans ces événements une autre manifestation de la lutte entre anglophones et francophones dont Louis Riel est devenu un symbole. Sa pendaison a été ressentie au Québec comme un abus du pouvoir qui parle l'autre langue.

Les écoles françaises

Bientôt après 1867, se pose le problème des droits accordés aux minorités françaises; ces questions vont susciter de vives réactions au Québec dont le peuple se demande quelle place ont vraiment les Canadiens français dans la Confédération. Le Nouveau-Brunswick et le Manitoba sont, après le Québec, les provinces les plus peuplées de Canadiens français. L'évolution très rapide de la politique intérieure de ces provinces aura des répercussions jusqu'au Québec.

1871. Les catholiques très majoritairement francophones du Nouveau-Brunswick, en butte à l'hostilité des anglophones, essaient d'avoir recours au fédéral pour régler cette querelle ethno-religieuse d'ordre strictement provincial. Ils n'obtiennent que de vagues concessions et la Confédération n'apparaît pas comme le lieu des solutions aux problèmes qui risquent de se poser à nouveau.

1890. Le gouvernement manitobain de Greenway abolit le système scolaire des catholiques qui ne représentent plus que 10% de la population totale[8]. Le recours au fédéral ne règle rien et même le premier ministre du Canada, Wilfrid Laurier, pourtant enfant du Québec, soulèvera en 1897 des protestations parmi les Canadiens de langue française.

Le fédéral lâche encore du lest dans la question des écoles du Nord-Ouest (1905). La question des droits scolaires des minorités se posera encore lors de l'adoption du règlement 17 en Ontario (1912).

La participation aux guerres de l'Empire

En 1899, la Grande-Bretagne entre en guerre contre les Boers en Afrique du Sud et demande la participation du Canada. Les Canadiens français sont contre toute implication, mais le fédéral choisit la solidarité avec l'Empire. Les Québécois, enracinés depuis longtemps et isolationnistes, ne tiennent pas à participer aux guerres de la Grande-Bretagne. En cela, ils ont un comportement semblable à celui d'une partie des Canadiens anglais de vieille souche qui, eux aussi, ne conçoivent ce type d'aide que sous la forme de volontariat.

Pendant les deux guerres mondiales, le fédéral, voyant que l'enrôlement volontaire[9] ne suffit plus, imposera la conscription à laquelle s'opposeront des Canadiens de vieille souche, anglaise ou française. Comme le Canada est un pays d'immigration, les immigrants européens de première génération, très majoritairement installés dans les provinces anglophones, orientent le vote de leurs provinces vers l'acceptation de la conscription que le Québec, dont l'origine est plus homogène, refuse systématiquement. La question nationale[10] ressurgira à nouveau pendant la Deuxième Guerre mondiale et la seconde crise de la conscription provoquera de nouveau des divisions entre anglophones et francophones.

La question de la conscription et le recul des droits des minorités à l'extérieur du Québec convainquent des intellectuels québécois que le rêve d'un Canada bilingue et biculturel, qui a animé Henri Bourassa au début du siècle et par la suite de nombreux autres nationalistes, n'est pas accepté par l'opinion publique canadienne-anglaise. Ils sont donc amenés à formuler un nouveau nationalisme centré sur le Québec, foyer national des Canadiens français.

1981: le coup de force constitutionnel de Trudeau

Après la guerre, les tensions entre le fédéral et le provincial deviennent plus vives. Dans la dynamique des négociations constitutionnelles, le Québec cherche à obtenir une nouvelle répartition des pouvoirs en faveur des provinces. La Constitution, loi britannique votée par Londres en 1867, ne pouvait être amendée que par le parlement britannique. Pierre Elliott Trudeau, premier ministre canadien d'origine québécoise[11], décide de la rapatrier en y apportant quelques modifications. Les provinces s'opposent avec force aux amendements proposés: huit premiers ministres provinciaux sur dix, entraînés par René Lévesque, résistent à l'autorité du fédéral. En une seule nuit, la «nuit des longs couteaux», P. E. Trudeau retourne littéralement sept premiers ministres qu'il met de son côté. Québec se retrouve seul à ne pas donner son accord au rapatriement et à la nouvelle charte des droits. Une fois de plus, la majorité impose sa loi à la minorité.

LA RÉVOLUTION TRANQUILLE

Du milieu du XIXᵉ siècle au milieu du XXᵉ siècle, le Québec a vécu plusieurs changements d'ordre économique et social, comme la plupart des sociétés occidentales et particulièrement comme celles du reste du Canada et des États-Unis; ouverts à la nouveauté, les milieux urbains acceptaient les progrès technologiques, ce qui explique en partie le phénomène de médiatisation massive par la radio et la télévision. En revanche, comme toutes les sociétés rurales, ceux qui étaient restés — de moins en moins nombreux — dans les campagnes étaient plus traditionalistes.

Pendant les années cinquante, le développement rapide de l'économie d'après-guerre faisait pendant à un conservatisme politique dû, entre autres, à des structures qui n'avaient pas su évoluer au rythme qu'auraient dû suggérer les changements sociaux. À l'échelle mondiale, cette même décennie voit des peuples colonisés se détacher des pays colonisateurs et prendre conscience de ce qui fait leur spécificité. Le Québec participe à ce très large mouvement et s'inscrit à son tour sur la carte du monde moderne.

En 1960, l'arrivée au pouvoir des libéraux de Jean Lesage déclenche une série de réformes majeures dans l'appareil gouvernemental qui bouleversent les rapports du peuple québécois avec les corps constitués (l'Église et l'État) de la société traditionnelle. Une élite de plus en plus nombreuse (intellectuels, artistes, écrivains) avait exprimé, depuis les années quarante, une insatisfaction grandissante. C'est avec fierté et détermination que six millions de Québécois, maintenant conscients des nouvelles valeurs à privilégier, suivent puis entraînent les gouvernements Lesage et Johnson dans leur désir de construire des bases solides pour le développement d'un pays que l'on a plaisir à nommer le Québec et du peuple qui l'a fait depuis quatre siècles.

Cette décennie, riche en changements et en événements de toutes sortes, constitue une étape majeure de l'histoire du Québec et orientera désormais son devenir.

Le poids du passé et les leçons de l'histoire ont, au Québec, une importance capitale, au point même que cette présence peut empêcher, ultimement, d'envisager le présent avec réalisme et l'avenir avec sérénité. La devise du Québec, «Je me souviens[12]», est représentative de la place — traditionnelle, sentimentale, parfois à la limite de la logique — que tient, non sans raison pourtant, l'histoire d'un pays qui s'est faite un peu (beaucoup) malgré lui.

Toutes les collectivités ont leurs héros. Au Québec, ces derniers sont

d'abord ceux de l'histoire événementielle: ils ont déjoué «l'Indien», bouté
les Anglais hors de la baie d'Hudson,
arrêté les Américains à Châteauguay ou
rempli avec brio et panache les fonctions de premier ministre de la Confédération. Tour à tour honnis ou adulés,
les candidats à la postérité ne manquent
pas. Ainsi les Patriotes de 1837-1838
ont-ils été réhabilités et leur échec politique, considéré 150 ans plus tard
comme un sacrifice national.

Cette relation à l'histoire permet à
l'individu de s'identifier aux grandes
figures qui en ont posé les jalons, mais
surtout permet à la société de mieux
comprendre comment elle s'est forgée
au fil des siècles une identité spécifiquement québécoise.

LA GENÈSE D'UNE SOCIÉTÉ

C'est en se rattachant aux grandes articulations historiques qui ont peu à peu
fait les Québécois d'aujourd'hui que
l'on peut comprendre comment est née
la société québécoise actuelle.

L'INSTALLATION EN NOUVELLE-FRANCE

Le lieu d'origine des colons

De toutes les provinces françaises, c'est
la Normandie qui a fourni le plus de
colons à la Nouvelle-France; c'est sans
doute la proximité de ports marchands
faciles d'accès (Saint-Malo, Dieppe,
Honfleur) qui a incité tant de Normands
à faire la traversée. Le même phénomène se retrouve en Aunis et dans le
Haut-Poitou avec le port très achalandé
de La Rochelle. Le Perche a dû son fort
taux de partants au fait qu'il était géographiquement placé entre la Normandie et l'Île-de-France. Quant à cette
dernière région, il paraît naturel qu'elle
ait aussi fourni un fort contingent (près
de 14% du total) de colons, par rapport
à près de 17% du total fourni par la
Normandie, étant donné que l'Île-de-
France était la région la plus proche des
organismes de décisions, donc la plus
informée des possibilités nouvelles.
Quant à la Bretagne, elle arrive au
dixième rang avec à peine plus de 3%
du total des émigrés.

L'énorme majorité vient en tous cas
du nord-ouest de la France et l'on constate — fait très remarquable à cette
époque — que tout le monde, une fois
au Canada, se met à parler la même
langue, celle de l'administration, c'est-
à-dire le français, alors qu'en France un
Normand n'aurait pas compris un
Bourguignon et encore moins un Pro-
vençal.

Le peuplement

L'occupation du territoire se fait de
plusieurs façons. Les coureurs de bois
gardent jalousement leurs secrets de
trappe ou de commerce avec les Amérindiens. Les découvreurs ne trouvent
pas toujours la commandite nécessaire
à leurs expéditions, trop hasardeuses
pour les autorités. Ce sont ces hommes
qui vont épouser des Amérindiennes et
établir des avant-postes français surtout
dans les vallées de l'Ohio et du Mississipi. Les nombreuses tribus amérindiennes participent avec les Français,
qui appliquent leur stratégie, à plusieurs

CHRONOLOGIE

NOUVELLE-FRANCE

1534:	Arrivée de Jacques Cartier
1604:	Champlain fonde Port-Royal en Acadie
1608:	Champlain fonde Québec
1701:	Grande Paix de Montréal (signée avec la nation huro-iroquoise)
1759:	Siège et perte de Québec
1763:	Traité de Paris: la France perd la Nouvelle-France qui passe aux mains des Anglais

RÉGIME ANGLAIS

1759-1763:	Régime militaire
1763-1774:	Régime civil
1774-1791:	«Quebec Act»
1791-1840:	Gouvernement parlementaire
1837-1838:	Rébellion des Patriotes
1840:	Acte d'Union des deux Canadas
1840-1867:	Gouvernement responsable
1868:	Zouaves pontificaux

LE QUÉBEC DANS LA CONFÉDÉRATION
(Dates à retenir de l'histoire de la Confédération qui auront des répercussions sur le Québec et dates qui sont propres au Québec)

1867:	Acte d'Amérique du Nord britannique (AANB)
1869:	Soulèvement des Métis au Manitoba
1871:	Problème des écoles au Nouveau-Brunswick
1884:	Soulèvement des Métis en Saskatchewan
1885:	Exécution de Louis Riel
1890:	Problème des écoles au Manitoba
1896-1911:	Wilfrid Laurier, premier ministre du Canada
1917:	Conscription
1929:	Un jugement du Privy Council de Londres attribue le territoire du Labrador à Terre-Neuve
1942:	Conscription
1949:	Terre-Neuve entre dans la Confédération
1960-1970:	La Révolution tranquille
1970:	Evénements d'octobre
1980:	Référendum sur la souveraineté du Québec
1981:	Coup de force constitutionnel de P. E. Trudeau; le Québec ne signe pas cette constitution
1987:	Accord du Lac Meech

des victoires de la guerre de Sept Ans.

On voulait aussi une forme plus classique d'occupation des sols: on compte pour cela sur les *habitants*, ces colons qui s'installent sur un lot de terre, le défrichent, le cultivent et en deviennent par le fait même les propriétaires. Le climat doux de l'Acadie est plus propice aux cultures, mais les bords du Saint-Laurent (la côte de Beaupré, l'île d'Orléans, la région de Portneuf) attirent aussi les colons.

Origine des colons français.

photo: Françoise Tétu de Labsade (Société de généalogie du Québec).

Les habitants pouvaient se faire aider, le cas échéant, par des *engagés*. Jeunes gens sans un sou vaillant, dont le voyage était payé par celui qui allait les employer et qui leur verserait pendant trois ans des gages modestes. À la fin du contrat, l'engagé pouvait soit rentrer en France avec son pécule, soit devenir habitant à son tour, ce qui arrivait le plus souvent.

Vers 1665, la métropole se rendant compte de la lenteur de la colonisation, envoie, à plusieurs reprises, des *filles du Roy*, jeunes personnes dotées par le roi, qui devaient convoler en justes noces dès leur arrivée en Nouvelle-France et fonder une famille. Ces jeunes femmes, orphelines et pauvres, préféraient l'aventure de la Nouvelle-France à l'avenir encore plus incertain qui les attendait dans la métropole. Elles se mariaient en général dans la quinzaine qui suivait leur arrivée à Québec[13].

Des soldats viennent de France, d'abord pour aider à la pacification du territoire. Au siècle suivant, c'est la lutte quasi incessante contre les Anglais qui monopolise les énergies des jeunes capitaines et de leurs compagnies. Ces soldats sont souvent hébergés chez l'habitant qu'ils peuvent aider dans les travaux saisonniers s'ils ne sont pas en expédition militaire. Ils prennent ainsi goût à la vie de terrien. Une fois la compagnie dissoute, beaucoup préfèrent alors rester sur place et devenir à leur tour habitants plutôt que de rentrer en France où les attend un avenir médiocre. À la fin du XVIIe siècle, les soldats du régiment de Carignan-Salières se sont ainsi en majorité installés sur les bords du Richelieu qu'ils viennent de pacifier. Les officiers se font attribuer des seigneuries dont ils distribuent les terres à leurs soldats. Officiers et soldats, deviennent seigneurs et habitants, retrouvant certains de leurs anciens rapports, dans des fonctions qui ont fondamentalement changé.

Jusqu'à la signature de la Grande Paix de Montréal, c'est surtout la rive nord du Saint-Laurent qui se peuple, entre Québec et Montréal, comme en fait foi la fondation des villes jalonnant la pénétration du territoire par le Saint-Laurent: Québec, Trois-Rivières, puis Ville-Marie.

Le XVIIe siècle avait été marqué par le développement des compagnies qui veillaient davantage à assurer le rendement de la mise de fond des sociétaires (Compagnie de la Nouvelle-France et Compagnie des Cent-Associés) qu'à peupler une terre dont on évaluait mieux le rendement en fourrures qu'en cultures. Au début du XVIIIe siècle cependant, la colonie s'organise et les communications s'améliorent. Le Chemin du Roy réunit, par la rive nord, Saint-Joachim à Montréal en passant par Québec. On construit des forts pour la défense. On développe le commerce, toujours à base de fourrure et d'agriculture, et maintenant de construction navale. On produit du fer aux Forges du Saint-Maurice. La France empêche cependant la colonie de se livrer à des industries de transformation qui priveraient la métropole d'un marché d'exportation rentable. C'est aussi la période où Mgr de Saint-Vallier, l'évêque qui a succédé à Mgr de Montmorency-Laval, décentralise l'Église canadienne en fondant des paroisses (80 en 1721).

Malgré ces efforts de la France, la colonisation française en Amérique du Nord est très lente.

1623: le premier fief est attribué à Louis Hébert à Québec
1663: 2500 âmes (34 km² défrichés)
1700: 14 000 âmes[14]
1763: 70 000 âmes (500 km² défrichés)

La colonisation anglaise en Nouvelle-Angleterre est infiniment plus rapide. Sans doute était-elle plus facile? Très vite, les colons d'origine britannique se sentent à l'étroit sur la bande de terrain qu'ils occupent à l'est du continent américain. Pendant le même moment, la France occupe — le mot est optimiste — un très vaste territoire limité à l'ouest par les Rocheuses et au sud par le Mexique. Cette immense étendue est en fait bien peu habitée et à peine mise en valeur: le géographe Luc Bureau affirme que seulement 1/20 000 du territoire est effectivement occupé par les Français. Comment s'étonner alors que les tensions entre colonisateurs anglais et français s'accroissent au XVIIIe siècle et que les Bostonnais, bien secondés par l'Angleterre, aient lutté avec âpreté pour l'expansion de leur territoire? À la veille de la Conquête, pour 20 millions de Français on ne dénombre que 70 000 personnes en Nouvelle-France, alors que pour 10 millions d'Anglais on compte 1 600 000 colons en Nouvelle-Angleterre.

L'habitant développe au Canada une personnalité dont bien des traits se

La traite des fourrures de Charles William Jefferys.

photo: Archives nationales du Canada: C 073431.

trouvent dans le Québécois d'aujour-d'hui. René Lévesque disait en 1980: «Nous avons tous un grand-père culti-vateur.» Cette attitude est par ailleurs commune au continent nord-américain: les Québécois ont peut-être, à cet égard, la mémoire moins courte que d'autres. L'orgueil d'être habitant et d'avoir réussi son implantation développe l'esprit d'indépendance et la débrouil-lardise; on pratique tous les métiers, on emprunte aux Amérindiens ce qui est utile dans ce pays. Si l'on reproche à l'habitant du Canada d'être paresseux (entendez: ne pas en faire plus que le nécessaire vital, ce qui demandait déjà une bonne dose d'énergie), en revan-che, on lui reconnaît un courage et une bravoure dont les gouvernants ont grand besoin en ces siècles de guerre à peu près continue. Les voyageurs notent aussi leur gentillesse, leur sens de l'accueil et leur gaieté. Les femmes sont souvent plus instruites que les hommes — pris très jeunes par les tra-vaux des champs — et développent le sens des responsabilités. Originaires de pays tempérés — l'ouest de la France jouit d'un climat assez doux — le Canadien montre un assez exceptionnel sens de l'adaptation à de nouvelles réalités. Il est à l'aise et son sort, mal-gré l'évidence de certaines difficultés, est assez enviable.

Le système seigneurial

Occuper le maximum de sol, c'est, au XVIIe siècle, le cultiver. Dans un territoire au climat difficile, les habi-tants doivent s'organiser pour survivre. On institue donc un système seigneu-rial, très différent du système féodal en usage en France à l'époque. Tout individu méritant, ou qui avait de l'ar-gent ou des influences, pouvait devenir seigneur: il se voyait attribuer une con-cession, de forme rectangulaire[15], dont une des limites était en général le fleuve, plus tard un de ses affluents. Cette personne devait rapidement dé-couper sa seigneurie en lots, sur les-quels elle installait à son tour des familles d'habitants qui pouvaient jouir et disposer de leurs biens fonciers.

Le découpage, caractéristique du Québec, se faisait en longues bandes de terrains étroites, mais donnant sur une voie d'eau. Le lot habituel, d'un arpent[16] et demi à trois arpents de front sur le fleuve, avait de 30 à 40 arpents de profondeur (environ 200 mètres sur 2500 mètres). Sur les rives du fleuve puis de ses tributaires, les maisons se succèdent donc à peu près tous les 150 mètres, presque sans interruption dans les zones habitées.

Le rang. Après 1725, toutes les rives du fleuve étant occupées, il faut s'installer à l'intérieur des terres. On construit donc un chemin qui dessert les maisons du deuxième rang ainsi constitué. Au fur et à mesure du développement de la seigneurie, on ouvre des rangs supplé-mentaires. Ce découpage en longues bandes de terrains, dont on garde une partie «en bois debout» pour les be-soins domestiques de construction, de chauffage et de cuisine, l'alignement des bâtiments de ferme assez voisins les uns des autres pour qu'on puisse se voir et s'entraider en cas d'imprévu, tout cela fait un paysage tout à fait particulier, très caractéristique du Québec rural d'aujourd'hui.

À l'arrière des maisons, les colons établissaient leur potager, puis les terres à froment et à avoine, les prairies à foin jusqu'à la forêt, réserve de bois de chauffage et de construction.

À l'automne, on abattait les arbres, on cordait les bûches, on ne sacrifiait pas les érables, fournisseurs de sève sucrée.

Toutes ces terres en longueur, étroites comme des lames de parquet, perpendiculaires à la rive, formaient un rang.

Louis-Martin Tard, *Il y aura toujours des printemps en Amérique.*

Seigneurs et habitants. Certaines seigneuries appartiennent à des nobles, d'autres à des commerçants. Ceux-ci ont pour la plupart un niveau de vie élevé, sont peu présents sur leurs terres et résident plutôt en ville. Des communautés religieuses possèdent également d'immenses terres. Dans beaucoup d'autres cas, il pouvait y avoir peu de différences entre les seigneurs et les habitants, si ce n'est que les premiers devaient organiser leur seigneurie et en rendre compte devant les autorités gou-

photo: *Ministère des Affaires culturelles, Pierre Lahoud.*

vernementales. Le rapport entre le seigneur et ses censitaires était simple et régi par un ensemble de règles qui s'appliquaient avec quelques variantes d'un bout à l'autre de la Nouvelle-France.

Pour sa part, l'habitant paie au seigneur: le *cens* en argent (quelques sous par arpent de front), la *rente*[17] en nature (une pinte de blé et une demi-poulet par arpent de front, par exemple), le *droit de mouture* qui est le quatorzième minot de blé (il faut payer l'entretien du moulin et le meunier) et le *droit de mutation* qui est un montant d'argent compris entre le douzième et le vingtième du montant de la vente de la terre. Ce droit, assez élevé, avait manifestement été institué pour décourager les habitants de déménager sans cesse. On instituera aussi un droit de pêche et même un droit sur les chutes d'eau.

À cela s'ajoute le *droit de corvée*: l'habitant doit donner au seigneur de 4 à 8 jours par an pour l'aider à entretenir routes, ponts, quais et édifices publics.

En 1723, Pierre Petit possède une terre: maison, grange, étable et 55 arpents de terre labourable: il paie trois livres de blé de rente et deux chapons par arpent de front (il a deux arpents de front).

Robert-Lionel Séguin

En revanche, le seigneur doit tous les ans aller à Québec *faire aveu et dénombrement*, aller dire aux autorités où il en est de l'occupation[18] et de la mise en valeur de sa seigneurie. Ces déplacements n'étaient pas une mince affaire lorsque l'on habitait à des lieues de la capitale: on le faisait souvent en hiver pour consacrer les journées d'été, précieuses, à l'agriculture.

Le seigneur doit faire construire puis entretenir un *moulin banal*, organiser la *défense* et la *protection civile* (c'est lui qui est la plupart du temps chef de la milice dont font partie les habitants), et s'occuper de la *voirie*.

L'habitant doit foi et hommage au seigneur. Une des manifestations en sera la fête du Mai. Le seigneur, à son tour, doit hommage et fidélité au gouverneur de Québec. L'habitant et le seigneur paient la *dime* au curé: c'est le vingt-sixième minot de grain produit. (À certains moments, dans quelques paroisses déjà bien installées, les curés essaieront de faire passer cette taxe au treizième de tout ce qui est produit par la terre, mais sans succès.)

Voilà donc le système social plutôt simple qui prévalut pendant plus de deux siècles. Après la Conquête, les Anglais le trouvèrent assez efficace pour le conserver dans ses grandes lignes jusqu'en 1854. On y mit fin à cette date, surtout à cause de l'urbanisation déjà rapide de l'île de Montréal, mais aussi parce que les rapports sociaux subissaient alors de profonds changements.

Après 1770 se développe un système parallèle: tout en maintenant les seigneuries existantes, on utilise plutôt dans les nouvelles zones de peuplement le modèle américain des «townships» ou cantons. Le canton est de forme plus ou moins carrée et les redevances seigneuriales n'y existent pas.

L'administration

L'administration de type privé, des compagnies de commerce, fonctionne tant bien que mal au tout début du XVIIe siècle. La Compagnie des Cent-Associés ne retire pas autant de bénéfices que ce qu'elle en avait escompté et s'acquitte sans aucune conviction du devoir de colonisation auquel elle ne semble pas s'intéresser outre mesure. À cette administration que la France trouve décevante, Louis XIV et son ministre Colbert vont décider de substituer un gouvernement local plus responsable. En 1663, la colonie est donc rattachée au domaine royal et administrée ainsi:

— Le gouverneur, responsable, a le pouvoir militaire.
— L'intendant s'occupe de questions civiles (économie, police, justice).
— L'évêque voit aux questions qui touchent de près ou de loin la religion.

Outre l'intendant et l'évêque qui secondent de près le gouverneur, des conseillers, seigneurs ou officiers plus fortunés, donnent leur avis et peuvent agir au nom du gouverneur.

L'ensemble pouvait assez bien marcher; les fonctions, pour autoritaires qu'elles soient, sont en général tenues par des hommes assez remarquables qui font le pays à la mesure de leur imagination. On retiendra, entre autres, les noms des gouverneurs Frontenac et Vaudreuil, des premiers archevêques de Québec, Mgr de Montmorency-Laval et Mgr de Saint-Vallier, et de l'intendant Jean Talon.

Le problème fondamental vient du clivage qui s'installe entre les hautes sphères de l'administration et la société canadienne. Les administrateurs ne font qu'une partie de leur carrière à Québec, vivent à la française et dans les villes; ils suivent les règles du système monarchique français. Les questions de préséance suscitent parfois des querelles internes jusqu'au plus haut niveau du «gouvernement» colonial. Les Canadiens occupent de plus en plus de postes de la haute administration mais la France fait sentir sa supériorité lorsque, par exemple, elle impose le général Montcalm au gouverneur Vaudreuil, né au Québec.

Les caractéristiques de la société canadienne

On trouve dans cette société les deux tendances fondamentales qui animaient les premiers Français à leur arrivée en Nouvelle-France. D'un côté, le désir de possession de la terre, qui mène au défrichage et à l'agriculture; de l'autre, le goût de l'aventure, de la découverte qui permettent déjà d'occuper de nouveaux territoires.

Chez les religieux, l'on retrouve ces mêmes tendances; d'abord l'appel vers l'inconnu: nombreux sont ceux qui suivent les tribus indiennes dans leur nomadisme. Une Jeanne Mance, par exemple, se sent «appelée» à aller en cette île de Montréal qu'on dit territoire dangereux, «dussent tous les arbres de l'Île cacher chacun un Sauvage». En revanche, après avoir cédé à l'aventure du voyage outre-atlantique, Marie de l'Incarnation passera le reste de ses jours à Québec, dans la stabilité — combien précaire — d'un monastère, incendié puis rebâti courageusement. C'est ainsi qu'apparaissent indissolublement liées l'une à l'autre deux polarités apparemment irréductibles mais qui se complétèrent admirablement dans l'établissement de la colonie.

Dès l'origine, les administrateurs insistent sur la qualité et l'homogénéité de la société en Nouvelle-France. En 1627, on n'autorise que les catholiques à venir s'y installer et l'on écarte du même coup les protestants français.

C'est surtout en région urbaine que se regroupe le gros de l'administration. C'est aussi dans les villes que se retrouvent les négociants d'une certaine envergure, les armateurs et les commerçants. Y fleurissent des quantités de petites entreprises (cabotage, négoce) qui ne sont désavantagées que par le contexte économique de dépendance de la métropole, et par le système de répartition des biens mobiliers au décès, ce qui rend difficile la transmission d'un patrimoine intact à la génération suivante et ne favorise pas l'établissement d'entreprises sur plusieurs générations.

On ne saurait parler d'économie sans

rappeler l'importance de la traite des fourrures. Il faut un permis pour «faire la traite». Mais on sait qu'il y a cinq fois plus de coureurs de bois ou de petits trafiquants que les 400 ou 500 personnes autorisées. L'appât du gain, le goût de l'aventure, sont souvent plus forts que la stabilité de l'artisan ou de l'agriculteur.

La colonie a toujours eu du mal à recruter sur place tous les artisans nécessaires à son développement. Malgré les essais de Mgr de Laval et des frères Charon, on doit continuer à recruter des spécialistes en France. Les plus prisés sont ceux qui appartiennent aux corps de métier de la construction et du transport dont la présence est particulièrement vitale. Ils s'installent dans les villages, travaillent souvent seuls avec les aléas corollaires à ce type de situation. D'ailleurs, l'habitant apprend tôt à se débrouiller avec les moyens dont il dispose.

Les trois-quarts de la population vivent de l'agriculture: le XVIIIe siècle voit s'enraciner les familles sur les terres défrichées. Le clergé préfère évidemment ce genre d'occupation sédentaire et facilement contrôlable au métier de coureur de bois ou de voyageur qui tente tant de jeunes émigrés. Les habitants vivent à l'aise au XVIIIe siècle. Souvent leur terre entièrement défrichée leur procure des revenus substantiels. Même si leur lot n'est pas encore tout en culture, la majorité des «propriétaires» pouvait subvenir largement aux besoins de leur famille.

Il semble que l'initiative personnelle ait joué un rôle privilégié dans la constitution de cette société. Une grande mobilité existait entre les diverses couches de la société: on devenait marchand ou coureur de bois, ou bien encore on se rangeait en prenant une terre. À part la haute administration restée très «française», la stratification sociale est beaucoup moins rigide qu'en France: les nobles travaillent et les marchands ont souvent une seigneurie dont ils doivent s'occuper.

La société québécoise de l'époque se caractérise par le goût d'une indépendance que favorise le système canadien: l'habitant est maître chez lui. Dans certains cas, il y a peu de différences entre lui et son seigneur: on a vu une seigneuresse emprunter 600 livres à un censitaire en hypothéquant ses biens. Des habitants peuvent devenir seigneurs à leur tour. Parfois le seigneur ne sait pas plus lire et écrire que son censitaire.

Le peuple français de l'époque n'était pas favorisé par le système social: les serfs travaillaient une terre qui ne leur appartiendrait jamais. Ils travaillaient pour d'autres, sans espoir que leur sort pût s'améliorer d'une façon ou d'une autre. Les cadets de famille, jeunes nobles que le sort avait fait naître après les aînés, n'avaient souvent d'autre avenir que de s'engager dans les armées du roi. Pour ces deux catégories de personnes, l'ouverture de territoires nouveaux était l'occasion de sortir de ce à quoi les condamnait la société française de l'époque.

Malgré les conditions difficiles, il semble qu'on vivait assez bien en Nouvelle-France. Les tensions entre Français de passage et Canadiens de souche sont demeurées vives tout au long du Régime français dans les milieux qui nécessitaient ces contacts (administration, clergé ou commerce). Mais elles n'ont pas empêché les villes d'offrir une éducation et des loisirs raffinés dont certains se sont développés avec bonheur. À la campagne, on était plus foncièrement canadien et l'on développa plus rapidement qu'en ville des habitudes spécifiques, certainement moins citadines, mais plus près de ce que la nature exigeait. Les difficultés de développement étaient dues à l'invraisemblable rapport entre un espace gigantesque et un peuplement très modeste. Par ailleurs, l'économie n'était pas assez diversifiée, autre le modèle agricole suivi sans trop d'imagination, seul le commerce de la fourrure donnait un peu du dynamisme nécessaire à une évolution positive. Le marché de la fourrure renforçait la dépendance économique de la colonie vis-à-vis de la métropole, à qui cette situation convenait parfaitement. Dans le même temps, les voisins du Sud diversifiaient leur économie, intensifiaient une immigration qu'un climat plus tempéré rendait plus aisée et s'organisaient sur place de façon plus autonome.

APRÈS LA CONQUÊTE, LA SURVIVANCE

C'est un petit peuple de 65 000 personnes qui passe aux mains des Anglais après le traité de Paris (1763). Ce peuple a une langue et une religion différentes de celles du conquérant et c'est précisément à cause de ces différences qu'il va miraculeusement survivre malgré le petit nombre d'individus au départ. Après de sérieuses difficultés, dues à l'ajustement entre les deux peuples, l'Église prend en mains les des-

tinées d'une société dont elle constitue pour l'instant la seule élite, ou presque. La hiérarchie du catholicisme, sa façon d'insister sur la soumission de l'individu au devenir collectif avait tout naturellement préparé les clercs au rôle de meneur habituellement tenu par l'État. En l'absence d'un État fort, c'est donc l'Église qui assure la suppléance.

Après la Conquête, les administrateurs, les militaires, les gros commerçants et quelques seigneurs fortunés sont repartis pour la France; la grande majorité (65 000 sur 70 000) est restée, constituée surtout d'habitants installés dans les paroisses créées peu à peu le long du fleuve, et d'une petite élite d'artisans. Une centaine de seigneurs aussi sont restés sur leurs terres, coupés cependant de tout ce qui touche le commerce des fourrures. S'ils s'appauvrissent, ils vendent leur seigneurie aux commerçants anglais ou favorisent les mariages de leurs enfants avec les enfants de ces mêmes Anglais. La nouvelle administration britannique s'appuie sur eux. Après 1880, leur pouvoir est contesté par les professions libérales dont les membres prennent de plus en plus leur place dans la société canadienne.

C'est au XIXe siècle que se sont précisées les traditions et coutumes des Québécois d'aujourd'hui. Ces traditions qui plongent leurs racines jusque dans les provinces françaises affirment en terre canadienne leur vie propre. Voués à l'agriculture qui favorise le repli sur soi — le commerce et l'industrie offrent plus d'occasions d'ouverture sur le monde —, les Canadiens développent une vie autarcique, sans grands contacts avec les Anglais. C'est l'époque où l'on file et où l'on tisse chez soi, où l'on apprend, comme les peuples voisins, à recycler les matériaux usagés (courtepointes, tapis tressés). C'est au Québec spécifiquement que se développe et se raffine la technique du fléché, tissage de longs brins de laine que l'on fait avec les doigts; ces grandes ceintures de couleurs vives font, avec la tuque, partie de la vêture habituelle du Canadien.

Dès la fin du XVIIIe siècle, les Canadiens, confusément désireux que les vainqueurs respectent leur identité, vont croître et se multiplier à un rythme bientôt étourdissant. La population double tous les vingt-cinq ans. Malgré une mortalité infantile inévitablement nombreuse, le taux de natalité — un des plus forts du monde — se maintiendra pendant près de deux siècles entre 50 et 30 pour 1000 jusque vers les années soixante de notre siècle.

Des 65 000 Canadiens de 1763 sortiront les 6 millions de Québécois que

ÉVOLUTION DE LA POPULATION QUÉBÉCOISE

1666	3 215
1685	12 263
1706	16 417
1736	39 063
1765	69 810
1790	161 311
1806	250 000
1844	697 084
1861	1 111 566
1901	1 648 898
1951	4 055 681
1971	6 027 764
1981	6 438 403
1986	6 532 461

Sources: Yves Guérard, dans Commerce, et Statistiques Canada.

l'on dénombrera deux siècles plus tard — cela, sans tenir compte du million d'habitants qui quittèrent le territoire de 1850 à 1930 pour aller vers l'Ouest ou vers les usines de la Nouvelle-Angleterre et, ce faisant, propagèrent la langue française et les coutumes canadiennes à la grandeur du continent.

À partir de 1830, et bien plus encore après 1840, l'Église joue le rôle de maître à penser, surtout dans les paroisses rurales (les Anglais, administrateurs, soldats et commerçants occupent plus massivement les villes). Garder la langue française sous la domination anglaise, rester catholiques sous une monarchie protestante, c'était renforcer chez les Canadiens la responsabilité de ne pas se faire minoriser dans leur propre pays. La solution sera d'occuper massivement la place grâce au métier à la fois le plus traditionnel qui soit et le mieux connu de ces gens-là, l'agriculture. On ouvrira de nouvelles terres à la colonisation, et l'on créera sans cesse de nouvelles paroisses. Il fallait bien trouver de la place pour installer les dizaines d'enfants des «grosses familles». Vers 1840, c'est autour du lac Saint-Jean que l'on s'installe. Vers 1870, le curé Labelle ouvre «les Pays d'en Haut» dans les Laurentides, au nord de Montréal. Vers 1880, l'attirance de l'Ouest développe le Témiscamingue et la construction des voies ferrées ouvre l'Abitibi à la colonisation vers 1910. La crise des années trente relancera momentanément le mouvement de colonisation vers l'arrière-pays de la Gaspésie, ou encore vers l'Abitibi; ce sera en même temps son dernier souffle.

Le XIXe siècle est une période d'im-

Le Gouvernement publie dès 1877 ce *Guide du colon* ou «manuel du défricheur». La dernière édition sera publiée en 1944 et porte précisément sur l'Abitibi-Témiscamingue.

photo: Bibliothèque nationale du Québec.

migration anglo-saxonne massive. En même temps, la tentation américaine incite à l'émigration vers le sud quantité de Canadiens qui s'épuisent à fonder des familles nombreuses au Canada et, malgré cela, n'arrivent pas à maintenir la forte proportion de francophones dans leur pays. Montréal devient une métropole économique de premier plan au centre de l'axe navigable des Grands Lacs vers l'Atlantique qui permet d'exporter le bois et le blé. Cet axe sera bientôt doublé d'un réseau ferroviaire de Détroit à Rivière-du-Loup.

L'occupant parlait anglais, occupait les postes de l'administration et du commerce; on lui laissait le soin de tout diriger et d'innover en matière d'économie; la tradition permettait alors de se différencier des Anglais, de se définir par rapport aux autres.

Les Anglais

Les administrateurs. La colonie passe sous les mains expertes d'un petit nombre d'Anglais qui s'enrichissent rapidement puisqu'ils occupent les postes clés. Peu après la Conquête, les treize colonies des voisins du Sud ayant décidé leur indépendance (1776), cette administration se renforcera encore jusqu'à devenir pléthorique selon certains historiens. L'Angleterre tenait à rester présente en Amérique du Nord: aussi le Canada requiert-il toutes les attentions de Londres. La minorité bourgeoise recrée à Québec et à Montréal les habitudes londoniennes du thé de l'après-midi ou des maisons en rangées: les plus riches déserteront plus tard la capitale pour occuper d'élégantes villas au milieu de parcs superbes le long du Saint-Laurent.

Pour eux, les Canadiens sont des citoyens de seconde zone, majoritaires mais qui veulent rester catholiques et français. On respectera ces vœux d'autant que leur soumission aux autorités en fait de puissants alliés face aux prétentions territoriales des jeunes États-Unis.

Les Loyalistes. La Déclaration d'indépendance n'avait pas fait que des heureux aux États-Unis. Certains, loyaux à la couronne britannique, préfèrent quitter de belles terres fertiles et ne pas participer, fût-ce de façon passive, à la révolution. L'administration anglaise donnera à ces Loyalistes de très belles terres au Canada et des indemnités substantielles: ce sera le noyau initial d'une colonie agricole anglaise. Au Québec, ils s'installeront surtout dans les Cantons de l'Est (Sherbrooke, Granby). D'autres s'établiront sur la côte sud de la Gaspésie, le long de la baie des Chaleurs.

Irlandais. À ces deux groupes d'Anglo-saxons s'ajoutent les Irlandais qui faisaient face dans leur île à de graves problèmes de survie politique et de survie tout court. On chiffre à deux millions le nombre de personnes qui quittent l'Irlande pendant la première moitié du XIXe siècle pour l'Amérique du Nord. De ce nombre, le tiers périt pendant le voyage où les maladies contagieuses, comme le choléra et le typhus, se développent rapidement dans la promiscuité infernale des cales de bateaux. Québec, un des ports d'entrée sur le continent américain, en vit passer des nombres impressionnants[19]. Après deux épidémies, transmises d'ailleurs aux résidents de Québec, on décida de transformer une des îles du Saint-Laurent, Grosse-Île, en station de quarantaine. On y enterrera 10 000 Irlandais.

Les Canadiens accueillirent les survivants dans leurs familles et leurs communautés agricoles. Une certaine proportion de ceux qui avaient choisi de s'arrêter au Québec, surtout dans les régions rurales, s'assimila à la majorité francophone dont ils comprenaient bien les problèmes qui ressemblaient aux leurs; il y eut aussi des mariages inter-ethniques qui contribuèrent à en fixer un certain nombre au Québec. Beaucoup d'autres ne firent que passer.

Les deux immigrations renforcent la minorité anglaise mais n'agissent pas de la même façon. Les Loyalistes renforcent le caractère britannique des institutions et l'esprit de soumission aux autorités que l'Église met de l'avant. L'immigration irlandaise, au contraire, ne sera pas étrangère aux sentiments de nationalisme des Patriotes responsables des troubles de 1837-1838. Dans le reste du Canada, où elle s'est dans l'ensemble assez bien assimilée, l'immigration irlandaise, catholique mais farouchement de langue anglaise, pèsera de tout son poids au sein de l'Église catholique pour contraindre les francophones à abandonner leur langue. Cette lutte sournoise atteindra un seuil critique au début du XXe siècle.

La population du Québec et du Canada 1871-1981			
Année	Québec	Canada	% Québec/ Canada
1871	1 191 516	3 689 257	32,4
1901	1 648 898	5 371 315	30,7
1931	2 874 662	10 376 786	27,6
1961	5 259 211	18 238 247	28,8
1981	6 438 403	24 343 181	26,4

Sources: Bureau de la Statistique du Québec et Recensements du Canada.

La toponymie

La toponymie du Québec est très révélatrice du moment où ont été fondés villes et villages. Aux XVIIe et XVIIIe siècles, on utilise les noms de lieux déjà donnés par les Amérindiens (Tadoussac, Québec, Rimouski, Chicoutimi); on baptise aussi rivières et agglomérations suivant un accident géographique (Pointe-au-Pic, Trois-Rivières, Cap-Tourmente), un fait de civilisation (Trois-Pistoles, Rivière-au-Renard, Chute-aux-Outardes). Au XIXe siècle, au moment où l'on fondait à un rythme accéléré de nouvelles paroisses[20], c'est le nom du saint patron de l'Église qui prévaut sur toute autre considération. Tous les saints du calendrier défilent ainsi sur les routes de l'arrière-pays, faisant surgir parfois de gigantesques églises en pleine campagne, comme à Sainte-Hénédine dans la Beauce. On dénombre des quantités de Saint-Joseph, de Sainte-Marie, de Saint-Germain, de Sainte-Anne, et pour les différencier, les Canadiens qui ont toujours eu le sens de l'image ont parfois ajouté des précisions très concrètes: Saint-André-de-l'Épouvante, Sainte-Rose-du-Dégelis, Sainte-Émilie-de-l'Énergie, Saint-Louis-du-Ha!-Ha!

Pendant ce temps, les Loyalistes s'installent dans les Cantons de l'Est et sur la baie des Chaleurs et donnent des toponymes bien anglais: New Carlisle, Chandler en Gaspésie, Windsor et Sherbrooke en Estrie.

À la fin du siècle, l'avènement du chemin de fer déplace parfois certaines agglomérations; il faut alors préciser: Portneuf devient ainsi Portneuf-ville et, à 3 km à l'intérieur des terres, sur la voie ferrée, se développe Portneuf-

station. Si un village donne naissance à une autre agglomération, on distinguera l'ancien du nouveau village: à l'Ancienne-Lorette s'ajoute Jeune-Lorette, dont les élus municipaux feront plus tard Loretteville. À partir du milieu du XIXe siècle, on voit apparaître l'appellation de «village» qui se distingue de la zone rurale qui l'entoure connue sous le nom de «municipalité de paroisse», même si le village et la paroisse appartiennent tous deux à la même communauté paroissiale: entre habiter les rangs et demeurer au village, il y avait maintes différences d'ordre socio-culturel.

L'onomastique

Ce peuple issu d'un petit nombre de personnes a la particularité d'offrir un choix de patronymes restreints[21]. Un coup d'œil à l'annuaire téléphonique de Montréal suffit pour constater que les Tremblay, les Gagnon, les Roy ont fait souche et se sont ramifiés à souhait. Certains noms sont souvent assimilés à la région qu'ils ont d'abord peuplée: c'est ainsi qu'on trouve des rangs entiers de Tremblay dans Charlevoix, puis au Lac-Saint-Jean ou des myriades de Vachon dans la Beauce. L'ancêtre des Tremblay, Pierre, arrivé en 1647, à vingt et un ans, s'était installé près de Québec. Aujourd'hui, ses descendants sont plus de 180 000 (un Québécois sur cinquante s'appellerait Tremblay!).

Pour éviter les désagréments de porter tous le même nom, certains descendants d'une famille ont décidé de préciser: Girard dit Langevin, Vachon dit Pomerleau, ou Jacques Varin dit Latour, qui deviendront à la génération suivante simplement Pomerleau et Latour. On retrouve aussi, en guise de patronyme, beaucoup de sobriquets ou de surnoms habituels chez les soldats: Laframboise, Latendresse, Latulippe, Jolicœur.

On n'allait pas toujours chercher un conjoint dans un autre village; on relève parfois certaines traces de consanguinité dans les gènes des Québécois. À l'inverse, le métissage avec les autochtones, plus fréquent dans certaines régions, donne d'heureux résultats, évidents sur les traits de plus d'un Québécois.

Chez les Amérindiens, on note la grande quantité de prénoms utilisés comme noms de famille. Peut-être les hommes d'Église pensaient-ils qu'une fois baptisés d'un nom chrétien, les gens oublieraient tout de leur propre culture s'ils ne s'identifiaient plus à un nom à consonance amérindienne: à la fin du XIXᵉ siècle, le chef du village huron de Jeune-Lorette s'appelait Zacharie Vincent. Un siècle plus tard, Max Gros-Louis est, à son tour, le grand chef de cette même tribu. Ce phénomène est tout à fait semblable à ce que l'on peut observer dans les Antilles françaises: c'est bel et bien un fait de colonisation chrétienne. En Martinique, abondent les noms de famille qui sont des prénoms d'hommes alors qu'en Haïti, ce sont les prénoms de femmes qui servent de noms de famille.

L'économie

La tentation est grande pour l'Église de valoriser à outrance le travail agricole, même désespérément dur et ingrat, par rapport au travail en usine qui se répand avec l'essor industriel des États-Unis. Pour qu'un rejeton d'une de ces familles nombreuses qui «en arrachaient» sur leur sol caillouteux ne cédât pas au mirage américain[22], il fallait imprimer profondément en lui la conviction que le travail de la terre était le seul qui prépare l'honnête homme à la vie surnaturelle. D'ailleurs, les terres neuves de la vallée du Saint-Laurent avaient un excellent rendement et produisaient des quantités de céréales qui seraient vendues puis exportées. Les Anglais eux-mêmes encourageaient cette vision des choses, ne voyant pas d'un trop bon œil leur seule colonie restant en Amérique du Nord se lancer dans des industries de transformation qui les empêcheraient alors d'écouler les surplus fabriqués à Manchester, Londres ou Liverpool.

On préféra donc exploiter les ressources naturelles de cette immense région: consolider ce qui restait de l'exploitation des fourrures dont le Grand Nord constitue une réserve quasi inépuisable, mettre en place un système d'exploitation de la forêt qui s'étend

Max Gros-Louis, grand chef de la nation huronne, revêtu de son costume d'apparat.

photo: Françoise Tétu de Labsade.

La «pitoune» flotte vers l'usine de pâte à papier.

photo: Office du film, gouvernement du Québec.

encore sur des milliers d'acres. On ouvre des routes, on déplace l'hiver une main-d'œuvre à bon marché qui n'a plus de travail à la ferme et qui fauche des forêts entières. Ces bûcherons vivent dans des camps[23], où les conditions de travail et de logement sont difficiles. L'hiver fini, le chantier ferme, les bûcherons, s'ils ne rentrent pas dans leur ferme, se transforment en draveurs[24] ou en cageux[25]. On oublie donc les anciennes méfiances vis-à-vis des États-Unis qui permettent au Canada d'exporter ses ressources.

L'Acte de l'Amérique du Nord britannique ne change pas grand-chose à la société québécoise de l'époque. C'est donc dans un esprit de continuité assez remarquable que les Québécois fabriquent des «trâlées» d'enfants, dont beaucoup émigrent vers l'Ouest ou vers le mirage américain des usines de la Nouvelle-Angleterre. L'Église contrôle les moyens de socialisation et assure la prédominance de l'idéologie agriculturiste. C'est entre 1840 et 1875 que se précise l'idéologie ultramontaine qui aura des répercussions au Québec jusque vers 1950.

VERS UNE SOCIÉTÉ MODERNE

La tradition libérale

Parallèlement, un courant d'idées libérales prend peu à peu de la force dans l'appareil de l'État. L'industrialisation avait commencé vers 1840 sur les bords du canal Lachine, s'était accrue avec la construction ferroviaire, puis diversifiée vers 1880 dans le textile et la chaussure. Au début de ce siècle, l'hydro-électricité et l'aluminium lui donnent un nouvel essor. Les communications rapides, l'avènement des moyens audiovisuels dessinent un nouvel ordre économique mondial auquel aucun pays ne peut être indifférent.

Honoré Mercier, premier ministre de 1887 à 1891

photo: Archives nationales du Québec à Québec: GH 370-89, collection initiale.

Au rêve clérical d'une société rurale s'oppose donc de plus en plus la réalité d'une société industrielle et urbaine. Le développement industriel est défendu sur le plan politique par des libéraux qui ont d'ailleurs dominé la scène provinciale de 1887 à 1936. Honoré Mercier fut premier ministre libéral du Québec de 1887 à 1891. Très nationaliste, il défend l'autonomie des provinces contre le fédéral avec une détermination qui l'amènera à convoquer en 1887 la première conférence interprovinciale.

Le Québec joue un rôle de premier plan dans la Confédération, ne serait-ce que par le nombre d'électeurs que courtisent les chefs de parti. C'est à cette même tradition libérale que se rattache la majorité des premiers ministres fédéraux sortis du Québec: Wilfrid Laurier au tournant du siècle, Louis Saint-Laurent après la Deuxième Guerre mondiale, Pierre Elliott Trudeau plus récemment. Ces trois personnes agiront en tant que Canadiens et ne feront aucun passe-droit au Québec. Ce seront en fait des premiers ministres actifs et d'ailleurs contestés, surtout Laurier et Trudeau, qui dirigeront les destinées du Canada avec énergie.

Une société qui s'urbanise

En 1921, les citadins sont devenus majoritaires au Québec. La crise économique de 1929-1930 semble d'abord donner raison à ceux qui rêvent encore d'une société rurale, mais la guerre accélère encore le processus d'urbanisation et fait brusquement prendre conscience aux Québécois qu'ils ne sont plus des ruraux. Cinq Québécois

POPULATION URBAINE ET RURALE DE LA PROVINCE DE QUÉBEC
(Chaque symbole représente 10 pour cent de la population)

1871-1961

photo: Annuaire du Québec 1964-1965.

sur six habitent maintenant la ville. Progressivement se modifieront ainsi les valeurs qui encadraient la société québécoise traditionnelle. Les coutumes qui rythmaient la vie sociale et religieuse vont disparaître: la criée des âmes, la vente des bancs d'église, la bénédiction du jour de l'An, la bénédiction du lit nuptial, qui s'étaient développées au XIXᵉ siècle pour donner un esprit de corps aux paroissiens répartis le long des rangs et occupés à leurs travaux saisonniers, n'ont plus de raison d'être dans la ville où la primauté de l'individu sur la société ne fait plus de doute. Ce qui ne veut pas dire qu'on laisse de côté les occasions de se retrouver en groupe. Au contraire, les parties de sucre, les épluchettes de blé d'Inde sont restées des occasions de détente et de retrouvailles pour le citadin qui se souvient d'une existence

rurale. Le plaisir de bien manger est d'ailleurs devenu l'une des constantes de la société québécoise dont le goût qui se raffine force constamment les restaurateurs à faire preuve d'imagination.

Répartition de la population du Québec de 1851 à 1981

Années	Population rurale	Population urbaine
1851	80%	20%
1901	62%	38%
1921	48%	51%
1981	20%	80%

Sources: Recensements du Canada et Bureau de la statistique du Québec.

La ville de Montréal, jusqu'à récemment métropole non seulement du Québec, mais du Canada, s'affirme de plus en plus française tout en s'enrichissant de l'apport d'immigrants de divers pays (Italiens, Grecs, Haïtiens et Latino-Américains s'ajoutent à une communauté d'origine juive déjà importante). Montréal devient en quelque sorte le «creuset d'une nouvelle société», une sorte de «laboratoire social» (P.-A. Linteau) du Québec. L'État reprend en main les services autrefois assurés par l'Église. Les services sociaux et l'éducation deviennent des priorités politiques, engouffrant des budgets gigantesques. L'appareil de l'État s'alourdit devant la multiplicité des tâches à accomplir.

La Révolution tranquille et ses conséquences

On appelle Révolution tranquille cette période de rupture, aux alentours des années soixante, pendant laquelle des changements radicaux et rapides affectent la société québécoise. D'apparence plus statique auparavant, celle-ci tout à coup est emportée dans une dynamique de pensées et d'actions qui, par un effet d'entraînement, remettent en question tout ce qui semblait jusque-là «coulé dans le béton». Les cadres institutionnels (Église, famille) éclatent, les certitudes vacillent, le manque d'initiative fait place à une créativité bouillonnante, la soumission et la discipline à une imagination parfois débridée. L'État devient tout-puissant, se chargeant des responsabilités si longtemps dévolues à l'Église. L'État, comme tous les patrons des sociétés occidentales, doit compter avec la détermination des syndicats (Confédération des syndicats nationaux, Fédération des travailleurs du Québec, Centrale des enseignants du Québec, etc.), qui défendent âprement les intérêts des employés contre les employeurs, qu'il s'agisse du secteur privé, du secteur public ou para-public. La société, comme l'individu, n'a plus les mêmes valeurs. L'éducation devient primordiale. Les technologies nouvelles forcent à repenser l'économie en fonction d'un monde en mutation constante et rapide.

La crise des années trente avait frappé très durement l'ensemble du Canada et freiné un temps les transformations; celles-ci reprennent à un rythme rapide à partir de la Deuxième Guerre mondiale. La prospérité permet une amélioration appréciable du niveau de vie. Les aspirations au modernisme se font plus pressantes dans les décennies d'après-guerre. Les campagnes se sont vidées. Le retard dans les secteurs de

Une assemblée électorale en 1960 (*The Gazette*, 1968-140).

photo: Archives publiques du Canada: PA 145477.

l'éducation et des services deviennent plus évidents. Le «baby-boom» crée une pression supplémentaire. Le «rattrapage» devient le mot d'ordre de la Révolution tranquille. Celle-ci s'inscrit dans un processus d'évolution à long terme; l'expression de la mutation de cette société qui était le fait d'un petit nombre d'individus devient l'affaire de tous ou presque. Tous les milieux n'étaient pas également préparés à ces changements dont l'idée même n'était sans doute pas enracinée dans la conscience collective. L'arrivée de la télévision dans presque tous les foyers vers 1955 informe largement ceux qui jusque-là n'en avaient pas eu les moyens. Le choc causé par la rapidité des changements sera ressenti parfois brutalement par certaines couches de la société, autrefois plus protégées que d'autres.

Le pouvoir d'achat de l'individu lui permet maintenant de veiller à son confort individuel (loisirs, sports, voyages); comme il élimine les contraintes (pratique religieuse, familles nombreuses), il multiplie les expériences de tous ordres, affectif, sexuel, culturel. La Révolution tranquille est accompagnée d'un essor économique qui ouvre le Québec sur le monde et en particulier le monde francophone (accords bilatéraux de coopération avec la France et avec plusieurs pays d'Afrique.)

La réorganisation administrative touche tous les aspects de la culture. La collectivité se prend en mains: de grands débats de fond ont des retentissements dans tous les milieux. Les problèmes de langue, de communications sont à l'ordre du jour de tous les discours politiques. La société québécoise sent renaître en elle l'élan indépendantiste qui animait les Canadiens de souche du régime français. Cette poussée qui revient régulièrement à la surface, vers 1837 avec les Patriotes ou plus récemment avec le Parti québécois, a aussi été le fait d'intellectuels de classe comme Lionel Groulx, André Laurendeau et d'autres dont les écrits mettent à nu une âme collective qui se souvient, et écrit à son tour les pages d'une histoire qui se répète.

Évolution de la situation des femmes

La famille n'est plus le bloc monolithique où l'individu puisait la force de définir son identité et le choix de ses valeurs. Il s'était institué au XIXᵉ siècle une force matriarcale qui n'empêchait toutefois pas les femmes d'être cantonnées dans les rôles traditionnels d'épouse porteuse d'enfants et de mère nourricière.

À ces femmes, le fédéral avait accordé en 1917 le droit de vote, plus rapidement que le Québec, qui sera la dernière province à le faire en 1940. Sans doute faut-il voir dans cette attitude le reflet d'un certain traditionalisme? On avait beaucoup de mal à percevoir les femmes autrement que comme épouses et mères, à l'extrême rigueur institutrices[26] — ces dernières étant d'ailleurs extrêmement mal payées. Arrivées en ville, les filles des fermières d'autrefois deviennent en grand nombre infirmières ou secrétaires, travailleuses en usine (textile, chaussure) alors que leurs frères accèdent plus aisément à des métiers plus prestigieux (médecins, professeurs, cadres, ingénieurs). Mais le féminisme, tard venu[27], a pris des bottes de sept lieues pour rattraper en un temps record les prérogatives perdues au fil des siècles. De plus en plus nombreuses, les femmes entrent sur le marché du travail. Des lois claires sont progressivement votées qui viennent graduellement supprimer les principales inégalités entre les hommes et les femmes.

Multiethnicité

Malgré sa cohésion, le peuple québécois n'est plus un peuple seulement composé de descendants des premiers Français installés en Amérique. D'aussi loin que l'on remonte dans l'histoire, le Québec possède une tradition d'accueil qui ne se dément pas.

Depuis la dernière guerre surtout, bon nombre de personnes sont arrivées au Québec, soit attirées par les facilités économiques, soit poussées par des raisons politiques. C'est ainsi que le Qué-

POPULATION SELON LE GROUPE ETHNIQUE

	Canada	Québec
Population totale	25 309 331	6 532 461
Français		
origine unique	6 087 310	5 015 565
origine multiple	2 027 945	77 195
Britanniques		
origine unique	4 742 040	319 550
origine multiple	6 561 910	60 715
Amérindiens*		
origine unique	286 230	37 150
origine multiple	262 730	26 440
Métis		
origine unique	59 745	5 700
origine multiple	91 685	5 740
Inuit**		
origine unique	27 290	6 470
origine multiple	9 175	890
Autres	5 153 271	977 046

* Neuf nations amérindiennes: Abénaquis, Algonquins, Attikameks, Cris, Hurons, Micmacs, Mohawks, Montagnais, Naskapis. Trente-neuf villages sur des territoires qui leur sont réservés un peu partout à travers le Québec.
** Quinze villages situés dans le nord du Nouveau-Québec.
Source: Statistiques Canada 1986.

bec a reçu plusieurs vagues de Français d'Afrique du Nord, de Chiliens, de Vietnamiens ou de Cambodgiens, en même temps qu'il accueillait régulièrement des Italiens, des Grecs et des Haïtiens... Le Québec a d'ailleurs besoin d'une immigration de qualité qu'il peut susciter ou encourager. Il doit toutefois se plier aux règles fédérales définies par Ottawa. Cela a pu causer quelques frictions. Montréal est évidemment la ville la plus cosmopolite au Québec, ce qui stimule considérablement le commerce et diversifie l'expression culturelle. Le Québec s'enorgueillit aujourd'hui de plusieurs réussites artistiques dues à des Québécois d'origine étrangère[28]. Ce sont d'ailleurs les immigrants qui rajeunissent quelque peu une société vieillissante que les naissances n'arrivent plus à équilibrer.

Tout en gardant certaines habitudes culturelles, religieuses ou alimentaires, les groupes d'émigrés doivent adopter les us et coutumes d'un Québec qui s'est fait en français au cours des siècles de son histoire et qui entend rester français. Son évolution originale entraîne des comportements particuliers, telle cette habitude de se tutoyer facilement, parfois dès un premier et pour un unique contact. Sans doute cela

Des réfugiés désireux de venir s'installer au Québec.

photo: Ministère des Communautés culturelles et de l'Immigration, gouvernement du Québec, (La Presse).

vient-il du fort courant égalitariste qui s'était développé au début de son histoire? C'est peut-être un facteur supplémentaire de l'insertion relativement facile des groupes ethniques étrangers. (On verra toutefois que l'immigration pose des problèmes d'ordre linguistique et éducatif.)

Loisirs et sports

Au Québec, les «patros», les colonies de vacances, les cercles de fermières sont nés et se sont développés sous l'égide de l'Église dans la première moitié du siècle. Puis la municipalité est devenue maître d'œuvre de l'organisation et du développement du loisir sur son territoire avec des partenaires privilégiés: l'institution scolaire et les associations sans but lucratif.

Au moment de la Révolution tranquille, les différents organismes de loisirs (1965) puis de sports (1968) décident de se confédérer pour unir leurs efforts. L'État propose une nouvelle idéologie: le loisir comme composante de la modernisation de la société québécoise et comme partie prenante au développement d'une culture nationale. Le ministère de l'Éducation, nouvellement organisé alors et conscient de sa tâche, accorde une importance particulière à l'éducation physique: il s'adjoint en 1968 le haut-commissariat à la Jeunesse, aux Loisirs et au Sport. En 1980,

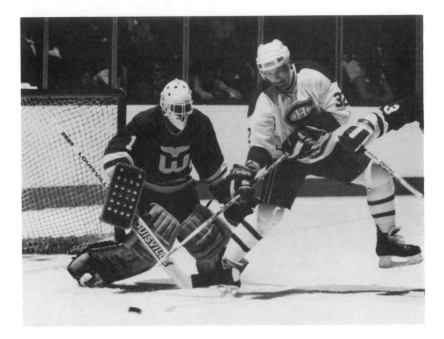

Il lance... et compte!

photo: Club de hockey «Canadien».

le gouvernement crée le ministère du Loisir, de la Chasse et de la Pêche qui coordonne les efforts tout en respectant les divers milieux qui sont consultés avant les prises de décision. Le bénévolat reste la clé de voûte du système, ce qui n'empêche pas le Québec de préparer des techniciens en loisirs dans plusieurs collèges (Rivière-du-Loup, Vieux-Montréal, Saint-Laurent), et des professionnels en loisirs à l'Université du Québec à Trois-Rivières.

Nord-Américain, le Québécois est un passionné de sport. L'hiver, il passe une grande partie de son temps libre sur les patinoires et les pistes de ski de randonnée ou de descente qui se sont multipliées un peu partout. L'été, les pisci-nes, si nombreuses dans les banlieues des grandes villes, rendent plus supportables les grosses chaleurs. Plus populaire encore, le vélo s'est développé très vite lui aussi, de telle sorte que *Le Devoir* pouvait affirmer en mai 1988 que le tiers des Québécois s'adonne à la bicyclette.

Du côté du sport professionnel, c'est au hockey que les Québécois sont les meilleurs — bien qu'il y ait d'autres sportifs connus en automobile, en natation ou en patinage de vitesse. Le Québec fournit des joueurs de hockey à beaucoup d'équipes canadiennes et américaines. La passion des amateurs de hockey atteint son apogée au moment des séries éliminatoires de la Coupe Stanley (depuis 1912) qui immobilisent devant leur écran de télévision la majorité des Québécois, surtout si leurs équipes préférées sont parmi les finalistes. Les Canadiens de Montréal et les Nordiques de Québec ont leurs «fans» et l'on commence très tôt à s'identifier à l'un ou l'autre club. C'est le sport national qui crée le plus de convergences entre les Québécois de vieille souche et les émigrés de fraîche date[29], qui sont vite captivés par le hockey.

Dans un article intitulé «Les Québécois, le hockey et le Graal», Rénald Bérubé insistait en 1973 sur l'importance du hockey dans la vie collective, reprenant la phrase que le père Ernest Gagnon avait un jour lancée à ses etudiants de l'Université de Montréal: «Le hockey du samedi soir, au Québec, c'est une séance de thérapie collective.» L'identification aux grands de ce sport — les anciens comme Maurice Richard, Jean Béliveau, Guy Lafleur, ou les jeunes Michel Goulet et Mario Lemieux — lui semblait être pour les Québécois «la vengeance de la virilité triomphante sur l'impuissance presque institutionnalisée des gens en place».

Au base-ball, sport très répandu en Amérique du Nord, les Expos défendent les couleurs de Montréal, mais rien ne peut se comparer à l'engouement que suscite le hockey, ce sport qui vient de loin puisque les Amérindiens jouaient déjà à la «crosse».

Un nouvel ordre économique

Du côté des ressources naturelles, fer, cuivre, zinc, or et argent sont présents dans un sous-sol dont on est loin de connaître toutes les ressources. L'exploitation se développe considérable-ment jusqu'aux années quatre-vingt qui, avec une baisse sensible du marché des minerais, connaissent un ralentissement de la prospection minière. Le Québec fournit 22% de la production mondiale d'amiante, élément important dans l'économie régionale du Québec, même si les États-Unis, après l'Europe, ont porté un dur coup à la région de Thetford en interdisant l'importation de ce matériau. On trouve également de bonnes réserves de minerais de titane, de lithium, etc.

L'hydro-électricité (45% du potentiel du Canada) a un avenir très prometteur. Après la nationalisation des compagnies productrices d'électricité et la création de Hydro-Québec, la construction d'immenses barrages (Manicouagan, 1968, 1977; rivière La Grande 1980, 1983) est devenue à la fois un symbole de la réussite technologique du Québec et un atout économique important. Le gouvernement Bourassa tient à rouvrir le chantier de la baie James pour doubler la production d'électricité dans les années 1990. Le faible coût de revient de cette énergie «propre» et renouvelable permet, outre l'exportation, l'installation de plusieurs industries de transformation (aluminium, produits chimiques).

En ce qui concerne les forêts, qui ont été surexploitées au XIXe siècle sans grande conscience écologique, elles représentent un capital dont on perçoit aujourd'hui la fragilité. On reboise donc beaucoup pour refaire le manteau forestier dont pouvait autrefois s'enorgueillir le territoire. Les usines de pâte à papier se contentent d'essences modestes qu'on croyait robustes et sans problème; mais une chenille, la tordeuse du bourgeon de l'épinette, fait des ravages. Cela n'empêche cependant pas les industries du bois (exploitation et transformation) de participer très activement à l'économie québécoise. Les forêts du Québec sont aux trois quarts constituées de résineux (épinette et sapin); les feuillus sont surtout des bouleaux et des érables. Suivie de loin par les scieries (350 environ) et les ateliers de bois ouvré, l'industrie des pâtes et papiers (plus de 60 usines) s'impose par son importance dans l'exportation.

Du côté de l'agriculture, les fermiers se sont progressivement orientés davantage vers l'élevage (vaches laitières, porcs) que vers les récoltes (luzerne, maïs et pommes de terre; pommes et fraises). En outre, ils tirent un revenu supplémentaire des érables qui fournissent au tout début du printemps une sève abondante dont les Amérindiens avaient montré à leurs ancêtres comment tirer un sirop et un sucre délectables.

Le mouvement coopératif né au Québec au début du siècle a permis de regrouper les forces dans les secteurs de l'agriculture (Agropur) et dans le secteur bancaire[30] (le mouvement Desjardins arrive au sixième rang des institutions financières canadiennes et sa charte québécoise le met à l'abri des visées toujours possibles d'Ottawa).

Le secteur secondaire regroupe les industries manufacturières et la construction. Certaines industries de transformation (textile, chaussure, vêtement) très rentables au début du siècle s'essoufflent devant l'invasion du produits manufacturés en Orient ou en Extrême-Orient. L'imagination[31] permet cependant aux entreprises les plus dynamiques de garder une bonne part de ce marché. L'industrie du meuble, la fabrication de voiliers et de canots participent avec vigueur à la bonne santé économique de cette production.

Le secteur tertiaire (commerce, services) regroupe le plus grand nombre de petites et moyennes entreprises. Les PME[32] ont un poids relatif très important dans l'économie québécoise (45% des revenus déclarés par l'ensemble des corporations).

Secteurs d'activités des PME

Secteurs	Petites	Moyennes
Primaire	446	5
Secondaire	431	2
Tertiaire	3919	12
Total	4796	19

Source: Ministère de l'Industrie et du Commerce.

Pendant que les descendants des paysans consolident leur patrimoine en renforçant les PME, les héritiers spirituels des conquérants et découvreurs se lancent dans la finance et les multinationales. Quelques entreprises de grande taille mettent le Québec contemporain sur la carte du monde. Bombardier, après avoir dominé le secteur de la motoneige, fabrique les wagons du métro du New York ou de Mexico et exporte des trains un peu partout dans le monde. Les papeteries Cascades (les frères Lemaire) se lancent sur le marché français. Lavalin est le plus gros bureau mondial d'ingénierie: il a envoyé un personnel qualifié dans plus de 90 pays où l'expertise d'ingénieurs audacieux est exigée. On parle aussi de l'«empire» de Paul Desmarais: son entreprise, Power Corporation, est un grand *holding* au sens américain du terme. L'économie québécoise, comme l'économie canadienne, est nord-américaine, souvent tributaire des États-Unis.

Entreprises en 1987

Petites et moyennes	Grandes et très grandes	Total
158 800 (soit 99,3% du total) comme en 1986	1 000	159 800

Source: Ministère de l'Industrie et du Commerce.

Cela permet de dire que si les États-Unis prennent un rhume, le Canada a de fortes chances d'attraper la grippe et le Québec, une pneumonie. Les secousses boursières de Wall Street peuvent se transformer en vagues de fond au nord du 45ᵉ parallèle.

En 1987, le gouvernement canadien, sous l'impulsion du premier ministre conservateur Brian Mulroney, entreprit de négocier une entente de libre échange avec les États-Unis. La portée en est difficile à évaluer. Le géant américain a un gros appétit et si le Canada craint pour certains aspects déjà fragiles de son économie, le Québec, lui, peut craindre, en outre, de voir son identité linguistique et culturelle finalement noyée dans le grand tout de langue anglaise et de culture anglo-saxo-nord-américaine. Cette inquiétude est fondée: les médias sont déjà pratiquement continentaux et la câblodistribution met à la portée des Québécois nombre d'émissions américaines dont ils sont friands. Pourtant, de cette culture orale du XIXᵉ siècle est resté le goût de s'exprimer plus personnellement: les lignes ouvertes de radio sont

demeurées très populaires. La télévision, à sa façon, maintient une présence familière, et les télévores se régalent de téléromans locaux ou intimistes ou encore de séries sociologiquement typiques, du genre *Lance et compte*. À l'instar de nombreux biens de consommation courante, la production locale résistera-t-elle aux appâts voluptueux des *Dallas* et autres *Dynasty* américanisants?

Valeur des exportations des 25 principaux produits (1986) en millions de dollars

1.	Papier d'imprimerie	2935
2.	Automobiles et châssis	1914
3.	Aluminium et alliages	1505
4.	Bois d'œuvre	737
5.	Moteurs d'avion et pièces	676
6.	Tubes électroniques et semi-conducteurs	603
7.	Minerais, concentrés et déchets de fer	573
8.	Assemblage, équipement et pièces d'avion	412
9.	Matériel roulant de chemin de fer	409
10.	Viandes fraîches, réfrigérées et congelées	407
11.	Pâtes de bois et similaires	400
12.	Électricité	374
13.	Matériel de télécommunication	369
14.	Cuivre et alliages	369
15.	Amiante non manufacturé	315
16.	Avions entiers avec moteurs	279
17.	Autres minéraux non métalliques	226
18.	Pièces et accessoires d'autres véhicules automobiles	199
19.	Machines et matériel de bureau	191
20.	Meubles et accessoires	189
21.	Vêtements divers	177
22.	Fer et acier primaires	149
23.	Produits laitiers	148
24.	Zinc et alliages	107
25.	Mazout	96

Source: Bureau de la statistique du Québec, *Commerce international du Québec*, 1985 et 1986.

De toute façon, la préoccupation la plus importante des années quatre-vingt est continentale: il s'agit du chômage, particulièrement chez les jeunes, ce qui ne laisse pas d'inquiéter les divers gouvernements. L'État-providence (la part de budget la plus importante est celle des affaires sociales) a pris au Québec le relais de l'Église, mais ce n'est pas une solution d'avenir. La création d'emplois, à la faveur du virage technologique, reste la préoccupation dominante.

La société québécoise d'aujourd'hui est une société occidentale vivante qui occupe une place de première importance dans la société canadienne. Très majoritairement francophone, elle a un rôle à jouer dans la francophonie mondiale dont on ne voyait jusque-là que l'axe nord-sud, de l'Europe à l'Afrique. Pour en revenir au Québec, s'il y a eu un revirement spectaculaire, souvent déchirant, on ne peut cependant que constater combien certains comportements individuels ou collectifs s'expliquent par un mode de vie traditionnel, une façon d'être et d'appréhender le réel qui, eux, plongent des racines dans une histoire dont on se souvient.

Notes

1. Les solanées ou solanacées sont une famille de plantes à laquelle appartiennent aussi l'aubergine et le piment, le pétunia et la belladone.

2. Le froid et la neige assurent aux fourrures canadiennes une qualité supérieure. Le castor de France n'avait pas les «huit reflets» du castor du Canada; il avait cependant abondé en métropole: en témoigne la quantité de noms de lieux évocateurs de la présence de ce précieux mammifère autrefois appelé bièvre: Bierre

ou Bierré, Bisvre, Besvre, Besbre, etc.

3. Philippe Auguste disait déjà en 1204: «Les Français ne connaissent point les voies de la mer.» Fernand Braudel parle même de «l'infirmité structurale qui affecte la puissance maritime de la France. En fait, du traité d'Utrecht (1713) au traité de Paris (1763) [...] la France n'aura de marine que dans les tableaux de monsieur Vernet.»

4. Ils deviendront les Cadiens (de «Cajuns»).

5. Cette épopée a été racontée avec truculence et tendresse par Antonine Maillet dans *Pélagie-la-Charette* (Prix Goncourt 1979).

6. Ce serment obligeait son prestataire à renier plusieurs dogmes fondamentaux de la religion catholique (transsubstantiation, autorité du pape, etc.).

7. On a par la suite modifié les frontières à plusieurs reprises.

8. Vingt ans plus tôt, ils en représentaient 50%.

9. Un très grand nombre de ces volontaires canadiens-français disparaîtront à Monte Cassino, à Dieppe ou ailleurs en Normandie, entre autres.

10. En 1917, deux députés proposent même à l'Assemblée législative du Québec une motion «séparatiste» qu'ils s'empressent d'ailleurs de retirer «...que cette chambre est d'avis que la province de Québec serait disposée à accepter la rupture du pacte fédératif de 1867 si, dans les autres provinces, on croit qu'elle est un obstacle à l'union, au progrès et au développement du Canada.» (J.-N. Francœur et H. Laferté)

11. Né d'un père francophone et d'une mère anglophone, il incarne en sa personne la tendance nationaliste vers un Canada bilingue et biculturel.

12. La devise du Québec a été ajoutée aux armes de la province en 1883.

13. On croit encore parfois que le peuplement des colonies servait d'exutoire à toute une racaille non désirable. Le pays débarrassait ainsi à bon compte prisons et asiles en tous genres. Ce n'est pas cependant la généralité: à preuve la volonté

expresse et connue de Louis XIV de fonder une colonie exemplaire, c'est-à-dire catholique et fidèle à sa monarchie.

14. Si la France compte ses sujets en âmes, l'Angleterre les compte en *bodies*.

15. La seigneurie des Éboulements concédée en avril 1683 au frère de Charles Lessard était ainsi décrite: «Des terres qui sont de front le long du fleuve Saint-Laurent, à prendre depuis celles concédées à Charles Lessard, son frère, en descendant le dit fleuve et jusqu'à la borne du sieur de Comporté, du côté du nord, contenant cinq quarts de lieues de profondeur dans les terres, pour en jouir à l'avenir en fief et seigneurie.» En 1710, elle passait aux mains de Pierre Tremblay.

16. Arpent: ancienne mesure agraire de longueur et de surface. Un arpent valait 100 perches, mais la perche de Paris et celle du Poitou n'avaient pas la même taille. Longueur: environ 60 mètres ou 200 pieds. Surface: environ 34 ares ou 32 500 pieds carrés.

17. Plutôt symbolique au début, la rente augmentera très nettement au XIXe siècle. Il existait d'ailleurs d'autres droits nettement plus lourds à la charge de l'habitant.

18. Il existait des seigneuries qui n'étaient occupées que par un unique habitant.

19. Avec un sommet pendant l'année 1847. En 1852, 51 500 personnes nées en Irlande constituent 5,7% de la population totale du Bas-Canada.

20. Le curé Labelle, à lui seul, en fonde soixante.

21. Les deux tiers des Canadiens français sont issus des 3380 personnes ayant fait souche avant 1680: mariages et remariages hâtifs, fécondité déjà exceptionnelle.

22. L'agriculture et l'élevage ont cependant aussi fait partie du rêve américain.

23. Voir à ce sujet le très beau film d'Arthur Lamothe: *Les Bûcherons de la Manouane* (n/b, ONF, 1963).

24. Draveur: de *driver* (*to drive*, conduire); le draveur est l'homme qui guide les billots de bois le long des lacs et rivières pour les amener au moulin où la pitoune sera transformée en bois d'œuvre ou en pâte à papier.

«On appelait ainsi au pays du Québec ceux qui, dès la première fonte des neiges, vont ouvrir les chenaux des rivières et préparer la grande drave.

C'est, de toutes, la corvée la plus dure et la plus hasardeuse.

Les hommes ont à se battre contre le froid, la neige et l'eau.

D'une étoile à l'autre, ils doivent dégager les billes encavées dans la glace, courir sur le bois en mouvement , s'agripper aux branches, aux rochers de bordure quand l'eau débâcle et qu'elle veut tout emporter comme une bête en furie.» (F.-A. Savard, Menaud, maître-draveur, 1937)

25. Les «cageux» pilotaient d'immenses radeaux de bois ouvré, poutres déjà équarries par exemple, sur les chemins d'eau.

26. Thérèse Casgrain, chef du Parti social-démocratique du Québec (1955), est huit fois candidate aux élections fédérales ou provinciales, et huit fois défaite: «Comment l'électorat du Québec d'alors aurait-il pu élire une femme qui, de surcroît, était chef d'un parti de gauche?»

27. En 1960, la revue *Commerce* proclame Justine Lacoste-Beaubien «homme de l'année»! Elle avait fondé l'hôpital Sainte-Justine pour les enfants malades et y avait consacré un demi-siècle de bénévolat.

28. Juan Garcia, originaire d'Espagne, obtient le prix des Études Françaises pour un ouvrage de poésie; Marilù Mallet, venue du Chili, a su dire magnifiquement en langage cinématographique les dures leçons de l'exil dans son *Journal inachevé*; et l'Alsacien Frédéric Back a permis à Radio-Canada d'avoir deux Oscars pour ses films d'animation... pour ne nommer que quelques-uns des plus connus.

29. À Québec, dans un autobus, une jeune femme rencontre une de ses amies qui a adopté un petit Sud-Américain. Elle demande au petit garçon de cinq ans: «Alors, tu es content d'être un petit Canadien?» Et le gamin de répondre: «Moi, j'suis pas un p'tit Canadien, j'suis un p'tit Nordique.»

30. La première caisse populaire est ouverte par Alphonse Desjardins en 1901.

31. Marcel Riendeau, ex-professeur de philosophie, invente la platine tourne-disque Oracle «634 fois meilleure que sa plus proche rivale» selon la prestigieuse *International Audio Review*.

32. Entreprises employant moins de 200 personnes dans le secteur de la fabrication et moins de 100 personnes dans les autres secteurs.

Bibliographie

Études:

DESFONTAINES, Pierre, *Le rang, type de peuplement rural du Canada français*, Institut d'histoire et de géographie, n° 5, Québec, PUL, 1953.

FRÉGAULT, Guy, *Le XVIIIᵉ siècle canadien*, Montréal, HMH, 1968.

GARIGUE, Philippe, *La vie familiale au Canada français*, Montréal, PUM, 1962.

GRENON, Hector, *Us et coutumes du Québec*, Montréal, La Presse, 1974 (5 réimpressions > 1980).

HAMELIN, Jean, sous la direction de, *Histoire du Québec*, Toulouse, Privat, 1976 et Saint-Hyacinthe, Edisem, 1977.

HAMELIN, Jean, PROVENCHER, Jean, *Brève histoire du Québec*, Montréal, Boréal Express, 1987.

LACOURSIÈRE, Jacques, BIZIER, Hélène-Andrée, *Nos racines, l'histoire vivante des Québécois*, 144 fascicules, Saint-Laurent, Transmo, 1979 à 1983.

LACOURSIÈRE, Jacques, PROVENCHER, Jean, VAUGEOIS, Denis, *Canada-Québec, synthèse historique*, Montréal, Renouveau pédagogique, 1976.

LINTEAU, Paul-André, DUROCHER, René, ROBERT, Jean-Claude, *Histoire du Québec contemporain*. T.1 *De la Confédération à la crise*, Montréal, Boréal compact, 1989. T.2 *Le Québec depuis 1930*, Montréal, Boréal compact, 1989.

PROVENCHER, Jean, *Les quatre saisons dans la vallée du Saint-Laurent*, Montréal, Boréal, 1988.

RUMILLY, Robert, *Histoire de la Province de Québec*, Montréal, Fides, 1971.

SÉGUIN, Robert-Lionel, *La civilisation traditionnelle de «l'habitant» aux XVIIᵉ et XVIIIᵉ siècles*, Montréal, Fides, 1967.

SAINT-YVES, Maurice, avec la participation de Marc Vallières, *Atlas de la géographie historique du Canada*, Boucherville, les éd. Françaises, 1982.

WADE, Mason, *Les Canadiens français de 1760 à nos jours* (2 tomes), Montréal, CLF, 1966.

WEINMANN, Heinz, *Du Canada au Québec, généalogie d'une histoire*, Montréal, L'Hexagone, 1987.

Le Livre du colon (publié au début du siècle) réédité par Univers, Montréal, 1979.

et les livres de Marius BARBEAU, Michel BRUNET, R.L. SÉGUIN, Marcel TRUDEL, entre autres.

Sur les Patriotes:

BERNARD, Jean-Paul, *Les rébellions de 1837-1838: Les patriotes du Bas-Canada dans la mémoire collective et chez les historiens*, Montréal, Boréal Express, 1983.

DAVID, Laurent-Olivier, *Les patriotes de 1837-1838*, Montréal, Beauchemin, 1884.

OUELLET, Fernand, *Le Bas-Canada, 1791-1840: changements structuraux et crises*, Ottawa, Éd. de l'Université d'Ottawa, 1976.

Romans:

— *parmi toute la production rassemblée sous la rubrique «roman du terroir»:*

AUBERT de GASPÉ, Philippe (père), *Les anciens Canadiens*, 1863.

GUÈVREMONT, Germaine, *Le Survenant*, 1945.

HÉMON, Louis, *Maria Chapdelaine*, 1914.

SAVARD, Félix-Antoine, *Menaud, maître-draveur*, 1937.

— *parmi les romans «citadins»:*

LEMELIN, Roger, *Au pied de la pente douce*, 1944.

NOËL, Francine, *Maryse*, 1983.

ROY, Gabrielle, *Bonheur d'occasion*, 1945.

TREMBLAY, Michel, *l'ensemble regroupé sous la rubrique: «Les chroniques du plateau Mont-Royal».*

VILLENEUVE, Paul, *Johnny Bungalow*, 1974.

— *parmi la production du genre saga historique:*

DESROSIERS, Léo-Paul, *Les engagés du Grand portage*. 1938.

TARD, Louis-Martin, *Il y aura toujours des printemps en Amérique*, 1987.

Filmographie

Les Bûcherons de la Manouane, Arthur LAMOTHE, n. b., ONF, 1963. 28 min.

Crac, Frédéric Back, coul., Radio-Canada, 1981, 16 min.

Les Filles du Roy, Anne-Claire Poirier, coul., ONF, 1974, 57 min.

La Guerre oubliée, fragments de mémoire, Richard Boutet, 97 min, 1987, (sur la guerre de 14-18, vécue au Québec).

J.-A. Martin, photographe, Jean Beaudin, coul., ONF, 1976, 102 min.

Journal Inachevé, Marilú Mallet, coul., 1982, 50 min.

Les Montréalistes, Denys Arcand, coul., ONF, 1965, 25 min.

La série «Les artisans de notre histoire»: (env. 28 min)

Louis-Joseph Papineau

George-Étienne Cartier

Louis-Hyppolite Lafontaine

Champlain

La route de l'Ouest

La série «La Belle ouvrage», ONF et Radio-Canada, films d'environ 30 minutes concernant de vieux métiers, des artisanats divers, des habitudes de vie.

Partis pour la gloire, Clément Perron, 1975.

Audiovisuel

Lacoursière, Jacques, *Une folle aventure en Amérique: la Nouvelle-France*. Ensemble multimédia 1977-1978.

D'Iberville, série télévisée, Radio-Canada, 1967-1968.

Le 60/80, série télévisée, Radio-Québec, 28 vidéos coul. de 29 min.

3
La langue

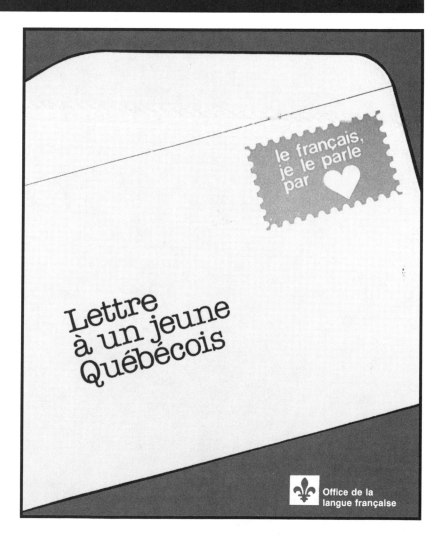

le français,
je le parle
par ♥

Lettre
à un jeune
Québécois

Office de la
langue française

La langue n'est pas le revêtement de nos vies, leur traduction en paroles. La langue constitue en quelque sorte notre existence puisqu'elle est l'outil indispensable pour la comprendre, pour la reprendre jusque dans ses déterminismes les plus lointains, pour en tirer des intentions et des projets, pour partager aussi avec autrui une conquête commune de nos sentiments et de nos pensées.

FERNAND DUMONT, août 1982.

La langue que parle un peuple est faite à son image. Besoin viscéral de se faire comprendre pour simplifier le quotidien, pour avancer dans la connaissance comme pour exprimer la douce langueur d'un jour de pluie, la langue que l'on parle est celle du milieu où on l'apprend. Un Ivoirien ne peut pas parler tout à fait la même langue qu'un Parisien ou qu'un Québécois. Les réalités à nommer, géographiques et socio-

logiques, ne sont pas les mêmes: vivantes, les langues évoluent avec souplesse à la recherche d'un équilibre entre l'esthétique et la pratique.

Les problèmes que la langue pose aux Québécois sont multiples: le français parlé par six millions de personnes au milieu de 250 millions d'anglophones représente une gageure de tous les instants dans ce siècle de communications audiovisuelles qui bombardent d'images, de publicités et de slogans l'imaginaire individuel et collectif. Or la langue est un des fondements de l'identité culturelle. On n'avait pas attendu la Révolution tranquille pour le découvrir: depuis plus de deux siècles,

Char allégorique du défilé de 1957.

photo: Société Saint-Jean-Baptiste de Montréal.

les Canadiens ont tout fait pour préserver cette langue née en France, mais élevée sur un autre continent dans des conditions parfois très difficiles. C'est ainsi que s'est construit le français québécois, incarnation en Amérique d'une langue parlée par plus de 120 millions de locuteurs dans une quarantaine de pays des cinq continents.

LES PARTICULARITÉS DE L'USAGE

Le concept de français international est intellectuel et un peu irréel. C'est souvent le français parisien que recouvre ce concept: la communauté urbaine de sept millions d'habitants impose ainsi sa loi du nombre qui est aussi celle d'une capitale de la culture. C'est cependant un concept commode en ce qu'il constitue un point de référence[1] permettant d'apprécier les apports régionaux ou nationaux. Si les structures de la langue suivent plus ou moins la même logique, le lexique donne libre cours à l'imagination des locuteurs. La richesse du français commun tient à ces particularités qui diffèrent dans chaque ville, sous chaque climat, dans chaque continent et dans chaque couche sociale.

Au Québec, le français de France était au XIXe siècle associé à l'idée du parler instruit, celui des notables (curés, avocats, médecins, institutrices, religieux). Le peuple parlait respectueusement du «parler en termes». Au contraire, le slogan des toutes dernières années, «Le français, je le parle par

cœur», apparaît plus dicté par une conviction première toute intérieure que par un ensemble de conventions.

Il est curieux de noter que tout le monde parlait français en Nouvelle-France alors que ce n'était pas le fait du peuple de France:

> Les Canadiens, c'est-à-dire les Créoles du Canada respirent en naissant un air de liberté qui les rend fort agréables dans le commerce de la vie, et nulle part ailleurs, on ne parle plus purement notre langue. On ne remarque même ici aucun accent.
>
> PÈRE CHARLEVOIX, 1744.

Un gros pourcentage d'immigrants venaient d'Île-de-France; c'est donc cette langue — en outre la langue de l'administration — qui va unifier l'expression des colons de toutes les provinces françaises confondues. Comme l'énorme majorité d'entre eux venaient du nord-ouest de la France, il est bien naturel qu'ils aient apporté avec eux leurs expressions tourangelles et «l'extrême civilité de ces parlers de Loire» qui furent, eux, à l'origine de la *Défense et illustration de la langue française*.

L'ACCENT

C'est la première chose qui frappe l'oreille étrangère prompte à repérer un «drôle d'accent» sans se douter un moment que le sien est probablement tout aussi curieux pour ses auditeurs. Il n'y a d'ailleurs pas seulement un accent, mais plusieurs. À Montréal, on roule les «r» tandis qu'on les prononce de façon gutturale à Québec. Dans les régions à forte population rurale, le parler paysan fait repérer ses locuteurs: en certains endroits, on prononce à peine les consonnes, les chuintantes deviennent des «h» aspirés, et les sons se simplifient: «Je ne suis pas capable» devient «chu pa apab». L'articulation perd de son énergie qui semble se transférer dans les voyelles sur lesquelles on traîne volontiers, allant même jusqu'à les diphtonguer fréquemment: «mère» devient «ma-ère», «notaire», «nota-ère». En d'autres lieux, on entendra au contraire «mére». Sur un aussi vaste territoire, peuplé de façon aussi clairsemée, il est bien naturel qu'existent ainsi des différences d'ordre phonétique.

Dans certaines régions on prononce encore la diphtongue «oi» «ouén», comme faisait le «roué Françoué» premier du nom, au XVIe siècle. Duplessis interpella ainsi un ministre qu'il trouvait trop bavard: «Toué, tais-toué!». Le «a» est souvent très fermé et sa prononciation se rapproche parfois de celle du «o» (pâte devient «pa-oute»). La prononciation de la voyelle évolue parfois dans le même mot, allant du plus ouvert au plus fermé «Canàdâ». L'affrication (ajout du son [s] ou [z] au t et au d, petit devient «p'tsi») est aussi une des caractéristiques phonétiques du français du Québec.

La plupart de ces façons de prononcer ont leur origine dans une province française. En Anjou, on entend ce type de «a» fermé, comme en Poitou le «i» très ouvert de fils[2]. De Normandie est venue la façon de prononcer «er» qu'on entend «ar» comme dans une «couvarte» ou «ça pard sa vartu» qui se dit d'une boisson alcoolisée que l'on a négligé de reboucher.

Du XVIIe siècle reste aussi le fait que l'on prononce certaines dentales en fin de mots: «dret(te)», «fret(te)», et par

extension, «alphabet(te)», «debout(e)». Peut-être cela entraînera-t-il d'autres allongements inusités en fin de mots: «les gensses risent»? On a gardé la diphtongaison continue du verbe haïr qui se décline «je ha-ïs, tu ha-ïs», etc. et dont on ne prononce pas le h aspiré: «il m'ha-ït», comme on avait gardé longtemps la nasalité intacte d'une voyelle devant les doubles consonnes. On prononçait encore il y a peu Sainte-«An-ne», comme Molière qui, dans *Les femmes savantes*, fait jouer ses personnages sur les mots de «gram-maire» et «grand-mère».

Ces façons anciennes de prononcer n'ont pas subi au Québec les transformations qui ont eu cours en France à la fin du XVIIIe siècle et s'y sont généralisées plus tard, ce qui est logique dans les conditions qui prévalaient au Bas-Canada.

LES MOTS D'ORIGINE AMÉRINDIENNE

Les colons français débarqués en Nouvelle-France alignèrent souvent leur comportement sur les habitudes de ceux qui habitaient le territoire avant eux. Outre les modes de déplacement sur l'eau ou dans la neige, les Canadiens empruntèrent aux Amérindiens des mots pour désigner des réalités régionales.

La toponymie est truffée de noms propres qui sont la transcription phonétique des noms que les Amérindiens avaient donné aux lieux, de Natashquan au Témiscamingue en passant par la Métabetchouan et Chicoutimi. Sur la rive sud, ce sont les belles sonorités de

Gaspé, Rimouski ou Matapédia qui rappellent les premiers habitants du pays.

En ce qui concerne les noms communs, c'est surtout le vocabulaire de la faune et un peu celui de la flore qui affichent avec fierté leurs origines. Ainsi,

• les gros animaux que l'on chasse pour la viande et le cuir, comme le wapiti ou le caribou,

• les petits animaux à fourrure, comme le pécan, cousin éloigné de la martre européenne,

• les poissons comme l'achigan, le caplan, la ouananiche,

• ou ce curieux batracien qui n'est ni un crapaud, ni une petite grenouille rainette et dont le nom est une charmante onomatopée: le ouaouaron.

LES ARCHAÏSMES ET LES PROVINCIALISMES

L'isolement auquel sont contraints les Canadiens après la Conquête fixera des mots, des constructions, qui apparaissent désuètes ou provinciales à des locuteurs parisiens. C'est aussi la conséquence d'un repli sur soi imposé par les conquérants qui veillèrent à ce qu'il n'y ait aucun contact direct avec la France, ou quasi. Au XIXe siècle, les arrivants français étaient plus souvent des clercs que des laïcs. Ils accentuèrent chez les Canadiens le sentiment que la France était le pays des révolutions et ne firent pas grand chose pour divulguer une littérature qui n'était pas «pavée de bons sentiments». Ces deux types de particularités font appel à la notion d'éloignement par rapport au français commun, que ce soit dans le temps (archaïsmes), ou

dans l'espace (provincialismes). Il faut prendre ces termes sans aucune connotation péjorative[3].

Le Québec a donc gardé de son long isolement quelques mots qui ont totalement disparu de France, ou ne se sont conservés dans cet usage que dans certaines régions bien précises.

• *Barrer la porte* signifie fermer la porte de façon que l'on ne puisse pas l'ouvrir toute seule, donc «à clé» de nos jours. C'est évidemment une allusion au mode de fermeture simple qui consistait à mettre une barre transversale sur l'ouverture. Cette expression s'emploie encore très fréquemment en Anjou avec le même sens qu'au Québec où l'on fait une distinction utile entre fermer et barrer une porte.

• *Catin* a gardé son premier sens de poupée, sens attesté en France encore au XVIIe siècle et n'a pas au Québec le seul sens qu'il ait gardé dans le français de France. On utilise même *catiner* pour «jouer à la poupée».

• *Trâlée* vient de Picardie et signifie «un grand nombre».

• *Il mouille* s'utilise encore en Bretagne et dans tout l'Ouest de la France pour «il pleut».

• D'autres mots sont plus en usage ici qu'en France: *jaser, achaler, tanner, s'adonner*.

• On a aussi des doublets qui sont utilisés avec des nuances autrement impossibles: conter des *menteries* semble moins grave que de «dire un mensonge».

LES ANGLICISMES

Ce problème est évidemment une des fâcheuses conséquences de la Conquête. Les langues en contact s'interpénètrent, s'influencent, empruntent une partie du lexique (on l'a vu pour les mots d'origine amérindienne): c'est un phénomène connu. L'anglais a, de son côté, emprunté au français une grande partie du vocabulaire que les Normands parlaient lorsque Guillaume, duc de Normandie, devint roi d'Angleterre après la bataille de Hastings en 1066. Le français du XXe siècle, et bien d'autres langues à leur tour, empruntent à l'anglais des mots, des expressions toutes faites, voire des tournures ou des structures. L'omniprésence en Occident de la chanson anglo-saxonne tant prisée des jeunes, l'hégémonie économique américaine, le très grand nombre de locuteurs anglais dans le monde comme le développement inouï de l'audiovisuel, font que ces phénomènes d'emprunt deviennent monnaie courante, non sans danger cependant pour les langues d'accueil.

Au Québec plus qu'ailleurs, le contact est immédiat, étroit, quotidien, perpétuel. Au XIXe siècle, il en allait autrement, mais l'Église avait compris que pour garder sa foi, il fallait garder sa langue. C'est pourquoi on ne favorisait pas les contacts avec le conquérant. Peu à peu, le français vit son usage se restreindre à la famille, à la paroisse; quand il y en avait, l'enseignement était en français, mais l'administration, le commerce, l'industrie se faisaient en anglais. Les vocabulaires techniques vont donc imposer le lexique anglais avec succès puisque l'on ne connaît pas l'équivalent français. Au XXe siècle, le phénomène s'accélère: l'industrie appartient en majorité à des Anglais ou des Américains, et toutes les spécialités

modernes, plomberie, mécanique, électricité, ont tendance à utiliser le vocabulaire en usage dans presque toute l'Amérique du Nord. Tout étant présenté en anglais, les tournures françaises vont se calquer sur ce qui s'entend et ce qui se lit.

Tourigny and Marois, Boot and shoe manufacturers, vers 1912.

photo: Archives de la Ville de Québec; tiré de «Québec, the Publicity Bureau» A 061/E 2250. 9026.

Ce contact permanent est un problème, car les langues s'imposent par la force, et l'anglais est la langue dominante de tout le continent américain. Son poids numérique est colossal. Les incidences, les conséquences de ces luttes sont de tous ordres: culturel, économique et politique. On comprend donc l'importance d'être vigilant et d'assurer le respect de sa langue.

Les anglicismes directs sont en général faciles à voir ou à identifier: le *vacancy* des motels sur les routes, comme *le roi du muffler* (silencieux) sautent aux yeux. En revanche, le *payeur de taxe,* traduction littérale de «tax payer», n'a pas la sobriété de contribuable; il est vrai qu'on ne lui demande que de payer ses impôts. Le vocabulaire de l'économie est plein d'anglicismes sous des allures bien françaises: *As-tu du change?* pour demander de la monnaie; le verbe *charger* au sens de «demander une somme d'argent en retour d'un service» est utilisé à tout bout de champ et vient de l'anglais «to charge». L'emploi de ce verbe comme substantif peut être dangereux parce qu'il ne peut être compris dans ce sens qu'au Québec et parce qu'ailleurs dans l'espace francophone on ne sait pas ce que peut bien vouloir dire, par exemple, *un appel téléphonique à charge renversée.* Je ne *file* pas, pour «je ne me sens pas bien» risque de ne pas être compris ailleurs qu'au Québec. On a vu, il n'y a pas si longtemps, ce panneau traduisant l'interdiction *«Do not trespass on the grass»* par *ne pas trépasser sur le gazon.*

Les anglicismes plus subtils sont plus difficiles à identifier, tant ils ont l'air français. Le danger est donc qu'ils prennent la place d'une expression ou d'un mot français et que le français y perde à tout le moins de son originalité et de sa communicabilité: *mettre l'emphase sur* pour «mettre l'accent sur», *éligible* pour «admissible». On entend *définitivement* (qui vient de *definitely*) pour «bien sûr», «assurément», «certainement». On dit *dépendamment* pour «selon».

La prononciation aussi peut se mouler sur l'anglais. Les autres francophones disent thermostat, photostat, standard, sans en prononcer la dernière lettre.

La graphie non plus n'est pas à l'abri de cette influence. En ce siècle où le formulaire est roi, comme il est commode d'écrire les dates ou les horaires selon la norme anglaise d'Amérique du Nord: *Oct. 28, 1967* ou *9:00* au lieu de 28 oct. 1967 ou 9h00!

L'anglais est une langue fascinante parce que sa souplesse d'utilisation lui offre mille possibilités de créer des mots. C'est sans doute par similitude qu'on parle au Québec *d'une distance marchable* ou *d'un gars parlable.* N'a-t-on d'ailleurs pas vu en France de la publicité proposer à d'éventuels clients un poste de télévision «portable» plutôt que portatif?

Le problème avec les anglicismes est que le français perd alors un vocabulaire propre, souvent clair et nuancé, au profit de termes ou de structures d'une autre langue qui risquent d'apporter à la longue des changements majeurs. Beaucoup de Québécois, intellectuels, professionnels et gens cultivés, regardent cela avec inquiétude et désapprobation. Aussi les comités de normalisation de la langue recommandent-ils de suivre des normes qui sont celles de l'usage international dans la plupart des cas. Les grammairiens, les fabricants de dictionnaires fixent des normes qu'il est sage de respecter si l'on veut que la communication s'établisse facilement avec le plus grand nombre d'interlocuteurs possibles; on peut certes dire *je le téléphone* ou *je suis le professeur de français qu'on vous a parlé pour.* On se fera comprendre mais on *prend une chance* — pardon! — on court le risque de *perdre la job.*

Les solutions, il y en a plusieurs. La plus simple, selon certains terminologues, consiste à franciser le mot quand c'est possible, à l'écrire carrément à la française (*coquetel*). Le meilleur exemple est sans contredit le mot de *drave* ou de *draveur*. Au XIXᵉ siècle, les Anglais lancent l'exploitation forestière, ils emploient pour ce faire les fils d'habitants qui n'ont plus de travail à la ferme en hiver. Ceux-ci montent au chantier, coupent le bois qui attend sur les berges des rivières gelées le dégel du printemps. Les bûcherons canadiens sont alors chargés par les *foremen* de surveiller la descente du bois jusqu'à l'usine de transformation. Ces contre-maîtres anglais qui s'expriment seulement dans la langue de Shakespeare, utilisent donc le verbe «to drive» et les hommes deviennent des «drivers». Cette opération, inconnue dans le langage canadien du XIXᵉ siècle, s'appellera dorénavant la drave, d'où la formation subséquente de draveur et maître-draveur.

Une deuxième solution, toute simple, consiste à remettre en usage un mot moins usuel ou tombé en désuétude: les Québécois parlent de *stationnement* plutôt que de *parking*, de *magasinage* plutôt que de *shopping*, d'*avion nolisé* plutôt que de *charter*.

Une troisième solution consiste évidemment en la création de néologismes français lorsqu'il s'agit de réalités nouvelles auxquelles on veut donner une identité française plutôt que d'emprunter un mot à l'anglais. Outre le fait que par une création originale on respecte l'esprit du français, et qu'ainsi on agisse positivement[4] plutôt que d'accepter passivement un anglicisme, on joue également un rôle d'avant-garde pour toute la francophonie qui pourra adopter ces termes à son tour. Les

exemples ne sont pas rares: il existe un vocabulaire de l'électricité que Hydro-Québec dans ses techniques de pointe a utilisé avant de l'exporter en France et ailleurs dans le monde. Ce fut la même chose pour une partie du vocabulaire du sport que René Lecavalier, commentant à la télévision les joutes de hockey, a fortement contribué à enrichir. Il en est ainsi également pour le vocabulaire de l'informatique et de bien d'autres domaines encore. Dans le quotidien, on utilise *annonceur* pour «speaker» et l'on donne le nom d'*effeuilleuse* à la jeune femme qui exercerait en France le métier de «strip-teaseuse».

Il est vrai que le Québec est en première ligne pour la défense du français, il peut même se sentir cerné par l'ennemi. Une attitude vigoureuse et très positive semble bien la bonne solution: plutôt faire que se laisser faire. Il est d'ailleurs affligeant de noter dans la presse de France en vente dans les tabagies la quantité phénoménale d'anglicismes de toutes sortes. Le gouvernement français commence à s'alarmer et on dit qu'il prend exemple sur ce qui se fait au Québec: voilà qui est rassurant.

LES SACRES

On note la présence constante de sacres dans la parlure québécoise. Totalement absents dans la langue châtiée ou soutenue, ils deviennent de plus en plus nombreux dans la langue familière ou sous le coup de l'émotion. On a par ailleurs noté que la présence des sacres est plus grande dans les pays à forte tradition catholique.

C'est à Gilles Charest, qui a commis un petit livre délicieusement illustré, que l'on peut emprunter les définitions suivantes:

> Si le dictionnaire définit un juron, un sacre et un blasphème comme des synonymes, il ne semble pas que les Québécois acceptent ces similitudes. Au Québec, jurer, sacrer ou blasphémer comportent des nuances qui sont peut-être strictement morales mais qui ne demeurent pas moins pertinentes.
>
> Jurer, c'est avoir un patois, c'est dire maudit, sacrifice, baptême, mozusse...
>
> Sacrer, c'est employer les termes religieux (christ, calice, ciboire, tabernacle, calvaire et sacrement) et leurs combinaisons.
>
> Blasphémer, c'est employer les sacres en les faisant précéder d'un maudit (maudit christ, maudit tabernacle, etc.).
>
> En fait, jurer ce n'est pas beau, sacrer est un péché et blasphémer est une offense grave à Dieu, un péché mortel.
>
> Entre jurer, sacrer et blasphémer, il y a une gradation du plus petit au plus gros, une différence de niveau que seule une éducation catholique et québécoise peut expliquer. Par contre, il ne faut pas voir ces distinctions comme des frontières bien dessinées. Au contraire, les différences entre jurer, sacrer et blasphémer sont arbitraires et se perdent en même temps que se perd la crainte du péché.
>
> D'ici peu, nous nous rallierons aux définitions des dictionnaires. C'est peut-être ça la francophonie? Qui sait?
>
> *Le Livre des sacres*
> *et blasphèmes québécois*

Il est évident que l'influence prépondérante de l'Église de 1840 à 1960 pesait sur les consciences: le sacre, interdit par le deuxième commandement («Tu ne jureras point»), permettait aux locuteurs exaspérés de se défouler. En invoquant le nom de Dieu, du Christ, en citant les objets du culte en dehors du contexte sacré, le sacreur ramène à lui des concepts qui semblent intouchables: il désacralise ce qui est sacré; il affirme sa possession de ce qui ne lui appartiendra jamais; il s'identifie avec des personnages tout-puissants (le Christ, par exemple) pour masquer son impuissance du moment.

De nos jours, la crainte de Dieu n'existe plus guère, mais la forte tradition catholique a tant imprégné les esprits que le sacre a gardé sa charge émotive, même si le défi lancé ainsi semble avoir perdu de son importance puisque l'on ne craint pas plus les semonces de son curé que les remontrances de son institutrice.

C'est le mot christ qui est au centre des sacres, avec ce qui le représente à la messe dans le mystère de la transsubstantiation, l'hostie, et les vases sacrés, ciboire et calice, comme le tabernacle qui les contient. Ce sont les plus importants des sacres. D'autres mots d'origine religieuse sont également employés mais avec sans doute moins d'efficacité puisqu'ils semblent moins directement reliés au côté sacré de la personne même du Christ qu'à des manifestations ecclésiales: baptême, sacrement, vierge ou calvaire.

Pour ne pas être accusé de sacrer, le locuteur déguise le mot dont l'évidence disparaît ou feint de disparaître. C'est un procédé commun: au XVIIe siècle, Henri IV utilisait «corbleu», «palsambleu» ou «ventrebleu» sous lesquels il fallait comprendre que bleu voulait dire Dieu et que l'on jurait alors par le corps, par le sang ou par le ventre de Dieu.

Au Québec, Christ devient *criss*, *christie* ou *Christophe* et même *cristal*. «Regarde la criss de belle fille!» Hostie devient *sti*, *stie*, «À demain, vieille boule. Salut Galarneau! Stie.» (Jacques Godbout). Calice devient *câline*, *câlife*. Ciboire devient *cibole*, *cibolak*. Calice et ciboire deviennent *caliboire* (V.-L. Beaulieu). Tabernacle devient *tabarnak, tabaslak, tabarouette*. Baptême devient *bateau, batinse*. Chrême devient *crime, écrémé*.

Le phénomène est surtout oral. Relié à la vitesse d'élocution, il est surtout employé en réaction à une agression physique ou émotive. Il sert également à intensifier l'expression qu'il accompagne. À l'écrit, il était tout à fait censuré jusque vers les années soixante. Maintenant il sert lorsque l'on veut retranscrire fidèlement la langue parlée et plus précisément celle de certains milieux sociaux.

L'exploitation du sacre se double dans l'utilisation des sacres en composition: pour défier encore plus directement le ciel, on met l'épithète «saint» devant le sacre. Cela donne, par exemple, *saint-cibouère*. On utilise les sacres en longues séries qui donnent des images parfois étonnantes: «*calice d'hostie de tabernacle!* Si la guerre peut finir…» (Roch Carrier) ou «pactés comme des ciboires un dimanche matin» (Jacques Godbout).

Bien plus, on va fabriquer des mots à partir des sacres: *câlisser, déconcrisser, contrecrisser*; c'est surtout *criss* qui se prête au plus grand nombre de manipulations: «Cossé qu'tu fais, toué? — Moué? Chu crisseuse de binnes dans'é cannes à'manufacture[5].»

Depuis que le citadin a déserté les églises, le sacre s'est un peu déchargé de son contenu anticlérical et démystifiant, mais il n'en reste pas moins utilisé par diverses couches de la société. Défendu par l'Église, il l'est aussi par les parents qui préfèrent que leurs enfants parlent un français correct. L'ado-

lescent sacre pour affirmer sa personnalité en face des autorités familiales et scolaires. C'est une sorte de rite de passage de l'état d'enfant à celui d'adulte.

Les couches populaires de la société, ouvriers, manœuvres, assistés sociaux sont aussi enclines à en faire un emploi abondant. Il semble bien cependant que l'impuissance qui est exprimée ici se double de l'impossibilité de trouver les termes adéquats.

Dans le siècle de loisirs que nous vivons, nombreux quittent le froid de l'hiver pour aller au soleil, dans le sud. Les Québécois ont ainsi des destinations habituelles. Les Mexicains habitués à entendre sacrer les touristes québécois ont alors donné le surnom de «Tabarnacos» aux vacanciers qui envahissent leurs plages.

USAGES QUÉBÉCOIS

Certains termes, utilisés en français standard prennent un sens tout à fait particulier au Québec. Ainsi la forme pronominale du verbe écarter prend le sens de «se perdre»: «François Paradis s'est écarté» (*Maria Chapdelaine*). On voit combien le français standard peut gagner à intégrer ce type de variations linguistiques. On a noté d'autre part que le tutoiement est très utilisé par la société québécoise contemporaine. On emploie ainsi cette deuxième personne du singulier à la place d'un impersonnel comme le note l'héroïne de Béatrix Beck: «À Terre-Saine, les suppositions se font à la seconde personne du singulier, sans doute parce qu'on les adresse à soi-même.» (*Noli*, 1978)

Certaines manières de dire défient carrément la norme habituelle du français standard. Mais ces particularités doivent être dénoncées, spécialement quand elles peuvent être source de confusion dans un autre pays francophone, comme la double négation sans désir d'affirmation: «Y a pas personne?»

• «Autobus», «habit» et «horaire» sont souvent mis au féminin.

• «Le monde» est souvent suivi d'un verbe au pluriel: «Le monde sont drôles».

• «Comment» au lieu de «combien»: «Comment ça coûte?», «Comment tu me paierais pour ramasser les feuilles sur le terrain?»

• «Mais que» pour «dès que»: «Je te rejoindrai mais que j'aurai stationné l'auto».

• Le «tu» explétif des questions ou des exclamations: «Vous voulez-tu du café?» «Y fait-tu assez beau, aujourd'hui!» «Tu veux-tu ta suce?» «Vous allez-tu vous taire!»

CANADIANISMES ET QUÉBÉCISMES

Pour nommer les réalités de la Nouvelle-France, il fallait fabriquer des termes. Le lexique français international se trouve ainsi enrichi d'une quantité de mots propres à traduire avec exactitude une pensée claire et des choses bien concrètes[6]:

• Vocabulaire quotidien: barre du jour, brunante, noirceur; débarbouillette, catalogne, ceinture fléchée; ruine-babines, musique à bouche; prendre une brosse, partir sur une balloune; traîne sauvage, bicycle à gazoline; rang, pruche;

• Vocabulaire de l'agriculture: entailler, le temps des sucres, la tire; épluchette de blé d'Inde, le voyage de foin;

• Vocabulaire de l'eau: traverse, traversier; batture, barachois. Les scientifiques, océanographes et géographes ont ainsi 28 mots pour nommer les différentes étapes de l'eau en train de passer de l'état liquide à l'état solide (frasil, glaciel, etc.).

• Vocabulaire de l'hiver: poudrerie, banc de neige, souffleuse, raquetteur, caler, tuque, claques.

C'est une langue concrète à l'image du Québec et qui rappelle souvent ses origines maritimes et agricoles.

• Se (dé-) greyer ou se (dé-) greiller pour s'habiller ou se déshabiller (de gréer un navire).

• Embarquer, débarquer d'un autobus, d'un train (formation semblable au verbe arriver, venant de rive, qui a totalement perdu sa connotation fluviale).

• Ne pas partir sans biscuit, avoir son voyage.

• Les amanchures de broche à foin, les clôtures de broche piquante, avoir les oreilles dans le crin, avoir un bardeau de parti, faire le train, pleuvoir à boire debout, avoir plus de voile que de gouvernail.

• Refouler au lavage, avoir pour son dire, passer la nuit sur la corde à linge, se faire passer un sapin[7].

• C'est bien de valeur, ça parle au diable, ça vient de s'éteindre, pousse mais pousse égal, attendre quelqu'un avec une brique et un fanal.

L'usage de la terminaison -eux[8] au lieu de -eur est souvent assortie d'une connotation légèrement péjorative: un quêteux, un chialeux, un péteux de broue (broue est la francisation de «brew» [mousse]), un pelleteux de nuages (l'intellectuel dont les idées apparaissent bien abstraites, donc bien légères). La société n'aime pas non plus les casseux de veillée (qui vont se coucher de trop bonne heure) ni les sauteurs de clôture (qui font pousser des cornes au front des honnêtes maris).

Ce sens du concret est une des qualités du français québécois. C'est sans doute aussi ce sens du concret qui pousse les locuteurs du Québec à inventer très vite des termes nouveaux pour ne pas avoir à adopter des mots imposés par l'anglais. Le sens de l'image aussi stimule la créativité linguistique et, allié au sens de l'humour, on en arrive à des trouvailles savoureuses, notamment en publicité. C'est ainsi que le Conseil de la langue française propose «aux grands mots les grands remèdes», et que le pain de la boulangerie Gailuron se déclare «L'amie de tout le monde».

On note un certain parallélisme de comportement vis-à-vis de la langue entre la Belgique et le Québec. Dans ces deux pays, on constate une double attitude. D'un côté, on devient très normatif, voire puriste. Les grammairiens, les linguistes sont légion au Québec comme en Belgique. En même temps, il existe une autre tendance, celle de subvertir le français par plaisir, par goût du jeu (du «je») créateur: le Belge Jean-Pierre Verhegghen titre une de ses œuvres *Divan le terrible*, le Québécois Réjean Ducharme écrit *Don Quichotte de la démanche* et *L'Océantume*, et Jean Barbeau *Manon Last Call*.

Et c'est ainsi que le français parlé dans le monde devient véritablement un français international.

LE JOUAL

Toute langue vivante, étant communication, s'adapte au destinataire du message: un enfant de dix ans sait parfaitement qu'il ne parle pas à sa grand-mère comme à son copain de jeux ou à un inconnu dans la rue. De tout temps, par ailleurs, les capitales se sont adjugé le diplôme du beau parler, rangeant du même coup la façon de s'exprimer des gens éloignés de la dite capitale dans le tiroir des parlers populaires. Ce n'est pas le lieu de revenir ici sur l'extraordinaire richesse du lexique paysan, non plus que sur la sagesse profondément humaine que l'on trouve dans ces manières de dire qui n'ont plus presse dans les cités modernes.

L'isolement de personnes en groupes socialement restreints à des paroisses rurales d'abord, mais qui deviennent citadins dès le début du siècle, développera de nouvelles habitudes de langage adaptées à des conditions de vie différentes. Les industries qui s'installent dans les villes sont en très grande majorité dirigées par des Anglo-saxons qui absorbent sans peine le surplus de main-d'œuvre qui n'a plus de place dans une économie rurale. C'est donc en ville que le contact entre le français rural et l'anglais industriel et commercial est le plus continu. Il en résulte un parler populaire — qu'on appellera le joual[9] — à base syntaxique et lexicale tout à fait française mais qui s'adjoindra pour les besoins d'une communication entre patrons et ouvriers un lexique, des expressions et des tournures anglaises. Au début du siècle, on sortait peu de son quartier, on n'avait pas accès aux moyens modernes d'information que sont la radio et la télévision, ce qui favorisait encore le développement de cette façon de parler. C'est surtout à Montréal, qui affirmait sa puissance économique et commerciale, que le phénomène acquiert une ampleur à laquelle ajoute encore l'économie de guerre des années quarante. Voici comment le sociologue Fernand Dumont explique ce phénomène à partir de l'existence presque exclusivement rurale de la société québécoise, l'usage de la langue s'est trouvé réduit à l'expression orale par la force des choses. Sans la régulation qu'apporte l'écriture, cette langue orale «ne s'appropriait qu'un univers rendu familier par une longue histoire de l'isolement. Affrontée à un monde plus large, contrainte à l'abstraction, elle devait se trouver dépourvue.» Il développe ainsi cette idée:

> Des masses d'hommes se sont trouvés, et en un laps de temps très court, transplantés dans un contexte nouveau: dans celui de la ville, dans celui de l'industrie. Ils n'en sont pas devenus pour autant plus instruits. Devant de nouveaux objets, éprouvant des comportements jusqu'alors inconnus, comment ont-ils pu les nommer, se les approprier par le langage? Le problème s'est présenté dans d'autres sociétés où des paysans ont dû, eux aussi, se rendre familier l'univers de l'industrialisation. Ce fut partout un terrible défi; des recherches plus attentives au sort concret des hommes commencent à nous le montrer. Les anciennes cultures populaires longuement mûries au cours des siècles, se sont enlisées dans les marécages du langage de la technique et de la bourgeoisie des écoles. Mais ici, ce fut pis encore: les choses de l'industrie et de la ville avaient été nommées dans une langue doublement étrangère. Tout ce qui n'était pas rural, la machine, les grands ensembles, les centres de décisions se révélaient en

anglais. La modernité était anglaise. Le français rural s'y est perdu en vains efforts. Il a pu servir encore à exprimer le cercle des souvenirs, des amours, des loisirs, de la colère et de la résignation. Pour le reste, des mots vagues et interchangeables. La «chose», l'«affaire»: c'est tout ce que la génération des «non-instruits» (comme disait M. Lesage) pouvait dire d'un vaste secteur du monde où pourtant se déroulait sa vie quotidienne. Du dash à la factorie, du boiler des lavages du lundi matin au grill du samedi soir, la précision venait d'ailleurs. Le joual, je parie que ce fut d'abord le compromis entre l'héritage du vieux langage et l'étrangeté des choses nouvelles.

> FERNAND DUMONT
> *Revue Maintenant*, 1973.

Le joual semble très loin du français normatif standard: il apparaît très anglicisé; il utilise un vocabulaire français pauvre puisqu'il s'y est substitué un vocabulaire anglais; il sert surtout à la communication orale. Cette langue existe en marge de la langue soutenue des intellectuels, des écrivains ou des médias et ne s'approprie plus qu'un univers réduit souvent à sa plus simple expression par des conditions socio-économiques précaires. Le système scolaire aurait dû corriger le laxisme des structures comme l'orthographe déficiente et enrichir le vocabulaire, mais avant 1960, l'école publique n'avait pas plus d'exigences que la société littéralement débordée par une énorme population à scolariser. Le frère Untel[10] lance alors un cri d'alarme dans ses *Insolences*:

> C'est toute la société canadienne-française qui abandonne. [...] Et voyez les panneaux-réclame tout le long de nos routes. Nous sommes une race servile. Nous avons eu les reins cassés, il y a deux siècles, et ça paraît.

Le frère Untel a eu le mérite d'attirer l'attention des lecteurs sur l'inadéquation du système d'enseignement québécois. Le gouvernement Lesage en fera une priorité dans ses réformes. Non content d'expliquer ce «parler joual» dont avait déjà parlé André Laurendeau dans *Le Devoir*, le frère Untel allait au fond du malaise et montrait qu'il recouvrait un problème de civilisation. «Nos élèves parlent joual parce qu'ils pensent joual, et ils pensent joual parce qu'ils vivent joual.»

En 1960, ce livre connut un succès phénoménal: plus de 100 000 exemplaires vendus à l'époque. Le pseudonyme de frère Untel était celui de Jean-Paul Desbiens.

Bien sûr, l'élite pouvait parler un très beau français, lire la belle littérature écrite en France, primée en France et qui daignait aboutir dans les librairies des grandes et petites villes québécoises. Ce qui faisait dire encore à Jean-Paul Desbiens: «Une certaine élite, chez nous, est une élite déracinée. Cultivée, raffinée tout ce que vous voudrez, mais absente; des exilés de l'intérieur.» À côté de ceux-là, des essayistes, des écrivains, d'autres êtres cultivés, se posaient la question fondamentale de leur identité et répondaient: nous sommes d'ici. Gérald Godin et les éditions Parti pris jouèrent alors la carte du joual écrit. Puisqu'il s'agissait d'une langue de communication, il fallait en asseoir les particularités par l'écriture: on se rapprocherait ainsi du peuple qui parlait cette langue imposée par les circonstances.

Gérard Bessette écrivit *La bagarre*; André Major, *Le cabochon*, *La chair de poule*; Jacques Renaud, *Le cassé*; Claude Jasmin, *Pleure pas, Germaine*. C'est surtout par le roman, forme plus populaire de l'écriture, que se firent connaître ces écrivains. De son côté, Michel Tremblay trouvait le créneau idéal pour ce type d'expression; ce serait celle de personnages de théâtre qui utilisent obligatoirement la langue parlée. Il écrit *Les belles-sœurs* en 1965; on ne les jouera qu'en 1968, tant était grande la résistance à s'entendre vivre. Les personnages de Tremblay vivent de cette intensité qui ne peut venir que du vécu qui conditionne l'imaginaire collectif. La révélation la plus précieuse de ce théâtre est sans doute de bien évoquer la solitude sans bornes de l'homme universel par le biais de monologues qui mettent à nu l'âme du spectateur. On se mit alors à écrire «à l'oreille», comme la grand-mère de Roch Carrier «qui n'était pas allée à l'école». À cette heure s'écrivit *asteure*; on buvait du *djinne*, on mangeait des *paparmanes*, en se promenant sur l'*aveniou* puisque c'est ainsi qu'on l'entendait et l'on se servait d'expressions toutes faites comme *neveurmagne* (*never mind*).

Gérald Godin exprime avec lucidité ce sentiment collectif: «J'en suis réduit au joual [...]. Quand j'arrive à Paris, je suis traqué, j'ai des complexes, chaque mot que je dis, j'ai la crainte d'ailleurs presque toujours fondée qu'il ne désigne pas l'objet auquel je pense. Ce décalage entre les mots et mon cerveau, c'est la prairie où court le joual.»

En fait, le moment où le joual devient écrit correspond à l'apogée de cette remise en question générale qui atteindra l'aigu avec ce qu'il a d'insupportable au moment des événements d'octobre 1970. Opposer le joual au français, c'était montrer que l'on n'avait pas peur de la décolonisation, que l'on devait accéder à l'autonomie, celle du langage étant la toute première. Cette démarche est analogue à celle de l'adolescent qui oppose au langage châtié de ses parents bourgeois la langue verte du groupe social auquel il choisit d'appartenir.

L'analogie se vérifie: la mode du joual écrit a duré un peu moins de dix ans, de 1965 à 1973 environ. Les écrivains se sont rendu compte de l'impasse littéraire dans laquelle ils s'étaient aventurés. Le peuple québécois qu'ils voulaient rejoindre par le langage ne se reconnaissait pas dans cette forme écrite qui n'était qu'une codification arbitraire de l'oral. Les romans et les poèmes en question ne seront pas lus par ceux à qui ils étaient destinés. Ceux-ci se reconnaissaient beaucoup plus dans les téléromans dont le petit écran distille toutes les semaines un épisode bien ficelé. Le joual traduit bien l'expression d'un milieu socio-culturel précis qui a son imaginaire, ses nuances, sa façon de conceptualiser; c'est pourquoi les écrivains utiliseront ces richesses linguistiques: toute langue orale a une influence considérable sur la littérature et l'on trouve ce niveau de langue dans plusieurs manifestations littéraires ou para littéraires (chanson, théâtre, roman, etc.).

> Pourquoi croyez-vous qu'il existe des poèmes, des nouvelles, des romans et des manuscrits en joual? Tout simplement pour ceci que l'on en parle et qu'en parlant il apparaisse à tous que la situation d'écrivain dans la société québécoise n'est pas de tout repos...
>
> Un mot joual est plus chargé de signification pour nous Québécois que tous les manuels de la terre. Je dirai que le «joual» dans la littérature québécoise c'est tout simplement de la littérature-vérité.
>
> GÉRALD GODIN, *Le Devoir*, 6 novembre 1965.

En parler, en écrire, c'était nommer une réalité, c'était s'apercevoir que le joual est «le niveau familier populaire du français parlé du Québec» (Gilles Bibeau). Certaines strates de la société l'utilisent parce qu'il répond à leur besoin de communication: c'est le fait de groupes sociaux bien définis dont les innovations linguistiques sont souvent récupérées par ceux qui codifient la langue. C'est aussi le fait d'adolescents qui expriment ainsi leur rejet des contraintes familiales ou scolaires.

L'agilité verbale que l'on retrouve chez des gens habitués à la tradition orale mène à une créativité peu ordinaire. Il y a de bons monologuistes au

Québec dont Yvon Deschamps qui, le premier, a su rendre avec justesse[11] ce parler dont l'anglicisation, très sensible pour une oreille francophone, s'explique admirablement bien dans les circonstances socio-économiques que la région métropolitaine de Montréal réunit sur un territoire assez délimité.

Gérard Bessette met en scène un professeur parfaitement à l'aise dans une ambiguïté qui n'est pas sans rappeler celle dont Jean Bouthillette fait état dans son essai intitulé *Le Canadien français et son double* (1972):

Il était maintenant tout à fait éveillé, à deux houroc du matin, vigila nt tondu. Ça parle au maudit calvaire, quand donc maintenant se rendormirait-il? Ça parle au christ (il me reste au moins ça d'inconstestablement québécois: sacrer — quand je suis en brosse ou en maudit, le joual revient au galop —), c'était surcon (se dit Marin redevenu hexagonal de langue) ce réveil en pleine nuit qui s'étalerait insomniaquement jusqu'aux petites heures de l'aube.

GÉRARD BESSETTE,
Le semestre, 1979.

À la fin de ces quelques lignes sur le joual, il importe de rappeler avec Jean Marcel que «le français parlé au Québec ne diffère *en rien* (du point de vue de la syntaxe et de la morphologie) du français commun à tous ceux qui parlent français dans le monde».

Quand le sociolinguiste Marcel Cohen affirme «qu'en tout état de cause, le langage se trouve au départ et se retrouve à l'arrivée dans la prise de conscience individuelle et éventuellement pour l'explication à d'autres», il exprime fort bien la place viscérale, fondamentale et prépondérante que la langue occupe dans la vie de chacun. «Car si la langue n'est pas la pensée, il n'y a pas d'expression de la pensée

sans les opérations mentales et linguistiques qui rendent possible l'analyse consciente du réel.»

De Jean-Paul Desbiens à Jean Marcel, en passant par Gaston Miron et Plume Latraverse, tous sont conscients que la langue n'a pas seulement des implications culturelles mais a surtout et d'abord des implications politiques et économiques.

LANGUE ET POLITIQUE

À en juger par la masse de livres, articles, brochures de toutes sortes qui traitent de la question de la langue depuis 1960, on pourrait en déduire que la communauté québécoise a attendu cette période pour devenir consciente de l'enjeu que représentait le français au Québec. En fait, pendant les trois dernières décennies, les événements s'accélèrent, les positions se durcissent, la légalisation entraîne les gouvernements les uns après les autres dans des débats souvent passionnés, d'où sont sortis un projet de loi défait, et plusieurs autres lois, règlements et institutions.

Le français [au Québec] n'est pas une langue châtiée, c'est une langue punie. Alors ne vous étonnez pas si les mots se bousculent un peu pour sortir.

GILLES VIGNEAULT

La langue est au Québec au cœur même du problème politique. Il n'y a pas de journée qu'on n'en lise quelque chose dans les journaux, ou qu'on ne soit exaspéré par quelque incartade. Ces problèmes sont du ressort des deux paliers de gouvernement.

LE GOUVERNEMENT FÉDÉRAL ET LE FRANÇAIS

Au fédéral, une Commission d'enquête sur le bilinguisme et le biculturalisme (Laurendeau-Dunton 1963-1965) a préparé le terrain à une reconnaissance plus complète du caractère bilingue du Canada tout en permettant une prise de conscience de l'oppression linguistique dans laquelle vivait le Québec. Trudeau se fit le champion du bilinguisme *a mari usque ad mare*, un projet à la mesure de son ambition. On «bilingualisa» les fonctionnaires à grands renforts de dollars, on créa un Commissariat aux langues officielles dont les rapports fustigent tous les ans l'un ou l'autre des ministères ou organismes gouvernementaux. Faut-il voir dans les démissions de Keith Speicer et Max Yalden, les précédents commissaires, un aveu d'impuissance? Il n'est pas facile de changer les institutions, moins facile encore de changer les mentalités.

Celles-ci ont évolué cependant. Dans l'ennuyeuse ville de Toronto, des années soixante[12], on pouvait s'entendre répliquer: «speak white» si l'on avait l'audace d'émettre quelques mots en français. Les choses ont bien changé: Toronto est devenue une ville superbe, bourdonnante d'activités de toutes sortes et moins raciste. Pendant des lustres, le Canadien français qui avait la moindre responsabilité dans une grande entreprise ou au gouvernement fédéral devait absolument parler anglais[13]. En revanche la réciproque était l'exception et il n'était pas rare dans des réunions à majorité canadienne-française de voir l'ensemble se mettre à l'anglais à cause de la présence d'un seul anglophone. Surnommés «Pea soup», «Frogs», les Canadiens français répliquaient à leur façon en se racontant des histoires racistes dont on retrouve l'équivalent un peu partout dans le monde. Ils devaient apprendre l'anglais pour ne pas rester économiquement une main-d'œuvre à bon marché — ces «porteurs d'eau» «nés pour un petit pain» — qui

---

Débat relatif au statut des langues française et anglaise, à la séance du 21 janvier 1793 de l'Assemblée législative du Bas-Canada. Charles Huot (salle de l'Assemblée nationale).

photo: Archives nationales du Québec à Québec (fonds J.-E. Livernois): N 79-2-48.

semblait écartée des instances de direction anglophones.

Le milieu de travail dans le reste du Canada est tout naturellement anglophone à de très rares exceptions près. Comment pourrait-il en être autrement étant donné l'environnement anglophone omniprésent, cause d'assimilation des minorités hors Québec? Dans le domaine de l'éducation, le fédéral est resté prudemment coi chaque fois qu'il y eut des problèmes de scolarisation en français, au Manitoba, au Nouveau-Brunswick ou plus récemment à Penetanguishene en Ontario. Toutefois, dans les provinces anglophones, on note un effort pour donner aux francophones quelques écoles et quelques programmes «quand le nombre le justifie». D'autre part, maintenant, jaillissent partout des classes d'immersion en français pour les non-francophones. Les chiffres sont stupéfiants. Les commissions scolaires hors Québec s'arrachent les rares professeurs compétents, la vague déborde même jusqu'aux États-Unis. Est-ce une mode passagère ou un signe des temps? «Il ne faut cependant pas oublier que le français est la seule langue officielle qui soit menacée partout au Canada, y compris au Québec» (Pierre Martel, Conseil de la langue française).

LE GOUVERNEMENT DU QUÉBEC ET LE FRANÇAIS

Au Québec, la question est bien plus préoccupante. Les francophones, définitivement en minorité à l'échelle du Canada (25%) mais en majorité au Québec, risquent de devenir minoritaires sur leur propre terrain. Après

l'efficace revanche des berceaux, la société québécoise semble renier tout à coup ce comportement séculaire. La présence accrue des femmes sur le marché du travail, la libéralisation des mœurs, la prééminence de l'individu sur le collectif amènent une réduction dramatique du taux des naissances, un des plus bas du Canada, d'où un taux de croissance plus faible également[14]. Le problème est très grave: «La dénatalité est le pire ennemi de la francophonie», déclare Robert Bourassa. Un taux de croissance d'à peine 1,4% ne permet plus le renouvellement de la société. L'immigration peut être d'un certain recours, mais Jean-Marc Léger a raison de s'alarmer:

> Un peuple ne saurait, sans sombrer dans l'indignité, se défaire en quelque sorte sur autrui du soin de le perpétuer. On voit mal d'ailleurs quel intérêt des immigrants venus des horizons les plus divers auraient à assumer une histoire, une culture, une langue, des valeurs qui leur sont étrangères, alors même que le peuple concerné les aurait allègrement bradées et aurait renoncé à assurer sa propre survivance.
>
> *Le Devoir*, 17 juin 1988

Plusieurs mesures natalistes ont été prises par les deux paliers de gouvernement, en particulier l'augmentation des allocations familiales, l'aide aux garderies, les crédits d'impôts alloués aux parents, mais on attend toujours une politique globale conséquente. Et le petit nombre d'emplois stables disponibles sur le marché du travail n'incite pas les jeunes couples à avoir plusieurs enfants.

La deuxième raison de la minorisation est le fait d'une immigration plus encline à se mettre à l'anglais qu'au français. Cette dernière langue n'of-

**Population selon
la langue maternelle**

	Au Québec	À Montréal	À Québec
français	5 316 925	1 974 120	575 395
anglais	580 030	433 095	10 750
français + anglais	150 730	88 585	9 925
français + autre	30 635	25 925	1 045
français + anglais + autre	29 350	26 485	555
anglais + autre	29 875	27 100	155
autre	394 910	346 045	5 445
Population totale	6 532 465	2 921 355	603 265

	Au Québec	Au Canada
Français	5 316 925	6 159 640
Anglais	580 030	15 334 085
Cri + Algonquin	10 060	74 025
Inuktituk	5 510	21 050

Source: Statistiques Canada — Recensement de 1986.

frant de possibilités économiques qu'au seul Québec, ne peut avoir la puissance d'attraction de l'anglais qui ouvre les portes d'un continent. Après trois ans de séjour au Canada, un immigrant peut demander la citoyenneté et dès lors jouir d'une grande liberté de mouvement en Amérique du Nord. Aussi les immigrants veulent-ils, en grand nombre, s'assimiler à la minorité anglophone et surtout scolariser leurs enfants dans cette langue qui leur apparaît la langue de l'avenir. Ce courant semble néanmoins aussi être partiellement enrayé par les lois visant la langue de l'éducation.

La troisième raison est l'anglicisation, presque inévitable dans certains secteurs de l'économie, qu'apporte le milieu de travail[15]. À ceci s'ajoute la tentation permanente du mieux-être économique ontarien ou états-unien. C'est à un véritable exode des cerveaux que le Québec doit souvent faire face: les conditions d'engagement, de recherche, la variété et la qualité des débouchés sont innombrables dans des régions en meilleure santé économique à condition d'en posséder la langue.

Il n'est pas étonnant que les francophones se sentent en danger, ils se mettent donc sur la défensive et développent des réactions que la frustration peut rendre violentes.

• • •

Les anglophones d'origine britannique (400 000) font face eux aussi à des sentiments d'inquiétude et de frustration. Ils sont les conquérants, ils ont toléré pendant des années ces gens qui les empêchent de vivre en anglais comme ailleurs au Canada. Ils ont des privilèges acquis qu'ils n'entendent céder à personne et sont prêts à prendre la défense des immigrants qui confortent leur position. Les réactions de leur part sont de tous ordres.

Le désir d'adaptation peut les pousser à apprendre le français et à profiter au mieux des deux cultures.

La résistance peut au contraire en amener certains à vivre dans des quartiers, des villes très protégées (Westmount, Ville Mont-Royal, Pointe-Claire sur l'île de Montréal), à faire un «lobbying» efficace auprès d'un gouvernement allié, à s'opposer par tous les moyens aux lois linguistiques en vigueur[16]. Le regroupement Alliance-Québec est très actif dans ces domaines.

Un nombre très restreint adopte un comportement de fuite: comme on l'a vu dans le déménagement de certains sièges sociaux de Montréal à Toronto — déménagement qui n'est toutefois pas dû qu'à des raisons linguistiques. L'Ontario est une province prospère et sa capitale, un centre financier de toute première importance où il est économiquement rentable d'avoir une partie, sinon la tête d'une entreprise d'envergure.

Il n'en reste pas moins que l'anglais est la langue de l'économie dans ses grandes lignes, finances, industrie, commerce, et que la minorité anglophone au Québec est infiniment mieux traitée que n'importe quel groupe francophone au Canada en dehors du Québec.

LES POSITIONS GOUVERNEMENTALES

Pendant deux siècles, écrivains, journalistes et clercs ont répété inlassablement que le français était la condition sine qua non de la survivance. La langue s'est maintenue sans trop de difficultés parce que, d'une part, au Québec le peuple est resté majoritairement de langue française et que, d'autre part, les communications de tous ordres ne favorisaient pas les échanges linguistiques. C'est à partir de 1960 que, sous la poussée d'une nouvelle conscience collective, les gouvernements vont légiférer sur la question de la langue.

Pour le gouvernement Lesage (libé-

ral, 1960-1966), «bien parler, c'est se respecter». On crée l'Office de la langue française (1961) pour surveiller la qualité de la langue. C'est par exemple le moment où disparaissent des villes les enseignes qui se lisaient «Ne stationnez pas en aucun temps». Au même moment, la commission Parent étudie les problèmes d'éducation. Pierre Laporte, dans son livre blanc sur les affaires culturelles, demande que le français devienne langue prioritaire; mais on ne diffuse pas ce livre blanc. On envisage les premiers échanges franco-québécois (1965-1966).

Le gouvernement Johnson (Union nationale, 1966-1968) veut amener tous les Québécois à devenir des citoyens de première zone et veut que le français soit la langue dominante au Québec. Il rend obligatoire l'usage du français dans l'étiquetage des produits alimentaires. Attentif au problème des immigrants, il crée un ministère de l'Immigration et demande aux nouveaux arrivants une connaissance d'usage de la langue. Il intensifie la coopération avec la France; ce nouveau développement des relations internationales inquiète Ottawa qui veut protéger sa compétence en ce domaine.

Le gouvernement Bertrand (Union nationale, 1968-1970) entre sur la scène politique juste après la crise scolaire de Saint-Léonard en 1968: dans une banlieue nord de Montréal, l'afflux d'immigrants italiens réclamant une scolarité bilingue alarme les francophones qui voient le danger d'assimilation venir maintenant de l'intérieur même du Québec.

• Un premier projet de loi (85) est retiré.

• Création de la commission Gendron qui analyse la situation de la langue française au Québec (1968 à 1972).

• Loi 63 (1969) pour promouvoir la langue française au Québec: la loi garantit le droit des parents, même non encore citoyens, de choisir la langue d'instruction des enfants, avec la conséquence que les allophones s'anglicisent.

• Vives réactions des francophones; constitution du Front du Québec français.

• Le gouvernement Bourassa (libéral, 1970-1976) présente les conclusions de la commision Gendron: le français est la seule langue officielle; le français et l'anglais sont deux langues nationales; les mesures gouvernementales incitatives (milieu de travail) doivent être plus énergiques (étiquetage, affichage); en ce qui concerne la langue de l'éducation, la commission renvoie la balle dans le camp du gouvernement.

• Loi 22 (1974). Le français est la langue officielle mais les libéraux croient à la biethnicité et au biculturalisme du Québec: aussi la loi est-elle imprécise, équivoque, voire contradictoire. On y parle de priorité, de télécommunications en français, par exemple. Le français est la langue d'enseignement et l'on demande aux élèves qui veulent entrer à l'école anglaise des tests d'aptitudes linguistiques qui démontrent que le candidat est vraiment anglophone et qu'il a ainsi le droit d'aller à l'école anglaise.

Le problème concerne les immigrants — 8% de la population — dont il faudrait changer l'habitude d'aller vers l'anglais. D'autre part, puisque l'on veut respecter la minorité d'origine

Pourcentage des anglophones et allophones par rapport à la population du Québec

d'origine anglaise	6,0%
d'origine des îles britanniques	10,6%
de langue maternelle anglaise	13,1%
d'origines diverses	
qui pratiquent l'anglais	21,0%

anglaise ou britannique qui a raison de faire reconnaître des droits acquis au moment de la Conquête, ne devrait-on pas ne se préoccuper que des 7,7% de la population québécoise d'origine britannique?

Le gouvernement Bourassa veut faire la promotion de la langue par incitation. On insiste sur l'affichage en français, mais on a du temps pour le faire, et sur le français en milieu de travail. La bonne volonté du gouvernement est évidente mais les modalités d'application des lois sont soit peu claires, soit arbitraires ou même ressenties comme anti-démocratiques par certains milieux.

• Pour le gouvernement Lévesque (Parti québécois, 1976-1985), la langue sera la première priorité politique comme elle l'était pour le parti. Le projet de loi 1 devient la loi 101 (1977). Cette *Charte de la langue française* est très claire et très précise contrairement aux lois précédentes.

Le préambule de la Charte de la langue française

Langue distinctive d'un peuple majoritairement francophone, la langue française permet au peuple québécois d'exprimer son identité.

L'Assemblée nationale reconnaît la volonté des Québécois d'assurer la qualité et le rayonnement de la langue française. Elle est donc résolue à faire du français la langue de l'État et de la Loi aussi bien que la langue normale et habituelle du travail, de l'enseignement, des communications, du commerce et des affaires.

L'Assemblée nationale entend poursuivre cet objectif dans un climat de justice et d'ouverture à l'égard des minorités ethniques, dont elle reconnaît l'apport précieux au développement du Québec.

L'Assemblée nationale reconnaît aux Amérindiens et aux Inuit du Québec, descendants des premiers habitants du pays, le droit qu'ils ont de maintenir et de développer leur langue et culture d'origine.

Ces principes s'inscrivent dans le mouvement universel de revalorisation de cultures nationales qui confère à chaque peuple l'obligation d'apporter une contribution particulière à la communauté internationale.

La loi 101 est faite dans le but précis de permettre aux Québécois de vivre et de s'épanouir en français. Camille Laurin, le «père» de la Charte de la langue française, en a fait une loi avec des modalités d'application très claires. Cette loi ne fera pas plaisir à tous les milieux et ses détracteurs lui reprocheront «d'avoir des dents» alors que les autres louent le PQ d'avoir eu le courage de prendre des mesures strictes et de les appliquer.

La loi 101 donne au Québec des institutions: à l'Office de la langue française s'ajoutent un Conseil de la langue française, une Commission de surveillance, sous la responsabilité du ministre.

La loi est positive et vise à la francisation de l'administration et des entreprises. Elle stipule que le français est la langue de la législation et de la justice, de l'administration, du travail, du commerce et des affaires, de l'enseignement.

Quelques parties de la loi 101 seront déclarées «inconstitutionnelles» par le fédéral; cela forcera les gouvernements du Québec à en amender ou à en préciser certains points; une clause du chapitre VIII, concernant la langue de l'enseignement, a exaspéré bon nombre de personnes par les restrictions qu'elle imposait: la clause «Québec[17]» sera libéralisée et remplacée par la clause «Canada».

La loi 101 a le mérite d'être une loi claire même si elle a suscité de fortes oppositions. Le nouveau gouvernement libéral de Robert Bourassa, à son tour, a voté une loi (178) qui réglemente l'affichage: il devra se faire uniquement en français, sauf dans certains cas précis (taille des commerces, nombre d'employés, etc.) où l'on devra cependant accorder une visibilité plus grande à la langue de la majorité. Cela ne satisfait ni les anglophones qui se sentent trahis, ni les francophones qui craignent la «rebilingualisation».

Après la loi 178 (gouvernement Bourassa) qui précise des modalités d'application de la loi 101, les «stop», qui avaient autrefois été tout simplement barbouillés, sont en 1989 transformés en 101 pour indiquer le désir de bon nombre de s'en tenir à la Charte de la langue française.

photo: Françoise Tétu de Labsade.

La bataille du français n'est pas gagnée pour autant: c'est une lutte journalière: le Québec francophone représente à peine 2,4% du continent nord-américain anglophone; 6,5% des Québécois sont encore incapables en 1988 de s'exprimer dans la langue de la majorité. Claude Hagège, dans son ouvrage intitulé *Le Français et les siècles* (1987), montre à quel point la diffusion du français dans le monde lui apparaît comme un «choix humaniste face à toutes sortes d'hégémonie.» Lorsqu'il touche particulièrement au Québec, il ajoute avec une tranquille assurance: «en inscrivant dans sa constitution l'unilinguisme officiel en faveur du français (loi 101), le Québec a manifesté une claire saisie de la gravité des enjeux [et...] du péril du bilinguisme.»

• • •

Le français est bien vivant au Québec; il s'est parfaitement adapté à ce nouveau continent; son adéquation au réel, son évolution ne peuvent qu'être bénéfiques à la langue française en général. Des observateurs ont noté en effet qu'en France même, les anglicismes sont plus courants et que les institutions spécialisées semblent moins convaincues qu'au Québec. L'urgence et la précarité de la situation linguistique au Québec ont conduit les esprits à décider d'une ligne de conduite ferme. Léon Dion insiste à son tour sur le fait que la langue française était avant tout le principe intégrateur de la société québécoise. Renoncer à ce principe ce serait saper les fondements mêmes de cette société sous sa forme séculaire.» (*Le Devoir*, 27 mai 1988).

La vitalité du français québécois est extraordinaire; la créativité des publicistes est stupéfiante; les écrivains explorent sans cesse de nouvelles possibilités et repoussent les limites de la littérature. De nombreux monologuistes, en jouant avec les mots, montrent à quel point le Québec tient à sa culture française spécifiquement québécoise. Plus personne maintenant ne porte en écharpe un cœur meurtri par les assauts répétés des communications. C'est avec humour et finesse que l'on vit en français. Sol est sans doute le plus souple des acrobates d'une langue qu'il désautomatise[18] pour mieux en faire saisir la délicatesse et les infinies possibilités. Sous le couvert de la naïveté désarmante d'un pauvre diable, Marc Favreau fait danser les mots dans un imaginaire superbe: à coups de «transe-canadienne» et de «purée-culture», les messages passent.

De l'utilité d'avoir un supermarché sur le chemin de retour d'un voyage de pêche.

photo: Communications Cossette.

Les histoires de Mario.

Le poisson de Provigo.

La complainte au garnement

les premiers qui sont venus ici
dans le temps (y en a qui sont repartis)
mais ceux qui sont restés
les collants
les premiers collants ils en ont eu du mal
avec les mots pôvres collants
ils pouvaient pas s'entendre avec les
indigents
ils s'entendaient pas
c'était la francacophonie
y avait pas un indigent qui parlait un prêtre
mot de la langue
[...]
Je pourrais faire ma complainte au
garnement
je lui dirais:
monsieur le garnement
pourquoi vous faites ça?
pourquoi vous avez mis ma
langue dans votre poche
c'est pas bien c'est vilingue
[...]
d'accord monsieur d'accord
montrer sa langue au monde
d'accord c'est pas poli
mais vous trouvez ça mieux
qu'on voye ma polyglotte?
monsieur le garnement
plus je vous écoutille moins je
compréhensionne
et si j'avais un chat
même un chat dans la gorge
je lui donnerais MA LANGUE

il aurait pas le choix
elle est pas si tant pôvre
elle vit dans un palais
rendez-la-moi monsieur
laissez-la-moi tranquille
et si sans le vouloir je mange un peu mes
mots
ma langue jamais je voudrais
l'avaler
et encore moins je jure me la faire ravaler

SOL

Du côté des lexicographes, «ces greffiers de l'usage», on a créé ici deux banques de terminologie. D'après Jean-Claude Corbeil, «depuis la Révolution tranquille, les Québécois ont pris conscience puis possession de leur langue; ils en sont venus à la conclusion naturelle que le français d'ici est légitime, parce qu'il colle à leur réalité. Cette légitimation linguistique [...] a donné un nouvel élan aux recherches sur la langue» et a suscité la publication de plusieurs dictionnaires[19] québécois. Dans un ordre différent, les chansonniers du Québec eux aussi sont l'écho dans le monde entier des bulletins de la bonne santé du français québécois.

Quelques mots d'origine amérindienne

BABICHE: lanière de peau d'animal dont on fait des liens, des raquettes ou des fonds de sièges; vient de *ababiche*, «lien».

CARCAJOU: blaireau; du montagnais *kuakuatsheu*, «glouton»; son intrusion dans un bivouac est redoutée des trappeurs.

CARIBOU: le renne du Canada vit en troupeaux et gratte la neige avec ses pattes pour se nourrir; les Micmacs appellent ce comportement *kalibou*.

MACKINAW: étoffe à larges carreaux dont on fait des chemises ou des vestes, et par extension ces vêtements; de l'algonquien *makinac*, «tortue» (cf. la bataille de Michilimakinac).

MANITOU: les Algonquins parlent ainsi des «pouvoirs qui sont dans la nature».

MASKINONGÉ: poisson d'eau douce.

SAGAMITÉ: plat de maïs écrasé qui pouvait être mélangé à d'autres ingrédients; de l'algonquien *kiragamité*, «eau chaude».

TOBOGGAN: traîneau chez les Algonquins.

Notes

1. Le français international constitue une norme par convention.

2. «Icitte» [islt], chriss [krls].

3. La nuance péjorative si fréquemment attribuée au provincialisme vient tout simplement du fait que lc citadin et plus spécialement le Parisien est convaincu de sa supériorité. Si la Parisienne traite sa cousine de «provinciale» avec le mépris que l'on sait , on peut se rappeler que c'est la ville qui impose ainsi sa superbe. Les citadins traitent de «paysans» ceux qui ne conduisent pas comme eux, et au Québec, ce type de comportement se retrouve dans l'expression: «arrive en ville». Le gars mal dégrossi sera ainsi traité d'«habitant» ou de «colon» suivant la situation du locuteur. C'est bien connu, «on est toujours le Sauvage de quelqu'un».

4. Même si l'interpénétration des langues reste un phénomène naturel et constant.

5. «Qu'est-ce que tu fais, toi? — Moi? je mets des haricots en boîte à l'usine.»

6. En 1930, la Société du Parler Français au Canada éditait un *Glossaire du parler français* (Québec, L'Action sociale); en 1957, Louis-Alexandre Belisle, ancien typographe au *Soleil*, publiait et éditait lui-même, à Québec, le *Dictionnaire général de la langue française au Canada* (54 582 articles, 3065 illustrations, 1408 pages).

7. Ou «se faire passer un Québec», *i.e.* se faire duper. Voir le dictionnaire Bélisle.

8. La prononciation *chanteux* pour chanteur a duré plusieurs siècles en France (A. Dauzat).

9. Le 21 octobre 1959, André Laurendeau [...] «qualifiait le parler des écoliers canadiens-français de "parler goual". [...] parler joual, c'est précisément dire jouall au lieu de cheval. C'est parler comme on peut supposer que les chevaux parleraient s'ils n'avaient pas déjà opté pour le silence et le sourire de Fernandel» (*Les insolences du frère Untel*, Montréal, Les Éditions de l'Homme, 1960).

10. Pseudonyme de Jean-Paul Desbiens dont le livre, *Les insolences du frère Untel*, a connu un succès phénoménal (plus de 100 000 exemplaires à l'époque).

11. Il y a du Molière dans la mise en scène d'Yvon Deschamps. Le brave employé qui se contente «de sa job steady, ben safe» et d'un «maudit bon boss» fait rire à gorge déployée.

12. D'où la «farce plate» qui courait en cette décennie-là les rues de Montréal et de Québec concernant un concours d'anglais dont le premier prix était une semaine à Toronto, le deuxième prix, deux semaines à Toronto, le troisième prix, trois semaines à Toronto...

13. Pour monter dans l'échelle sociale, il fallait d'abord «être parfait bilingue».

14. Au Québec, la croissance démographique pour cette période (1985) n'a été que 0,7%, comparativement à 1,3% en Ontario et à 0,9% dans l'ensemble du Canada.» (*Le Devoir*, 27 août 1987).

15. Jean-Pierre Proulx titrait un article sur la langue de l'école: «Démonter en français une auto qu'il faudra remonter en anglais.» (*Le Devoir*, 26 septembre 1988).

16. Aux élections de 1989, le Parti égalité a fait élire quatre députés anglophones dans des circonscriptions électorales traditionnellement acquises au Parti libéral.

17. L'article 73 autorisait à recevoir un «enseignement en anglais, à la demande de leur père ou de leur mère», *(a)* les enfants dont le père ou la mère a reçu au Québec, l'enseignement primaire en anglais, *(b)* les enfants dont le père ou la mère est, le 26 août 1977, domicilié au Québec et a reçu, hors du Québec, l'enseignement primaire en anglais, *(c)* les enfants qui, lors de leur dernière année de scolarité au Québec avant le 26 août 1977, recevaient légalement l'enseignement en anglais dans une classe maternelle publique ou à l'école primaire ou secondaire, *(d)* les frères et sœurs cadets des enfants visés au paragraphe c.

La clause «Québec» a été remplacée par la clause «Canada» en 1984.

18. «J'avais un chat dans la gorge, alors on m'a donné un sirop pour matou.»

19. Le *Dictionnaire du français plus* sous la direction de Claude Poirier (Montréal, CEC, 1988), le *Dictionnaire thématique visuel* de Jean-Claude Corbeil (Montréal, Québec/Amérique, 1986), le *Multidictionnaire des*

difficultés de la langue française de Marie-Eva de Villers (Montréal, Québec/Amérique, 1988), le *Dictionnaire des particularités de l'usage* de Jean Darbelnet (Sillery, PUQ, 1986), le *Dictionnaire des canadianismes* de Gaston Dulong (Paris, Larousse; Québec, Le Septentrion, 1989).

Bibliographie

BOUTHILLER, Guy, MAYRAND, Jean, *Le choc des langues au Québec, 1760-1970*, Montréal, PUQ, 1972.

CHAREST, Gilles, *Le livre des sacres et blasphèmes québécois*, Montréal, L'Aurore, 1974.

LALONDE, Michèle, *Défense et illustration de la langue québécoise*, Paris, Seghers/Laffont, 1979.

LECLERC, Jacques, *Qu'est-ce que la langue?*, Chomedey, Mondia Éd. 1979.

MARCEL, Jean, *Le joual de Troie*, Montréal, Éd. du Jour, 1973.

PLOURDE, Michel, *La politique linguistique du Québec 1977, 1987*, Québec, IQRC, 1988.

«Joual en tête», Gilles Bibeau, *La Presse*, 16 juin 1973.

«La langue française», *Culture vivante*, nos 7-8, ministère des Affaires culturelles du Québec, 1968.

Langue française, «Le français au Québec», n° 31, septembre 1976, Paris, Larousse, 1976.

Maintenant , n° 125, Montréal, 1973; n° 134, Montréal, 1974.

Parti pris, Montréal, janvier 1965.

Deux collections sont à mentionner:
— l'Office de la langue française (Éditeur officiel du Québec) a publié:

Canadianismes de bon aloi et des *Vocabulaires spécialisés* (Alimentation, Assurance sur la vie, Hydro-électricité, Radio-télévision, Sport).
— Les Presses de l'Université Laval ont une collection très étoffée intitulée «Langue française au Québec» dont *Problèmes de lexicographie québécoise* de Marcel Juneau (1977) et le *Trésor de la langue française.*

Filmographie

Le Beau Plaisir, B. Gosselin, P. Perrault, M. Brault, ONF, coul., 1968, 15 min.

Françoise Durocher, waitress, A. Brassard, M. Tremblay. ONF, coul., 1972, 29 min.

J'ai pas dit mon dernier mot, Yvon Provost, ONF et Office de la langue française du Québec, coul., 1986, 60 min.

Speak white, (Extrait de la nuit de la poésie. Michèle Lalonde), Jean-Claude Labrecque, ONF, coul., 1970, 4 min.

Les séries

«La langue au Québec», ONF er Radio-Québec, 1976.

«Sur le bout de la langue», ministère de l'Éducation, 1983.

«Le système de la langue française», OFQ.

«Tout le monde parle français», ONF et les films de l'Office de la langue française.

Discographie

Les disques d'Yvon Deschamps, dont *L'Argent ou le bonheur*, Polydor, 542.508, août 1969.

Les disques et les livres de Sol (Marc Favreau), dont *Avec Sol rien détonnant!* ou *L'Univers est dans la pomme*, Montréal, Stanké, 1987.

La langue de chez nous, chanson d'Yves Duteil.

4

La politique

Page précédente: La place du Québec a
été inaugurée à Paris le 17 décembre
1980.

Le XIXe siècle qui a marqué le début d'un comportement spécifiquement «québécois» (même si à l'époque on se disait canadien) développe dans le peuple le sens de la politique. De simple conscience d'un fait, ce sens de la politique deviendra plus tard une passion. La société québécoise est en situation souvent instable et chacun se rend compte de l'importance de cette composante de la vie collective.

On se passionne pour la politique en développant les défauts et qualités inhérents à tout sentiment parfois excessif: à des périodes d'enthousiasme, d'engouement, d'engagement profond, d'idéalisme, succèdent des moments de désillusion, de désaveu. À une activité intense fait souvent suite une passivité désarmante, une démobilisation massive.

Dans l'histoire des dernières années, nombreux sont les exemples de cette alternance qui touche aux fibres les plus sensibles de l'être et fait ressortir régulièrement les questions fondamentales. La période de passivité sociale des Québécois sous la «grande noirceur» de Duplessis (1944-1960) a été suivie des années d'ébullition collective (1960-1968) de la Révolution tranquille avec Lesage et Johnson. Sous Bertrand et Bourassa (1968-1976), on se sent moins concerné si ce n'est lors des événements d'octobre 1970. En 1976, l'arrivée du Parti québécois au pouvoir, avec la personnalité politique exceptionnelle que sera René Lévesque, conscientise et politise le Québec au plus haut point jusqu'au référendum (1980). Commence alors une autre période de désintérêt massif qui contraste brutalement avec l'euphorie des années précédentes.

Mais passion ne veut pas dire tocade. On est par tradition familiale attaché à un parti. Autrefois, on était «bleu» ou «rouge», conservateur ou libéral jusqu'au cimetière, et la famille choisissait, en conséquence, l'entrepreneur de pompes funèbres. Il y avait des comtés traditionnellement «bleus» et celui qui «virait son capot» était littéralement mis au ban de son petit monde quotidien. On se retrouvait dans des assemblées contradictoires, on apprenait aux élèves des cours classiques à exercer leurs talents oratoires dans des «parlements»; le goût qu'a le Québécois de parler, de faire de la rhétorique sans le savoir, se retrouve dans ces séries d'émissions de radio, dites de «lignes ouvertes» où l'on invite l'auditoire à discuter avec un meneur de jeu qui n'est jamais en panne d'appels de l'extérieur. À la télévision comme à la radio, ce sont des commentaires, nombreux et quotidiens. On fait plus que parler, on écrit beaucoup: des éditoriaux de journaux, où l'on retrouve parfois des prises de position contradictoires dans la même page, et quantités de livres dans lesquels on analyse, on disserte, on s'explique à longueur de texte.

LES INSTITUTIONS

LE GOUVERNEMENT

Le Québec est soumis à la constitution canadienne qui lui concède comme aux autres provinces la possibilité d'organiser ses propres institutions. Du statut de *dominion* qu'avait le Canada, sont restées plusieurs habitudes britanniques.

Le lieutenant-gouverneur est le représentant dans la province de l'autorité de la reine. Il est présent au «discours inaugural», discours-programme du gouvernement et appose sa signature aux lois votées par le Parlement pour les rendre exécutoires. Mais il n'a aucun pouvoir personnel; il est nommé et rétribué par le fédéral.

Le chef de gouvernement est le premier ministre qui gouverne et administre avec un conseil des ministres, appelé aussi conseil exécutif, de 25 à 30 personnes. Les ministres sont choisis par le premier ministre, parmi les députés qui ont été élus à l'Assemblée nationale (125 aux élections de 1989).

En 1968, le Québec a aboli le Conseil législatif qui, de fait, constituait une «chambre haute» dont les membres n'étaient pas élus mais nommés par le gouvernement. Ce système de bicaméralisme fonctionne encore à Ottawa (chambre des Communes et sénat).

Hôtel du parlement où siège l'Assemblée nationale. Il fut construit entre 1877 et 1887 d'après les plans de l'architecte Eugène-Étienne Taché.

photo: Françoise Tétu de Labsade.

Premiers Ministres du Québec depuis 1867

Nom	Parti	Nomination
Chauveau, Pierre J.-O.	Conservateur	juillet 1867
Ouimet, Gédéon	Conservateur	février 1873
Boucherville, C.B. de	Conservateur	septembre 1874
Joly, Henri-G.	Libéral	mars 1878
Chapleau, J.-Adolphe	Conservateur	octobre 1879
Mousseau, J.-Alfred	Conservateur	juillet 1882
Ross, John Jones	Conservateur	janvier 1884
Taillon, L.-Olivier	Conservateur	janvier 1887
Mercier, Honoré	Libéral	janvier 1887
Boucherville, C.-B. de	Conservateur	décembre 1891
Taillon, L.-Olivier	Conservateur	décembre 1892
Flynn, Edmund J.	Conservateur	mai 1896
Marchand, F.-Gabriel	Libéral	mai 1897
Parent, S.-Napoléon	Libéral	octobre 1900
Gouin, Lomer	Libéral	mars 1905
Taschereau, L.-Alexandre	Libéral	juillet 1920
Godbout, Adélard	Libéral	juin 1936
Duplessis, Maurice	Union nationale	août 1936
Godbout, Adélard	Libéral	novembre 1939
Duplessis, Maurice	Union nationale	août 1944
Sauvé, Jean-Paul	Union nationale	septembre 1959
Barrette, Antonio	Union nationale	janvier 1960
Lesage, Jean	Libéral	juillet 1960
Johnson, Daniel	Union nationale	juin 1966
Bertrand, Jean-Jacques	Union nationale	octobre 1968
Bourassa, Robert	Libéral	mai 1970
Lévesque, René	Parti Québécois	novembre 1976
Johnson, Pierre-Marc	Parti Québécois	septembre 1985
Bourassa, Robert	Libéral	décembre 1985

Source: Cabinet du Premier Ministre.

Le premier ministre est le chef de la formation politique qui a obtenu le plus de sièges à l'Assemblée nationale. C'est dans son parti qu'il choisit évidemment ses ministres pour orienter la politique qu'il préconise. Il peut remanier son cabinet quand il le désire. Le mandat confié aux députés n'excède pas cinq ans; dans la majorité des cas, le premier ministre déclenche les élections au bout de quatre ans.

Les chefs des partis d'opposition ont aussi à intervenir. L'Opposition officielle est formée par le groupe parlementaire du parti qui se classe deuxième pour le nombre de sièges à l'Assemblée nationale.

Les échanges entre le parti au pouvoir et le parti d'opposition sont parfois empreints d'une vivacité, pour ne pas dire d'une certaine agressivité envers les «amis d'en face» qui exigent du président de l'Assemblée une connaissance parfaite des questions de procédure en même temps que des cordes vocales en excellente santé. Sans doute faut-il y voir un aspect de la latinité des Québécois?

Une autre habitude britannique est celle du recours aux commissions

L'Assemblée nationale siège dans ce qu'on appelle encore le Salon bleu (mars 1986).

photo: Ministère des Communications, gouvernement du Québec.

Robert Bourassa, premier ministre de 1970 à 1976 et réélu en 1985. En 1970, les Québécois avaient élu le plus jeune premier ministre de leur histoire.

photo: Assemblée nationale.

d'enquête qui sont des organismes para-gouvernementaux, créés au besoin pour l'étude d'une question particu-lière. Certaines ont abouti à des réformes de fond comme la commission Parent sur l'enseignement (1963-1966). Parallèlement à ces commissions d'enquête, temporaires par définition, existent des commissions parlementaires qui, à l'aide d'élus de toute obédience, passent au crible projets de lois et crédits alloués.

L'administration du Québec est devenue — et ce depuis la Révolution tranquille — quelque peu pléthorique. Après les années de vaches grasses qui ont multiplié les services gouvernementaux ou para-gouvernementaux, on se retrouve avec une administration très lourde, comme dans maint autre pays occidental.

LE SYSTÈME ÉLECTORAL

Les députés de l'Assemblée nationale sont élus pour cinq ans par le vote populaire. Ce vote est universel: la majorité est à 18 ans et les femmes votent depuis 1940. Le financement des campagnes électorales — et des partis politiques, depuis le gouvernement péquiste — a été réglementé sévèrement pour protéger les députés contre d'éventuelles pressions.

Chaque député est élu selon le mode du scrutin uninominal majoritaire à un tour. Ce système a l'avantage d'être simple et rapide. Il s'avère plus ou moins équitable en cas de bipartisme. En revanche, il donne de bien curieux résultats si un tiers parti entre en jeu puisqu'il n'y a pas de deuxième tour de scrutin pour «rectifier le tir» et que chacun n'a qu'une seule chance d'exprimer son opinion politique. Par exemple, en pleine Révolution tranquille, alors même que le Parti libéral de Jean Lesage semblait à l'abri des surprises, le parti indépendantiste RIN (Rassemblement pour l'indépendance nationale) renversait les prévisions et poussait aux premières loges Daniel Johnson et l'Union nationale.

Le Parti libéral s'en serait sûrement tiré victorieusement avec quelques

Élections du 5 juin 1966

Parti	% des votes	% des sièges
Libéral	47,2	46,3
Union nationale	40,9	51,9
Rassemblement pour l'indépendance nationale	7,8	0
Ralliement national	3,2	0

votes RIN et RN. Cela prouve que l'on peut gouverner le pays avec environ 40% de l'opinion populaire quand l'opposition officielle en représente 47%!

Un autre défaut du système est de favoriser les balayages qui donnent une majorité «sans bon sens» à un parti. Ce genre de raz-de-marée n'est jamais très positif. L'effet de surprise passé, le gouvernement en place se retrouve avec des députés qui n'ont ni l'habitude de l'arène politique, ni la ferveur de ceux qui doivent chaque jour affronter une opposition digne de ce nom. Le meilleur exemple de cette situation fut sans contredit l'élection générale de 1973. Robert Bourassa, trois ans après les événements d'octobre, avait décidé, pour asseoir son autorité, de faire appel au peuple. Le tableau ci-joint en dit long:

Élections 1973 à l'Assemblée nationale

	Parti Libéral	Parti québécois	Union nationale	Ralliement créditiste
Total des sièges	102	6	0	2
% des sièges	92,7	5,5	0	1,8
% des votes	54	30	5	11
Écart entre % des sièges et % des votes	+37,3	−24,5	−5	−9,2

Ces écarts gigantesques montrent bien la distorsion permise par le système. L'usage de la démocratie n'en est d'ailleurs pas facilité. Le Parti québécois qui avait particulièrement souffert de cette situation avait prévu une refonte de la loi électorale qui n'a pas abouti.

La liste électorale est affichée, par rue ou par quartier, sur les poteaux de téléphone.

photo: Archives nationales du Québec à Québec (fonds, ministère des Communications): 76-650.

Au Québec, il n'y a pas de carte d'identité, pas de carte d'électeur non plus. Des recenseurs passent pour établir la liste électorale et on fait confiance à l'honnêteté des citoyens; cela a permis soit de «passer des télégraphes», soit de voter à la place d'un absent ou d'un mort.

LES MUNICIPALITÉS

Les municipalités, qui ont joué pendant longtemps un rôle d'organisation de services publics de base, ont graduellement au cours du XXe siècle été amenées à accroître leurs responsabilités (environnement, loisirs, etc.). Elles sont maintenant en charge des activités autrefois exercées par des associations volontaires souvent regroupées dans le cadre de la paroisse. Les grandes agglomérations ont donné naissance à des communautés urbaines (Montréal, Québec) à qui incombent, entre autres, le transport public et d'autres problèmes d'intérêt général (ordures ménagères, adduction d'eau). Dans les campagnes, on a créé des Municipalités régionales de comté regroupant plusieurs petites municipalités qui, autrement, auraient de la peine à financer leurs propres services publics. Le rôle des municipalités s'est accru progressivement dans l'organisation des loisirs à mesure qu'ils prenaient une place de plus en plus importante dans la vie du citoyen du XXe siècle.

LES FINANCES

La taxation foncière au Québec est strictement municipale. La municipalité décide du montant que chacun doit verser annuellement, en fonction de la valeur de ses biens immobiliers évalués indépendamment des revenus individuels. Plus une ville a de charges et de services, plus il est donc coûteux d'y vivre. C'est une des raisons de l'importance des banlieues et villes-satellites des grandes régions urbaines, qui se développent parfois abusivement en raison de l'espace et des facilités de communication.

Le gouvernement provincial et le gouvernement fédéral perçoivent aussi des impôts. Les Québécois doivent faire une double déclaration depuis Duplessis alors que dans les autres provinces, le gouvernement fédéral se charge de la perception globale et redonne sa part à chaque gouvernement provincial. Ce système de taxation s'avère plus onéreux pour le contribuable du Québec. Il faut cependant noter que les services sociaux sont bien organisés, qu'il ne coûte rien de se faire soigner dans des hôpitaux sophistiqués si l'on présente la «carte-soleil», sorte de carte de crédit utilisée chez le médecin et à l'hôpital, qui est attribuée à tout résident du Québec. La facture est adressée à une régie d'État qui paie directement les services médicaux. Le lourd fardeau fiscal des contribuables canadiens est sans doute le tribut à payer pour que les besoins et soins essentiels soient assurés à tous les individus.

LES RELATIONS INTERNATIONALES

Étant donné les deux paliers de gouvernement, on en est rapidement venu à créer deux entités spécifiques, chargées de la représentation du Québec, l'une auprès du fédéral et des autres provinces, l'autre auprès des gouvernements étrangers. Au fil des ans, deux instances se sont trouvées tantôt dans le même ministère, tantôt séparées. En 1989, le Québec est doté d'un ministère des Affaires intergouvernementales et d'un ministère des Affaires internationales.

Dans beaucoup de pays, en particulier dans le monde francophone (France[1], Belgique[2], Afrique[3]), en Angleterre, aux États-Unis et en Amérique latine, le Québec a cru bon d'ouvrir des délégations qui ont un rôle économique et culturel évident. Comme cette représentation est lourde financièrement, on en a fermé quelques-unes récemment. En revanche, le Québec bénéficie, dans quelques postes diplomatiques canadiens, d'un représentant clairement identifié; c'est le cas en Côte-d'Ivoire.

LES PARTIS POLITIQUES

Il y a une bonne quinzaine de partis politiques officiels au Québec, dont certains ne sont qu'éphémères ou trop peu représentés à l'échelle du pays. Il ne sera question que des plus importants selon l'ordre chronologique d'entrée en scène.

LES PARTIS TRADITIONNELS

Au moment de la Confédération, les partis qui ont pris en mains les destinées du Québec étaient les héritiers des formations politiques qui existaient sous l'Union. Conservateurs et libéraux ont une vision politique assez proche et une idéologie voisine. Les conservateurs sont plus traditionalistes; parmi eux, des extrémités, les ultramontains, prônaient les valeurs sûres, religion, famille, vocation agriculturiste. Tout à fait à l'opposé, les plus progressistes des libéraux — les Rouges — insistaient sur la qualité de l'éducation et affichaient des idées plus ou moins anticléricales.

Le Parti libéral du Québec

Ce parti a dominé la province sans arrêt de 1897 à 1936; c'est une émanation du Parti libéral du Canada. Les organisations électorales sont les mêmes jusqu'en 1960 alors que les deux ailes, fédérale et provinciale, deviennent deux entités tout à fait distinctes.

Pendant les trentes années qui suivent la Confédération, c'est le Parti conservateur qui domine la scène politique. Peu à peu le Parti libéral renforce son audience dans la population trouvant des appuis même dans le clergé qui n'approuve pas toujours la puissance des ultramontains et leurs prétentions à tout régenter. Honoré Mercier s'impose comme chef de parti; il propose l'union de tous les Canadiens français; il rallie des conservateurs dissidents et donne un nouvel élan au Parti libéral, dégage alors des aspects radicaux qui avaient marqué ses origines. Arrivé au pouvoir en 1887, il sera le premier à défendre énergiquement les intérêts de la province. Il affirme le nationalisme canadien-français et exige d'Ottawa le respect de l'autonomie du Québec. Il s'intéresse à l'agriculture et à la colonisation au point de nommer nul autre que le curé Labelle à un poste de sous-ministre. Il s'occupe également des communications surtout dans les régions éloignées (Lac-Saint-Jean).

Éclaboussé par un scandale financier lors de la construction du chemin de fer destiné à désenclaver la baie des Chaleurs, il doit quitter le pouvoir.

Après un intermède conservateur de cinq ans, le Parti libéral reprend le pouvoir en 1897; il le gardera pendant presque quarante ans. Cette longue période voit le Québec s'industrialiser et s'urbaniser: les orientations fondamentales du parti (développement de l'économie, mise en valeur des ressources naturelles) lui permettent de conserver son emprise sur le Québec. Lomer Gouin et Louis-Alexandre Taschereau resteront chacun une quinzaine d'années à la tête du Québec. La grande crise économique incite toutefois les électeurs à se défier des idées de modernisation des libéraux qui perdent le pouvoir en 1936. En 1940, Adélard Godbout redonne le pouvoir au Parti libéral: il a saisi le véritbale enjeu de la transformation du Québec qui passe par une politique sociale. Ces quatre années, 1940-1944, paraissent avec le recul du temps avoir été les prémisses de ce qui sera plus tard la Révolution tranquille.

C'est en 1960 que celle-ci se matérialise avec tout ce qu'elle comporte de changement dans les mentalités et les institutions du Québec. On doit alors au PLQ de Jean Lesage le ministère de l'Éducation, la nationalisation de l'électricité, le développement hydro-électrique, la Société générale de financement et l'assurance-maladie. En outre, c'est ce parti qui donnera le premier l'importance qui convient aux affaires culturelles (c'est d'ailleurs avec cette même logique que le Parti libéral a présenté à l'Assemblée nationale en novembre 1987 un projet de loi définissant le statut de l'artiste). Le Parti libéral n'est sans doute pas seul responsable de ces changements. En fait, les idées avaient énormément évolué après la Deuxième Guerre mondiale, artistes et écrivains s'étaient déjà faits les porte-parole de ce nouvel individu qui se sentait tout à coup devenu Québécois jusqu'au plus profond de l'être.

L'histoire se souviendra de Jean Lesage dont le gouvernement orchestra le désir de changement de son peuple. Il avait su s'entourer d'une «équipe du tonnerre» (Paul Gérin-Lajoie, René Lévesque, Georges-Émile Lapalme) et créer un corps de hauts fonctionnaires dévoués, croyant passionnément au Québec. Le groupe donnera plus tard au Parti québécois plusieurs de ses éléments les plus actifs (Jacques Parizeau, Claude Morin). Lorsque Jean Lesage se fera battre par Johnson en 1966, celui-ci continuera le travail de son prédécesseur alors même qu'il était du parti opposé. C'était un courant d'une telle force qu'il suffisait alors d'être à l'écoute du peuple. Le Parti libéral reprend le pouvoir en 1970, lorsque les électeurs élisent un économiste, Robert Bourassa, qui sera le plus jeune premier ministre de l'histoire du Québec. Son mérite aura été de croire plus que les autres à la force économique de l'hydro-électricité; son nom sera lié à la réalisation de l'énorme complexe hydro-électrique de la Baie James.

R. Bourassa conduira de nouveau son parti au pouvoir à deux reprises après la décennie péquiste. L'orientation économique du parti reste la même, en particulier en ce qui concerne l'hydro-électricité et le développement

de l'entreprise privée. Ses prises de position sur la langue (loi 178) le priveront de l'appui jusqu'alors inconditionnel de l'électorat anglophone qui lui manifestera son mécontentement aux élections de septembre 1989, lui opposant une nouvelle formation politique, exclusivement anglophone, le Parti égalité, qui propulsera quatre députés à l'Assemblée nationale.

Par le nombre d'années qu'il a passé au pouvoir, par la continuité de ses idées, le Parti libéral représente depuis un siècle une force très stable et bénéficie de la présomption favorable d'un groupe de supporters très important. Au cours des dernières années, il a compté en son sein des ministres remarquables (Claude Castonguay, Jean-Paul L'Allier, Claude Ryan, etc.) Le PLQ est toujours le parti du «fédéralisme rentable», on l'a bien vu quand Robert Bourassa a signé l'accord de principe du lac Meech en juin 1987.

L'Union nationale

Les années de la crise économique avaient essoufflé le Parti libéral qui avait dominé l'arène politique depuis le début du XXe siècle. L'opinion publique était prête pour un changement: il fallait un chef à cette opposition. Ce fut Maurice Duplessis.

Maurice Duplessis, né en 1890, se présente dans le comté de Trois-Rivières en 1927. Devenu en 1933 chef du Parti conservateur — parti battu dix fois aux élections générales depuis 1897 —, il se fait le défenseur acharné des droits traditionnels du Québec. C'est le temps où l'abbé Lionel Groulx exprime dans ses romans et ses essais

Maurice Le Noblet Duplessis, premier ministre de 1936 à 1939 et de 1944 à sa mort en 1959.

photo: Assemblée nationale.

1944 à 1959. On a appelé cette période le règne de Duplessis. Celui-ci a une forte personnalité, gouverne seul même s'il a des ministres. C'est un fin politique, qui sait se servir des gens. Parleur médiocre mais doué d'une sorte de charisme, il est avant tout nationaliste: le Québec avant le Canada. On lui reprochera un patronage dont la tradition s'était établie bien avant lui. Il s'appuie comme tous les conservateurs sur les valeurs traditionnelles (religion, famille, agriculture). Il mènera donc une politique axée sur l'agriculture et son développement: il électrifie les campagnes, fait drainer les terres, fonde

Le «catéchisme» était un type d'enseignement habituel qui fonctionnait par questions et réponses qu'il fallait en général savoir par cœur. Duplessis utilisa ce type de livre, généralement réservé à la religion, pour sa campagne électorale (*Le catéchisme des électeurs*).

photo: Centre de recherche Lionel-Groulx.

des idées nationalistes fondées sur la «race canadienne-française».

1935. Un groupe de libéraux sécessionnistes autour de Paul Gouin avaient formé l'Action libérale nationale; avec ce dernier Duplessis rallie les forces d'opposition et donne à ce nouveau parti de coalition le nom d'Union nationale. Devenu chef de cette formation, Duplessis élimine bientôt l'apport des libéraux et donne à l'Union nationale une allure carrément conservatrice.

1936 à 1939. Premier gouvernement Duplessis qui assiste à l'effondrement de son parti aux élections suivantes: les libéraux avaient agité bien haut le spectre de la conscription, toujours odieuse aux Canadiens français. Le chef conservateur prendra bientôt sa revanche.

le Crédit agricole et développe l'enseignement spécifiquement agricole (La Pocatière, Saint-Hyacinthe).

Il poursuit les «communistes», un peu comme Truman au même moment aux États-Unis. Il se méfie des artistes qui osent dire ce qu'ils pensent parce qu'ils éprouvent avec plus d'acuité ce que ressent la société qui les entoure. À cause de cette défiance, de tradition paysanne, vis-à-vis de tout ce qui est d'ordre intellectuel ou artistique, on appellera cette période «la grande noirceur». La réaction des autorités à la publication du manifeste *Refus Global* sera cinglante[4] Le «Chef» s'opposait aussi à cette «engeance des syndicalistes». Logique avec lui-même, il interdira la grève dans les services publics. Duplessis se méfiera toujours des idées progressistes défendues par le dominicain fondateur de la faculté des Sciences sociales à l'Université Laval, Georges-Henri Lévesque, et sera en conflit ouvert avec l'archevêque de Montréal, Mgr Charbonneau, qui avait osé soutenir les grévistes de l'amiante (Johns-Manville) et rappelé en chaire les obligations de la charité chrétienne. La grève se soldera par un échec et Duplessis obtiendra la mutation de Mgr Charbonneau hors du Québec.

Défenseur de l'autonomie de la province, il s'oppose aux plans d'Ottawa mais invite les capitalistes américains à développer les ressources du Québec. On l'a d'ailleurs accusé d'avoir vendu à vil prix les minerais que les Américains transformaient ensuite chez eux, privant ainsi le Québec d'industries infiniment plus rémunératrices et donc d'emplois plus spécialisés.

C'était un homme de poigne. Certains parlent d'une autorité quasi dictatoriale. Son grand mérite aura sans doute été de défendre politiquement des idées nationalistes et ainsi de préparer indirectement les voies de la Révolution tranquille.

Après Duplessis. On a vu dans quelles conditions l'Union Nationale prit le pouvoir en 1966. Daniel Johnson s'avéra un bon premier ministre qui sut faire preuve de fermeté vis-à-vis d'Ottawa. N'avait-il pas défendu ses idées dans un ouvrage intitulé *Égalité ou Indépendance*? Il a joué lui aussi un rôle de premier plan dans la Révolution tranquille et a su s'entourer de bons ministres (Jean-Guy Cardinal, Jean-Noël Tremblay).

Daniel Johnson, premier ministre de 1966 à sa mort en 1968.

photo: Assemblée nationale.

L'entrée dans l'arène politique d'un tiers parti, le Parti québécois, brouille les cartes du bipartisme. L'Union nationale décline au fur et à mesure que le Parti québécois lui substitue un nationalisme plus musclé. Après un sursaut à la fin des années soixante-dix, l'Union nationale disparaît rapidement par la suite.

LES NOUVEAUX PARTIS

La société québécoise d'après la Révolution tranquille est beaucoup plus politisée. La présence massive des médias permet aux citoyens un suivi qui, du coup, favorise l'implication du grand public qu'on appellera bientôt la «base».

Le Parti créditiste

À partir de la doctrine du Crédit social[5] qui a connu une certaine fortune dans les provinces de l'Ouest, le Québec élit au fédéral vers les années soixante un assez fort contingent de députés créditistes: Réal Caouette laissera le souvenir d'un homme dévoué et d'une vitalité exceptionnelle.

En 1968, on décide de la création d'une aile provinciale, sans doute pour contrebalancer l'option «socialiste» du Parti québécois. Les créditistes forment un parti de droite, très près des petites gens, qui s'appuie fortement sur les valeurs traditionnelles, donc sur les régions rurales et ces petites villes où ces valeurs ont gardé un peu de poids. Il y a dans leur théorie de gouvernement du dévouement, un peu de naïveté, voire d'utopie, surtout lorsque l'on aborde les questions économiques.

Un de leurs chefs, Camil Samson, fut un tribun étonnant. Dans le feu du discours lui échappaient des formules à l'emporte-pièce qui feront le bonheur des journalistes[6]. Le parti, cependant, ne résistera pas au grand remue-ménage référendaire.

Le Parti québécois

Historique. René Lévesque, journaliste et homme de télévision très populaire, élu député en 1960, s'était vu confier le ministère des Ressources naturelles par Jean Lesage. Il devient le grand responsable de la nationalisation de l'électricité dont le coup d'envoi avait été donné du temps du gouvernement libéral de Godbout. Avec «l'équipe du tonnerre», il sera l'un de ceux qui feront — politiquement — la Révolution tranquille.

Pendant ce temps, l'on assistait depuis 1957 à la naissance de divers mouvements indépendantistes dont deux, bien structurés, le Rassemblement pour l'indépendance nationale et le Ralliement national, avaient d'ailleurs présenté des candidats aux élections de 1966 et avaient par leur présence fait basculer le gouvernement Lesage[7].

Une fois dans l'opposition, René Lévesque remet en cause son orientation politique. En octobre 1967, il quitte les libéraux et fonde le Mouvement souveraineté-association (MSA).

En octobre 1968, le MSA et le Ralliement national fusionnent pour donner naissance au Parti québécois: «Un parti à fonder. Un pays à bâtir». Le même mois, le Rassemblement pour l'indépendance nationale se saborde et

Pierre Bourgault invite les membres à se joindre au Parti québécois.

De 1968 à 1976, on assiste à l'ascension du PQ sur l'échiquier politique, même si, en raison du système électoral, cela ne se traduit pas forcément en nombre de députés:

1970	23% des votes	7 sièges sur 108
1973	30% des votes	6 sièges sur 108

À cette dernière élection, le résultat est terriblement décevant pour le PQ qui forme l'opposition officielle.

Le 15 novembre 1976, le Parti québécois arrive au pouvoir avec un peu plus de 41% des votes. La victoire est bouleversante: «Dix ans, c'est terriblement court dans l'histoire d'un peuple», dira ce soir-là René Lévesque qui ne s'est «jamais senti aussi fier

d'être Québécois[8]». Le premier ministre Robert Bourassa est défait dans sa propre circonscription par Gérald Godin, un écrivain qui avait même goûté à la prison lors des événements d'octobre 1970. René Lévesque devient premier ministre. Il le restera jusqu'en 1985.

1976	41% des votes	71 sièges sur 110
1981	49% des votes	80 sièges sur 122
1985	39% des votes	23 sièges sur 122

Après le coup de force constitutionnel de Trudeau et le rapatriement unilatéral de la Constitution, fin 1982, René

Le Devoir du 16 novembre 1976: de gauche à droite, Claude Charron, Camille Laurin, Gilbert Paquette, René Lévesque et Lise Payette.

photo: Françoise Tétu de Labsade.

Lévesque sera de plus en plus contesté à l'intérieur de son parti. Les membres se démobilisent, des députés et des ministres se retirent d'un gouvernement dont ils n'appuient plus les politiques à partir du moment où l'option souverainiste est mise en veilleuse. On parle alors de «schisme». Des députés, tout un quarteron de ministres (dont Parizeau, Lazure, Laurin, Leblanc-Bentey) claqueront les portes de l'exécutif et du parti en 1985 lorsqu'ils sentiront le vent ne plus souffler du côté de la souveraineté.

1985. Pierre-Marc Johnson succède à René Lévesque. L'héritage est lourd: le parti est essoufflé. En octobre-novembre 1987, au moment de la mort de René Lévesque, les dissensions intérieures se font plus graves. Pierre-Marc Johnson démissionne après onze ans de politique active. Jacques Parizeau devient chef du parti en 1988. Comme ministre des Finances, il a pris des mesures pour renforcer la prise en mains de l'économie par les francophones, en créant en 1979 le Régime d'épargne-actions qui permet aux contribuables de déduire de leurs revenus une somme proportionnelle au risque encouru en souscrivant à certaines actions de compagnies cotées en bourse. Il révélera ses qualités de chef lors de la campagne électorale de 1989.

La spécificité du Parti québécois. Très différent de ceux que l'on appellera souvent après sa naissance «les vieux partis», c'est un parti qui insiste sur l'honnêteté et qui fait campagne sur ce thème. Sa caisse électorale est transparente. Tous les ans, les membres sont sollicités pour le financement du parti. On interdit les «gros montants» pour ne pas être lié à quelque industrie ni à quelque personne en particulier.

Le programme du parti est basé sur l'idée de souveraineté linguistique et culturelle, sur l'idée d'autodétermination qui oscillera entre un indépendantisme carrément avoué chez certains, et la mise en veilleuse de cette même option vers 1984. D'irréductibles indépendantistes (dont Pierre Bourgault) quitteront d'ailleurs le Parti québécois quand ils verront que ce parti ne s'occupe pas de faire l'indépendance sur-le-champ.

C'est aussi un parti populaire qui, surtout à l'origine, apparaissait plus à gauche qu'il n'était en réalité. En fait, le profond désir d'équité et de justice sociale qui anime ses membres a suscité de la part des syndicats un intérêt positif. C'était là un gros changement par rapport à l'attitude agressive de ces mêmes syndicats envers les vieux partis. Le PQ travaille démocratiquement à partir de la base qui est consultée souvent et fait appel à un volontariat, un bénévolat de chaque membre.

Le parti a eu le courage de ses interventions: la Charte de la langue française, le Référendum. La décision d'exiger de certains salariés un effort particulier au moment de la récession économique de 1982, par le biais d'une loi parfaitement impopulaire qui permettait l'ouverture des conventions collectives, est un point où le parti a privilégié très évidemment la collectivité au détriment de certains groupes; et forcément avec la conséquence de la perte de la faveur populaire.

René Lévesque sut rassembler à ses côtés une équipe de qualité. Ce qui explique que son premier cabinet ait été qualifié de meilleur que le Québec ait jamais eu. Lévesque avait des visées à long terme et s'était ménagé au sein de son conseil une sorte de super-cabinet: quelques ministres, déchargés de l'administration de la chose publique, constituaient un organisme de réflexion sur l'avenir (développement culturel, développement économique, développement social, pour n'en nommer que quelques-uns).

Les défauts du Parti québécois sont surtout des défauts de jeunesse: l'enthousiasme des idéalistes, le recrutement des élus presque uniquement chez les intellectuels (les détracteurs fustigeront ce «parti de professeurs hirsutes et de syndiqués irresponsables»), une évidente maladresse en politique et un découragement rapide.

Une erreur de jugement aura été la nationalisation d'une mine d'amiante rachetée à prix fort au moment où cette matière première commençait à avoir des détracteurs aux États-Unis. Un autre regret: le PQ décidait de ne pas toucher à la loi électorale alors que ses premiers essais en politique lui en avaient montré tous les défauts.

Ses réalisations. En 1977, la Charte de la langue française apporte enfin une solution courageuse à l'épineux problème de la langue sur lequel tous les gouvernements précédents avaient achoppé.

Un peu plus tard, par sa loi sur le financement des partis politiques, le PQ laisse un modèle de «normes d'intégrité» à toute la classe politique contemporaine. Il a aussi marqué l'avènement en politique d'un assez grand nombre de femmes (Lise Payette, Pauline Marois, Louise Harel, Francine Lalonde, Denise Leblanc-Bentey, Louise Beaudoin). Le parti a continué en l'accentuant une politique sociale déjà bien amorcée, il s'inscrit dans le courant de réformes sociales en cours depuis la Révolution tranquille en s'affirmant de tendance social-démocrate. Il promeut l'ouverture du Québec sur le monde, notamment sur la francophonie et les États américains.

Le peuple était en tout cas satisfait du gouvernement péquiste puisqu'il n'a pas hésité à le reporter au pouvoir en avril 81 avec 49% du vote, et cela malgré l'échec référendaire de mai 1980, à peine un an plus tôt.

René Lévesque. Le rôle qu'il a joué pendant un quart de siècle dans l'histoire du Québec est considérable: la vague d'émotion et d'admiration qui a entouré sa mort survenue brusquement en novembre 1987 montre bien que le peuple était parfaitement conscient de l'importance de cet homme. Sa renommée dépassait à juste titre les limites du Québec.

Meneur d'hommes, travailleur acharné, esprit brillant mais que son amour de la simplicité rendait pratique, il a su rassembler autour de lui de remarquables personnalités. Son charisme était extraordinaire. Des yeux vifs et un sens de la formule concrète facilitaient la communication. Pendant sa carrière politique, il gardera de son travail de journaliste le goût et l'art de communiquer son savoir, ses idées, son dynamisme. C'était un patriote, viscéralement québécois: «Je ne me suis jamais senti Canadien». Il avait le

René Lévesque, premier ministre de 1976 à 1985.

photo: Assemblée nationale.

respect du peuple: «Vous déterminerez vous-mêmes les chemins de votre avenir», disait-il.

Pragmatique, c'était un homme d'objectifs. Son opposition nette et claire au fédéralisme venait du fait tout simple que le «fédéralisme à la Trudeau» ne lui semblait pas respecter les droits de la collectivité québécoise. Les «frères ennemis» étaient séparés par un fossé idéologique que ne comblera pas la retraite politique de l'un et de l'autre. Amis et opposants reconnaissaient son sens de la synthèse, son souci permanent de comprendre «l'homo quebecensis» même dans sa version la plus défavorisée.

Claude Ryan, son adversaire politique au Québec — surtout, au moment du référendum — reconnaît que «dans une période mouvementée et incertaine de notre histoire, René Lévesque a incarné avec une puissante sincérité la volonté de libre détermination du peuple québécois. Il a imprimé un souffle nouveau à la vie politique du Québec. La passion de l'intégrité, le souci fiévreux de la justice, l'amour jaloux de son peuple, l'indépendance farouche devant les conformités: autant de traits qui ont caractérisé son apport à la vie publique.»

On le disait solitaire, très personnel dans le choix de ses collaborateurs. Lui-même se définissait comme un «idéaliste pratique» incarnant même dans ses contradictions tout un pan de la conscience collective des Québécois.

Nouveau Parti démocratique-Québec

Profitant du désenchantement que ressentent bien des militants du Parti québécois à partir de 1984, le Nouveau Parti démocratique-Québec, qui s'affiche comme socialiste, se développe et croît sensiblement dans la faveur populaire. À l'élection de décembre 1985, Jean-Paul Harney, le chef du NPD-Québec d'alors, présente des candidats dans toutes les circonscriptions. Il récolte 3% du vote.

En 1986, le NPD voit grandir sa popularité en reprenant une position nationaliste à l'égard de laquelle le Parti québécois a au même moment une attitude floue. Les résultats des élections de septembre 1989 qui confirment la remontée du Parti québécois avec Jacques Parizeau sont très décevants pour le NPD-Québec qui espérait continuer sur sa lancée. Il reste cependant des réticences dues, entre autres, à la naissance et au développement de ce parti à l'Ouest du Canada: on craint que le NPD-Québec ne soit trop inféodé à son grand frère fédéral dont l'aile québécoise avait été fondée par Robert Cliche.

Les autres partis

Outre la montée des écologistes (Parti vert, 2% des voix) et la constitution d'un parti anglophone en réaction contre la loi 178 mais qui n'a pas encore de programme bien défini (Parti égalité, 3,7% des voix), les autres partis tous ensemble ne récoltent que 4,2% des votes aux élections de septembre 1989. Libéraux et péquistes raflent à eux deux plus de 90% des suffrages. On est donc encore assez près du bipartisme habituel à de nombreux pays anglo-saxons. On notera toutefois de curieuses manifestations de la volonté populaire: Robert Bourassa, l'actuel premier ministre, était défait en 1985 dans sa propre circonscription, alors même que sa formation politique balayait le Québec avec 56% du vote.

LE QUÉBEC DANS LA POLITIQUE FÉDÉRALE

Le Québec, deuxième province la plus peuplée du Canada, a joué et joue un rôle considérable à Ottawa. Représenté par 75 députés sur 282, le Québec peut se faire entendre à la chambre des Communes comme au sénat (24 sénateurs sur 102 en 1989).

Au moment de la Première Guerre mondiale, les conservateurs avaient entraîné contre leur gré les Québécois dans la conscription mise de l'avant par la majorité canadienne. Les Québécois

Sir Wilfrid Laurier, premier ministre du Canada de 1896 à 1911, pendant un discours à Sainte-Anne-de-Beaupré en 1911.

photo: Archives nationales du Québec à Québec: GH 770-55.

portèrent dorénavant leur confiance aux libéraux[9] d'autant plus qu'existait et qu'existe toujours au sein de la formation conservatrice un groupe d'anglophones intransigeants qui tolèrent mal les prétentions particulières du Québec dans la Confédération.

En 1984 après le départ de Trudeau, on assistera à un retournement de situation spectaculaire. Aux élections fédérales, les Québécois voteront massivement pour les conservateurs et porteront au pouvoir l'un des leurs, Brian Mulroney[10]. Parallèlement, on assistera à la montée du Nouveau Parti démocratique, tandis que le Parti libéral, sous la houlette de Turner, aura bien du mal à assurer sa crédibilité.

On note cependant — est-ce un effet du hasard? — le respect d'un équilibre: souvent lorsque les libéraux ont le pouvoir à Ottawa, ce sont les conservateurs ou les nationalistes qui l'ont au Québec, et, si ce sont des conservateurs qui sont en place à Ottawa, on a des libéraux à Québec.

Au cours des années soixante, en même temps que les Québécois prenaient conscience de leur spécificité en Amérique du Nord, ils portaient au pouvoir fédéral des hommes dont les idées avaient marqué la pensée des années cinquante. P.E. Trudeau, Jean Marchand et Gérard Pelletier allaient installer à Ottawa un «French Power» dont la détermination fit frémir tout le Canada anglophone, avec la volonté d'implanter le bilinguisme d'un océan à l'autre. On envoie étudiants et fonctionnaires étudier l'autre langue, se familiariser avec l'autre culture, moyennant quoi on demande au Québec de se tenir tranquille et de cesser de jouer les empêcheurs de tourner en rond dans une fédération bien huilée.

En octobre 1970, le fédéral intervient rapidement et en force au moment des enlèvements du Front de libération du Québec; on va jusqu'à déclarer la loi des mesures de guerre, avec son cortège de représailles, surveillances et emprisonnements sur simple présomption, pendant trois semaines (450 personnes environ). Le Québec aura l'impression d'une ingérence abusive du fédéral.

Dans les années suivantes, les relations seront difficiles entre Québec et Ottawa pour ce qui touche aux rapports

Les Forces canadiennes à Montréal pendant «l'insurrection appréhendée» d'octobre 1970.

photo: Archives publiques du Canada: PA 129838.

avec l'extérieur. Ottawa se montrera jaloux de ses prérogatives en politique étrangère alors que le Québec tient à développer des relations privilégiées avec d'autres pays francophones. Il faudra attendre le départ de Trudeau pour qu'ait lieu le Premier Sommet de la Francophonie intitulé Sommet des chefs d'État et de Gouvernement, afin d'y réserver pour le Québec la place qui lui revenait de fait.

Ces frictions que d'aucuns voudraient réduire à des questions de protocole cachent un malaise qui existe toujours dans les relations entre le Québec et l'ensemble du Canada. On l'a vu en 1981-1982 dans les longues tractations qui accompagnèrent le rapatriement de la Constitution. Dans un effort pour régler la question, Brian Mulroney et Robert Bourassa ont signé, au lac Meech en 1987, un accord de principe reconnaissant au Québec le caractère de «société distincte»[11]; ce projet d'accord est remis en question par plusieurs provinces peu enclines à faire des concessions au Québec.

Le Parti rhinocéros

Dans ces conditions, comment ne pas s'étonner que soit né au Québec un parti qui exprime par la dérision ses distances avec une politique fédérale incapable de contenter les descendants d'une des nations fondatrices du pays. Le Parti rhinocéros est une manière comme une autre d'en prendre son parti. Gaston Miron, Raoul Duguay et Robert Charlebois furent en leur temps les candidats de ce parti farfelu dont Jacques Ferron était «l'éminence de la grande corne». Les rhinocéros «témoignent de la situation absurde des Québécois francophones sur ce continent». Un des points du programme était de «raser les montagnes Rocheuses jusqu'à ce qu'il n'en reste aucune trace; ainsi on aura éliminé la seconde odieuse bizarrerie du Canada, après la province de Québec.» Fait remarquable à noter: ce parti politique fédéral, contrairement aux habitudes politiques, a pris naissance au Québec et s'est répandu un peu partout au Canada puisqu'il y a eu des candidats jusqu'en Colombie-Britannique.

Pour en revenir au Québec, les 50 dernières années ont été étonnamment riches en surprises et en développements de toutes sortes. L'éveil de la conscience québécoise, qui s'est concrétisée à partir des années soixante, a marqué le début d'une nouvelle ère pour un pays auquel hommes et femmes sont fiers d'appartenir.

Notes

1. Les sentiments à l'égard de la France sont un curieux mélange d'attirance et de rejet. Il y a du ressentiment contre l'abandon au moment de la Conquête, un agacement contre une culture trop longtemps imposée, une pointe d'exaspération contre ces «maudits Français» qui, trop souvent ethnocentristes et insupportables en dehors de chez eux, semblent n'afficher que dédain vis-à-vis des autres cultures. Tout ceci n'empêche pas une coopération très étroite entre les deux pays qui, chacun d'un côté de l'Atlantique, tiennent bien haut le flambeau du français à la face du monde et qui ont en commun des siècles de littérature.

2. À l'égard de la Communauté française de Belgique n'existe aucune sentimentalité passionnée. Le sentiment de fraternité très proche vient du fait qu'il existe là aussi des problèmes linguistiques et des problèmes politiques de rapports entre minorité et majorité qui ne sont pas sans rappeler ceux du Québec.

3. Y compris l'Afrique du Nord (où la firme d'ingénierie Lavalin a récemment fait une percée spectaculaire). De nombreux ressortissants des pays du Maghreb viennent également étudier dans les universitées québécoises francophones.

4. Voir le chapitre 10, «La peinture».

5. La doctrine du Crédit social pourrait se définir comme une sorte de populisme de droite à fondement religieux, s'opposant au communisme et prônant le développement de mesures sociales et communautaires.

6. Par exemple: «Le gouvernement a fait sortir la religion des écoles pour y faire rentrer le sexe», ou encore «L'Union nationale a amené le Québec au bord de l'abîme, nous lui ferons faire un pas en avant...»

7. Voir le tableau «Élections du 5 juin 1966» à la page 75.

8. Lors de la campagne électorale, les émissions de télévision réservées en part égale aux partis en lice étaient traditionnellement clôturées par la chanson-thème ou le slogan du parti présent ce soir-là. Les libéraux disposaient notamment

d'un bref vidéo où l'on voyait le premier ministre en poste, Robert Bourassa, distingué, sérieux, mais pensif et qui s'éloignait en marchant. Le Parti québécois présentait la séquence suivante: les figures importantes du parti entouraient René Lévesque, face au public, comme autour d'une préfiguration du Conseil des ministres. (On y reconnaissait notamment Lise Payette très présente et aimée des téléspectateurs). L'image se terminait — positive et encourageante — par le slogan, chanté en voix off: «À partir d'aujourd'hui, demain nous appartient...»

Ceci ne prétend pas illustrer une quelconque supériorité promotionnelle de l'une ou l'autre campagne, mais témoigne bien d'un certain état d'esprit qui était alors porteur, globalement, d'un regain d'espoir. Ce sentiment jouera nettement en faveur du Parit québécois.

9. Un autre parti fédéral avait recruté des membres au Québec, surtout en Abitibi-Témiscamingue et dans la Beauce: le Parti créditiste. Ce parti eut son heure de gloire avec Réal Caouette, mais son refus d'un certain progrès et son programme économique utopique ne résistèrent pas à l'éveil de la conscience collective au Québec.

10. Le conservateur Brian Mulroney, tout à fait bilingue, est issu d'une famille anglophone de la Côte-Nord. Avant lui, plusieurs premiers ministres du Canada, libéraux cette fois, étaient sortis du Québec, mais du Québec francophone: sir Wilfrid Laurier (1896-1911), Louis Saint-Laurent (1948-1957), Pierre Elliott Trudeau (1968-1984, sauf un court intermède conservateur en 1979).

11. Le concept reste cependant confus; on n'y précise pas la question de la langue, par exemple.

Bibliographie

BERGERON, Gérard, Notre miroir à deux faces, Montréal, Québec/Amérique, 1985.

BERNARD, André, La politique au Canada et au Québec, Sillery, PUQ, 1976.

DION, Léon, Québec et le Canada, Montréal, Éd. Québécoises, 1980.

JOHNSON, Daniel, Égalité ou indépendance, Montréal, Éd. Renaissance, 1965.

LEMIEUX, Vincent, Personnel et partis politiques au Québec, Montréal, Boréal Express, 1982.

LÉVESQUE, René, La passion du Québec, Montréal, Québec/Amérique, 1978.

LÉVESQUE, René, Attendez que je me rappelle, Montréal, Québec/Amérique, 1986.

McDONOUGH, John Thomas, traduit et adapté par Paul Hébert, Pierre Morency, Charbonneau et le chef, (théâtre), Montréal, Leméac, 1974.

MURRAY, Vera, Le Parti québécois, de la fondation à la prise de pouvoir, Hurtubise HMH, 1976.

PELLETIER, Réjean, Partis politiques et société québécoise de Duplessis à Bourassa, 1940-1970, Montréal, Québec/Amérique, 1989.

SAINT-AUBIN, Bernard, Duplessis et son époque, Montréal, Éd. La Presse, 1979.

THOMPSON, Dale C., Jean Lesage et la Révolution tranquille, Saint-Laurent, Éd. du Trécarré, 1984.

«Politique aujourd'hui», Québec de l'indépendance au socialisme. nos 7-8, Paris, 1978.

Filmographie

Films

Les champions, Donald Brittain, ONF et Radio-Canada, coul., 1978, 4 x 30 min (sur Trudeau et Lévesque).

Le confort et l'indifférence, Denys Arcand, ONF, coul., 1981, 109 min.

Les Johnson, John Kramer, ONF, coul., 1980, 59 min.

Québec, Duplessis et après, Denys Arcand, ONF, n. b., 1972, 115 min.

Vidéocassette

René Lévesque: Je me souviens. Extraits des discours de René Lévesque, Télé-Métropole, Montréal, novembre 1987.

5
Le mouvement des idées

Page précédente: «Un vieux de 37», dessin de Henri Julien (dans *Album*, 1936). Cette silhouette a été reprise par le FLQ au moment des événements d'octobre 1970.

photo: Archives de folklore, Université Laval (collection Jean Simard).

Les idées qui orientent la pensée d'une société évoluent avec le temps et avec les conditions de vie qui lui sont imposées ou qu'elle choisit de se donner. La société québécoise a connu une histoire suffisamment mouvementée pour que divers courants de pensée l'aient agitée en s'opposant parfois. Elle fonctionne selon un système idéologique — ou système de références — qu'elle s'est donné peu à peu à la lumière de ses expériences. Cet ensemble d'idées, implicitement reconnu par l'ensemble, influence à son tour les individus.

EN NOUVELLE-FRANCE

La métropole transmet à sa colonie le système de références selon lequel elle opère. Toutefois en Nouvelle-France, il aura une orientation tout à fait particulière du fait que le groupe de colons ne vit précisément pas dans les conditions dans lesquelles il vivrait en France sous cette même monarchie.

Cette monarchie est absolue, de droit divin, certes, mais l'État que le roi incarne aura prééminence sur l'Église. La France, fille aînée de l'Église, a développé une certaine indépendance vis-à-vis du Saint-Siège. Au XVIIe siècle, l'Église de France est relativement soumise aux intérêts de l'État (gallicanisme). Ces mêmes intérêts demandent aussi que la colonie rapporte des revenus substantiels. Cependant, le monarque est loin de la Nouvelle-France. Son représentant dans la colonie, en raison de l'espace et des possibilités de l'époque, paraît également loin à beaucoup de colons: ce qui développe chez l'habitant un individualisme certain. Il est d'autant plus facile dans ce vaste territoire de contourner les lois que le gouverneur et l'intendant n'ont ni le temps ni les effectifs nécessaires pour les faire respecter. De plus, le système social est simple, les devoirs légers et la bureaucratie inexistante.

Le peuple ne participe pas aux décisions politiques qui orientent sa vie. Il a plutôt tendance à contester l'autorité comme il est dit dans la chanson:

«Bonhomme, Bonhomme
Tu n'es pas maître en ta maison
Quand nous y sommes»

D'une manière générale, on garde ses distances vis-à-vis de l'Église et de ses représentants, tout en étant ravi d'utiliser ses services sociaux – enseignement, santé – qu'elle prodigue surtout en ville. Habitants et marchands rechignent à payer la dîme, qui doit être réduite à plusieurs reprises.

Parallèlement à cet esprit d'indépendance des habitants, la classe bourgeoise des marchands va peu à peu s'organiser pour faire des représentations aux autorités dans l'intérêt du commerce.

À la fin du Régime français, la différence de perception entre la métropole qui envoyait administrateurs et soldats et la colonie crée un véritable malaise chez les Canadiens, qui se sentent de moins en moins compris et aidés. C'est sans doute aussi ce qui explique la décision de Louis XV au traité de Paris. Ses conseillers ne voyaient vraiment pas la colonie canadienne avec la même détermination que ceux qui la construisaient sur place.

APRÈS LA CONQUÊTE

Le premier objectif d'un peuple qui sort de guerre est d'assurer sa survivance dans les meilleures conditions possibles. Étant donné le désir de conciliation de la part des conquérants qui semble s'affirmer d'une constitution à l'autre, le peu d'élite qui reste, une poignée de seigneurs et quelques marchands, des religieux et des prêtres, obtient le maintien d'institutions comme le droit civil, la tenure seigneuriale ou le libre exercice de la religion. C'est ainsi que l'Église aura à cœur de garder ses privilèges, en retour d'une indéfectible loyauté à la couronne britannique. S'y ajoute chez les clercs[1] la crainte cachée des révolutions. Celle de France n'a pas bonne presse et celle des États-Unis se passe trop près pour qu'on n'en tienne pas compte.

Le clergé se méfie du manque de soumission aux autorités légitimes; les énergies canadiennes se mobilisent pour la défense du territoire dans les attaques des États-Unis pour s'emparer de Montréal en 1775 et 1812.

Cependant, les idées transmises par les révolutions américaine et française trouvent un écho dans les journaux qui pénètrent le milieu intellectuel et petit-bourgeois. Dans nombre de pays, surtout dans les deux Amériques, le début du XIXe siècle est marqué par l'effervescence des nationalismes. Au Québec, le système politique octroyé par Londres en 1791, permet à la démocratie de s'affirmer dans la légalité et quelqu'un comme Papineau, qui jouera au XIXe siècle un rôle politique considérable, croit très profondément à l'efficacité de ce processus. Intellectuels et politiciens sont tenus de préciser leur pensée. Ils recherchent et obtiennent l'appui du peuple notamment en 1810, en 1822, en 1834 et en 1837-38. On assiste en ce début de siècle à une véritable et profonde prise de conscience nationale.

Du point de vue social, la structure de la colonie anglaise se transforme. À l'économie rurale, un peu simpliste et très fragile, basée sur le blé, à la traite des fourrures se superpose une économie en voie de devenir industrielle qui s'appuie sur l'exploitation forestière. Du côté de l'agriculture, il y a, en effet, des problèmes manifestes: le sol s'épuise, les prix chutent, la zone seigneuriale ouverte à la culture ne sufit pas à l'extension naturelle des familles, cela remet en cause la vocation agricole des Canadiens dont conquérants et conquis semblaient s'être accommodés depuis deux générations.

Parallèlement, les élites de la société canadienne se tournent vers les professions ouvertes au peuple conquis: la religion, l'enseignement, le notariat, la médecine. Il y a également quelques entreprises et commerces modestes mais rien d'envergure. Les grands commerçants sont les conquérants. Cette nouvelle petite bourgeoisie reste très près des intérêts du peuple de cultivateurs et va chercher à s'occuper de politique parce que c'est le seul chemin pour imposer ses idées. Il s'agit de faire front devant le mercantilisme anglais qui étrangle la colonie, et devant ceux qui appuient l'autorité britannique: l'Église, quelques seigneurs, et la clique gouvernementale qui défend ses propres intérêts économiques sous le couvert de l'intérêt de l'Empire.

On appelle toujours les conquérants les Anglais et cette appellation, courante jusqu'en 1960, est encore en usage dans bien des paroisses rurales. L'Anglais est celui qui n'est pas d'ici et ne peut donc être Canadien comme celui dont les ancêtres ont choisi ce pays[2]. On fonde un journal, *Le Canadien*, en 1806. À l'Assemblée, les députés francophones sont d'abord du Parti canadien[3], qui deviendra ensuite le Parti patriote. Ce parti, dirigé par Louis-Joseph Papineau compte aussi dans ses rangs des Irlandais d'origine (dont on ne s'étonnera pas qu'ils soient anti-britanniques). L'éveil d'une conscience nationale est dynamique. Les revendications sont d'ordre politique: avoir un rôle significatif et responsable en tant qu'Assemblée législative. Elles sont aussi d'ordre économique et social: s'opposer aux vues pan-territoriales des Anglais — il y a déjà en 1822 un projet d'union entre le Haut et le Bas-Canada — et les battre dans leur domaine en n'achetant que canadien et en refusant tout produit d'importation. Sur le plan de la fidélité à une conscience nationale, l'opposition systématique au projet de scolarisation en anglais (Royal Institution for the advancement of learning) est éloquent: le peuple est déterminé à garder sa langue et ses valeurs culturelles envers et contre toute manifestation abusive du pouvoir politique en place.

LOUIS-JOSEPH PAPINEAU ET L'IDÉOLOGIE PATRIOTE

Homme d'une intelligence remarquable — d'où l'expression populaire «C'est pas la tête à Papineau» —, il voit l'état d'infériorité dans lequel sont maintenus les Canadiens et son engagement intellectuel et politique vise à renverser ce courant; par exemple, le boycottage des produits anglais doit mener au développement de nouvelles productions locales. En outre, Papineau, à partir de 1832, cristallise dans sa personne les aspirations du peuple. C'est en chef de parti (depuis 1826) qu'il combat inlassablement les visées de l'oligarchie anglaise et de l'Empire britannique. Dès 1823, il porte un première pétition à Londres. À partir de 1825, une partie des Canadiens se ligue derrière le chef des Patriotes. Ils ont compris que l'enjeu de la survie passe par le politique et que c'est donc sur ce plan qu'il faut combattre le colonialisme.

Pendant que s'appauvrissent les Canadiens restés ruraux, l'immigration de langue anglaise augmente, menaçant les habitants jusque sur leur propres possessions. Le contrôle du lucratif commerce du bois échappe aux Canadiens comme leur échappe le contrôle des dépenses de la colonie. Pendant deux décennies, la question des subsides, débattue en chambre tous les ans, envenime les relations entre les gouverneurs nommés par Londres et l'Assemblée élue qui, tout compte fait, a peu de pouvoir. En 1834, fort d'un appui populaire et massif et bien organisé, le Parti patriote présente les 92 Résolutions à l'Assemblée. La paysannerie et la bourgeoisie s'entendent dans la poursuite des objectifs nationalistes.

Les Patriotes résument dans ce document leurs exigences d'ordre politique, économique et social: ils dénoncent les abus d'une oligarchie capitaliste, remettent en cause un régime qui favorise un petit nombre de nantis et un grand nombre d'Anglais. Papineau, le Parti patriote et l'Assemblée, que le parti domine, réclament des changements constitutionnels et politiques fondamentaux.

En utilisant le peu de pouvoir qu'ils ont, les députés paralysent le fonctionnement de l'Assemblée, bloquent des résolutions qui amélioreraient l'économie du Haut-Canada parce qu'il leur semble préférable de développer d'abord le Bas-Canada. Les tensions entre la métropole et la colonie ne font que s'accroître: l'administration emprisonne des journalistes, use de violence en période électorale et ne tient aucun compte des revendications des Canadiens. Dans ces conditions, l'exaspération des Canadiens mène à un affrontement inévitable qui deviendra réel au lendemain des décisions de lord Russell.

Dans un premier temps, jusqu'en 1837, les Patriotes réclament un réaménagement de la constitution. Dans un deuxième temps (1838), ils s'inspirent des mouvements d'indépendance de plusieurs colonies du continent américain et radicalisent leur position. La Déclaration d'indépendance de février 1838 est l'application en terre canadienne des principes républicains et l'affirmation d'une rupture nette et totale avec les monarchies européennes.

L'attitude du clergé dans son ensemble était la suite logique de celle qu'il avait montrée depuis la Conquête: soumission envers les conquérants, donc acceptation de leur mode de gouvernement. Mgr Lartigue, par un mandement qu'il demande aux curés de lire

«sans commentaires», définit la position cléricale anti-révolutionnaire et résolument monarchique. Ce mandement est un moment historique d'importance. Il stigmatise la scission entre les esprits libéraux et l'Église. Il se trouve au point de départ d'une nouvelle autorité pour l'Église. Cet état de fait marquera le siècle suivant. Certains curés de campagne, davantage près du peuple, seront plus ouverts et certains même participeront à la rébellion. La hiérarchie catholique est tout de même très puissante et décrétera l'excommunication de «ceux qui meurent les armes à la main». Beaucoup plus tard, l'Église canadienne reviendra sur cette attitude.

Papineau, pour sa part, défendait la laïcité. À ce sujet, il s'opposera vivement à son cousin, Mgr Lartigue, premier évêque de Montréal. Pour Papineau, un État libéral est issu d'une société laïque, aussi s'insurge-t-il contre la collusion des pouvoirs politique et religieux telle qu'elle s'était développée au lendemain de la Conquête.

Dans le Parti patriote, il représentera cependant plus ou moins le centre, puisqu'il sera débordé sur la gauche par Nelson et Côté qui prôneront la résistance armée — «Le temps est venu de fondre nos plats et nos cuillers d'étain pour en faire des balles» — et qu'il y aura eu auparavant une scission dans le parti avec un autre groupe de députés modérés. Papineau, contrairement à Nelson, ne voulait pas bousculer la structure sociale du moment et tenait à conserver la tenure seigneuriale.

1837. Orateur remarquable, Louis-Joseph Papineau se manifeste dans des assemblées populaires[4] mais quitte le Canada dès les premiers affrontements armés dont il n'était pas partisan. Il séjourne d'abord aux États-Unis, puis en France de 1839 à 1845; il reviendra au Canada où il continuera à jouer un rôle important dans l'équipe libérale des «rouges». Son nationalisme, son sens de la démocratie sont des qualités de premier ordre pour un homme politique. Sa vigueur intellectuelle, son anticléricalisme, son opposition viscérale à l'Union comme au projet de fédération en font une des figure dominantes du XIXe siècle.

APRÈS LA RÉBELLION DES PATRIOTES

L'échec de la rébellion marque une date d'importance dans l'histoire des idées au Québec. Les chefs du Parti patriote se sont réfugiés aux États-Unis, les meneurs ont été exécutés ou exilés en Australie, le peuple est désorienté. Mgr Bourget est nommé évêque de Montréal. Il va redonner à l'autorité religieuse un pouvoir que celle-ci avait laissé s'effriter au cours de la génération précédente.

L'économie du Canada-Uni se diversifie avec l'industrialisation naissante: exploitation du bois, transformation des produits de consommation, fabrication de matériel de transport. On construit des voies de communication, routes et voies ferrées, on aménage les voies de navigation pour le Canada-Uni. L'agriculture aussi va vers un autre système de production avec l'ouverture de l'Ouest à la colonisation, mais, déjà, le Québec ne participe que marginalement à cette transformation et la société rurale agricole se maintient pauvrement sur des terres qui s'épuisent alors même que les familles grandissantes ont des besoins de plus en plus importants.

La société canadienne-française (traduction du «French Canadian» utilisé par lord Durham dans son rapport) se tourne après 1840 vers les clercs qui reprennent en mains une autorité qu'ils ont failli perdre. L'Église va devenir, suivant l'expression du chanoine Lionel Groulx, «l'institution la plus musclée du Canada français». Basée sur la religion, la langue, le respect des institutions en place, l'idéologie que prône l'Église devient nettement conservatrice, orientée vers un passé que l'on peut perpétuer dans une survivance traditionnellement catholique, de langue française et de vocation agriculturiste.

L'Église — évêques et curés, chacun à sa place — développe cette idée de la «vocation» agricole du Canadien français telle que définie par Mgr Laflèche:

> Oui, la prospérité et l'avenir du Canada français se trouvent dans la culture et les pâturages de son riche territoire. Puisse le peuple canadien comprendre cette vérité importante et ne la jamais perdre de vue s'il veut accomplir les grandes destinées que lui réserve sans aucun doute la Providence!

On ouvre de nouvelles paroisses l'une après l'autre, les rangs s'ajoutent aux rangs déjà existants. L'esprit de corps en sera consolidé et jusqu'en 1936, les prêtres appuieront le gouvernement dans ses campagnes de colonisation dont certaines s'avéreront désastreuses.

Il reste encore aujourd'hui au plus profond des Québécois une vieille

Char allégorique sculpté par Louis Jobin pour la fête de la Saint-Jean-Baptiste de 1880, à Québec.

photo: Musée de la civilisation, Québec.

tendresse pour ce côté agriculturiste et le contexte qu'il évoque: cela explique une partie du succès de séries télévisées comme *Les belles histoires des Pays d'en Haut* (diffusées du 8 octobre 1956 au 28 août 1973, puis en reprise en 1977-1978 et en 1986), et plus récemment comme *Le temps d'une paix* (de 1978 à 1984) ou *L'héritage* (depuis 1987).

Le repli sur soi prêché par l'Église dans un réflexe d'auto-défense presque instinctif va se doubler du devoir de procréation, condition sinon qua non pour éviter la minorisation. Aussi l'Église verra-t-elle d'un très mauvais œil ses ouailles partir pour les usines de la Nouvelle-Angleterre où pourtant surgiront des «petits-Canadas» ou des «petits-Québecs», copies conformes des paroisses d'origines.

En fait, la vocation agricole est subordonnée à la religion qui va prendre la première place dans la vie d'une majorité de Canadiens français. Le vieux rêve collectif de l'Amérique catholique et française alimente les prônes et occupe les pensées[5]. On paie dîme et capitation sans renâcler comme autrefois, on construit des églises un peu sur le même modèle d'austérité à l'extérieur, mais dont l'intérieur recèle des trésors. L'Église inspire et commande beaucoup d'œuvres d'art.

En même temps, l'Église va se substituer à l'État dont elle préfère endosser certaines des responsabilités sociales par crainte d'assimilation (c'était là l'idée maîtresse du rapport Durham). Les clercs désormais vont s'occuper, presque exclusivement, de l'enseignement, des services sociaux comme les hôpitaux, les crèches et les orphelinats, les loisirs, etc. La deuxième moitié du siècle voit d'autre part se constituer une classe ouvrière faite de Québécois et d'Irlandais (usines, chantiers, etc.), eux aussi en marge de l'«establishment» anglo-protestant. Au tournant du siècle, le mouvement ouvrier qui en naîtra sera même tenté par l'action politique. Le Parti ouvrier ne dépassera cependant guère les limites de Montréal.

La fin du siècle voit également l'émergence d'une grande bourgeoisie canadienne-française dont les idées se rapprochent de celles de la bourgeoisie anglophone, responsables toutes deux de l'expansion économique dont elles bénéficient l'une et l'autre. Ces élites défendent évidemment les idées capitalistes, progrès industriel, individualisme et entreprise privée. Peu à peu, les sphères d'influence de l'élite bourgeoise et du clergé se circonscriront: la bourgeoisie d'affaires s'accommodera assez bien de laisser un certain nombre de responsabilités à l'Église qui, en retour, renoncera à son rêve de théocratie rurale.

Les journaux deviennent le lieu où les courants d'idées se précisent: *La Presse* reflète davantage les préoccupations sociales, tandis que de très nombreux imprimés religieux et laïcs soutiennent le courant conservateur (*La Vérité*).

Cependant, l'esprit de contestation qui représentait le Parti patriote n'a pas disparu avec l'écrasement de la rébellion. Au contraire, dans le milieu intellectuel et chez certains politiciens se développe une pensée radicale qui, s'exprimant sur le plan politique («Les rouges»), réclame entre autres la laïcisation de l'éducation et s'oppose avec énergie à l'autorité de l'Église. Eux aussi affirmeront leurs idées par le biais d'une certaine presse. Malgré la présence de rédacteurs français installés ici, le socialisme à l'européenne reste marginal du Québec: le paysage idéologique sera jusqu'au XXᵉ siècle dominé par les ultramontains et les libéraux.

L'ULTRAMONTANISME

L'ultramontanisme est la doctrine religieuse qui reconnaît l'autorité absolue du pape et la primauté de l'Église romaine sur les Églises nationales. les ultramontains sont en réaction contre le gallicanisme, qui, au XVIIᵉ siècle, prônait une certaine indépendance de l'Église et de l'État français à l'égard du Saint-Siège. Le pape — de l'autre côté des montagnes pour les Français — est géographiquement plus loin pour les Canadiens français. Cela ne les empêchera pas de lever un contingent de zouaves pontificaux pour aller défendre le pouvoir temporel de la papauté contre l'armée de Garibaldi (1868).

Dans la deuxième moitié du XIXᵉ siècle, l'Église du Québec valorise les institutions catholiques qu'elle renforce. Elle étendra son autorité dans de multiples domaines, y compris la politique. Les libéraux se montrant anticléricaux, le clergé appuie plus volontiers le Parti conservateur: «Rouge, c'est l'enfer; Bleu, c'est le paradis».

> L'autorité vient de Dieu. La meilleure forme de gouvernement est la monarchie tempérée (l'Église et la Famille en sont des exemples; la plus imparfaite est la démocratie). Le libéralisme commet l'erreur fondamentale de vouloir édifier une société sur d'autres principes que les principes religieux. Les électeurs n'exercent pas seulement un droit; ils remplissent un devoir, dont ils sont responsables devant Dieu. Le prêtre a donc le droit de les guider. C'est une erreur condamnée par la raison, par l'histoire et par la révélation, de dire que la politique est un terrain où la religion n'a pas le droit de mettre le pied, et où l'Église n'a rien à voir.
>
> Mgr Laflèche, 1866.

La pensée ultramontaine est animée d'un nationalisme que l'on peut qualifier de culturel et de messianique:

> La nation est constituée par l'unité de langue, l'unité de foi, l'uniformité de mœurs, de coutumes et d'institutions. Les Canadiens français possèdent tout cela, et constituent bien une nation. Chaque nation a reçu de la Providence une mission à remplir. La mission du peuple canadien-français est de constituer un foyer de catholicisme dans le Nouveau-Monde.
>
> Mgr Laflèche, 1866

L'idéologie ultramontaine s'appuie sur la structure sociale traditionnelle — le groupe plutôt que l'individu — la famille se rassemble sous l'autorité du Pater familias pour recevoir la bénédiction du jour de l'An ou pour dire le chapelet vespéral[6]. La paroisse regroupe les familles. Comme c'est l'Église qui s'occupe des registres, le certificat de Baptême est un document officiel et, jusqu'à récemment, c'était le seul moyen de prouver son existence.

Les clercs ont la haute main sur l'enseignement, aussi formera-t-on surtout d'autres enseignants, des médecins et des juristes, puisque le droit civil est spécifique aux Canadiens français. À l'exception du Séminaire de Québec[7], le milieu de l'éducation ne favorise guère les vocations commerciales ou scientifiques: pour les ultramontains, le pouvoir temporel est soumis au pouvoir spirituel. La philosophie de saint Thomas est la seule enseignée.

La pensée ultramontaine est très conservatrice[8], peu ouverte aux revendications d'ordre social, par exemple. Au Québec, la situation juridique et matérielle de l'Église se renforce en cette fin de XIXe siècle; le second évêque de Montréal, Mgr Bourget, aura, de ce point de vue, un rôle de premier plan. Les publications catholiques sont truffées de conseils très clairs, de dessins suffisamment évocateurs pour que l'univers mental et l'imaginaire des Canadiens français soient occupés par le bon côté des choses.

Un tel désir de mainmise sur les esprits n'allait pas sans rencontrer de résistances. La deuxième moitié du siècle voit naître et se multiplier une quantité de journaux, de revues dont une partie réagit avec vigueur. Du côté des groupes sociaux, d'une part, les anglo-protestants ne se soumettent pas à ce contrôle du clergé catholique, qu'ils jugent abusif, et ils ont une force politique et économique qui leur facilite la tâche; d'autre part, du côté des francophones, le noyau dur de ceux qui résistent est d'abord politique: l'opposition du libéralisme empêchera les ultramontains de réaliser cette théocratie dont ils rêvaient pour la société québécoise.

LE LIBÉRALISME

La pensée libérale existe depuis la fin du XVIIIᵉ siècle au Québec; elle est d'abord l'apanage d'une classe sociale, la bourgeoisie, qui affirmera ses prérogatives avec de plus en plus d'assurance au cours du XIXᵉ siècle. Chez les anglophones, elle paraît d'abord orientée vers des réalisations économiques; elle s'accompagne aussi de principes que les francophones exprimeront d'abord de façon politique en utilisant toutes les ressources que la démocratie met à leur disposition (mouvements et partis politiques, députations, assemblées populaires). Les hommes politiques et quelques membres des professions libérales s'alarment au lendemain du rapport Durham devant le diagnostic de son auteur: «Un peuple ignare, apathique et rétrograde», c'est possible; «un peuple sans histoire et sans littérature»… c'est moins sûr; des historiens comme François-Xavier Garneau ou Benjamin Sulte se lèvent pour prouver le contraire. L'échec de la rébellion de 1837-1838, l'imposition par Londres de l'Acte d'Union, la montée de la pensée ultramontaine vont, pendant deux décennies, renforcer chez certains politiciens des prises de position qu'ils vont radicaliser. Les rouges représentent cette tendance; ils défendent les principes démocratiques (suffrage universel, abolition de la tenue seigneuriale, etc.). Dans le même ordre d'idées, ils sont opposés à l'Union qui ne soutient pas les intérêts des Canadiens français; ils demandent aussi la séparation de l'Église et de l'État.

Au milieu du XIXᵉ siècle, une fraction de la petite bourgeoisie a tenté de définir la société canadienne-française et la position du Canada français face au Canada anglais. Elle l'a fait en invitant les Canadiens français à se libérer de la domination des conservateurs et du clergé et à chercher pour le Canada français d'autres voies d'avenir national que l'acceptation de l'Union de 1840 et de la Confédération de 1867. Voilà le rougisme.

Jean-Paul Bernard, *Les Rouges*

Le Parti rouge est constitué d'éléments très actifs sur plusieurs plans: Papineau, A.A. Dorion, plus tard W. Laurier. Intellectuels, ils s'expriment de façon claire, dans *L'Avenir* et *Le Pays*. Le radicalisme, l'anticléricalisme des rouges leur aliène une grande majorité des Canadiens français. Cela entraînera l'éclosion d'une nouvelle génération de libéraux modérés, Louis-Hippolyte LaFontaine en tête, qui exerceront une certaine influence dans le gouvernement responsable octroyé par la Grande-Bretagne.

L'Institut canadien

Les rouges insistaient sur l'importance de l'éducation et en réclamaient la laïcisation. C'est pour donner à la jeunesse un lieu de documentation et d'échanges que l'on fonde l'Institut canadien (1844) qui ne relève pas de l'autorité cléricale. On y trouve des salles de conférence et de lecture et une bonne bibliothèque. L'Institut canadien va bientôt devenir le lieu où les libéraux vont continuer à défendre un idéal de démocratie, de liberté, de droit des peuples à disposer d'eux-mêmes, dans la ligne de l'idéologie des Patriotes.

Mais Mᵍʳ Bourget veille; il réussit à réduire considérablement l'influence de cette école de pensée en obligeant les catholiques à respecter les règles de l'Index. Le libéralisme subit alors une cuisante défaite: la pensée ultramontaine l'emporte. Par voie de conséquence, dans une telle ambiance de soumission, il n'y aura pas de créateurs littéraires qui ne soient «du bon bord». On publiera très peu de romans et, en poésie, on connaîtra une «École littéraire et patriotique de Québec» tournée vers le culte du passé et l'imitation de la production littéraire française des années précédentes. Seuls quelques journalistes comme Arthur Buies, Louis-Antoine Dessaules, ceux de *L'Avenir* ou du *Pays*, persistent à avoir une pensée originale et nettement démarquée de celle des clercs.

Au moment de la Confédération, l'aile radicale des libéraux était considérablement affaiblie, mais un libéralisme modéré continue d'exprimer des valeurs comme l'individualisme et la primauté de la propriété privée. Au tournant du siècle, c'est la presse d'affaires qui expose la vision de société qui découle du libéralisme (Fernande Roy). Au XXe siècle, les idées libérales s'affirmeront en s'appuyant sur le développement économique. Le Parti libéral prenant le pouvoir sera à même de concrétiser ces aspirations.

DES NATIONALISMES À L'IDÉE D'INDÉPENDANCE

Dès le XIXe siècle, les Canadiens se perçoivent et sont perçus comme une nation dont la définition n'est pas sans varier au cours des temps. Or c'est autour du sens précis que l'on donne au mot nation que se bâtit le nationalisme, doctrine qui n'aura pas le même sens suivant les individus et les générations.

On peut voir les premières manifestations de l'idée d'indépendance dans les événements de 1837-1838: il faudrait remonter précisément à la Déclaration d'indépendance de Robert Nelson. Mais on se souvient que ce deuxième sursaut de révolte fut un échec cuisant pour les esprits républicains qu'étaient Papineau et Nelson. La Confédération donne à la nation canadienne-française un territoire dont les hommes politiques vont avoir à cœur de défendre l'autonomie face à l'ensemble fédéral. Honoré Mercier sera un de ceux-ci. Mais il saura — et d'autres après lui — dépasser à les stricts intérêts politiques de sa province pour rappeler à ses concitoyens que le Canada français dépasse les limites du Québec.

Le nationalisme canadien, Henri Bourassa et Le Devoir

Anti-impérialiste, Henri Bourassa, député au parlement fédéral, s'oppose à la Grande-Bretagne, mais pas au Canada: «Nous, Canadiens français, nous n'appartenons qu'à un pays [...] La patrie, pour nous, c'est le Canada tout entier». Henri Bourassa fonde *Le Devoir* dans cet esprit. Respectueux de la dualité canadienne, il préconise un développement équilibré des deux cultures fondatrices. Somme toute, son nationalisme est d'abord d'ordre culturel et politique: défendre la langue et la culture française en Amérique et les droits des minorités au-delà des frontières du Québec.

Henri Bourassa[9] était très proche du nationalisme clérical qui avait peu à peu remplacé l'idéologie ultramontaine.

Henri Bourassa, 1868-1952, fondateur du quotidien *Le Devoir*.

photo: Bibliothèque nationale du Québec.

Il se préoccupait peu d'économie puisqu'il avait pour principe que les biens matériels doivent être subordonnés aux biens spirituels.

Journaliste d'envergure, il s'oppose à Wilfrid Laurier avec énergie. Orateur brillant, il prononce un discours célèbre à l'église Notre-Dame de Montréal, défendant du même souffle la foi catholique et la langue française. C'était un homme d'idéal, à qui l'on doit un journal sérieux qui est encore publié et lu aujourd'hui par l'élite du pays.

Le nationalisme économique

L'émergence de la bourgeoisie d'affaires francophone à la fin du XIXe siècle avait mis l'accent sur l'ouverture au libéralisme économique dont les États-Unis tout proches donnaient l'exemple.

Au tournant du siècle, Errol Bouchette, à son tour, a la certitude qu'au Québec cette économie peut et doit se faire en français. *L'indépendance économique du Canada français* date de 1906; soixante ans plus tard, Bernard Landry, candidat du Parti québécois aux élections de 1970, redira que l'indépendance culturelle passe par l'indépendance économique.

Les idées nouvelles étaient lancées; intellectuels et universitaires réfléchissaient sur la société dont ils étaient issus et pour laquelle ils pressentaient des changements sans toujours en imaginer l'ampleur. Le grand mérite de ce nationalisme a été non pas de s'opposer à l'agriculture et à la colonisation idéalisée par les clercs mais de montrer quels pouvaient être les avantages de l'industrialisation pour la nation canadienne-française. À la suite de Bouchette, Esdras Mainville et Édouard Montpetit insistent sur le développement économique des sociétés; c'est là, pour ce dernier, le secret du progrès social qu'il espère pour le Québec. Lui aussi, influencé par les universités américaines, rêve de voir au Québec comme aux États-Unis «partout, des écoles, des collèges, des universités, des bibliothèques, des musées».

Lionel Groulx

Les solitaires du début du siècle alimentent la réflexion de gens qui éprouvent maintenant le besoin de se regrouper. On avait déjà commencé à se rassembler dans de grands congrès qui facilitaient la prise de conscience collective. Commence alors la grande période des revues qui vont se succéder, ou exister en parallèle, et qui témoignent de la vigueur intellectuelle de la société en ce deuxième quart du XXᵉ siècle. Les titres de ces revues sont éloquents: *L'Action française, L'Action nationale, Vivre, La Relève*, pour ne citer que les plus connues.

Au tournant du siècle, H. Bourassa avait défendu un type de nationalisme canadien dont les anglophones du Canada n'ont que faire apparemment (d'ailleurs les droits des minorités francophones diminuent pendant cette période). Conscients de l'échec des idées de Bourassa en ce domaine, un nouveau nationalisme se précise après la Première Guerre mondiale: c'est un nationalisme centré sur le Québec. La revue *L'Action française* met l'accent aussi bien sur les questions de culture et de langue que sur les problèmes d'économie.

Pendant les décennies vingt et trente, un prêtre remarquable sera la pierre d'angle d'un changement de mentalité. L'abbé Lionel Groulx, historien, est très près de certaines idées qui ne sont pas éteintes. *Notre maître le passé, La naissance d'une race* sont des titres qui parlent d'eux-mêmes. Sa vivacité d'esprit, son dynamisme, sa conviction qu'il existe une «nation canadienne-française» catholique, si spécifique qu'il lui faudrait un État bien à elle où se développer à l'abri des tentations des autres «races», le font rêver d'un État qui s'appellerait «la Laurentie».

L'œuvre du chanoine Groulx, marquée au coin de la générosité et d'une intelligence articulée, influencera toute une génération de penseurs. Le noyau de sa doctrine est la religion catholique mais il veut qu'il en émerge un projet:

l'élite doit guider le peuple; il insistera sur la formation de celle-ci.

De tradition ultramontaine[10], le chanoine Groulx insiste sur l'autonomie provinciale; il fait faire un grand pas au nationalisme en le greffant directement

L'abbé Lionel Groulx, 1878-1967, à son bureau en 1925; il sera élu directeur de l'*Action française* en 1925.

photo: Centre de recherche Lionel-Groulx.

sur le territoire du Québec et sur des valeurs spécifiquement québécoises. C'est un homme de droite qui se sert du passé pour laisser entrevoir un avenir; le culte des héros peut être utile à l'un comme à l'autre. Son apport principal au mouvement des idées du XXᵉ siècle «a été de hausser dans la conscience collective la province de Québec à un statut de grandeur nationale» (Denis Monière).

Duplessis et l'anti-duplessisme

Le premier ministre Maurice Duplessis continue sur le plan politique ce que d'autres ont fait depuis un demi-siècle, avec plus ou moins d'énergie et plus ou moins de bonheur. Il s'affirme contre le pouvoir centralisateur du fédéral contre le pan-canadianisme, surtout économique, mais laisse aux capitaux privés le soin de développer l'industrie du Québec. Il continue à privilégier l'agriculture comme élément fondamental de la société québécoise au mépris de la réalité d'une société devenue depuis longtemps industrielle et urbaine. Socialement, il s'oppose à ce que la classe ouvrière qui se développe énormément ait une possibilité de dialogue avec les capitalistes qui les emploient. C'est un conservateur pour qui le respect de l'ordre fait les bons citoyens.

Refus global — 1948

Un groupe d'artistes —peintres, poètes, dramaturges — regroupés autour de Paul-Émile Borduas publie un manifeste qui s'oppose avec virulence à l'ordre établi et aux idées qui ont dominé le Québec depuis un siècle. Cette date marque pour une petite minorité de Québécois le passage du désir de changement à l'acte. La volonté de liberté, d'expression originale dans la création montre à l'évidence combien les artistes ont le sentiment précis de ce qui arrive à la société qui les produit. «Au Refus global, nous opposons la responsabilité entière. Un nouvel espoir collectif naîtra» dans un souci d'indépendance culturelle, en opposition à l'hégémonie du pouvoir duplessiste et de sa collusion avec l'Église. Après ce beau moment d'action collective, le groupe perd de sa cohésion. P.-É. Borduas connaîtra l'amertume d'un exil tout autant intérieur qu'imposé par les circonstances.

Cité libre — 1950-1966

L'équipe de la revue *Cité libre* paraît moins radicale et plus organisée que celle du *Refus global* qui ne résistera d'ailleurs pas à la répression d'un régime que les intellectuels qualifient de «grande noirceur». La revue, contrairement au manifeste, affirme sa soumission à l'Église, mais réclame aussi le droit à la liberté individuelle. La revue insiste sur le respect de la personne humaine et donc sur une politique démocratique fondée sur une pensée économique et sociale qui n'est pas sans rappeler les idées qui animaient au même moment en France la revue *Esprit*. Au Québec, *Cité libre* rejette un cléricalisme vétuste et prône l'idée que la justice et la prospérité peuvent exister dans une société industrialisée et urbanisée.

Sur le plan politique, «les cité-libristes» sont fondamentalement fédéralistes et veulent que le Québec joue le rôle qui lui revient dans la Confédération. On ne s'étonnera donc pas de retrouver plus tard au gouvernement fédéral trois de ses animateurs, les «trois colombes», Trudeau, Marchand, Pelletier. Ils installeront à Ottawa un «French Power» à la fin des années soixante, qu'on peut voir comme un contrepoids à la Révolution tranquille.

Outre ces futurs hommes politiques, on retrouvait dans *Cité libre* d'autres signatures connues: celle de René Lévesque, celle de penseurs lucides comme Fernand Dumont ou Pierre Vadeboncoeur.

André Laurendeau et le néo-nationalisme

C'est sans doute le contrecoup du bouleversement que causa la guerre de 1939-1945 qui amena les plus sensibles des Québécois à «sentir le monde trembler sous leurs pieds» suivant l'expression de Georges Vincenthier. André Laurendeau[11], avec lucidité et calme, entretenait les lecteurs de l'*Action nationale*, puis du *Devoir*, comme Ernest Gagnon ou François Hertel. Caratérisés par une formation et une culture littéraires, par un esprit d'ouverture qui savait s'enrichir d'échanges avec un certaine intelligentsia européenne, ces artistes du verbe alertaient

André Laurendeau, au cours d'une assemblée du Bloc Populaire au marché Jean-Talon, à Montréal, le 12 juillet 1944.

photo: Centre de recherche Lionel-Groulx.

par la puissance des mots la collectivité dont ils voulaient, chacun à leur manière, faire une société moderne, plus consciente de ses possibilités.

Ce courant néo-nationaliste, né autour des économistes et historiens de l'Université de Montréal et de l'École des hautes études commerciales est l'aboutissement d'une tendance datant de l'Action libérale nationale des années trente. Ses manifestations politiques s'incarnent dans la formation du Bloc populaire. C'est une affirmation claire de l'identité nationale du peuple canadien-français, mais le rejet du traditionalisme qui avait marqué le nationalisme précédent. Le Parti libéral reprendra à son compte la plupart des idées et bénéficiera d'un renouveau idéologique qui lui vaudra une popularité nouvelle.

Les sciences sociales à l'Université Laval

Dans les années cinquante, un dominicain, le père Georges-Henri Lévesque, doyen-fondateur de la faculté des Sciences sociales de l'Université Laval, se révèle un éveilleur d'esprits hors pair. Il croyait en l'université comme instrument de transformation de la société. Il le prouva en formant dans la vieille capitale avec beaucoup de rigueur intellectuelle une pépinière de penseurs: Guy Rocher, Fernand Dumont, Jean-Charles Falardeau, Gérard Bergeron, Doris Lussier, Jean Marchand, Gérard Dion, Arthur Tremblay, pour n'en nommer que quelques-uns. Le père Lévesque sera d'ailleurs contraint de prendre ses distances; le gouvernement obtiendra de l'Église qu'on l'éloigne pour un temps, à Rome d'abord, puis en Afrique où on le chargera de mettre en place les structures de la nouvelle université du Rwanda.

La conjoncture de décolonisation en Afrique n'est pas étrangère non plus à ce nouveau sentiment d'insatisfaction, à ce nouveau questionnement concernant l'identité canadienne-française. C'est une période d'intenses échanges d'informations facilités par la prolifération de moyens médiatiques, surtout audio-visuels.

Liberté — 1959

Pendant qu'à Québec naissait une nouvelle école de pensée, on fondait à Montréal la revue *Liberté*. Des écrivains, essayistes, romanciers et poètes en tête réclameront, dix ans après *Refus global*, une liberté surtout culturelle; une nouvelle notion se fait jour: cette collectivité québécoise doit s'exprimer dans sa langue avec fierté. Cette sécurité culturelle permettra à la société du Québec d'accéder à la sécurité économique puis politique. À une vision d'un monde canadien-français, imposée aux Québécois depuis plus d'un siècle, va succéder l'idée que le pays est ainsi mal nommé. Bien plus, il ne l'est pas encore. Ce sont les poètes et les chansonniers qui, les premiers[12], le chantent sur tous les tons et sur tous les toits.

> Je suis d'un pays qui est comme une tache sous le pôle, comme un fait divers, comme un film sans images. (...) Sache au moins qu'un jour, j'ai voulu donner un nom à mon pays, pour le meilleur ou pour le pire; que j'ai voulu me reconnaître en lui, non par faux jeux de miroirs, mais par exigeante volonté.
>
> Jean-Guy Pilon, 1961

C'est ainsi que le Québec naît au monde, prenant ses assises dans la conscience aiguë que ce sont les Québécois qui feront leur pays à partir de ce qu'ils seront eux-mêmes. Cette analyse du dedans sera faite par chacun ou presque, à des degrés divers.

La Révolution tranquille

Le grand changement qui s'opère dans les années soixante consiste surtout en une généralisation des idées que prônaient autrefois des solitaires ou, plus récemment, de petits groupes d'intellectuels. Les idées circulent plus librement dans une société autrefois homogène qui se diversifie. On remplace les structures traditionnelles qui se désintègrent par un nouveau système de valeurs. L'arrivée des libéraux au pouvoir avec Jean Lesage concrétise cette soif de renouveau et la traduit en gestes politiques, sociaux et culturels concrets. Mais les origines de ce changement[13], véritable Révolution en raison de la rapidité de la transformation, remontent plus loin qu'à la mort du chef de l'Union nationale.

L'après-guerre avait favorisé un nouveau fédéralisme et justifié l'intervention de l'État permettant un meilleur équilibre économique et une plus grande justice sociale. Parallèlement au néo-nationalisme, se développe ainsi un néo-libéralisme, conciliant les éléments nationalistes d'une politique québécoise avec une planification économique plus rigoureuse. Pendant quelques années, le Québec suivra très majoritairement cette vision incarnée par l'équipe du tonnerre de Jean Lesage. Son successeur au pouvoir, Daniel

Johnson, prolongera la Révolution tranquille, bien que n'étant pas de la même formation politique que Lesage.

Parti pris — 1963-1968

Le Parti libéral donne un contenu politique et social à ces aspirations encore confuses mais en train de se décanter dans des avalanches de mots écrits, parlés, lus ou chantés. *Parti pris* est un mouvement de gauche qui définit très clairement ses objectifs et sa grille d'analyse dans la revue qui porte ce nom. *Parti pris* sera laïc, marxiste et indépendantiste.

Pour les tenants de ce mouvement, le Québec a été et est toujours colonisé, par les Anglais, par les «Canadians», par l'élite cléricale et bourgeoise, par les exploiteurs capitalistes américains; même la littérature française a trop longtemps colonisé les lettres québécoises. C'est bien à une lutte des classes qu'appellent certains théoriciens de *Parti pris*, tandis que d'autres se rallient au mouvement qui réalise au même moment la Révolution tranquille. Il faut faire table rase de presque tout et écrire la langue que le peuple comprend: de 1965 à 1972, des poètes, des romanciers et des dramaturges s'exprimeront en joual.

Ils seront nombreux, les collaborateurs de *Parti pris*: des poètes, des romanciers, à côté d'essayistes que redoute particulièrement la bourgeoisie capitaliste qui continue à se dire canadienne-française. Sans doute ne se reconnaît-elle pas dans ces livres bon marché en format de poche qui touchent les domaines politique, sociologique et littéraire. *Parti pris* suscitera

dialogues et polémiques; le mouvement était sans nul doute une étape dans le nécessaire éventail de concepts qui ont aidé le Québec à se farie une idée de ce qu'il est réellement.

Plus tard, d'autres publications contribueront à propager une nouvelle culture (ou même une contre-culture), notamment en milieu étudiant. Ainsi *Mainmise* (écologique, libertaire et un peu «drop out»), *Presqu'Amérique* (nationaliste nouvelle manière), le *Quartier latin* (étudiant et frondeur). Ces titres n'existent plus — ni le quotidien indépendantiste *Le Jour* qui naîtra par la suite — mais témoignent d'une effervescence des idées et des modes de vie dont les ramifications s'étendaient bien au-delà d'une certaine sphère intellectuelle ou politique.

1967: «Vive le Québec libre!»

Le Québec vit dans l'enthousiasme de son Exposition universelle lorsque le général de Gaulle, après avoir remonté le Saint-Laurent, empruntant de Saint-Joachim à Montréal le Chemin du Roy, fait aux Québécois survoltés son fameux discours impromptu du haut du balcon de l'hôtel de ville à Montréal. L'enregistrement sonore des disours du général est révélateur de l'état d'esprit des Québécois en 1967. Les applaudissements éclatent frénétiquement devant l'audace du: «Vive le Québec libre!».

Dans la société québécoise, cette déclaration provoquera un mélange de surprise et d'enthousiasme. De Gaulle apportait sa caution de grand homme d'État à un mouvement populaire. Mais de quoi se mêlait-il tout à coup, étaient

Visite du général de Gaulle en juillet 1967. De Gaulle est au balcon de l'hôtel de ville de Montréal et lance: «Vive le Québec libre».

photo: Service des affaires corporatives, Ville de Montréal.

en droit de se demander d'aucuns — tant ici qu'en France où son retour fut accueilli par une certaine froideur. Quoi qu'il en soit, le général avait trop le sens de l'histoire pour ne pas poser un geste symbolique et fort, situant le débat au-delà des chicanes protocolaires de l'«intendance». Le chef de l'État français mettait ainsi, à sa façon, le Québec sur la carte du monde. Au Québec, «le premier ministre Johnson se faisait traiter de crypto-séparatiste, et l'épisode du général ne manquait pas de fouetter l'ardeur du militantisme indépendantiste.» (Pierre O'Neil). Les vives tensions qui en résultèrent à

l'intérieur du Parti libéral du Québec amenaient d'ailleurs François Aquin à quitter les rangs libéraux pour siéger comme indépendant à l'Assemblée nationale.

Chronologie de l'idée d'indépendance

1837-1838:	Rébellion des Patriotes
1838:	Déclaration d'indépendance du Bas-Canada
1910:	Henri Bourassa fonde *Le Devoir* (indépendance culturelle et économique)
1917:	Motion de Francoeur et Laferté à l'Assemblée Législative de Québec
1920-1930:	Chanoine Lionel Groulx
1948:	*Refus Global* (indépendance culturelle par la création)
1957:	Alliance Laurentienne, Raymond Barbeau
1960:	Action Socialiste pour l'Indépendance du Québec (Raoul Roy)
1960:	Rassemblement pour l'Indépendance Nationale (Marcel Chaput, André d'Allemagne)
1962:	Parti Républicain du Québec (Marcel Chaput)
1964:	Ralliement National (René Jutras)
1967:	«Vive le Québec libre!»
1967:	René Lévesque fonde le Mouvement Souveraineté-Association
1968:	MSA+RN+RIN=Parti Québécois
1970:	Événements d'Octobre

Les mouvements indépendantistes et le FLQ

À partir de 1957, le mouvement vers une action politique se précise avec la formation d'un parti résolument indépendantiste. Le mouvement s'accélère à partir de 1960. Les partis s'engendrent les uns les autres, naissant de divergences internes. Le Parti québécois résultera du regroupement de trois de ces mouvements et partis dont deux avaient d'ailleurs participé aux élections générales précédentes (1966).

Pendant que les libéraux, puis l'Union nationale, donnaient un contenu politique à certaines aspirations de la société québécoise, notamment en

Le président du Rassemblement pour l'indépendance nationale (RIN), Pierre Bourgault.

photo: Bibliothèque nationale du Québec.

matière de culture, d'éducation et d'économie provinciale axée sur les ressources naturelles du Québec, une petite fraction de jeunes gens trouvaient que l'indépendance n'arrivait pas assez vite. Le Front de libération du Québec (FLQ) décide alors de passer aux actes. La violence commence en 1963 et trouve son apogée et son dénouement à la fois en 1970. C'est la technique de la guérilla urbaine qui fait éclater les bombes dans des endroits symboliques de l'oppression du peuple québécois (boîtes aux lettres de Westmount, une des villes anglaises de bon ton et majoritairement anglophone de l'île de Montréal, bourse de Montréal, etc.); on attaque les banques pour trouver de l'argent, on vole des armes dans les dépots de l'armée canadienne, on écrit des manifestes flamboyants pour expliquer ses idées.

Le FLQ fonctionne en petites cellules, dix personnes environ, qui ignorent tout ou presque des autres cellules et qui n'ont pas toutes la même vision de ce type d'action: des marxistes-léninistes, une tendance maoïste, une autre tendance qui se défend de toute allégeance marxiste. Chez tous, une prise de position socialiste et anti-cléricale très nette. Pierre Vallières et Charles Gagnon sont les théoriciens du FLQ. Leurs analyses ne manquent ni de lucidité ni d'à propos. Quand *Nègres blancs d'Amérique* sort des presses aux éditions Parti pris, le FLQ n'en est déjà plus à son premier geste terroriste.

En octobre 1970, le FLQ enlève deux personnalités: un diplomate britannique et le ministre du travail, Pierre Laporte. La crise d'octobre secoue le Québec: le premier ministre Robert

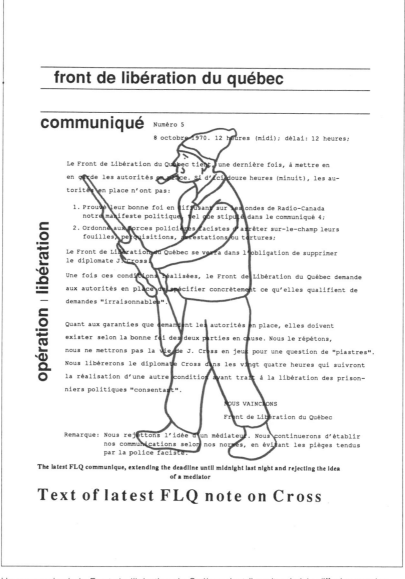

front de libération du québec

communiqué Numéro 5

8 octobre 1970. 12 heures (midi); délai: 12 heures;

Le Front de Libération du Québec tient, une dernière fois, à mettre en
en garde les autorités en place. Si d'ici douze heures (minuit), les autorités en place n'ont pas:

1. Prouvé leur bonne foi en diffusant sur les ondes de Radio-Canada
   notre manifeste politique, tel que stipulé dans le communiqué 4;

2. Ordonné aux forces policières facistes d'arrêter sur-le-champ leurs
   fouilles, perquisitions, arrestations ou tortures;

Le Front de Libération du Québec se verra dans l'obligation de supprimer
le diplomate J. Cross.

Une fois ces conditions réalisées, le Front de Libération du Québec demande
aux autorités en place de spécifier concrètement ce qu'elles qualifient de
demandes "irraisonnables".

Quant aux garanties que demandent les autorités en place, elles doivent
exister selon la bonne foi des deux parties en cause. Nous le répétons,
nous ne mettrons pas la vie de J. Cross en jeu pour une question de "piastres".
Nous libérerons le diplomate Cross dans les vingt quatre heures qui suivront
la réalisation d'une autre condition ayant trait à la libération des prisonniers politiques "consentant".

> NOUS VAINCRONS
>
> Front de Libération du Québec

Remarque: Nous rejettons l'idée d'un médiateur. Nous continuerons d'établir
nos communications selon nos normes, en évitant les pièges tendus
par la police faciste.

**The latest FLQ communique, extending the deadline until midnight last night and rejecting the idea
of a mediator**

Text of latest FLQ note on Cross

(texte vertical à gauche) **opération | libération**

Un communiqué du Front de libération du Québec dont il avait exigé la diffusion par les
médias (radio, télévision, journaux). Celui-ci est tiré de *The Gazette*, journal anglophone de
Montréal, paru le 9 octobre 1970.

photo: Bibliothèque nationale du Québec.

Bourassa demande l'aide du fédéral qui déclare «la loi des mesures de guerre»[14]. La mort de Pierre Laporte stupéfie les Québécois, résolument pacifistes avant tout et agacés par les réactions gouvernementales. Le diplomate britannique est relâché, les felquistes ayant obtenu un sauf-conduit pour Cuba.

Les commissions d'enquête prouveront plus tard, comme les déclarations de certains felquistes, que ce mouvement terroriste était le fait d'un petit groupe, peut-être une trentaine de personnes, et que, d'autre part, la Gendarmerie royale du Canada était loin d'être ignorante des agissements de ces groupuscules. De toute façon, ce type d'action révolutionnaire ne paraissait convenir ni au tempérament ni à la situation relativement confortable des Québécois. Une conséquence inattendue: le FLQ pèsera lourd sur le proche avenir du Parti québécois que ses détracteurs auront tôt fait d'assimiler à des «terroristes assoiffés de sang».

En 1970, le PQ, qui participe pour la première fois aux élections générales prend le relais de l'idée d'indépendance, mais dans une stratégie électorale parfaitement démocratique: il lui faudra six ans de purgatoire avant d'accéder au pouvoir.

Le référendum — 1980

Fidèle à sa promesse de mettre aux voix la question de la souveraineté, le Parti québécois propose un référendum populaire. Celui-ci est précédé d'un débat à l'Assemblée nationale qui restera dans les annales du Québec comme l'un des grands moments parlementaires. Le débat dure trois semaines et permet à la population, par le biais des retransmissions télévisées, de juger — sur pièces oratoires au moins — les souverainistes et les fédéralistes. Le vent semblait souffler en faveur des souverainistes qui abordaient la question avec calme et logique. En revanche, les députés regroupés sous le parapluie du «non» paraissaient plus sur la défensive et leurs discours n'avaient pas l'allure positive et claire des premiers. Mais c'était au mois de mars. Le référendum était prévu pour le 20 mai: cet éloignement dans le temps sera un des points faibles de la stratégie gouvernementale. Ces deux mois furent utilisés à fond par les tenants du «non» — y compris les députés fédéraux mobilisés pour la circonstance — pour discréditer l'option souverainiste. Tous les dangers du «oui» furent mis de l'avant, alors que grandissait l'inquiétude — ou, dans l'inconscient, une certaine angoisse de la séparation d'avec la mère-patrie symbolique.

L'autre erreur de stratégie du Parti québécois, plus fondamentale, résidait sans doute dans le libellé même de la question posée au référendum. Les tenants de l'étapisme ayant imposé la modération, la question posée[15] pouvait sembler trop édulcorée ou suspecte. Par ailleurs, longue et un peu alambiquée, est-elle apparue assez claire aux citoyens qui ne pouvaient répondre que brièvement par «oui» ou «non»?

Toujours est-il que la société québécoise refusa la souveraineté avec une majorité de 59% pour l'ensemble du Québec. Le vote des francophones était partagé (50% — 50%). Des régions, d'ailleurs voisines, la Côte-Nord et le

Deux épinglettes fleurdelisées et une référendaire.

photo: Françoise Tétu de Labsade.

Saguenay-Lac-Saint-Jean, avaient même une majorité (56%) de oui, mais cela ne suffit pas pour contrebalancer l'ouest de l'île de Montréal (21% de oui) où réside la majorité des anglophones.

Quelques années plus tard, la Parti québécois réuni en congrès substituera à la thèse souverainiste celle de l'affirmation nationale. Des inconditionnels de la souveraineté préféreront alors partir en nombre. Ils fonderont même le Rassemblement démocratique pour l'indépendance. D'autres créeront à Québec un Parti indépendantiste. La mort, en novembre 1987, de René Lévesque, semble redonner un nouveau souffle à l'option souverainiste du Parti Québécois. Des anciens, comme Jacques Parizeau, reviennent à la vie politique active.

L'idée d'indépendance — ou au moins d'autonomie — existe toujours dans les esprits. Certains la souhaitent, d'autres la redoutent, tous y pensent[16]. L'avenir seul dira si cette idée se concrétisera d'une manière ou d'une autre. Quoi qu'il advienne dans la réalité politique future, elle est devenue une composante de la réalité québécoise et canadienne, sous-jacente dans des expressions comme «société distincte» selon l'accord de principe du lac Meech, ou dans celle du «pouvoir élargi» à Québec.

Notes

1. À une France mythique, de tradition catholique et monarchique, s'opposait la France réelle, républicaine et anticléricale.

2. Jusqu'à tout récemment, le terme de «Canadiens» conservait, au Québec, sa portée sémantique première: les premiers habitants de souche européenne du Canada, puis leurs descendants, les Canadiens français. C'est dans cet esprit que le club de hockey, les Habitants, a choisi de s'appeler Les Canadiens. Son sigle en témoigne aujourd'hui encore: il associe étroitement, dans un même logo, l'initiale des deux mots «canadiens» et «habitants». Que «canadian» puisse être synonyme de «canadiens» est une réalité tout à fait récente dans l'histoire des idées au pays (Rénald Bérubé)

3. En 1810, deux députés du Parti canadien, Bédard et Blanchet sont emprisonnés par le gouverneur Craig, sous prétexte de «pratiques traîtresses». Le peuple canadien montre alors sa détermination en rééIisant les députés prisonniers. Craig doit céder devant la pression populaire.

4. Le Parti patriote est le premier parti canadien dont le fonctionnement est rigoureusement démocratique.

Drapeau du Québec, communément appelé le fleurdelisé.

5. C'est ainsi que la Société Saint-Jean-Baptiste, organisation patriotique fondée en 1844, devient «une sorte de bras séculier du nationalisme clérical» (Réjean Beaudoin).

6. Dans les années soixante, plusieurs postes de radio diffusaient encore chaque soir la récitation du chapelet sur les ondes.

7. Les prêtres du Séminaire font ici preuve de clairvoyance en étant les premiers «vulgarisateurs scientifiques» et en incitant leurs élèves à se diriger du côté des sciences.

8. Chez les ultramontains, il y a les intran-sigeants, dont l'intolérance est manifeste, et un courant plus modéré (Mgr Taschereau) qui s'accommode des nouvelles réalités.

9. H. Bourassa était le petit-fils de Louis-Joseph Papineau; son attitude vis-à-vis de l'Église était bien différente de celle de son grand-père.

10. On qualifie plutôt cette période de «clérico-nationaliste».

11. «Il a plus fait, pour structurer les Canadiens français (instruire, c'est structurer par l'intérieur), que la plupart des politiques.» (Le frère Untel)

12. En 1953, Gaston Miron fonde les éditions de l'Hexagone.

13. Création d'un appareil d'État moderne, processus de prise de décision plus méthodique et plus efficace, amélioration des services publics, meilleur équilibre entre le fédéral et le provincial.

14. Imposée pour la première fois en temps de paix, cette loi suscite un débat qui se poursuit encore sur «la pertinence de cette mesure controversée».

15. «Le Gouvernement du Québec a fait connaître sa proposition d'en arriver, avec le reste du Canada, à une nouvelle entente fondée sur le principe de l'égalité des peuples;
cette entente permettrait au Québec d'acquérir le pouvoir exclusif de faire ses lois, de percevoir ses impôts et d'établir ses relations extérieures ce qui est la souveraineté — et, en même temps, de maintenir avec le Canada une association économique comportant l'utilisation de la même monnaie;
aucun changement de statut politique résultant de ces négociations ne sera réalisé sans l'accord de la population lors d'un autre référendum;
en conséquence, accordez-vous au Gouvernement du Québec le mandat de négocier l'entente proposée entre le Québec et le Canada?»

16. À cette épineuse question, le célèbre humoriste Yvon Deschamps a déjà répondu dans un monologue, en disant que les Québécois rêvent «d'un Québec indépendant dans un Canada fort»...

Bibliographie

BÉLANGER, André-J., *Ruptures et constantes. Quatre idéologies du Québec en éclatement: la Relève, la JEC, Cité libre, Parti pris*, Montréal, Hurtubise HMH, 1977.

BERNARD, Jean-Paul, *Les rouges, libéralisme, nationalisme et anticléricalisme au milieu du XIXe siècle*, Montréal, PUQ, 1971.

MONIÈRE, Denis, *Le développement des idéologies au Québec des origines à nos jours*, Montréal, Québec/Amérique, 1977.

MORIN, Claude, *Lendemains piégés. Du référendum à la nuit des longs couteaux*, Montréal, Boréal, 1988.

ROBERT, Jean-Claude, *Du Canada français au Québec libre. Histoire d'un mouvement indépendantiste*, Paris, Flammarion, 1975.

ROY, Fernande, *Progrès, harmonie, liberté. Le libéralisme des milieux d'affaires francophones à Montréal au tournant du siècle*, Montréal, Boréal, 1988.

SÉGUIN, Maurice, *L'idée d'indépendance au Québec, Genèse et historique*, Montréal, Boréal Express, 1977.

SLOAN, Thomas, *The Not-so-quiet Revolution*, Toronto, Ryerson Press, 1965. Traduit par Michel Van Schendel, *Une révolution tranquille?*, Montréal, HMH, 1965

VALLIÈRES, Pierre, *Nègres blancs d'Amérique*, Montréal, Parti pris, 1968.

VINCENTHIER, Georges, *Une idéologie québécoise, de Louis-Joseph Papineau à Pierre Vallières*, Montréal, Hurtubise HMH, 1979.

WADE, Mason, *Les Canadiens français de 1760 à nos jours*, tomes I et II Montréal, CLF, 1963.

Collectif, sous la direction de F. Dumont, J.-P. Montminy et J. Hamelin, *Idéologies au Canada français*, Québec, PUL, 1971, 1974, 1978, 1981 (3 tomes).

Liberté, n° 175, février 1988, «Sept Québec».

Filmographie

Le confort et l'indifférence, Denys Arcand, ONF, coul., 1981, 109 min.

La visite du Général de Gaulle au Québec, Gouvernement du Québec, coul., 1967, 29 min.

Le 30/60 et *Le 60/80*, séries télévisées, Radio-Québec, qui font revivre ces périodes de façon très vivante avec, entre autres, des documents d'archives.

Discographie

Vivre le Québec libre! Extraits des discours du Général de Gaulle au Québec, Trans-Canada Maximum TCM 917.

6
L'Église

«L'histoire du Canada français, c'est l'histoire de l'Église au Canada», disait Jean-Charles Falardeau. C'est si vrai que l'on ne peut parler du Québec d'une manière globale sans en revenir presque systématiquement à l'Église. Celle-ci s'est départie au cours des années soixante du rôle si important qu'elle a joué sous le régime français, rôle devenu prépondérant après 1840 jusqu'au milieu du XXe siècle, pour passer au rang d'acteur de soutien au moment où la société québécoise subissait des changements radicaux. Ainsi les mentalités ont-elles été marquées par la vision du monde particulière à la religion catholique romaine.

SOUS LE RÉGIME FRANÇAIS

Jacques Cartier, en plantant une croix à Gaspé en 1534, mettait le continent sous la protection de Dieu. Cette croix était-elle un «signe» du destin peu commun du Québec? Au même moment, Henri VIII, roi d'Angleterre, opposé à François Ier, rompait avec Rome et devenait chef de l'Église d'Angleterre. Le catholicisme en France est alors religion d'État et les relations entre l'Église et l'État sont étroites, régies entre autres par le concordat de Bologne (1516).

L'expansionnisme des divers États européens se double du désir de faire partager ou d'imposer à d'autres peuples une culture dont la religion est la clé de voûte. C'est la grande époque des missions. Le pape avait approuvé en 1540 la constitution de l'ordre des Jésuites dont une des priorités était précisément l'activité missionnaire.

LES RELIGIEUX

Sept ans après la fondation de Québec, Champlain fait venir quatre Franciscains plus connus sous le nom de Récollets, pour assurer l'encadrement spirituel de la toute jeune colonie (1615).

En 1625, un groupe de Jésuites arrive à Québec (les pères Briard et Massé avaient déjà passé quelque temps en Acadie vers 1612). Ils mettent tout en œuvre pour que les deux priorités de l'ordre soient respectées. D'une part, les missionnaires apprennent la langue et les coutumes des Amérindiens pour pouvoir les convertir. D'autre part, ils fondent en 1635 le premier collège d'Amérique et le seul au Canada pendant 33 ans.

La conversion des autochtones ne va pas sans mal. Les suivre dans les expéditions de chasse qui font partie de leur mode de vie est périlleux. Après avoir passé plusieurs hivers dans l'incertitude du lendemain, les Jésuites missionnaires s'installent à Sillery, à quelques kilomètres en amont de Québec. Ils ont remarqué que des tribus amérindiennes se retrouvent dans ces anses poissonneuses du Saint-Laurent pour faire provision d'anguilles et échanger des femmes entre tribus. Il est moins difficile de convertir des gens qui n'ont pas le ventre vide[1]. Sillery sera dès 1637 le premier centre de préparation au mariage.

L'ordre d'Ignace de Loyola était hiérarchisé de façon rigoureuse. Tous les ans, ceux que leurs fonctions appelaient à l'extérieur, devaient faire rapport à leur supérieur, le Provincial. Ces *Relations* furent même publiées à Paris pour réchauffer le zèle missionnaire des Français. C'est un document d'époque irremplaçable à tous points de vue pour son intérêt sociologique et littéraire, surtout lorsqu'il s'agit des écrits des pères Le Jeune et Jérôme Lalemant. La reconnaissance de la culture amérindienne, jointe à l'étonnement devant des manifestations naturelles étranges comme les aurores boréales, en font un témoignage passionnant. Lorsque l'on parle d'échange avec les Amérindiens, il est toujours question de traite des fourrures. Aussi, les mauvaises langues accuseront-elles les Jésuites d'être venus pour évangéliser davantage les castors que les Amérindiens.

Si les Hurons entretinrent de bonnes relations avec les Français et leurs prêtres, il n'en alla pas de même avec les Iroquois ennemis des Hurons, et devenus par le jeu des alliances ennemis des Français: huit missionnaires périrent torturés par ceux que l'on appelait «Sauvages». Cet épisode est une des manifestations de la guerre que les Iroquois, répartis en cinq nations, mènent contre les établissements français. La population blanche en souffrira, surtout à Montréal, et les Hurons seront presque anéantis par les tribus iroquoises. Évidemment, l'imagination collective ne retient que des pratiques guerrières inusitées (scalp, tortures, etc.). Se développe ainsi la conviction de la barbarie des Iroquois, puis de tous les Amérindiens. Du particulier au général, il n'y a qu'un pas que la conscience collective franchit d'habitude avec célérité, se forgeant alors des certitudes

qu'historiens[2] et anthropologues auront du mal à ébranler beaucoup plus tard lorsque les sciences de l'homme se seront penchées plus attentivement sur ces questions.

LES COMMUNAUTÉS DE FEMMES À QUÉBEC

L'organisation de la colonie en est à ses balbutiements lorsque les Jésuites incitent les premières religieuses françaises à venir au Canada. Or, cette même période est un temps de renouveau religieux qui transforme la France du XVIIe siècle sous l'influence de Richelieu et de saint Vincent-de-Paul.

1639. Une jeune femme, Marie Guyart, devenue en religion Marie de l'Incarnation, décide de fonder un couvent d'Ursulines à Québec pour répondre à une vocation, à un appel divin dont elle ressent l'urgence. Portée par un idéal mystique, elle consacrera tous les efforts de sa longue vie à bâtir et rebâtir de quoi abriter religieuses et enfants de toutes origines qu'elle a charge d'éduquer. Ses lettres sont un modèle de littérature mystique et surprennent par le ton élevé de spiritualité qu'elles atteignent, surtout lorsque l'on considère les incroyables difficultés que ces religieuses devaient résoudre jour après jour.

L'enseignement était assuré aux garçons et aux filles. Il fallait aussi un hôpital: des hospitalières, encouragées par la duchesse d'Aiguillon, viennent s'installer au même moment à Québec. Sans doute entraînés par le courant spirituel et mystique qui régnait en France au XVIIe siècle, les civils aident les ordres religieux à s'établir en Nouvelle-

France, ainsi Mme de la Peltrie aux côtés de Marie de l'Incarnation.

LA FONDATION DE VILLE-MARIE

En France, la lecture des Relations porte ses fruits: M. le Royer de la Dauversière, à son tour, fonde la Société Notre-Dame. Parmi ses membres, M. de Maisonneuve et une jeune fille d'un dynamisme étonnant, Jeanne Mance.

Jeanne Mance, fondatrice de l'Hôtel-Dieu de Montréal. Aquarelle faite en 1844 d'un vitrail de F. Chicot, dans l'église Notre-Dame.

photo: Archives nationales du Canada: C 3202.

En 1642, ils s'installent à Ville-Marie dans l'île de Montréal. Commercialement, c'est un endroit stratégique de premier ordre, comme le prouvera plus tard le développement économique de la métropole. Du point de vue religieux, les «Montréalistes» — comme on les appelle alors — développent un

remarquable esprit de communauté: on y trouve rapidement un hôpital, dont les agressions iroquoises assurent la clientèle, et une école à partir de 1657 (Marguerite Bourgeoys, canonisée en 1982, avait fondé à cet effet la Congrégation de Notre-Dame).

Toutefois, la colonisation de l'île restera très modeste jusqu'à la Grande Paix de Montréal, conclue avec les Indiens en 1701. Il fallait une foi à toute épreuve et une ferveur de tous les instants pour résister au découragement.

En 1657, les Sulpiciens assurent les services pastoraux à Montréal. Six ans plus tard, ils achètent la seigneurie de l'île à la Société Notre-Dame.

En 1737, Marguerite d'Youville, avec des associées, envisage la reprise en main de l'Hôpital général de Montréal que les frères Charon ne peuvent plus administrer. En 1755, les Sœurs Grises reconnaissent madame d'Youville pour leur supérieure et acquièrent dans l'Église canadienne un statut officiel.

L'INSTITUTIONNALISATION DE L'ÉGLISE

Les grands élans mystiques des civils et des religieux n'empêchent pas l'exercice du pouvoir. On a vu la puissance d'attraction que la publication des Relations avait sur les esprits généreux; le supérieur des Jésuites fait partie du Conseil souverain de la Nouvelle-France et, à ce titre, participe de près aux décisions du colonisateur. Il faut cependant attendre 1663 pour qu'une véritable organisation structure l'ensemble du clergé.

Mᵍʳ François de Montmorency Laval.
Tableau attribué à Claude François (frère
Luc), vers 1672.

photo: *Musée du Séminaire de Québec,*
Pierre Soulard.

Mᵍʳ François de Montmorency-Laval
est le premier évêque de la colonie. Le
territoire en est gigantesque, mais les
habitants y sont clairsemés et les prêtres peu nombreux. Pour pallier cette
lacune, Mᵍʳ de Laval fonde le Grand
Séminaire de Québec[3] en 1663 parce
qu'il songe au recrutement des vocations canadiennes. Ce clergé séculier
formé sur place, très proche du peuple,
représentera environ la moitié des
effectifs cléricaux au XVIIIᵉ siècle et
développera un certain esprit d'indépendance vis-à-vis de la hiérarchie
française, d'autant plus que l'évêque
sera souvent absent de la colonie.

Mᵍʳ de Laval diversifie encore l'œuvre d'enseignement dont l'Église s'est
tout naturellement chargée. Il crée en

1663 l'école de métiers de Saint-
Joachim, en aval de Québec. Peinture et
sculpture sont à l'honneur, mais on forme surtout des charpentiers, des cou-
vreurs, des menuisiers et des maçons.
Les frères Charon feront de même à
Montréal à la fin du XVIIᵉ siècle. Le
Grand Séminaire de Québec s'adjoint
également un Petit Séminaire.

Mᵍʳ de Saint-Vallier relaie Mᵍʳ de
Laval. Longtemps évêque, et malgré le
fait qu'il ait passé plusieurs années
dans les prisons anglaises, il aura
cependant le temps de décentraliser
l'autorité ecclésiastique et d'organiser
des paroisses au début du XVIIIᵉ siècle.
On compte 80 églises vers 1720.

LES RÔLES DE L'ÉGLISE

Louis XIII — sans doute à cause de
Richelieu — et après lui Louis XIV
veulent faire de la Nouvelle-France une
colonie exemplaire. Dès 1627, seuls les
catholiques sont autorisés à s'établir au
Canada.

L'Eglise assume la *pastorale* de
cette nouvelle colonie avec les limites
que l'on sait: pas assez de prêtres pour
les fidèles et l'évangélisation des autochtones. Les communautés religieuses de femmes, nombreuses et bien
organisées, participent aussi à cette
présence spirituelle en Nouvelle-France
mais ces communautés sont exclusivement dans les villes.

L'Église assure aussi l'*enseignement*
à tous les niveaux. L'éducation est donnée dans toutes les disciplines par des
clercs et des religieux ou par des maîtres engagés par l'évêque ou par les
curés, grands responsables de leur
paroisse. L'État aide d'ailleurs de ses

deniers les autorités ecclésiastiques en matière d'éducation.

Il en est de même en matière d'*assistance sociale*. Comme pour l'éducation, on recrée dans la colonie le modèle métropolitain. Les hôpitaux soignent malades et vieillards sans distinction et s'occupent des orphelins ou des nécessiteux. L'État donnera aux communautés de grosses seigneuries dont les revenus serviront à leurs œuvres de bienfaisance.

L'État confie aussi à l'Église la *tenue des registres de l'état civil*. Le curé va même parfois faire un travail d'arbitre, voire de notaire. L'Église joue un certain rôle politique. L'évêque participe de près à certaines décisions du gouverneur et les curés se font les porte-parole des dirigeants politiques, ce qui entraîne parfois une implication des clercs dans les décisions des autorités gouvernementales (défense du territoire, collecte des taxes).

Cela n'empêche pas les Canadiens de garder un certain esprit d'indépendance, même s'ils s'acquittent des obligations religieuses qui jalonnent leur vie. En général, le peuple semble s'accommoder des vérités qu'on lui sert, plus facilement d'ailleurs que du taux de la dîme qu'il s'efforce de faire baisser et ne paie que de mauvaise grâce.

APRÈS LA CONQUÊTE

AVANT 1840

L'Église met finalement peu de temps à reconstruire ses édifices en ruine et à se réorganiser après le siège de Québec, même si Wolfe avait dévasté les campagnes autour de la capitale et ainsi fait partir en fumée les ressources des communautés religieuses. Le problème du recrutement du clergé est plus grave. Une fois l'évêque mort, il ne pourra y avoir d'ordination pour remplacer les prêtres qui vieillissent. La nouvelle métropole, contrairement à l'ancienne, protège une minorité protestante et enlève à l'Église catholique le pouvoir que lui avait donné la France. Les catholiques ne peuvent faire le serment du Test sans parjurer leur foi et, sans cet acte d'allégeance, ne peuvent occuper aucune charge publique. L'Angleterre veille à supprimer tout lien de la colonie tant avec la France qu'avec Rome.

Il faut beaucoup d'acharnement pour arriver à faire accepter à l'Angleterre la nomination d'un évêque (comme celle de Mgr Briand). Depuis la Conquête jusqu'en 1840, l'Église s'évertue à regagner la confiance de l'État et à obtenir de voir ses anciens privilèges reconduits (la collecte de la dîme, par exemple). Mgr Briand parle de «bonne harmonie entre l'Église et l'État». C'est sans doute vrai mais il faut une vigilance de tous les instants pour assurer ce droit à l'existence avec un certain nombre de prérogatives. En retour de ces concessions de l'État, l'Église incite les Canadiens — par les mandements d'évêque et les prônes des curés — à la fidélité envers les conquérants et à la soumission au nouvel ordre des choses. La défiance de l'Église catholique devant les idées libérales détourne du clergé l'élite montante: un certain anticléricalisme apparaît chez ceux qui sont bien conscients que l'Église est soumise à un pouvoir temporel abusif. L'attitude des évêques est sans ambiguïté. Mgr Briand oblige les fidèles — sous peine de sanctions graves — à défendre leur roi (anglais) contre les Américains en 1775. Mgr Plessis «remercie la Providence du changement d'allégeance de 1760 et des bienfaits du gouvernement britannique» (Nive Voisine). Mgr Lartigue joue un rôle politique de premier plan lors de la rébellion des Patriotes.

Jésuites et Récollets disparaissent au début du XIXe siècle. Seuls les Sulpiciens restent présents à Montréal. En revanche, les sept communautés de religieuses sont tolérées par les Britanniques en raison de services de bienfaisance évidents. Leurs effectifs augmentent doucement jusqu'en 1840.

Vers 1840, deux diocèses se partagent 241 paroisses: il y a 330 prêtres pour s'occuper de 500 000 fidèles. Plusieurs paroisses n'ont que des chapelles de mission où le desservant ne fait que passer.

APRÈS 1840

Le changement de régime politique pour le Bas-Canada marque un point tournant dans l'histoire politique, religieuse et sociale du pays. Le sentiment nationaliste va être utilisé par l'Église pour asseoir son autorité dans de très nombreux domaines de la vie civile.

Mgr Bourget, deuxième évêque de Montréal, est jeune, entreprenant et dynamique. Il va diriger son diocèse avec rigueur et efficacité, en parfait accord avec Rome. Parmi les pays catholiques, le Québec est l'un de ceux où l'influence de l'ultramontanisme a été la plus forte..

La population canadienne catholique francophone double presque tous les vingt-cinq ans. Il faut organiser cet incroyable accroissement démographique qui pousse les fils de pauvres habitants vers le mirage des États-Unis.

Vers les années 1840, les élites traditionnelles vont inciter ceux qui habitent les bords du fleuve, maintenant surpeuplés, à coloniser les Cantons-de-l'Est, la Beauce et le Saguenay. Plus tard, ce sera la Mauricie, les Pays d'en Haut, le Lac-Saint-Jean et le Témiscamingue (après 1883). C'est la grande période de fondation de paroisses nouvelles qui prennent à leur tour en main l'administration civile comme les services sociaux indispensables à la collectivité. Des prêtres sont à la tête des mouvements de colonisation: ils organisent les moyens de transport, dénichent les candidats aux terres neuves et se font les champions de l'idéologie canadienne du temps: la langue et l'agriculture gardiennes de la foi. De ces personnalités généreuses et attachantes, on retiendra les noms du curé Labelle, du curé Hébert et du père Lacasse.

Les diocèses se multiplient et renforcent le système hiérarchique déjà puissant dans le catholicisme. La position

Le curé Antoine Labelle, d'une corpulence remarquable (333 livres pour 6 pieds 2 pouces), fut curé de Saint-Jérôme pendant 23 ans. Un timbre fut émis en 1983 à l'effigie du «roi du nord».

Société canadienne des postes.

sociale de curé devient enviable: le pouvoir autoritaire que détiennent les prêtres sur leurs ouailles donne le vertige à plus d'un. On exige à bien des égards une obéissance aveugle des fidèles. Les esprits forts sont excommuniés et ne font donc plus partie de ce groupe homogène qui vit dans ce qui lui semble la seule voie possible[4]. L'Église s'oppose, sur le plan politique, aux libéraux et, sur le plan culturel, à l'Institut canadien.

Il y a de plus en plus d'institutrices au primaire surtout dans les «écoles de rang» parce que le travail est ingrat et difficile, et que les femmes, plus dociles, acceptent plus facilement d'être mal payées.

Les séminaires s'occupent de l'éducation secondaire. Ils ne forment pas que des prêtres: ce sont en même temps des collèges classiques, dont l'enseignement (français, latin, grec, rhétorique et philosophie) oriente les élèves vers certaines professions libérales. L'Université Laval (1852) reste sous la haute main des prêtres du Séminaire de Québec jusqu'en 1970. Mgr Langevin, en 1877, est persuadé que «toute la pédagogie catholique est centrée autour de l'Église et dominée par elle, comme toute la vie du catholique».

Des communautés religieuses sont fondées «tous azimuts» et investissent le champ libre non seulement du bien-être social, mais aussi des services à la communauté («Relèvement moral de la femme», «service du clergé», etc.). Toutes les congrégations relèvent de l'évêque et sont plus souvent séculières que cloîtrées.

Du côté des hommes, l'arrivée des Frères des Ecoles Chrétiennes au Bas-Canada en 1837 marque aussi le début d'un temps propice à l'installation de nouveaux ordres religieux.

Après 1870, les communautés croissent et se multiplient. Elles s'occupent des écoles ou couvents de village; elles transplantent dans les nouvelles paroisses les institutions auxquelles elles étaient habituées dans les villages d'où elles venaient; elles vont jusqu'en Nouvelle-Angleterre perpétuer dans les «Petits-Canadas» une organisation sociale jusque-là spécifiquement canadienne.

AU DÉBUT DU XXᵉ SIÈCLE: L'ÉGLISE TRIOMPHANTE

Le Québec entre sans heurt dans l'ère industrielle. Les voies de communication sont excellentes. Les qualités de la main-d'œuvre (efficacité et docilité) permettent l'installation de nombreuses petites manufactures ou d'usines dont la direction et les capitaux sont majoritairement anglais ou américains. La confection, le textile, la chaussure, les pâtes et papiers drainent vers les villes une population qui, rurale à 62% en 1900, ne l'est plus qu'à 25% en 1960. C'est surtout Montréal qui enfle à vue d'œil. Québec garde des proportions humaines[5]. La société canadienne-française a toujours à sa tête une élite politico-religieuse assez articulée, mais également une élite dont le pouvoir économique grandit. À côté d'une bourgeoisie d'affaires anglophone et protestante s'affirment des Canadiens français qui ouvrent, entre autres, manufactures et grands magasins (Dupuis à Montréal, Paquet à Québec). On assiste à une reconquête par les Canadiens français d'un aspect non négligeable de l'économie dans ces temps d'urbanisation. Le petit commerce, en revanche, appartient de plus en plus à une nouvelle classe de la société faite d'immigrants (juifs, pour une grande part).

Au Québec, l'attitude de l'Église face à ces changements sociaux est inspirée par la méfiance envers le matérialisme que génère ce nouveau mode de vie. Elle va donc se persuader et essayer de persuader ses fidèles que l'idéologie agriculturiste qu'elle préconise depuis 1840 est toujours la meilleure. L'industrialisation et donc l'urbanisation ne sont tolérées que parce qu'elles contribuent à garder au Québec des gens qui autrement[6] échapperaient définitivement à l'influence de l'Église. Soucieux de protéger leurs responsabilités en matière d'éducation,

les clercs, évêques en tête, et spécialement Mgr Bruchési, font des pressions sur les gouvernements. Ils s'opposent à la création d'un ministère de l'Éducation et aux groupes qui demandent l'instruction obligatoire. Ils permettent cependant une adaptation au nouveau marché du travail par le développement d'un secteur professionnel. À la fin du XIXe siècle, l'Église doit composer avec d'autres qui viennent en partie des milieux en mouvement.

La ville apparaît au clergé comme le principal danger qui menace la société: les autorités ecclésiastiques vont donc condamner systématiquement toutes les manifestations de la société urbaine

Page couverture de *La tempérance*, livre paru en 1929.

photo: Service des ressources pédagogiques, Université Laval.

moderne, ce qui n'empêche certes pas les citadins de succomber à leurs charmes. Ni le théâtre ni le cinéma (les «vues») ne sont recommandables. On tolère une littérature qui défend les valeurs traditionnelles, mais on dénonce la trop grande liberté de la presse.

L'Église canadienne, en fait, qui défend des valeurs capitalistes a une attitude triomphaliste. En cela, elle sera encore renforcée par l'arrivée massive, après 1905, d'un nombre imposant de petites communautés religieuses chassées de France par la loi de séparation de l'Église et de l'État qui les privait de leurs biens. La carrière sacerdotale devient prestigieuse au même titre que la médecine ou d'autres professions libérales. Elle partage avec la carrière politique l'irrésistible attrait du pouvoir — un pouvoir plus total puisqu'il s'agit de l'être tout entier, corps et âme. Aussi, depuis 1900, le pourcentage n'est-il que de 600 fidèles par prêtre, sans tenir compte des religieux en communautés. On dénombrait en 1940, seulement pour les femmes, une centaine de communautés aux effectifs parfois énormes.

Pendant la première moitié du XXᵉ siècle, on assiste à une véritable prolifération des groupes qui associent piété et services publics. Certaines congrégations restent très locales, d'autres, plus dynamiques, essaiment vers l'Ouest et vers les Maritimes où elles se chargent principalement de l'enseignement en français, dans les conditions défavorables auxquelles les contraignent les lois scolaires votées par ces provinces après leur entrée dans la Confédération.

Nive Voisine affirme que «l'Église dispose donc en 1940 d'au moins 25 000 clercs, religieux et religieuses» que l'on retrouve dans tous les secteurs de la société. Au début du siècle, ils ont aidé les ouvriers à former des syndicats catholiques (mettant en application les encycliques de Léon XIII et de Pie X) mais ils freinent les revendications sociales. Ils font preuve d'initiative dans le secteur économique en appuyant fortement le mouvement coopératif; ils aident à l'essor des caisses populaires que l'on retrouve jusqu'à Maillardville, en Colombie-Britannique, ou dans certaines villes de la Nouvelle-Angleterre. Certains prêtres agronomes ont leurs entrées à l'université Cornell (Maurice Proulx), d'autres se font cinéastes (Albert Tessier) et produisent des documentaires où le souci pédagogique et moral évident s'ajoute à leurs qualités intrinsèques. Dans le domaine du théâtre, le père Legault anime les Compagnons de Saint-Laurent. Dans les années vingt, par son enseignement réputé de la botanique à l'Université de Montréal, le frère Marie-Victorin avait

Église de Deschambault.
photo: Françoise Tétu de Labsade.

ouvert le Québec à la recherche scientifique. En outre, plusieurs ordres d'enseignants, d'obédience religieuse mais voués à la démocratisation du savoir, contribuèrent largement à sortir la société d'un certain élitisme ainsi qu'à promouvoir une plus large diffusion de la culture[7].

L'Église apparaît cependant embourgeoisée à la fin des années trente. Les églises sont constamment agrandies, parfois améliorées — cela dépend du goût du curé — et les presbytères sont spacieux. Des bâtiments conventuels anciens et magnifiques témoignent des temps anciens à Québec, à Nicolet, à Montréal. Les bâtisses plus récentes, moins belles mais combien plus imposantes, s'élèvent au milieu de terrains immenses. L'Église apparaît comme une classe sociale privilégiée à l'intérieur d'une société qui l'est beaucoup moins. Les clercs échappent par exemple à l'obligation de payer divers impôts et taxes. L'Église offre encore généreusement ses services, mais elle

Saint-Anne-de-la-Pérade.
photo: Françoise Tétu de Labsade.

en fait payer une bonne part: se faire soigner coûte une fortune, envoyer ses enfants au collège classique aussi. Cela favorise un élitisme fâcheux qui ne permet pas grand renouvellement des cadres laïcs et bien peu d'initiative au niveau des idées.

Pour renforcer, pour rendre visible et palpable par des manifestations une spiritualité qui relève de l'acte de foi, l'Église du Québec, à l'instar de ce qui se fait ailleurs en Occident, organise de grandes manifestations: congrès eucharistiques, pèlerinages à Sainte-Anne-de-Beaupré, au Cap-de-la-Madeleine et à l'Oratoire Saint-Joseph, qui drainent une foule de fidèles venant de partout au Canada et même des États-Unis. La munificence de ces bâtiments, le côté grandiose des cérémonies catholiques, les rassemblements de foules pas uniquement francophones renforcent chez les Canadiens un sentiment de fierté qui compense la frustration engendrée par un enseignement religieux doctrinaire et parfois étroit d'esprit.

La dévotion populaire pousse les fidèles à élever des croix de chemin au bout de leur terre, à entreprendre des croisades de tempérance, à organiser des mouvements d'action catholique dans tous les milieux. Ses énergies ainsi canalisées, une grosse majorité se laisse embrigader, tant il est vrai que l'homme est foncièrement un être de discipline.

La société québécoise est-elle à ce point contrôlée qu'il ne s'élève des voix pour contester cette ligne idéologique immuable et si peu encline à voir la réalité du modernisme? Sa grande homogénéité mettait l'Église relativement à l'abri des critiques nées de l'intérieur. Beaucoup de gens, politiciens en tête, profitaient du système: les héritiers de la pensée radicale des Rouges sont des solitaires qui «crient dans le désert» et qui, jusqu'à la guerre, paient souvent cher leur outrecuidance. La presse est étroitement surveillée, aussi les idées nouvelles ne circulent-elles pas facilement. L'emprise sur les consciences est terriblement forte, cependant les idées nouvelles circulent; toute la presse ne peut être étroitement surveillée. Il existe des limites au pouvoir de l'Église qui voit son influence en milieu urbain et industriel se réduire: dans les années quarante, à Montréal, la pratique religieuse a déjà baissé de façon notable. À l'intérieur même de l'institution, des tensions apparaissent: à côté de traditionalistes encore nombreux émergent des personnes (Mgr Charbonneau, Mgr Desranleau, le père Lévesque) et des groupes (les dominicains, l'action catholique) qui contestent un conservatisme en mal d'adaptation.

Dans son *Histoire de l'Église catholique au Québec*, Nive Voisine, qui est prêtre, décrit ainsi cette période:

> Jusqu'à la Seconde Guerre mondiale, l'utopie d'une chrétienté médiévale oriente donc l'action de l'Église du Québec. Engagée à fond dans la construction de la cité temporelle, et traumatisée par les assauts que subit l'Église dans les pays modernes, elle ne voit pas vers quel but convergent les forces qui façonnent le Québec nouveau. Entre l'idéologie de l'Église et les réalités québécoises, le fossé ne cesse de croître. Au faîte de sa puissance, l'Église donne l'impression d'un colosse au pied d'argile qui s'écroulera dès que l'État en se mettant au service d'une société pluraliste va remettre en cause ses rôles de suppléance.

SÉCULARISATION ET DÉCHRISTIANISATION

La Deuxième Guerre mondiale consacre les mutations profondes de la société québécoise en cours depuis une centaine d'années. Celle-ci tourne irrémédiablement le dos à la ruralité pour adopter la vie de la cité suivant le mode nord-américain. L'Église profite de la vitesse acquise au cours du dernier siècle et court sur son erre. Des signes d'essoufflement cependant balisent le décalage de plus en plus grand entre la doctrine et la réalité du monde moderne.

La procession grandiose de juin 1940[8], commencée dans une atmosphère exaltée, déçoit les participants: convaincus au départ d'obtenir l'appui de l'Église au refus viscéral de la conscription, ils voient l'Église se rallier au gouvernement. À la certitude mystique succède le désespoir de la foule lorsque le cardinal Villeneuve incite les fidèles au sacrifice de leur vie pour défendre les vieux pays. Jusquelà, l'Église avait toujours prôné la soumission à l'autorité civile, elle continue donc dans le même sens, sans tenir compte du fait que les sociétés comme les individus ont changé.

En 1948, le milieu artistique secoue les colonnes du temple. La publication du *Refus global* ne touche qu'un tout petit nombre de personnes et seulement dans les milieux traditionnellement d'avant-garde.

En 1949, un affrontement met aux prises patrons et ouvriers dans la grève de l'amiante. L'évêque de Montréal prend parti pour les grévistes. C'est un fait inhabituel, tout à l'honneur de Mgr Charbonneau et de ceux qu'il entraînera dans son sillage. L'aile conservatrice, sur laquelle s'appuie le pouvoir de Duplessis, obtient la démission de l'évêque, alors même que l'Église canadienne commence à faire sienne la doctrine sociale de l'Église.

En 1960, les Libéraux clament «C'est le temps que ça change» et c'est le début de la Révolution tranquille. Arrivés au pouvoir, ils valorisent l'Etat, enlevant coup sur coup à l'Église plusieurs de ses prérogatives. Les aspirations du Québec moderne se concrétisent par la création des ministères du Bien-Être social et de la Jeunesse (1958), des Affaires culturelles (1961), de l'Éducation (1964). La Loi de l'assurance-hospitalisation entre en vigueur pendant ces années-là. Les laïcs investissent les maisons d'enseignement à tous les niveaux. C'est maintenant vers l'État-Providence que l'on se tourne pour obtenir des faveurs ou des subventions.

En 1955, 55 000 prêtres, religieuses et religieux, encadraient solidement la catholicité québécoise. La pratique religieuse était systématique, les activités de soutien nombreuses et variées[9]. Moins de dix ans plus tard, le malaise, voire la panique, s'empare de ces hommes et de ces femmes qui avaient consacré une fois pour toutes leur vie à Dieu. Collectivement, le Québec change sa hiérarchie des valeurs. Individuellement, chacun remet en question sa vision du monde. Religieux et prêtres, désemparés, retournent «dans le siècle». La déconfessionnalisation des ins-

titutions s'accélère: la presse catholique déjà moins lue, le mouvement coopératif, les universités, les syndicats nationaux, ne sont plus, à la fin des années soixante, les émanations d'un catholicisme qui semblait aller de soi. L'Église n'est plus installée confortablement sur des positions imprenables.

Dans les milieux urbains qui croissent sans cesse, les fidèles quittent les églises. La pratique religieuse, encore fervente en régions rurales, tombe à moins de 20% dans les villes. Des institutions publiques, seul perdure le curieux système scolaire qui partage la population scolarisable en catholiques et en non catholiques. Au primaire comme au secondaire, les cours d'éducation sexuelle ou de choix de carrière se sont ajoutés aux programmes; la formation morale s'offre à la place des cours de religion. On publie de nouvelles éditions du *Catéchisme* comme «souvenir» que l'on vend dans les tabagies au prix d'un magazine, alors que Duplessis, en 1936, s'inspirait de ce modèle pour faire passer ses idées politiques dans *Le petit catéchisme des électeurs* ! Les jeunes générations peuvent vivre totalement en marge de l'Église et certaines façons de penser de leurs parents leur paraît remonter à la préhistoire.

L'histoire au Québec s'est singulièrement accélérée depuis 50 ans. Rien n'est plus acquis pour quiconque. L'incertitude qui résulte de cette recherche d'équilibre des individus comme de la collectivité, a bouleversé les données qui les régissaient autrefois. Signes des temps, d'autres manifestations religieuses se sont implantées dans le Québec des années soixante-dix: les groupes charismatiques ont rameuté des foules dans les stades, à grand renfort de pieuses chansons et de prières spontanées. La venue du pape Jean-Paul II en septembre 1984 a suscité une grande émotion. Les Témoins de Jéhovah et autres sectes[10] semblent, par la seule conviction de leurs membres, gagner du terrain. Est-ce à dire qu'il y a dans le cœur des anciens catholiques un vide à combler? «L'Esprit souffle où il veut» et anime un clergé clairsemé mais de plus en plus engagé dans une redéfinition de son rôle dans la société québécoise.

Dans toute l'histoire de l'Église catholique, il n'y a pas eu d'autres moments où l'Église ait eu autant de puissance que dans le Québec de 1840 à 1940. Il y a peu de peuples qui doivent autant à l'Église. Et pourtant, à l'heure des bilans, nombreux ont été ses détracteurs.

La société québécoise moderne en a vu se lever plus d'un: on accuse l'Église d'avoir imposé une vision du monde doctrinaire, étroite et qui triomphait au détriment de la pensée individuelle. Il reste de cet état d'esprit joint au contexte socio-économique, une audace moindre devant les grands projets et un esprit d'entreprise qui s'affirme plus tardivement que chez les autres Nord-Américains. Privilégier les formations intellectuelles en sciences humaines au mépris des sciences exactes a façonné les mentalités, de telle sorte que le Québécois est souvent raisonneur, qu'il aime disserter et philosopher. Il a appris dans les prônes la puissance du verbe et la fidélité idéologique avant la solidarité économique. Il garde le besoin d'adhérer à un grand idéal mais se donne-t-il toujours les moyens d'arriver à ses fins? Les détracteurs de l'héritage clérical, très nombreux depuis qu'ils ont pu prendre la parole, reprochent à juste titre à l'Église tournée essentiellement vers le passé, de n'avoir pas su orienter les Québécois vers un avenir qu'il fallait et qu'il faut encore imaginer. Mais ils oublient à quel point la société est redevable à l'Église de cet esprit de continuité qu'elle lui a inculqué. Que l'Église ait été trop riche, qu'elle ait triomphé avec trop de tranquille assurance alors même que l'étau se resserrait sur le peuple canadien est regrettable. Mais sans l'Église, le Québec d'aujourd'hui n'existerait peut-être pas: du moins pas tel qu'il est: il serait un État américain ou en aurait le visage — et tout le Canada avec lui.

Notes

1. On raconte qu'un Amérindien, juste après son baptême, avait partagé le repas de sagamité des Pères; aussi est-il revenu le lendemain pour demander le baptême parce qu'il avait faim.

2. L'historien Jacques Lacoursière a récemment prouvé que l'on avait beaucoup exagéré en relatant — tradition orale oblige — le comportement des guerriers iroquois. On note le même phénomène à propos des croisades contre les «Infidèles».

3. Le séminaire porte encore, au fronton de sa grille d'entrée, l'inscription «SME». En effet, plutôt que de bâtir à partir de maigres ressources un «Séminaire de Québec», Mgr de Laval avait eu la brillante idée de faire commanditer le projet par les Missions étrangères, qui le financèrent sous le couvert du nom de séminaire des Missions étrangères.

4. «Même les morts n'auront pas droit aux funérailles ou au cimetière paroissial s'ils ont, de leur vivant, dérogé aux préceptes de l'Église. Ils seront jetés en terre sans

cérémonie, dans un espace séparé de l'asile béni de la communauté paroissiale. La menace de privation de sépulture devait aussi dissuader débauchés, impies, ivres-morts ou noyés suspects: "ne les recommandez pas aux prières, ne leur chantez pas de service, et ne les enterrez pas en terre sainte, si leurs corps sont trouvés".» (Lettre de l'évêque de Montréal à l'un de ses curés en 1860, dans Mourir, hier et aujourd'hui, PUL).

5. À l'heure actuelle, ses plus gros employeurs sont encore le gouvernement et l'Université Laval.

6. C'est la grande période de l'émigration vers les États-Unis.

7. Fernand Dumont en témoigne ainsi: «Pour ma part, je dois me réjouir de ce que des frères maristes ne m'aient rien enseigné qui supposât des parents savants ou une bibliothèque bien garnie.» (Cette culture qu'on dit savante)

8. Voir Les Plouffe de Roger Lemelin (1948), porté à l'écran par Gilles Carle.

9. Le poste CHRC a diffusé la récitation du chapelet à la radio de février 1951 à mars 1973.

10. Selon Richard Bergeron, théologien de l'Université de Montréal, il y aurait plus de 300 sectes, groupes religieux et para-religieux au Québec (Le cortège des fous de Dieu). D'autres sources avancent le chiffre de 600.

Bibliographie

CARRIER, Henri et ROY, Lucien, Évolution de l'Église au Canada-Français, Montréal, Bellarmin, 1968.

CLICHE, Marie-Aimée, Les pratiques de dévotion en Nouvelle-France, Québec, Presses de l'Université Laval, 1988.

Commission d'étude sur les laïcs et l'Église: L'Église du Québec: un héritage, un projet, Montréal, Fides, 1971.

DUMONT, Fernand, Situation et avenir du catholicisme québécois, 2 tomes, Montréal, Leméac, 1982.

EID, Nadia F., Le clergé et le pouvoir politique au Québec. Une analyse de l'idéologie ultramontaine au milieu du XIXe siècle, Montréal, Hurtubise HMH, 1978.

GRAND'MAISON, Jacques, Nationalisme et religion. Tome I: nationalisme et révolution culturelle / Tome II: religion et idéologies politiques, Montréal, Beauchemin, 1970.

JEAN, Marguerite, Évolution des communautés religieuses de femmes au Canada de 1639 à nos jours, Montréal, Fides, 1977.

PLANTE, Hermann, L'Église catholique au Canada (1604-1886), Trois-Rivières, Bien Public, 1970.

SIMARD, Jean, Un patrimoine méprisé: la religion populaire des Québécois, Montréal, Hurtubise HMH, 1979.

VOISINE, Nive, Histoire de l'Église catholique au Québec, 1608-1970, Montréal, Fides, 1971 (annexe du suivant).

VOISINE, Nive, sous la direction de, Histoire du catholicisme québécois, Montréal, Boréal Express. Le XXe siècle, T. 1, 1898-1940 (J. Hamelin et N. Gagnon), 1986. T. 2, de 1940 à nos jours (J. Hamelin), 1984. Les XVIIIe et XIXe siècles, T. 1, Les années difficiles, 1760-1839 (L. Lemieux), 1989.

Le grand héritage., L'Église catholique et les arts au Québec, Québec, Éd. officiel, 1984.

Les Relations, écrites par plusieurs pères Jésuites entre 1632 et 1693. Réédité par Réédition-Québec, Montréal, 1973.

Filmographie

Le Frère André, Jean-Claude Labrecque, coul., 1987, 88 min.

Joseph Charbonneau: sixième évêque de Montréal, Pierre Valcour, Radio-Canada, coul., 1976, 4 X 28 min.

Servantes du bon Dieu, Diane Létourneau, Prisma-Office de Radio-télévision du Québec, (cassette), coul., 1978, 29 min.

Trois séries en couleurs produites par Radio-Canada, Gérard Chapdelaine, animateur Claude Lafortune:

«La Bible en papier» (15 émissions de 28 min)

«L'Église en papier» (15 émissions de 28 min)

«L'Évangile en papier» (14 émissions de 28 min)

La série «Arts sacrés au Québec», ONF, coul., François Brault, 1982 à 1984 (12 émissions de 28 min).

7
L'éducation

Un peuple façonne sa mentalité avec les outils dont il dispose et qui peuvent varier énormément d'un pays à l'autre; tous savent que la seule manière de se développer est de transférer les connaissances d'une génération à l'autre, pour ne pas avoir à refaire le chemin parcouru par les aînés et avoir accès aux techniques nouvelles. Les pays en voie de développement l'ont bien compris, eux pour qui l'éducation est une priorité.

Depuis l'établissement de la toute jeune colonie jusqu'aux directives régulières et abondantes du ministère de l'Éducation, l'éducation au Québec est passée par des étapes successives qui sont autant de contributions à la société et dont elles expliquent en partie l'évolution.

COLONS FRANÇAIS ET ENSEIGNEMENT

En général, les colonies du Nouveau Monde transposaient sur leur territoire les modèles proposés par leurs métropoles. L'enseignement alors ne relevait pas des États mais de l'Église: l'État a cependant un rôle incitatif d'importance que l'on néglige trop souvent: c'est lui qui apporte le soutien financier, même si c'est l'évêque qui a toute l'autorité en la matière. Les subsides royaux généreux n'étaient pas toujours réguliers de par la nature des relations économiques entre la France et la colonie. Dès les premiers moments de la colonie, une des préoccupations des gouvernants est d'assurer l'enseigne-

ment aux enfants des colons comme aux enfants d'Indiens[1].

Mère Marie de l'Incarnation enseigne à de jeunes Indiennes (Charles-William Jefferys). On enseignait de préférence à l'extérieur pour ne pas traumatiser ces jeunes filles habituées à vivre dehors.

photo: Archives nationales du Canada: C 73422.

L'ENSEIGNEMENT PRIMAIRE

À Québec, en 1635, les 300 colons de Nouvelle-France obtiennent des Jésuites qu'ils s'occupent d'un collège pour garçons. À l'époque, il n'était pas question de mixité, pas plus que de confier à des être humains d'un sexe donné l'enseignement de l'autre sexe. En 1640, les Ursulines, arrivées de fraîche date, organisent à leur tour une école pour filles. L'éducation de la jeunesse féminine est d'ailleurs la vocation de l'ordre, fondé un siècle plus tôt en Italie par Angèle de Mérici. À la fin du XVIIe siècle, les Sœurs de la Congrégation de

Montréal établissent aussi un couvent et un enseignement à Québec, et en 1725, les Sœurs de l'Hôpital Général adjoignent un pensionnat à leurs bâtiments hospitaliers.

À Montréal, Marguerite Bourgeoys était prête à l'enseignement (1658) bien avant qu'il y ait des enfants pour en profiter. Les conditions extraordinairement précaires et dangereuses du poste de Ville-Marie ne facilitaient pas l'accroissement naturel des familles. Plus tard, ayant prouvé sa grande utilité à Montréal, elle obtiendra même l'autorisation de fonder ailleurs d'autres établissements scolaires. Les Sulpiciens, vers 1666, ouvrent aussi une petite école pour les garçons et regroupent les forces enseignantes de cet «avant-poste de la civilisation chrétienne en continent américain».

À l'extérieur de ces deux centres vitaux, Trois-Rivières reste une très modeste concentration de colons qui bénéficient tout de même rapidement de services sociaux efficaces.

En dehors des villes, les paroisses qui prennent forme au XVIIIᵉ siècle, dès qu'elle sont organisées quelque peu, possèdent une école. Les maîtres sont la plupart du temps de passage et y dispensent des rudiments de savoir. Ce sont parfois aussi les curés qui s'acquittent de cette fonction en même temps que de leur ministère. Dans quelques rares endroits, les laïcs secondent les prêtres. On parle de 47 «petites écoles» «dont le programme était succinct: apprendre aux enfants à lire, à écrire et à compter, leur enseigner le catéchisme, les former à la vertu… Pas d'histoire, pas de géographie, très peu de grammaire» (Amédée Gosselin).

L'enseignement aux filles se complétait de notions d'art ménager. Il ne faut pas donner à ce vocable un sens péjoratif. Les Ursulines sont de toutes les religieuses du Canada celles qui ont élevé la broderie au rang de métier d'art, et c'était une des choses qu'elles apprenaient à leurs élèves en même temps que «la crainte de Dieu et l'exercice des vertus chrétiennes», comme le leur conseillait Mᵍʳ de Laval.

Les Arts et Métiers

À Saint-Joachim (aile technique du Séminaire de Québec), on formait des ouvriers dont les plus habiles devenaient des artistes (sculpteurs surtout). Frère Luc y a passé un an ou deux pour enseigner un peu de cet art difficile qu'est la peinture. À Montréal, les frères Charon, voués au départ aux soins des «nécessiteux mâles», eurent au tournant du siècle la permission d'enseigner aussi les arts et métiers puisqu'ils avaient la charge «de faire apprendre des métiers aux dits-enfants».

L'enseignement secondaire et post-secondaire

Le collège des Jésuites assure une formation classique semblable à celle que les Jésuites dispensent en France. Le Séminaire de Québec, fondé en 1663, sert aussi de pension et envoie ses élèves au collège des Jésuites tout proche. Cet établissement est le seul à assurer la continuité d'une formation. On parle à ce moment-là aussi d'écoles qui enseignent un peu de latin ici et là, mais uniquement pour dépanner et préparer au collège de Québec. Outre la grammaire puis les humanités, c'était la rhétorique et la philosophie qui préparaient les jeunes garçons — certains d'entre eux du moins — à des carrières administratives plutôt incertaines et plus sûrement à la prêtrise. Des 120 à 150 élèves qui fréquentaient le collège, tous ne pouvaient se vanter d'avoir suivi régulièrement le cours des études: c'était un véritable luxe au milieu des incertitudes de la vie en Nouvelle-France.

On donnait aussi des leçons de mathématiques, pour la plupart après le cours secondaire, qui formèrent des capitaines, des explorateurs comme Louis Jolliet, des «hydrographes», des pilotes et même des ingénieurs.

Le Grand Séminaire dispense la théologie pour former des prêtres recrutés sur place et à la fin du régime français, les futurs notaires pouvaient y recevoir des cours de droit. Ceux qui voulaient faire des études de médecine étaient envoyés à Paris avec une bourse. Le cas le plus connu est celui de Michel Sarrazin, dont les travaux scientifiques touchent plusieurs domaines, de la chirurgie à la botanique, en passant par la recherche médicale. Il était en relation suivie avec d'autres savants de la métropole, à qui il faisait découvrir les ressources naturelles du Canada. Il a inauguré une tradition scientifique qui se perpétua pendant le régime français, mais disparut sous le régime anglais.

La société canadienne de l'époque est très peu nombreuse: c'est là son drame. Mais c'est une société pratiquement autonome en matière d'éducation — fait remarquable dans les conditions qui étaient imposées à la colonie.

L'ÉCOLE DE CITOYENS BRITANNIQUES PARTICULIERS: LES CANADIENS FRANÇAIS

Après la Conquête

La guerre avait fermé les portes des collèges et réduit le niveau primaire à une quasi inexistence. Les Anglais réquisitionnent les bâtiments (collège des Jésuites à Québec, des Sulpiciens à Montréal); ils vont même jusqu'à saisir les biens des Jésuites qui procuraient l'essentiel des revenus du budget «éducation». On interdit aux religieux de recruter sur place. Les ponts sont coupés avec la France. Il est miraculeux que dans ces conditions Ursulines, Hospitalières et Sœurs de la Congrégation aient réussi à maintenir dans une trentaine de petites écoles un enseignement primaire. Au secondaire, le Séminaire de Québec prend la relève (1768) du Collège des Jésuites et définit un fonctionnement qui durera deux siècles: on y donne la formation qui conduit à la prêtrise et à certaines professions libérales, dans un internat-externat suivant un modèle de séminaire (pour les futurs prêtres) qui est aussi un collège (pour les autres). La nécessité de ne compter que sur ses propres forces fait se développer un certain type d'enseignement secondaire et supérieur, spécifique aux besoins immédiats d'une société décapitée d'une partie de son élite et coupée de ses racines[2] linguistiques.

«La rentrée au Séminaire de Québec».
Gravure de W.T. Smedley, tirée de
Picturesque Canada, 1888.

photo: Archives de folklore, Université Laval.

Mais cela ne se fait pas tout seul. En ville, il est relativement facile de se faire éduquer en français. C'est là que sont les écoles privées destinées à une élite qui reconstruit petit à petit ses forces vives. Mais plus de quatre Canadiens sur cinq habitent la campagne où l'on voit de moins en moins l'utilité de s'instruire, étant donné la seule voie — ou presque — ouverte aux enfants d'habitants. Le gouvernement propose évidemment des écoles publiques anglaises, que les curés déconseillent totalement, et les habitants ne se donnent pas forcément la peine d'organiser une école française ni surtout d'en suivre régulièrement les cours, avec la conséquence inévitable que l'ignorance et l'analphabétisme gagnent du terrain dans une population qui, elle aussi, accélère sa progression. Au tournant du

siècle, on estime à 4000 personnes sur 150 000 le nombre de celles qui savent lire et écrire. Le gouverneur de l'époque tente une réorganisation de l'enseignement. Ce sont les évêques, le catholique et l'anglican, qui coulent le projet. L'un trouve que le gouvernement protège trop les francophones, l'autre, que le contrôle de l'éducation lui échappe.

1801. Le début du siècle voit naître une deuxième tentative de pourvoir le pays d'un système d'écoles gratuites avec des maîtres anglais payés par le gouvernement. Bien sûr, les curés canadiens sont tout à fait contre cette intrusion des Anglais dans un champ de responsabilités qui leur appartient. On instaure donc peu de ces écoles royales à travers le Bas-Canada: on a réussi à sauver de la juridiction de la *Royal Institution for the Advancement of Learning* les écoles privées, catholiques et françaises, mais le système privé n'est pas gratuit et ne s'adresse donc qu'à l'élite. Le fossé se creuse entre les classes sociales autrefois plus homogènes. Par la force des choses, on se désintéresse peu à peu du primaire, alors même que se fondent, entre 1802 et 1832, sept nouveaux collèges classiques.

1824. Une loi permet de remédier à cet état de fait. On permet aux curés d'utiliser une partie de leurs revenus pour fonder une «école de fabrique» ne relevant que des autorités paroissiales. Ces nouvelles dispositions ne s'avèrent pas un succès: les fabriques paroissiales trouvent ces nouvelles charges lourdes et le décalage s'élargit entre la campagne (90% des Canadiens sont des ruraux) et la ville.

1829. Une loi innovatrice va bouleverser cet état de choses. Le gouvernement imagine les commissions scolaires élues par les propriétaires. Elles peuvent lever des taxes — ce qui causera des troubles dans certaines paroisses lorsque cette possibilité deviendra une obligation — et elles contrôlent l'enseignement. Le gouvernement contribue financièrement à l'opération (construction des écoles, salaire du maître, frais de scolarité[3]). L'idée fait son chemin et le désir de scolarisation fait de grands progrès dans le peuple. Seul défaut du système: on n'a prévu aucune formation des maîtres et ceux-ci — laïcs — sont choisis par les députés sur des critères curieux: la loyauté envers le député en est le premier sinon le seul.

1857. Les Frères des Écoles chrétiennes étaient arrivés de France en 1837. Vingt ans plus tard on fonde des écoles normales (une à Québec et deux à Montréal) et l'on donne à quelques instituteurs les moyens de s'acquitter de leurs responsabilités (manuels, salaires). Pendant un demi-siècle cependant, la médiocrité presque habituelle de la profession hypothèque lourdement le Québec: des générations de mal-instruits ne sont pas convaincues de l'utilité d'une instruction quelconque; par ailleurs, on note, jusqu'à la veille de la Révolution tranquille, une forme assez subtile de mépris à l'égard des instituteurs, mépris qui englobe un certain temps tous les laïcs s'occupant d'enseignement à quelque niveau que ce soit. Comment s'étonner alors du retard que le Québec prend sur les autres provinces, retard qui ne fait que s'accentuer et dont il lui faudra se

relever avec précipitation vers 1960?

En milieu rural, le fort taux de natalité, joint au système d'occupation des sols propre au Québec, oblige les paroisses à créer des *écoles de rang.* Celles-ci sont plus proches de leur clientèle journalière et plus petites que l'école paroissiale. Pratiques, les commissaires la font construire comme une maison qui pourra, le cas échéant, être vendue ou déménagée.

Les filles ont été longtemps plus éduquées que leurs frères dont la présence aux champs était requise rapidement. Les plus douées et les plus assidues d'entre elles pouvaient devenir institutrices. Pourtant, dans les familles nombreuses, les filles n'allaient pas toujours régulièrement à l'école, tenues qu'elles étaient d'aider une mère surchargée de rejetons et de travaux de tous genres.

CLÉRICALISATION DE L'ENSEIGNEMENT

Après 1840, l'Église dont l'autorité se faisait de plus en plus sentir sur le peuple canadien va, tranquillement mais sûrement, regagner les pouvoirs dont le gouvernement l'avait privée avec la loi de 1829 instituant les commissions scolaires. Alors même que la préoccupation de former des maîtres revalorise la profession, l'Église triomphante de la fin de siècle infiltre victorieusement les rangs des enseignants. Déjà installés au secondaire dans les collèges classiques/séminaires et au supérieur (l'Université Laval[4] est un épigone du Séminaire de Québec), clercs et religieux, dont les effectifs augmentent de façon vertigineuse, se mettent à occuper les postes de maîtres — sauf les moins intéressants qui restent l'apanage de femmes. Ces dernières, très peu payées quand l'arbitraire des commissaires ne les oblige pas à accepter un paiement en nature, sous forme de «poches de patates», par exemple. Il faudra attendre Laure Gaudreault pour dénoncer vers 1940 la situation misérable de ce corps enseignant.

Laure Gaudreault.

photo: Archives de la Centrale des enseignants du Québec.

L'Église sait quelle peut être la force de persuasion des gens qui possèdent le savoir et ne néglige aucun champ connexe à l'éducation. Le clergé se met à faire des manuels pédagogiques et la menace de l'anticléricalisme français renforce sa position d'autorité.

On multipliera aussi les écoles normales (150 en 1960 pour 6 millions d'habitants) et de nombreuses communautés religieuses font reconnaître la formation de leur scolasticat à l'égal de celle d'une école normale. L'enseignement secondaire public, par un effet d'entraînement, calque certains de ses programmes et de ses méthodes sur ce qui se fait au primaire, tout en offrant une solution de rechange à un type d'enseignement privé qui avait développé depuis le début du siècle un enseignement professionnel et commercial (secrétariat, comptabilité). Parallèlement, les collèges classiques voient leur nombre augmenter mais leur accès est réservé à une élite qui a parfaitement compris que l'enseignement public ne menait dans la plupart des cas qu'à un cul de sac.

Pour diffuser l'information relative à l'éducation existe une presse pédagogique. Il est intéressant de constater qu'après plusieurs essais plus ou moins fructueux de diverses tendances idéologiques, le seul journal à publier régulièrement pendant soixante ans s'appelle *L'Enseignement primaire*, journal d'éducation et d'instruction qui est envoyé à tous les enseignants.

STRUCTURE DU SYSTÈME ÉDUCATIF

Le système public

Au sommet, les surintendants de l'éducation jouent un rôle de premier plan: ils ont la lourde charge d'animer presque seuls un système bourré de lacunes. Jean-Baptiste Meilleur, puis Olivier Chauveau, présentent des projets de lois intelligents et mettent sur pied un corps d'inspecteurs et un conseil de l'Instruction publique (1850) formé de catholiques et de protestants. On sépare bientôt les deux comités par confession; par ce biais, entre autres, l'Église fera évoluer à sa guise et selon ses idées l'enseignement qu'elle préconise.

Ces comités imposent une pédagogie, des manuels, voient au financement comme au personnel enseignant. Leur autorité deviendra de plus en plus directrice. Le comité catholique, responsable d'une majorité de plus en plus grande, deviendra un organisme centralisateur de première grandeur et décidera d'une orientation du système public qui allait durer jusqu'au rapport Parent (1966). Le comité protestant, de son côté, évolue d'une manière tout à fait indépendante de l'autre comité, et consacre les différences fondamentales qui existent entre les nations fondatrices jusque dans leur évolution.

L'Acte de l'Amérique du Nord britannique qui crée la Confédération rend aux provinces le contrôle de l'enseignement. L'article 93 de la constitution garantit aux minorités catholiques (Nouvelle-Écosse, Nouveau-Brunswick) les mêmes droits qu'à la minorité protestante du Québec. Un amendement astucieux fait en sorte que seuls les protestants du Québec peuvent bénéficier de ces droits; lorsque les catholiques voudront s'en prévaloir au Nouveau-Brunswick et au Manitoba, ce sera sans succès.

À la fin du siècle dernier, les ultramontains, dont le but est «d'assurer la suprématie de l'Église sur l'État dans tous les domaines de la vie politique et sociale, et plus particulièrement encore dans le secteur éducatif» (Nadia F. Eid), sont ravis de ce détail qui confessionnalise l'éducation jusqu'à nouvel avis. Le système public, donc confessionnel, est très développé au primaire;

il augmentera au secondaire au fur et à mesure des modestes besoins de la société québécoise.

Le système privé

Le système privé offre des institutions de plus en plus nombreuses au secondaire: les collèges classiques, qui sont très souvent aussi des séminaires; des collèges industriels (pour les classes moyennes de Montréal surtout). L'Université Laval, à Québec, qui fonde au début du XXe siècle une succursale à Montréal (la future Université de Montréal), a une charte privée. Elle se méfie de l'État, même des subventions qu'elle trouve trop orientées vers les sciences. Vers 1920, le Frère Marie-Victorin, auteur de *La flore laurentienne*, était professeur à l'Université de Montréal. Dans la même période, d'autres intellectuels, dont le Dr Léo Parizeau, fondaient l'ACFAS (Association canadienne-française pour l'avancement des sciences), et les étudiants brillants obtenaient des bourses instituées par Athanase David pour aller se spécialiser outre-Atlantique. Ces boursiers, comme le mycologue René Pomerleau, allaient avoir une influence capitale sur le milieu scientifique et intellectuel du Québec.

En revanche, les clercs se méfient de l'instruction obligatoire qui est préconisée en France en même temps que le laïcisme qu'ils redoutent; le danger s'approche d'ailleurs car l'Ontario vient de l'instituer en continent américain. N'ira-t-on pas jusqu'à écrire que «l'ignorance est de beaucoup préférable à l'enseignement qui n'a point pour fondement la connaissance de Dieu, de sa foi et de sa moralité» (*Le Nouveau Monde*)? Pour l'abbé Alexis Pelletier (1868) et pour tant d'autres, «pour former des chrétiens, seul but de l'éducation, il faut parler christianisme aux enfants sur tous les tons et sous toutes les formes, tous les jours et à chaque heure du jour».

En ce qui concerne la formation technique, outre les écoles d'enseignement ménager qui datent du début du XXᵉ siècle (une cinquantaine en 1959), c'est, dans les années cinquante, l'enseignement du secrétariat qui draine la majorité des énergies féminines vers le monde du travail un peu spécialisé. Au privé, on assiste, en 1908 seulement, à la fondation d'un premier collège classique pour filles. Si l'Université McGill acceptait les filles dans les rangs de ses

étudiants depuis 1885, il fallut attendre une cinquantaine d'années pour voir la réciproque en milieu catholique[5].

Jusqu'en 1964, cette structure reste en place et développe des défauts qui expliquent en partie le retard du Québec francophone en matière d'éducation au moment de la Révolution tranquille: la séparation complète et l'autonomie à tous les niveaux des deux comités confessionnels et des deux systèmes scolaires ainsi créés; la juridiction exclusive du Comité catholique sur «tout ce qui concerne spécialement les écoles et l'Instruction publique en général des catholiques romains».

Les conséquences sont graves: l'État et l'Église feront bien quelques parties de bras de fer mais l'État ne gagnera rien à ce jeu de force. On uniformise bientôt les manuels, passés alors au peigne fin par le Comité catholique comme ils le sont maintenant par les fonctionnaires du ministère de l'Éducation. Problèmes et exemples étaient souvent puisés dans les domaines autorisés

Cours d'arts ménagers à l'orphelinat des Sœurs de la charité.

photo: Archives nationales du Québec à Québec (Fonds: Sœurs de la charité): N 874-157.

(religion, famille, agriculture). Même les cartes de géographie devaient avoir reçu l'approbation du Comité catholique pour être utilisées en classe.

Dans le secteur privé, l'État n'avait aucun droit de regard et l'Église, toute puissante là aussi, était d'une vigilance étonnante. Avant 1960, la seule philosophie était celle de saint Thomas. Les bibliothèques, par ailleurs bien montées, avaient toutes un «enfer» où les mauvais livres, outre ceux qui étaient inscrits à l'Index, étaient à l'abri de lecteurs concupiscents. On a ainsi refusé à un ecclésiastique de donner à l'université un cours sur *L'éducation sentimentale* de Flaubert[6].

Jusqu'en 1929, la population scolaire se partageait en deux: les enfants des classes privilégiées pouvaient, après leur primaire, passer au secondaire qui les amenait à l'Université; les autres étaient forcés de se contenter des programmes du primaire (six ans) que couronnaient deux années d'enseignement primaire complémentaire. On pouvait alors s'y préparer — modestement — à l'agriculture, à l'art ménager, au commerce ou à l'industrie, lointain début d'un enseignement professionnel. Après 1929, on ajoute trois ans de primaire supérieur.

C'était là en fait les prémisses d'un enseignement secondaire qui permettra l'accès à certaines carrières (commerce, génie, sciences). En 1951, ce secteur des études prend le nom de secondaire (au total, onze ans d'études avec le primaire). En 1960, on ajoute une douzième année. Le système anglais, par le *high school*, préparait à l'éventail des programmes universitaires anglais. Dans le système français existait un

clivage entre la formation offerte alors par le système public qui permettait à un petit nombre d'élèves doués «d'entrer à l'Université par la petite porte» et la formation des collèges classiques (privés) qui mettait à la portée des catholiques plus fortunés toutes les options universitaires.

Cette disparité existant entre les systèmes privé et public des Canadiens français se doublait de l'énorme décalage qui se creusait de plus en plus entre les Franco-Québécois et les Anglo-Québécois. En 1925, 94% des élèves de la Commission des Écoles catholiques de Montréal quittent l'école en sixième année. L'instruction ne deviendra obligatoire qu'en 1942, 30 ans après que le Comité protestant se fut prononcé en sa faveur. Cette question avait fait l'objet de nombreux débats; cette mesure était réclamée par divers milieux mais les évêques s'y opposaient farouchement, craignant ainsi l'ingérence du politique dans un domaine que l'Église revendiquait.

Il existait aussi à partir de 1910 un enseignement technique spécialisé (papeterie, textile, marine, art graphique, agriculture) qui consacrait ses énergies à de nouvelles orientations plus scientifiques: certaines de ces écoles deviendront d'ailleurs des centres de formation renommés à travers le pays: École des Beaux Arts de Montréal (1928) et de Québec (1929), École du meuble de Montréal (1935).

Avant 1930, l'enseignement secondaire public pour les catholiques était très peu développé, sauf à Montréal et le privé était réservé à ceux qui pouvaient payer — ou à ceux que la main de Dieu désignait au curé comme de

Élèves au travail à l'École des arts et métiers de Montréal, en 1950.

photo: Archives nationales du Québec à Québec (Fonds OFQ):49025-50.

futurs séminaristes — les milieux sociologiquement défavorisés, les ruraux éloignés des grandes villes, ne pouvaient donc envisager que la prêtrise comme moyen d'accès à une éducation supérieure et à une carrière de prestige. Ils entraient alors au séminaire avec leurs camarades plus fortunés, revêtant un uniforme[7] qui préparait à endosser les toges et autres insignes des fonctions sociales les plus hautes et les plus hautement rémunérées.

Pendant ce temps, les filles peuvent aller à deux collèges classiques (contre 34 pour garçons); elles se retrouvent surtout en rangs serrés dans 119 écoles ménagères et 20 écoles normales qui préparent dix fois plus de filles que de garçons à la fonction d'institutrice. Les hommes sont alors payés quatre fois ce que l'on donne aux femmes qui constituent pourtant 80% des effectifs du primaire. Les commissaires scolaires veillent au portefeuille des propriétaires fonciers qui les élisent.

Trois frères au Petit Séminaire vers 1939; ils portent la redingote ceinturée, dont le liseré blanc avait valu à l'uniforme alors en vigueur le nom de «suisse».

photo: Séminaire de Québec.

**Le système d'enseignement catholique au Québec
(avant la Commission Parent)**

Niveau	Public	Privé
Élémentaire	7 ans	7 ans
Secondaire	5 ans (une option classique après 1945 dans quelques lieux) + 1 an (technique)	8 ans (collégial classique) Diplôme: baccalauréat ès arts
Post-secondaire	2 à 3 ans (École Normale; diplôme: Brevet A, B ou C)	
Universitaire	accessible dans quelques facultés seulement	entièrement accessible

LA COMMISSION PARENT ET LA RÉORGANISATION DU SYSTÈME SCOLAIRE

Après la Deuxième Guerre mondiale, une loi assure la gratuité de l'enseignement et la fourniture des manuels. L'évêque de Chicoutimi autorise l'ouverture d'un cours classique gratuit dans les écoles publiques. On promet aux institutrices un salaire minimum qui met fin à l'arbitraire des commissaires d'école et à l'exploitation du corps enseignant féminin. On précise les programmes pour chacune des cinq années du secondaire public. En 1946, Duplessis avait créé le ministère du Bien-Être social et de la Jeunesse qui prend en charge l'enseignement professionnel.

Les événements se précipitent: les blessures de la Deuxième Guerre mondiale pansées, la fièvre de la technologie s'empare des grandes puissances qui veulent assurer la relève par l'injection systématique dans le système de matière grise fraîchement sortie des instituts de haut savoir. Les nations nouvellement décolonisées n'échappent pas à cette frénésie qui calque souvent les anciennes métropoles. À Rome, un nouveau pape pense à organiser le concile Vatican II. Au Québec, la télévision entre dans tous les foyers et propulse au pouvoir (1960) une «équipe du tonnerre» qui trouve que «c'est le temps que ça change». Le Frère Untel publie ses *Insolences*: le premier chapitre porte sur «l'échec de notre enseignement du français» et le deuxième sur «l'échec de notre système d'enseignement».

Paul Gérin-Lajoie, ministre libéral de la Jeunesse, confie à Mgr Alphonse-Marie Parent la présidence d'une commission royale d'enquête sur l'éducation. Le rapport de la Commission Parent aborde les questions d'organisation, de nouvelles structures, de programmes et de financement. Le travail d'analyse et de synthèse est gigantesque mais rapide (1963-1966); les résultats seront-ils à la mesure de l'espoir de la société québécoise des années soixante?

Dès le début de son gouvernement, l'équipe libérale avait décrété la gratuité scolaire jusqu'à la onzième année, et le droit de vote pour tous les parents aux élections scolaires (seuls jusque-là votaient les propriétaires fonciers). L'accès plus facile démocratise véritablement l'enseignement. Les religieux qui veulent enseigner doivent se soumettre aux mêmes obligations que les laïcs.

LE MINISTÈRE DE L'ÉDUCATION

La première recommandation du rapport Parent demande la création d'un ministère de l'Éducation. Aussitôt dit, aussitôt fait. Paul Gérin-Lajoie en est le premier titulaire et commence à mettre en pratique les demandes du rapport Parent. La fin des années soixante consacre à ces bouleversements énormes une énergie considérable. L'État a décidé de jouer son rôle: l'effort est colossal et les changements se font en un temps record de cinq ans.

LES STRUCTURES

Le primaire est raccourci d'une année. Au secondaire, on décide de regrouper les effectifs d'un très grand nombre de petites écoles en écoles régionales polyvalentes qui offriront une plus grande variété de programmes, (Opération 55): l'État déplace chaque jour des milliers d'élèves dans les désormais célèbres autobus jaunes qui les emmènent dans des écoles modernes.

Au niveau post-secondaire, le gros défaut de l'ancien système était l'étanchéité presque parfaite entre les deux systèmes public et privé et la grande difficulté pour un élève du public d'entrer à l'université. L'égalité d'accès fut l'un des principaux objectifs de la réforme scolaire des années soixante, qui créa un niveau collégial: «la création du collège public québécois a représenté une innovation pédagogique majeure, une sorte de quatrième dimension de l'enseignement» (Jacques-Yvan Morin). Le Rapport Parent transforme une quarantaine de collèges classiques et d'écoles normales en cégeps entre 1968 et 1970. Ce Collège d'enseignement général et professionnel, institution qui n'a pas son équivalent dans le reste du Canada, offre un enseignement à orientations diverses. Après deux ans, la majorité des étudiants du secteur général obtient un DEC (Diplôme d'études collégiales) qui permet l'entrée à l'université. Ceux qui choisissent la voie professionnelle bénéficient dans certains cas d'une troisième année pour obtenir un diplôme terminal.

À l'université, désormais ouverte à tous les détenteurs du DEC, certaines disciplines sont plus restrictives que d'autres et certaines carrières plus convoitées (droit, médecine, gestion des affaires, sciences en général, accueillant les meilleurs étudiants).

Avant le rapport Parent, trois universités se partageaient la clientèle francophone: l'Université Laval (un des plus anciens établissements d'enseignement supérieur d'Amérique du Nord avec l'Université Harvard); son ancienne filiale devenue indépendante, l'Université de Montréal, et la récente Université de Sherbrooke, dont la consécration

L'Université du Québec à Montréal; dans une architecture résolument ouverte où l'eau et les plantes occupent une certaine place, on a su intégrer la façade ancienne de l'église Saint-Jacques (qui ne figure pas sur la photo).

photo: Université du Québec.

comme université francophone avait porté à trois[8] le nombre de ces institutions. Pour les anglophones, l'Université McGill, réputée depuis longtemps en Amérique du Nord, les collèges universitaires Sir George William et Loyola à Montréal, Bishop's à Lennoxville dans les Cantons de l'Est. Le Rapport Parent prône la réunion de Sir George William et Loyola en une seule institution: Concordia University.

Enfin, pour parachever la réforme scolaire et afin d'accueillir les nouveaux diplômés des cégeps fraîchement implantés, l'Assemblée Nationale crée, en 1968, l'Université du Québec. Cette université publique, mais non d'État, se voit alors confier le mandat de favoriser l'accès aux études universitaires auprès des personnes qui en sont traditionnellement éloignées pour des raisons géographiques et sociologiques. Une

des premières universités constituantes, l'Université du Québec à Montréal, offrait dans cet esprit un nouvel éventail de formations universitaires en français dans l'est de la métropole.

Ce nouveau réseau universitaire pan-québécois, qui regroupe onze partenaires, est ainsi présent à Montréal, Trois-Rivières, Québec, Chicoutimi, Rimouski, Hull et en Abitibi. Il a développé certains programmes spécifiques à ces régions d'appartenance (l'océanographie dans le Bas-du-Fleuve ou les pâtes et papiers à Trois-Rivières).

La gratuité scolaire est totale jusqu'au cégep. À l'université, les droits de scolarité, tout en étant plus importants que dans certains pays européens, sont les plus bas de toute l'Amérique du Nord (de 600$ à 700$ par an).

Le système d'enseignement au Québec (après la Commission Parent) (public et privé)		
Élémentaire	6 ans	
Secondaire	5 ans	
Collégial	2 ans (ou 3 ans)	marché du travail
Universitaire	3 ans (B.A.) et plus (M.A.) (Doctorat)	

VINGT ANS APRÈS LA COMMISSION PARENT

Le Québec, qui avait chaussé des bottes de sept lieues pour rattraper un retard qui n'était pas facile à effacer, se sent un peu essoufflé. Les changements ont été radicaux[9], ont parfois perturbé des familles et ont sûrement secoué la torpeur de plusieurs générations. Les diplômés des cégeps ou des universités ressemblent maintenant aux diplômés des autres pays, et, comme beaucoup d'entre eux, souffrent du manque de travail chronique dans certaines disciplines.

Avec un peu de recul, on voit mieux maintenant l'intérêt et les défauts du nouveau système: les écoles régionales et polyvalentes sont trop grosses; elles drainent sur des kilomètres carrés, en milieu rural en tous cas, des milliers d'enfants trop jeunes encore pour se retrouver dans d'immenses bâtisses dépersonnalisantes où ils vont «magasiner leurs cours» d'une salle à l'autre, n'étant plus rassemblés dans une classe sous la responsabilité d'un professeur titulaire. L'idée était bonne d'offrir ainsi tout une gamme de formations possibles[10]. Encore fallait-il que les élèves soient en mesure de faire un choix éclairé. Les parents, de leur côté, se sont sentis dépossédés d'une partie de leurs responsabilités. Au cégep, les choses se compliquent: la moindre erreur de choix de cours — dans un système comparable à celui de l'université — peut fermer, trop tôt, la voie à certaines carrières.

Un bon nombre de professeurs sont pour leur part démobilisés. La notion de service à l'étudiant s'est estompée avec l'apparition des problèmes d'emploi. La sécurité du poste que l'on détient, si l'on a la chance d'en avoir un, risque de passer avant d'autres considérations. Le malaise du corps enseignant est évident: après l'enthousiasme des années soixante, celui-ci se sent menacé. Il vieillit, n'est pas renouvelé au fur et à mesure des départs. Deux générations de mécontents se mesurent à

tous les niveaux d'enseignement. Les permanents, d'âge mûr dans l'ensemble, ont des privilèges certains et sont bien défendus par des syndicats mais n'ont aucune mobilité et voient la partie administrative de leur tâche augmenter au détriment d'une disponibilité à des fins strictement pédagogiques. En face d'eux, les enseignants occasionnels, plus jeunes en général, avides de mettre en pratique ce qu'ils ont appris, sont sous-employés et sous-payés comme suppléants, substituts ou chargés de cours. Ils n'ont aucune sécurité d'emploi et l'on assiste impuissant à leurs périodiques revendications.

Tous accusent «l'administration», devenue incroyablement lourde et complexe et coûtant très cher au gouvernement. Le quart du budget de l'État est consacré à l'éducation: en 1986, il se chiffrait à 7 milliards de dollars. Le

L'informatique au primaire.

photo: Ministère de l'Éducation, gouvernement du Québec, Gaétan Côté.

contribuable, plus lourdement taxé au Québec qu'ailleurs au Canada, se demande pourquoi le même élève coûte moins cher en Ontario. Si encore les résultats de ces efforts étaient probants! Mais les universités sont maintenant obligées de pallier les lacunes d'un enseignement qui a révisé à la baisse ses programmes avec le résultat que l'insatisfaction est générale. Beaucoup d'élèves maîtrisent mal leur langue à la fin du secondaire. On a dû remettre au programme l'histoire, qu'une décision hâtive avait écartée. Le secteur public ne jouit pas toujours de la même bonne réputation que le secteur privé. Le rapport Parent avait unifié les deux secteurs. Vingt ans plus tard, on constate que le secteur privé (274 écoles et 47 collèges) continue d'attirer une nombreuse clientèle qui espère y trouver une plus grande qualité intellectuelle, une formation morale et une meilleure discipline que dans l'enseignement public (2551 écoles, 46 collèges et 55 centres de formation spécialisée).

La dénatalité chronique de la société québécoise est aussi à l'origine d'un autre aspect de la relative instabilité du système scolaire. S'il y a de moins en moins de Québécois de souche dans certaines écoles, c'est que ces dernières reflètent maintenant le côté multiethnique de certaines zones urbaines. La loi 101 a imposé l'école en français à ces nouveaux arrivants et, de ce côté, les résultats sont positifs. Le ministre Claude Ryan a présenté le projet de loi 107 sur l'Instruction publique dont l'enjeu est la redéfinition des commissions scolaires en fonction de la langue et non plus de la religion, comme c'est le cas depuis le milieu du XIXe siècle.

Nombre d'élèves et d'étudiants

Niveau	
Primaire et secondaire	1 136 464
Collégial (dont la moitié en enseignement professionnel)	177 555
Formation continue (adultes)	194 300
Universitaire: temps plein	238 131
temps partiel	122 405

Source: Statistiques du Québec 1986-1987.

Le retard qu'avait le Québec d'il y a vingt ans est maintenant comblé. Les efforts du gouvernement concernant l'enseignement technique et professionnel portent des fruits. Pour certaines disciplines universitaires, le Québec se situe maintenant à l'avant-garde dans la francophonie mondiale. Que les résultats n'aient pas tous été à la hauteur des espoirs de chacun n'a rien d'étonnant. la machine mise en place est nécessairement lourde et si elle s'emballe par moments ou si elle fait défaut à d'autres, il revient à l'État de faire les ajustements nécessaires après une période de rôdage intense mais courte en regard de l'histoire.

Les efforts se portent maintenant, au-delà de l'enseignement proprement dit, vers la recherche dans toutes les disciplines. Le gouvernement Bourassa a créé à cet effet un ministère de l'Enseignement supérieur et de la Science. En parallèle à la transmission des connaissances, la recherche fait à l'heure actuelle partie intégrante de la formation universitaire. Pendant longtemps, les industries, en majorité anglophones, ont soutenu financièrement les universités de langue anglaise. Pendant des années, trop d'universitaires québécois, surtout francophones, ont été forcés de s'exiler pour faire avancer leurs travaux (les États-Unis, entre autres, en ont grandement bénéficié). Dans le milieu francophone, moins favorisé autrefois, on assiste depuis 30 ans à une expansion sans précédent de la recherche dans des disciplines très diverses. La société québécoise dans son ensemble s'implique directement et financièrement dans les efforts des universités de langue française. Le Québec, là encore, fait preuve d'un dynamisme et d'un sens de l'adaptation remarquables. L'inconvénient de son retard historique en ces matières, enseignement et recherche, est devenu un avantage: n'étant pas prisonnières de traditions sclérosantes, les institutions, plus souples et plus ouvertes, permettent d'audacieux projets et donnent des résultats surprenants avec lesquels la communauté universitaire et scientifique internationale doit désormais compter.

La haute recherche universitaire: le Dr Pomerleau, mycologue qui a identifié, entre autres, la maladie hollandaise de l'orme.

Notes

1. Les subventions assez importantes accordées aux communautés enseignantes d'hommes et de femmes montrent que le roi fit presqu'autant, toutes proportions gardées, pour l'instruction du peuple que pour le commerce, l'industrie, la colonisation et parfois même la défense du pays» (L.-P. Audet).

2. Le temps correspond d'ailleurs exactement au moment où l'on tente ce qu'on appelle le marcottage en agriculture.

3. À condition que l'école fonctionne 90 jours avec au minimum 20 élèves par jour.

4. Les premières œuvres imprimées sous l'égide de l'université le seront en 1870.

5. Marie Gérin-Lajoie, première femme «bachelier» en 1911, arrivée en outre en tête de tous les candidats du Québec, ne peut recevoir le prix Prince de Galles, parce que le prix comprenait une bourse pour des études universitaires qui n'étaient pas alors accessibles aux filles; le prix fut donc attribué au garçon arrivé deuxième!

6. C'était aussi l'époque où une brillante religieuse, souhaitant préparer un doctorat sur la correspondance entre Gide et Claudel, avait reçu l'autorisation de lire les lettres de Claudel à Gide et non celles de Gide à Claudel.

7. Voir le roman de Bertrand B. Leblanc, *Horace ou l'art de porter la redingote,* (Montréal, Leméac, 1980).

8. Les discussions concernant l'Université de Sherbrooke avaient été très laborieuses étant donné qu'une des particularités de l'Estrie est d'avoir une assez grande proportion d'anglophones.

9. Mgr Parent avait formulé les bases d'une réforme en profondeur du système scolaire et en voyait plutôt la réalisation progressive. Or, le projet, dans une conjoncture enthousiaste, s'est actualisé presque simultanément à tous les niveaux scolaires, et tant sur le plan structural que pédagogique; certains dérapages étaient donc inévitables.

10. L'idée première était justement d'introduire la notion de polyvalence, qui fait référence à une approche pédagogique, bien plus qu'à une structure et encore moins à un ensemble bâti.

Bibliographie

Études

Le grand spécialiste de la question est sans contredit Louis-Philippe AUDET.

AUDET, Louis-Philippe, *Histoire de l'enseignement au Québec,* tomes I et II, Montréal et Toronto, Holt Rinehart et Winston, 1971.

AUDET, Louis-Philippe, GAUTHIER, Armand, *Le système scolaire du Québec, organisation et fonctionnement,* Montréal, Beauchemin, 1967.

DORION, Jacques, *Les écoles de rang au Québec,* Montréal, Éd. de l'Homme, 1979.

DESBIENS, Jean-Paul, *Les insolences du frère Untel,* Montréal, Éd. de l'Homme, 1960.

GALARNEAU, Claude, *Les collèges classiques au Canada français,* Montréal, Fides, 1978.

Éducation-Québec, septembre 1980. Numéro spécial sur l'histoire de l'éducation au Québec (vol. 11 n° 1). Éditeur officiel du Québec.

Rapport Parent, *Rapport de la Commission royale d'enquête sur l'enseignement dans la Province de Québec,* Québec, Éditeur officiel du Québec, 1966.

Romans

BERNIER, Jovette, *Non Monsieur*, Montréal, CLF, 1969.

BOMBARDIER, Denise, *Une enfance à l'eau bénite*, Paris, Le Seuil, 1985.

LEBLANC, Bertrand B., *Horace ou l'art de porter la redingote*, Montréal, Leméac, 1980.

MARTIN, Claire, *Dans un gant de fer*, Montréal, CLF, 1965.

TREMBLAY, Michel, *Thérèse et Pierrette à l'école des Saints-Anges*, Montréal, Leméac, 1980.

Filmographie

Les enfants des normes, Georges Dufaux, série de 8 épisodes de 60 min chacun, ONF, coul., 1979.

Pour un bout de papier, ONF, n. b., 1966, 28 min.

Rencontre avec une femme remarquable: Laure Gaudreault, Yolande Cadrin-Rossignol, Cénatos — Radio-Québec — IQC et CEQ, coul., 1983, 90 min.

Les vrais perdants, André Melançon, ONF, coul., 1978, 94 min.

DEUXIÈME PARTIE

S'il devait finalement arriver que l'homme ne pût plus rien produire, former ni transmettre du monde qui l'entoure réellement, que tout servît à la seule satisfaction des besoins instantanés, à la consommation et à l'échange, que l'habitation elle-même fût construite mécaniquement, qu'il ne restât plus d'esprit dans le monde environnant individuel, que le travail ne fût plus qu'une activité au jour le jour et que rien ne pût plus se construire à la dimension d'une vie, l'homme deviendrait pour ainsi dire privé de monde. Séparé de ses origines, dépourvu d'histoire consciente et de toute continuité d'existence, l'homme ne peut rester l'homme.

Karl Jaspers, cité par Jacques Dorion
dans *Les écoles de rang au Québec.*

8
L'architecture

Les sociétés comprennent vite qu'il faut construire pour affirmer la possession du sol, défendre un territoire, se retrouver dans un lieu de culte, répandre ses idées. Le temps entre alors en ligne de compte: si, au début, on construit au plus vite, sans se soucier de la durée des matériaux, on se rend compte rapidement de la contradiction dans cette attitude puisque la construction signifie justement l'installation permanente et précède dans les sociétés sédentaires toute autre expression de la collectivité. On en vient donc à adapter au climat les matériaux et les techniques, en s'inspirant aussi des constructions voisines.

Comme l'*homo faber* a un sens esthétique inné, ses améliorations pratiques gagneront aussi en harmonie. De meilleures proportions donneront au bâtiment belle allure. L'ensemble des constructions crée un équilibre agréable à l'œil et présente une facture spécifique à une époque donnée de telle culture, de telle région, ou même de tel village. Les bâtiments, comme le dit l'expression populaire, sortent de terre et puisent une partie de leur commodité, de leur durabilité, de leur esthétique dans leurs rapports avec cette «terre» où sont leurs fondations.

Le premier aspect culturel qui frappe l'œil d'un étranger est l'architecture extérieure, qu'il remarque bien avant l'aménagement intérieur auquel il n'aura accès que lorsqu'il sera accueilli à l'intérieur. Certaines civilisations ne nous sont d'ailleurs connues que par les monuments qu'elles ont autrefois érigés et qui ont, avec plus ou moins de bonheur, défié les déprédations du temps.

Si les constructions peuvent être légères en pays chauds, elles se doivent d'être plus résistantes en pays froids, parce qu'elles assurent le confort et même la survie. Les premiers colons à traverser l'Atlantique ont appris à leurs dépens combien la moindre erreur de jugement à ce sujet pouvait leur être fatale. Aussi leur adaptation à un territoire très différent se fit-elle rapidement, avec le bon sens qui caractérise celui qui doit tirer sa subsistance de la terre nourricière. À cet égard, l'architecture constitue le premier domaine où la culture québécoise prend ses distances par rapport à la culture traditionnelle importée de France.

EN MILIEU RURAL

LA MAISON

Tous les colons qui désirent s'installer sur une nouvelle terre, du XVIIe au XXe siècle, font face à une forêt à défricher. La première tâche consiste donc simultanément à couper des arbres pour «faire de la terre neuve», et à les trier pour en tirer de quoi construire une maison, puis des bâtiments annexes et de quoi les aménager. Cette matière première permettra aussi de fabriquer des clôtures, et servira de combustible pour la cuisine et le chauffage. Ainsi, toutes les premières constructions canadiennes sont en général en bois, dont on apprendra qu'il est très inflammable et d'une durée aléatoire en un pays où il faut chauffer plus de la moitié de l'année.

La maison d'esprit français

Des toutes premières constructions faites au XVIIᵉ siècle, il ne reste pas grand-chose aujourd'hui. Il s'agissait de constructions temporaires, faites dans l'urgence d'une situation dont la précarité ne permettait pas d'envisager le bâtiment fait pour durer.

On met au point cependant très rapidement des techniques adaptées au nouveau pays. Puisque le bois y est en surabondance, on monte des murs avec ce matériau, soit verticalement en pieux sur sole, soit horizontalement en pièce sur pièce. Les arbres, grossièrement équarris, sont juxtaposés et l'on bourre tout simplement les interstices avec de la mousse ou des écorces; idéalement, on calfeutre avec de l'étoupe, comme sur les bateaux, et on tire le joint avec un mortier. Cette technique de construction est encore utilisée de nos jours pour le chalet[1], résidence secondaire des citadins d'aujourd'hui qui aiment à se retrouver en pleine nature. Une autre méthode, qui remonte au Moyen Âge, le colombage, connaît une transformation notable ici, à cause des problèmes de résistance des matériaux aux écarts de températures subits et de grande amplitude. Au Québec, on rapproche les poutres de bois de façon à diminuer les surfaces de remplissage que l'on comble avec un mélange de petites pierres et de mortier. Il n'existe plus que deux ou trois exemples de maisons en colombage pierroté.

Rapidement, les colons venus de France qui possèdent leurs terres ont le désir de laisser quelque chose à leurs enfants. L'habitant, propriétaire de sa terre, considère sa maison comme une partie importante de son capital. Sa maison est en outre le signe extérieur de sa fierté d'être maître chez lui. Dès qu'il atteint un niveau de vie qui lui permet d'entrevoir l'avenir avec une relative sérénité, il se tourne vers un autre matériau, également abondant, la pierre des champs. Les terres sont remplies de ces pierres qui semblent pousser chaque printemps et que le paysan doit enlever pour cultiver. C'est un schiste gris que l'on taille grossièrement pour mettre la face lisse à l'extérieur et offrir ainsi plus de résistance à la pénétration d'eau donc aux dégâts occasionnés par le gel.

On garde d'abord les habitudes des provinces d'origine, Normandie, Bretagne, même si les conditions climatiques y sont différentes (peu de grands froids, beaucoup de pluie). Les caractéristiques générales des toutes premières constructions allient la petitesse des carrés à une liaison étroite avec le sol. Les murs très épais (trois pieds à la base, deux pieds au sommet) consistent en deux parements agréables à l'œil dont l'intérieur est bourré de pierres informes et de mortier. Les maisons n'ont qu'un seul étage, les murs ne sont donc pas hauts et cependant ont du fruit[2]. Cela donne du charme à l'ensemble de la bâtisse dont le toit offre de grandes proportions puisqu'il occupe deux tiers ou même trois quarts du volume entier du bâtiment.

La pente des toits est très raide et permet l'évacuation rapide de l'eau de pluie et de la neige. La tradition normande avait imposé le toit à quatre pentes, dit toit à pavillon: la tradition bretonne retient l'idée des murs de pignon qui montent jusqu'au faîte du

Maison d'esprit français, de tradition normande, avec toit à pavillon (fin XVIIᵉ siècle).

photo: Gouvernement du Québec: 72-35-A-3.

bâtiment et ne permettent que deux pentes pour l'écoulement des eaux. Sommairement, on peut dire que l'on retrouve plus de maisons de type breton dans les environs de Montréal et plus de maisons de type normand dans la région de Québec. Il n'y a au début qu'une souche de cheminée centrale puis, plus tard, une de chaque côté; ce dernier aménagement sera plus fréquent dans la forme bretonne, plus massive, dont le rectangle se rapproche du carré alors que la maison à pavillon est plus allongée.

Les ouvertures sont rares et petites: une porte et trois fenêtres en façade, du côté qui regarde le fleuve, première voie de communication ou plus tard le chemin. Aucune ouverture en pignon: on s'abrite de la violence des vents de nordet ou du vent d'ouest qui sévit par beau temps froid. On trouve aux fenêtres de petits carreaux de mêmes proportions que ceux des XVIIᵉ et XVIIIᵉ siècles français. À l'intérieur, le plus souvent, il n'y a qu'une salle commune autour de la cheminée, l'intimité des couples s'abritant dans des lits-clos ou lits-cabanes propres à conserver la chaleur.

Déjà la maison d'esprit français, que l'on construira encore longtemps, s'adapte au milieu de vie: elle s'oriente vers le soleil, elle ajoute un épais plancher de cèdre ou de bouleau pour faire échec à l'humidité et au froid de la terre battue.

La maison québécoise

La maison québécoise réalise l'équilibre entre les traditions anciennes et les nouvelles conditions de vie. L'évolution est constante depuis les premiers essais de colonisation jusqu'au XIXᵉ siècle où l'on semble avoir trouvé le modèle idéal. C'est le prototype de cette maison que l'on appelle maison québécoise et dont on trouve d'innombrables témoins le long des routes et des chemins de rang. La construction peut en remonter jusqu'au XVIIIᵉ siècle, mais elle peut aussi avoir été faite beaucoup plus récemment tant le modèle a fait ses preuves.

Le bois reste un matériau très important mais on lui préfère la pierre, plus solide. Les conditions climatiques ont orienté les transformations: pour une question de confort et d'isolation, on surélève le carré du sol et l'on obtient ainsi un sous-sol utilisable. L'étage d'habitation n'est plus alors au rez-de-chaussée. On y accède par un perron que, pour des raisons esthétiques et récréatives, on fera déboucher sur une galerie plutôt que de le raccorder directement au bâtiment. On recherche, par ailleurs, une meilleure utilisation de l'espace du comble. Pour ce faire, on adoucit la pente du toit, on y installe des lucarnes et l'on double ainsi la surface d'habitation. On profite aussi de l'isolation que procure la neige. Au début de l'hiver on renchausse les maisons dès les premières chutes de neige et, en adoucissant la pente du toit, on la conserve plus longtemps en place. Un des inconvénients majeurs du toit à la française était le fait qu'il naissait au ras des murs et que la neige fondant au soleil de l'après-midi faisait couler de l'eau tout le long de ceux-ci. S'il y avait le moindre défaut dans les pierres, la moindre fissure dans le mortier, le refroidissement de la nuit faisait geler cette eau et, par conséquent, faisait éclater les matériaux qui ensuite se

détérioraient de plus en plus vite. Il fallait éloigner des murs la pente du toit pour éviter le ruissellement et, en terminant la pente par un arrondi qui le relevait gracieusement, on favorisait en outre la retenue de la neige, donc une meilleure isolation du comble. Avec le temps, on allongera encore le larmier qui couvrira et protégera la galerie des intempéries la rendant plus utilisable.

Les murs perdent en épaisseur et gagnent en hauteur, les ouvertures s'agrandissent. La technique de fabrication du verre s'améliorant, on remplace les petits carreaux par de plus larges vitres et l'on se sert du double vitrage. L'amélioration du chauffage par l'utilisation de feux fermés (poêles,

Maison d'artisan de la Côte-de-Beaupré, avec des huisseries décorées, un larmier et un perron-galerie (XIXᵉ siècle).

photo: Françoise Tétu de Labsade.

fourneaux, truies) permet de partager la salle commune en pièces à fonctions diverses. Enfin, dans les villages où se sont regroupés les artisans, ceux-ci utilisent le sous-sol comme lieu de travail, comme magasin et boutique. C'est sur la Côte-de-Beaupré que l'on retrouve le plus de ces maisons d'artisan, variantes du modèle québécois.

Les toits sont en bardeaux de cèdre, bois imperméable et quasi imputrescible mais hautement inflammable. On lui substituera peu à peu la tôle, soit en grandes feuilles repliées sur des nervures de bois, la tôle à baguettes d'une solidité imbattable, soit découpée en carreaux superposés en losange et cloués un à un, la tôle à la canadienne, elle aussi d'un bel effet.

Déjà au XVIIIᵉ siècle, on crépissait souvent les murs des bâtiments pour les abriter des intempéries. Au XIXᵉ siècle on les recouvrira, du moins le pignon aveugle, le plus froid, de bardeaux ou planches à déclin, superposées horizontalement et généralement amincies du côté où elles viennent s'appuyer sur les planches inférieures. On avait d'ailleurs utilisé ce mode de recouvrement pour les toits des maisons urbaines dès le XVIIIᵉ siècle.

Les dépendances

Les maisons françaises modestes sont souvent des maisons-blocs qui regroupent sous le même toit êtres humains, animaux et pièces à fonction utilitaire. Au Canada, on a plus souvent le type de maison-cour. Les bâtiments distincts les uns des autres ont des fonctions bien définies: habitation, laiterie, granges, étables, etc. La maison multi-cellulaire témoigne sur le plan individuel du même désir d'occupation des sols qui animait les autorités gouvernementales au début de la colonie.

Pour agrandir l'espace habitable, on jouxte le mur de pignon d'un petit bâtiment qui semble la réduction du premier: c'est la cuisine d'été qui permet de garder la grande salle au frais pendant la belle saison et qui conserve le bois sec à portée de la main en saison froide.

L'habitant a en général conservé un boisé au bout de sa terre. S'il a la chance d'y avoir des érables, il construira une cabane à sucre, en bois rond, avec une énorme cheminée qui permettra l'évaporation par ébullition de 40 à 50 volumes de sève d'érable pour la fabrication d'un volume de sirop, dont on pourra faire de la «tire» et du sucre en poursuivant la cuisson.

Au début, le four à pain était à l'intérieur même de la maison. On le construit bientôt à l'extérieur, séparément. Quant aux granges, elles sont en bois, donc moins durables que la maison d'habitation. Cependant l'imagination de l'habitant confère à ce bâtiment utilitaire une certaine originalité qui tient soit à la façon dont il dispose les planches (murs, portes et fenêtres), soit à la forme même du bâtiment. D'habitude rectangulaire, celui-ci a parfois une forme ronde ou polygonale du plus heureux effet. Un plan incliné, utilisant la déclivité du terrain, permet l'accès direct des chars au fenil, au-dessus de l'étable. Au besoin, on construit une sorte de ponton de pierre et de terre qui conduit à l'étage.

La dépendance sans doute la plus originale est le caveau à légumes, très fréquent aux alentours de Québec, à cause de la forme qu'épouse la côte le long de la rive nord du fleuve. Il s'agit d'un trou sous la terre, à ouverture étroite mais qui s'enfonce sous la colline. On n'en voit guère de l'extérieur que la porte et le bâti de pierre qui l'entoure. Au mois de février, des hommes qui exerçaient le métier de coupeurs de glace sur le fleuve en extirpaient d'énormes blocs de plusieurs pieds d'épaisseur qu'ils vendaient aux riverains pour transformer leur cache à légumes en glacière pour des mois.

MANOIRS ET PRESBYTÈRES

Le manoir

La résidence du seigneur aurait dû être plus grande, plus belle, plus imposante que la maison de l'habitant. Mais le seigneur n'habite pas toujours sur sa terre et n'y construit alors que quelque chose de modeste. Parfois aussi il est tombé sur une seigneurie difficile et il a autant de misère que ses censitaires à faire produire une terre mince et ingrate. Aussi, les manoirs ressemblent-ils, la plupart du temps, aux maisons rurales, parfois à peine plus grands que les maisons qui sont alignées sur les terres voisines.

Pourtant on trouve de très belles exceptions aux dimensions moins modestes qui datent d'époques diverses ou qui ont subi des transformations de forme ou de fonction au cours des âges. Le meilleur exemple en est le Petit-Cap, magnifique corps de bâtiment (XVIIIe siècle) dont Mgr de Laval avait judicieusement choisi l'emplacement, à l'abri du cap Tourmente, en face de la

Le Petit-Cap, manoir du Séminaire de Québec (XVIIIe siècle); toit à pavillon, petits carreaux d'origine.

photo: Françoise Tétu de Labsade.

pointe nord-est de l'île d'Orléans. Beaucoup plus à l'intérieur des terres sur la rivière des Outaouais, s'étendait la seigneurie des Papineau, dite la Petite-Nation, du nom d'une tribu d'Algonquins qui habitaient la région. Louis-Joseph Papineau, de retour d'exil en France en 1845, y construisit une réplique en miniature du château de la Villeneuve, près de Dijon, où il avait été reçu. Le château de Montebello est un bel exemple de demeure seigneuriale telle qu'il s'en construira au XIXe siècle en territoire laurentien.

Philippe Aubert de Gaspé décrit ainsi le manoir seigneurial de son enfance

> Le manoir seigneurial, situé entre le fleuve Saint-Laurent et le promontoire, n'en était séparé que par une vaste cour, le chemin du roi et le bocage. C'était une belle bâtisse à un seul étage, à comble raide, longue de cent pieds, flanquée de deux ailes de quinze pieds avançant sur la cour principale. Un fournil, attenant du côté du nord-est à la cuisine, servait aussi de buanderie. Un petit pavillon contigu à un grand salon au sud-ouest, donnait quelque régularité à ce manoir d'ancienne construction canadienne.
>
> Deux autres pavillons au sud-est servaient, l'un de laiterie, et l'autre d'une seconde buanderie, recouvrant un puits qui communiquait par un long dalot à la cuisine du logis principal. Des remises, granges et étables, cinq petits pavillons, dont trois dans le bocage, un jardin potager au sud-ouest du manoir, deux vergers, l'un au nord et l'autre au nord-est, peuvent donner une idée de cette résidence d'un ancien seigneur canadien, que les habitants appelaient le village d'Haberville.
>
> *Les Anciens Canadiens*, 1864

Ses dépendances

Le seigneur devait mettre à la disposition de ses censitaires un moulin. Selon les possibilités qui s'offrent,

chute d'eau, dénivellation, il construit un moulin à vent comme à Pointe-du-Lac, ou un moulin à eau comme à Beaumont. Certains moulins bénéficient de la bi-énergie (vent et eau). Les relevés font état de 41 moulins en 1685 et de 118 en 1734.

Il fallait des installations différentes pour moudre les diverses céréales qui n'offrent pas la même résistance à la meule. Par ailleurs on se sert rapidement de l'énergie transformée pour diversifier le travail. À la majorité des moulins s'adjoignent une scie pour le bois et un moulin à cardes pour la préparation de la laine, qui pouvait se doubler de la machinerie nécessaire pour le foulage donc la fabrication finale d'étoffes du pays. En 1842, il y avait dans le Bas-Canada 186 moulins à carder et 144 à fouler.

À l'heure actuelle, l'appellation de moulin a de plus nombreuses acceptions au Québec que dans le reste de la francophonie: le mot englobait jusqu'à peu toute industrie qui utilisait de la machinerie (moulin à pulpe, moulin à papier, moulin à scie) et par métonymie, divers équipements domestiques (moulin à laver, moulin à viande).

Le presbytère

La résidence du curé devient, au XIXe siècle, une autre bâtisse d'importance dans le village, souvent la seule de cette nature à l'exception du couvent ou de l'hôpital. Majestueux, admirablement situé près de l'église, au centre du village, il en impose par ses belles proportions harmonieuses. C'est, en beaucoup plus grand, la réplique du modèle québécois de la maison rurale.

Presbytère de Charlesbourg; le toit brisé, à quatre pentes, est couvert de tôle à la canadienne (XIXᵉ siècle).

photo: Françoise Tétu de Labsade.

Très souvent recouverts de planches en déclin, destinées à protéger du froid et à présenter un fini plus soigné, admirablement entretenus par une communauté soucieuse de voir son pasteur bien logé, ces bâtiments jouissent parfois de vues inoubliables. Ceux de Saint-Jean-Port-Joli, ou de Sainte-Famille, offrent une large perspective sur le fleuve, et celui de Saint-Charles-Borromée à Charlesbourg présente un beau dégagement vers le sud où se découpe la ligne d'horizon de la falaise de Québec puis de sa colline parlementaire.

INFLUENCES DE L'ÉTRANGER

Le prototype de la maison rurale ou maison québécoise, mis au point comme on l'a vu au XIXᵉ siècle, a été reproduit jusqu'au XXᵉ siècle. Cependant, parallèlement à cet esprit de continuité, le XIXᵉ siècle ajoutait de nombreuses influences de l'étranger.

Le toit brisé: Toujours guidé par le désir de ménager plus d'espace dans le comble, on adoucit encore la pente du toit en brisant brusquement cette pente qui devient abrupte sur le côté, au niveau des fenêtres. C'est la technique de Mansart, d'où le nom de mansarde pour désigner indifféremment le comble, la chambre ou la fenêtre de cette partie du bâtiment. Cette technique arrive au Bas-Canada par les États-Unis avec les Loyalistes qui apportent avec eux des habitudes du sud. On connaissait cette technique dès le régime français, mais c'est au XIXᵉ siècle que la mode du toit à pans brisés se répand dans les campagnes comme en ville. On adopte les fenêtres à guillotine, on donne une certaine majesté à l'entrée avec un fronton ou un portique à colonnes. On note un échange d'idées plus fréquent entre les bâtisseurs des centres urbains et ceux des maisons rurales (mur en coupe-feu sur bâtiments isolés, portique géorgien, etc.).

L'élite anglaise, qui s'était établie en ville, en vient à la déserter pour des questions de salubrité et de confort. Elle préfère l'air pur des banlieues et des campagnes, surtout lorsque la chaleur de l'été devient lourde et oppressante. Les bords du fleuve sont également recherchés pour leur ventilation continue, très appréciée par grosse chaleur. Au XIXᵉ siècle, plusieurs épidémies de choléra frappent la ville de Québec. Elles arrivent avec les bateaux d'immigrants irlandais et donnent une raison de plus au gens à l'aise de fuir les miasmes particulièrement dangereux en été.

C'est la période où riches marchands, officiers et administrateurs se font construire des villas, parfaitement intégrées à des sites généralement remarquables. Elles répondent aux goûts de leur propriétaire et sont très variées. Il y a la maison monumentale (deux étages, en pierre de taille, fréquente aux environs de Montréal), la villa anglo-normande (toit peu incliné à quatre eaux, galerie tout le tour, dont on trouve de très beaux exemples dans l'agglomération de Québec), la maison victorienne parfois très ouvragée et qui se caractérise par une abondance de cornices, tourelles, baies, sallies, renfoncements de toutes sortes. Ce dernier modèle laissera libre cours à de fertiles imaginations pendant de longues décennies. Le goût démesuré pour les éléments décoratifs en bois ne facilitera pas l'entretien dans ce climat rigoureux et changeant.

Des influences étrangères, surtout américaines et anglaises, il faut retenir l'importance accordée à l'environnement des bâtiments: jardins à l'anglaise, serres, jardins d'hiver disent assez le respect que l'Anglais a toujours eu pour la nature. Dans son désir de défricher (et d'empêcher les Amérindiens de s'embusquer, du moins au début de la colonie), le Canadien avait trop souvent fait le vide autour de sa maison. Le changement de mentalité est attribuable à l'influence britannique. C'est probablement cette étroite communion entre l'être humain et la nature qui agrandit les ouvertures classiques en fenêtres palladiennes ou en baies vitrées souvent en saillie (dites d'ailleurs *bow-window* ou *bay-window*). La pierre de taille est un matériau noble mais qui reste coûteux. Les personnes moins aisées lui préféreront la brique dont on peut parfois tirer des effets architecturaux intéressants. Les Anglais aimaient à orner leurs galeries de fer forgé, de colonnades en bois torsadé. Les Canadiens prennent alors plaisir à individualiser leur maison par une ornementation de l'entourage des fenêtres, des portes ou de la galerie. On ajoute un fronton, un portique le plus souvent en pin ou en érable. On apprend aussi à utiliser une couche d'air pour isoler les murs.

Toutes ces influences étrangères sont

plus vite sensibles dans l'architecture des villes, majoritairement habitées par les Anglais au XIXᵉ siècle, alors que les campagnes restent résolument canadiennes.

EN MILIEU URBAIN

LA MAISON

Les toutes premières constructions urbaines sont très semblables aux maisons rurales: la différenciation se fera au début du XVIIIᵉ siècle et s'accentuera au fur et à mesure du développement des cités. Le principe qui régit la construction des villes est la mitoyenneté obligatoire, étant donné le peu d'espace dévolu à une densité élevée, toutes proportions gardées. Les villes du Québec n'ont jamais été surpeuplées, tout au plus assiste-t-on au développement classique de faubourgs, Saint-Roch et Saint-Jean, par exemple, hors les murs de la ville de Québec. Les corollaires de la mitoyenneté sont le danger de conflagration, directement proportionnel à la nécessité absolue de bien chauffer l'intérieur pendant de longs mois, et le besoin de gagner de l'espace en hauteur, tout en ménageant une certaine ordonnance des rues.

Au XVIIᵉ siècle, Champlain décrit son «abitation», toute en bois. Les autres maisons devaient être également en bois. Lorsque l'on parle de l'incendie qui a ravagé toutes les maisons de la ville basse de Québec, sauf une, en 1682, on comprend le triste bilan de la conflagration. Avec les bâtiments dis-

paraissaient non seulement l'abri des personnes, mais aussi les magasins où l'on avait mis de côté de quoi «subsister / Jusqu'à la saison nouvelle».

En outre, l'histoire mouvementée, qui multiplia les sièges de Québec depuis la tentative réussie des frères Kirke en 1629 jusqu'à celui de 1759, a eu comme premier résultat de détruire beaucoup et de faire peser à chaque fois la menace de conflagration sur les citadins. Le feu apparaît donc comme un grand destructeur. Le climat, sec et très froid, et l'usage d'essences facilement inflammables, les conifères, doublent le danger. Aussi en vient-on à préférer pour les murs un matériau plus résistant. Très vite, les maisons de ville sont donc reconstruites ou faites directement en pierre comme celles des milieux ruraux. La forme du toit la plus pratique est bien sûr le toit à pignon, à cause de la mitoyenneté mais parfois un bâtiment isolé est recouvert d'une toiture à pavillon qui se transforme en croupe si le bâtiment est mitoyen d'un seul côté.

Après l'intendant Bégon en 1721, l'intendant Dupuy en 1727 complète une série de mesures rendues nécessaires par le développement de la capitale de la Nouvelle-France. Urbaniste, il décrète qu'il faut construire le long d'une rue et à l'intérieur des remparts des maisons qui n'auront pas plus de deux étages. Ses ordonnances et celles qui les avaient précédées visaient surtout à réduire au minimum les occasions de conflagrations et les conséquences d'un incendie: il demande l'emploi de la pierre; la construction au-dessus d'une excavation voûtée pouvant servir de magasin doit être égale à la moitié du bâtiment; il exige que les larges cheminées soient encastrées dans les murs de pignon, et que ces murs débordent du toit en hauteur et en largeur pour servir de coupe-feu. Ce faisant, les Canadiens utiliseront un mode de construction fréquent sur les côtes de Bretagne pour servir de coupe-vent. Il interdit les volets, les escaliers apparents et fait carreler les greniers; il recommande l'usage de longues planches de bois, à clins, pour la couverture, plus faciles à arracher sur de grandes surfaces qu'une multitude de bardeaux. Le maître d'œuvre le plus connu de l'époque est Gaspard Chaussegros de Léry dont il reste quantité de plans (château Saint-Louis, cathédrale de Québec, le magasin du Roy, etc.).

photo: Services des affaires corporatives, Ville de Montréal.

À la fin du XVIIIe siècle, on ajoute un troisième étage et le bois des toitures commence à être remplacé par le fer-blanc (tôle à baguettes ou à la canadienne). Les murs deviennent moins épais.

Au XIXe siècle, comme en milieu rural, on cherche à agrandir l'espace habitable. Le toit adoucit sa pente et le comble déjà carrelé est prêt à l'usage. En agglomération urbaine, les toitures, souvent refaites, se transforment régulièrement. Le toit à brisées devient chose commune. Le coupe-feu perd un peu de sa fonction de prévention et y gagne celle d'ornementation. Deux familles de maîtres d'œuvre tiennent une place importante, tout au long du siècle: les Baillairgé et les Berlinguet.

Les Anglais alignent le long des rues des maisons en rangée, en pierres de taille ou en briques. Ce goût des maisons de ville (*town house*) attachées les

Édifice de la Douane dans le Port de Québec (architecture néo-classique, XIXᵉ siècle).

photo: Michel Latouche.

unes aux autres et qui répètent le même motif sur des centaines de mètres de rues entières est surtout visible à Montréal dans les constructions du début du XXᵉ siècle. Un autre détail typique du Montréal de cette époque est la succession d'escaliers qui s'élancent depuis la rue pour desservir les deuxième et troisième étages. Amusantes à l'œil, ces volutes d'acier n'en sont pas moins périlleuses en hiver. Dans la deuxième moitié du XIXᵉ siècle, de beaux ensembles avaient été réalisés (la Grande-Allée à Québec) dont les exigences d'un urbanisme moderne détruiront malheureusement une notable partie. De cette période victorienne, reste cependant, au hasard d'une promenade, soit un balcon suspendu, soit une tou-relle audacieusement projetée dans le vide, soit une frise majesteuse, le tout pour le simple plaisir de l'œil.

Traditionnellement, les maisons étaient construites par des entrepreneurs ou «contracteurs», qui mettaient à profit les techniques et matériaux de l'époque. Un certain éclectisme régnait, selon les modes ou les désirs des propriétaires. Les maisons privées opulentes, comme les édifices publics, étaient l'œuvre de véritables architectes (Baillairgé, Berlinguet, Staveley) qui soumettaient des plans très travaillés incluant l'aménagement intérieur allant parfois jusqu'à l'ornementation et les boiseries. Souvent formés à l'architecture classique, leurs travaux témoignent d'une certaine forme de culture qu'on retrouve aussi bien dans les résidences privées, les banques des quartiers portuaires (Montréal et Québec) ou la Bibliothèque nationale, par exemple.

Une autre caractéristique du développement urbain est le déplacement vers l'ouest, particulièrement net à Montréal. Au cours du XIXᵉ siècle, les banques créent un nouveau centre des affaires à partir de la rue Saint-Jacques qui déplace le centre-ville à tel point que l'évêque de Montréal, Mᵍʳ Bourget, fera construire la cathédrale Marie-Reine-du-Monde (1870-1894) beaucoup plus à l'ouest que l'imposant édifice religieux qu'est la basilique Notre-Dame (1824-1829) pour affirmer une présence catholique et française dans un milieu qu'il sait très anglophone.

Après la Deuxième Guerre mondiale, le processus d'urbanisation s'intensifie. Mais la faible tradition urbanistique ainsi que la fébrilité de certains promoteurs, plus alléchés par l'appât du gain que par le souci esthétique, transforment des quartiers entiers en triste succession de bâtisses de briques sinistres. Après 1960, la vague des conciergeries de tout niveau déferle sur les villes. S'élèvent alors des tours de béton précontraint dont certains ne manquent pas d'allure. On commence depuis peu à parler de condominiums[3]. Les banlieues se sont considérablement développées autour des agglomérations mais la population vieillissante se rabat de plus en plus sur la formule de copropriété qui offre en outre des services que les personnes de l'âge d'or ne pourraient obtenir dans leurs maisons individuelles devenues trop grandes.

Un autre phénomène intéressant est celui des maisons mobiles. Strictement rectangulaires mais confortables, celles-ci doivent pouvoir être mises sur roues et déménagées en quarante-huit heures. Utilisé comme mode d'habitation régulier, ce système est peu cou-

rant en Europe, mais répandu çà et là au Québec[4]. Des municipalités louant des parcs dotés de tous les services (eau, égout, électricité) ne perçoivent pas de taxes foncières ou scolaires pour ces maisons mais récupèrent des frais de location.

LES ÉDIFICES PUBLICS

La fin du XIXᵉ siècle voit se multiplier ces édifices en milieu urbain: parlement, hôtels de ville, palais de justice, bureaux de poste, casernes de pompiers. La décision de la Confédération de construire non pas un mais deux chemins de fer, de l'Atlantique au Pacifique, fait surgir d'énormes hôtels (Château Frontenac à Québec, Château Laurier à Ottawa) qui offrent gîte et couvert aux voyageurs sortant des gares (la gare Viger à Montréal, la gare du Palais à Québec) où les architectes ont laissé vagabonder leur imagination. Ce type d'édifice donne dans le style victorien ou néo-gothique. Des architectes parfois anglais ou très influencés par l'élite en place, copiant le style Renaissance (E.E. Taché au parlement de Québec) ou font au goût du jour: la prison des femmes de Québec ressemble beaucoup plus à un décor de Walt Disney qu'à un édifice carcéral! Dans un autre ordre d'idées, on peut évoquer ici le personnage d'Ernest Cormier, qui, plus tard au XXᵉ siècle, construit l'édifice principal de l'Université de Montréal. Cette période abonde en constructions de toutes sortes. Ce fut l'âge d'or pour les architectes comme Joseph-Pierre Ouellet, Joseph-Ferdinand Peachy, Pierre Gauvreau, Georges Émile Tanguay, etc.

Maison Gomin (prison des femmes),
construite par Raoul Chènevert en 1932.

photo: Michel Latouche.

Vers 1965, des gratte-ciel de plus en plus vitrés émergent, dont certains sont des réussites. Plusieurs abritent des complexes, des places[5] (des Arts, Desjardins, Ville-Marie, dans la métropole), des galeries marchandes bien abritées (nécessité fait loi) pour concurrencer les centres commerciaux des banlieues. Le centre des villes devient le milieu de travail où aux citadins se joignent des milliers de banlieusards, majoritairement propriétaires d'une maison unifamiliale sise au milieu d'un terrain dont il faut tondre le gazon toutes les semaines et déblayer les entrées par temps de neige. La ville rejoint la campagne et englobe les paroisses voisines: l'espace ne semble jamais limité.

Centre-ville de Montréal: l'édifice de la BNP (dans les années quatre-vingt).

photo: Françoise Tétu de Labsade.

LES ÉDIFICES CONVENTUELS

Il fallait accorder un espace de choix à ce type de constructions urbaines étant donné la nature des services offerts à la population (santé, éducation entre autres). Entretenus par des ordres religieux nantis, mais parfois eux aussi la proie des flammes, ces bâtiments sont encore nombreux à offrir aux visiteurs une architecture d'allure classique, à la québécoise: la cour intérieure du Séminaire de Québec est un modèle du genre.

LES ÉGLISES

Parmi les édifices communautaires, les églises sont le témoin d'une vie religieuse intense. Dans la très grande majorité des cas, sises au cœur de la paroisse, elles rappellent le rôle de premier plan que l'institution religieuse a joué dans l'évolution de la société canadienne et québécoise. Centre spirituel et social, l'église était aussi le foyer artistique où se rassemblaient les forces vives d'architectes, de sculpteurs, de peintres, d'ornemanistes et d'orfèvres dont le but ultime était de proclamer la gloire de Dieu et le rayonnement de son Église.

LA TRADITION QUÉBÉCOISE

En 1665, alors que la colonie est encore de dimensions modestes, on dénombre 28 églises dont la majorité sont en bois mais déjà neuf en pierre. En 1722 l'autorité ecclésiastique, jusque-là centralisée, créera 82 paroisses indépendan-

tes. Ces églises rurales seront de proportions modestes comparées aux lieux de culte de la ville de Québec, quelquefois plus monumentaux, qui s'inspirent directement de l'architecture classique pratiquée en France au XVIIe siècle, que les maîtres d'œuvre savent adapter aux conditions climatiques de l'Amérique du Nord. Claude Baillif a participé à l'érection de la plupart de ces édifices religieux.

En paroisse, on s'inspirera du modèle édifié par les Jésuites à Québec, (église à transept avec deux tours en façade, clocher à la croisée des transepts) ou de celui des Récollets (église sans transept, avec une petite abside greffée sur l'un des petits côtés du rectangle).

On a retrouvé au Séminaire de Québec un plan qui a été souvent suivi pour la construction des églises. Au bâtiment rectangulaire fort peu différent d'un carré de maison, Jean Maillou ajoutait une abside pour abriter le chœur. La nef est éclairée de trois fenêtres arrondies à leurs parties supérieures. Les murs, de type roman, larges à la base, soutiennent une toiture à pente aiguë. Un clocher surmonte la façade. Ce bâtiment, très simple, sans transept, prévaut dans les premiers temps de la colonie. On en vient à lui préférer un bâtiment presque aussi simple mais infiniment plus stable et plus solide. L'ajout d'un transept donne plus de noblesse à l'ensemble. La toiture du transept peut soit rejoindre la poutre faîtière, soit se raccrocher en un endroit quelconque de la toiture principale. De 1720 à 1735, on construit 75 nouvelles églises dans ce style.

En 1743, une nouvelle amélioration solidifie encore le bâtiment qui peut prendre de plus amples proportions et ajoute plus de solennité à la façade en général très modeste: on met deux tours de chaque côté qui encadrent un pignon, troué d'un portail, d'une fenêtre, d'œils-de-bœuf et de niches qui abritent des statues en bois. L'église à transept s'impose avec des variantes dans la deuxième moitié du XVIIIᵉ siècle.

La Conquête avait beaucoup détruit, mais n'avait pas diminué la foi des fidèles qui reconstruisent, agrandissent, améliorent l'édifice où ils se retrouvent tous les dimanches. Entre 1790 et 1800, l'abbé Conefroy codifie un plan,

somme toute assez semblable à celui de Jean Maillou, un siècle plus tôt. En 15 ans, l'abbé Conefroy donne des conseils pour une quinzaine d'églises de la région de Montréal (Boucherville, Longueuil, Saint-Marc à Verchères).

Dans la région de Québec, c'est François Baillairgé, d'une famille qui deviendra connue dans le milieu des créateurs artistiques de la capitale, qui applique les connaissances de Conefroy. Son fils Thomas travaille dans le même sens, mais ne refuse pas les influences anglaises ou américaines (fronton, urnes, formes ovales d'un œil-de-bœuf à Charlesbourg, 1828). La composition très rigoureuse de ces façades, le nouveau type de clochers dont il les surmonte font une synthèse heureuse de la tradition québécoise et des apports de l'architecture classique.

Saint-Mathias-de-Rouville (XIXᵉ siècle); transept, toit de tôle à la canadienne.

photo: Françoise Tétu de Labsade.

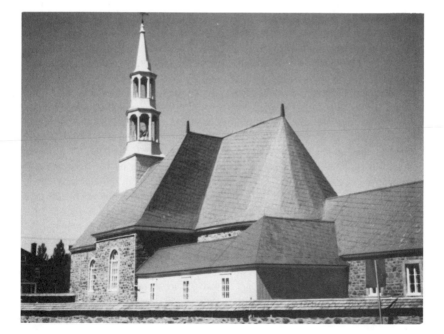

LES INFLUENCES EXTÉRIEURES

Même si les Canadiens, conquis, se réfugiaient le plus souvent dans une tradition dont ils assuraient les paramètres, ils ne pouvaient pas ne pas être sensibles à ce qui se passait à l'extérieur. Comme toujours, les maîtres d'œuvre, à l'affût des nouveautés comme beaucoup d'artistes, vinrent enrichir les connaissances et le goût en matière d'architecture religieuse. Le protestantisme affirme sa présence par de beaux édifices. Cela fustige l'énergie des catholiques qui veulent faire mieux et, en attendant, reprennent les idées de Bobe et Hall, les architectes de la cathédrale anglicane de Québec (1804): clocher, fronton, pilastres, jubé au bas de la nef et des bas-côtés[6].

Le premier quart du XIXe siècle est marqué par le fait que l'Église assure son emprise sur la société canadienne et, se sentant plus forte, veut exprimer dans son architecture sacrée cette nouvelle autorité. En 1824, Notre-Dame de Montréal est résolument différente de tout ce qui avait été fait auparavant. C'est un monument à la hauteur des circonstances et même l'intérieur opte pour un type d'ornementation plus européen.

Les Anglais ont un penchant marqué pour le style gothique. Nombre d'églises, de bâtiments publics parsèment le continent américain d'édifices néo-gothiques. Les Canadiens, après s'être laissé séduire à leur tour, tentent de se démarquer de cette mode, dont ils n'avaient pas prévu la diffusion. Victor Bourgeau construit d'abord du néo-gothique puis du néo-baroque. Il fera aussi beaucoup d'églises à Montréal et dans les environs (dont Saint-Pierre-Apôtre) et trois cathédrales au Québec.

Dans la deuxième moitié du XIXe siècle, l'état florissant de l'Église canadienne s'exprime par la taille des monuments qu'érigent les fidèles: on adjoint un sous-sol au bâtiment, dont on double ainsi l'efficacité. On laisse aller son imagination pour enjoliver les façades, leur donner plus de solennité, plus de poids dans la communauté vis-à-vis des minorités protestantes qui, elles, doivent se contenter de construire des chapelles de dimensions modestes. Le protestantisme ne forme pas un mouvement unifié: il y a les anglicans, les baptistes, les épiscopaliens ou les méthodistes qui se réunissent dans des «mitaines» (*meeting place*), reléguées au coin de rues anonymes. L'Église catholique, elle, bénéficie d'un site privilégié et se voit de partout.

Mgr Bourget, responsable en grande partie de l'idéologie ultramontaine, guide le crayon des architectes vers le baroque italien. Cela se voit à Notre-Dame-de-Grâce à Montréal. Cette soumission au modèle romain s'imposera lors de la construction dans l'ouest de la ville de la nouvelle cathédrale de Montréal: Joseph Michaud exécute une réplique, en plus modeste, de la basilique de Saint-Pierre-de-Rome. Le style néo-roman connaît aussi une grande vogue. Joseph-Ferdinand Peachy reconstruit ainsi l'église Saint-Jean-Baptiste détruite dans l'incendie du faubourg Saint-Jean en 1881.

De 1850 à 1940, beaucoup de nouvelles paroisses sont fondées, où les fidèles, pressés par un curé désireux de voir un lieu de culte digne de l'Église, érigent des bâtiments d'une taille par-fois stupéfiante. Saint-Anselme (Beauce), belle église dans la tradition québécoise, a des dimensions éton-nantes, comparée aux églises du XVIIIe siècle, mais ce n'est rien en regard de la munificence de l'église de Sainte-Hénédine, toujours dans la même région, et de tradition architecturale carrément différente. En outre, dans leur désir de toujours aller plus loin pour glorifier Dieu dans ces lieux de culte, nombre de curés transformeront «leurs» églises en en détruisant parfois l'harmonie préétablie au nom d'un modernisme douteux.

LE DOM-BELLOTISME

Moine bénédictin qui mit ses talents d'architecte et la fantaisie de son ins-piration au service de l'architecture sacrée, Dom Bellot était très connu en Europe (Hollande, Belgique, France) dans les années trente. Influencé par Viollet-Le-Duc et Gaudi, Dom Bellot avait une passion pour la brique dont un bon architecte peut faire jouer les tons et les agencements. De ses princi-pes architecturaux retenons «la priorité de la ligne et de la forme sur la lumière et la couleur» et «l'importance secon-daire, mais encore essentielle de la lumière et de la couleur»[7]. Il utilise la polychromie de la brique pour souli-gner des arcs paraboliques d'un tracé parfaitement justifié dans une église ou des arcs polygonaux dont la poussée se réduit à chaque articulation et qui per-mettent une utilisation maximale de l'espace. Il aura des disciples québé-cois: vers 1925, Adrien Dufresne puis Edgard Courchesne se mettent en con-tact avec Dom Bellot, le font venir à Montréal en 1934. Il finit l'oratoire Saint-Joseph et avec Dom Claude-Marie Côté construit le bel ensemble de l'abbaye de Saint-Benoît-du-Lac.

Ces constructions du maître ne por-tent pas ombrage aux multiples réalisa-tions de ses trois disciples. C'est sur-tout dans la région de Québec qu'Adrien Dufresne laissa libre cours à ses enthousiasmes dom-bellotistes: Sainte-Thérèse, Notre-Dame-de-la-Paix, aujourd'hui désaffectée, Saint-Pascal, Saint-Fidèle. L'œuvre la plus monumentale est sans contredit la basi-lique du Cap-de-la-Madeleine. En fait, Adrien Dufresne utilise plutôt la pierre grise par fidélité aux ressources locales et reste ainsi le disciple le plus per-sonnel que Dom Bellot ait eu au Québec.

Intérieur de l'église Sainte-Thérèse-de-Lisieux, à Beauport; Adrien Dufresne, 1936.

photo: Françoise Tétu de Labsade.

Edgard Courchesne ne construira d'églises au Québec qu'après la mort de Dom Bellot. Elles présentent les caractéristiques suivantes: ossature en béton, nef très large, utilisation de briques de couleur en dessins géométriques, recours aux formes brisées, angulaires, où la lumière ajoute contraste et chaleur (Sainte-Madeleine-Sophie à Montréal et bon nombre d'églises paroissiales de l'est du Québec: Forestville, Rimouski, etc.).

Dom Claude-Marie Côté, élève d'Adrien Dufresne, puis de Dom Bellot et bénédictin comme lui, travaille beaucoup avec le maître au Québec puis avec Edgard Courchesne. Il mettra en pratique ce qu'il appelait «cette composition au moyen de l'équerre» dans l'un des trois monastères construits au Québec dans le style dom-bellotiste.

Cette période de renouveau d'art religieux tombait à un moment où l'inspiration des architectes semblait particulièrement émoussée en matière d'architecture sacrée. Beaucoup d'autres maîtres d'œuvre emprunteront à Dom Bellot certaines de ses idées sans toutefois souscrire aveuglément à l'ensemble de ses réalisations. L'influence de Dom Bellot s'étend de 1930 à 1955 au Québec et prépare les esprits à une autre période de renouveau religieux qui ne devra cependant pas grand-chose à ses devanciers.

DU MODERNISME DANS L'ART SACRÉ

Dom Bellot avait souscrit au béton. De plus en plus, on apprend à en maîtriser la force, en lui imposant toutes sortes de formes. Vers 1950, le besoin en nouvelles paroisses croît dans les banlieues des villes notamment, ou dans de petites villes de moindre importance qui voient leur population augmenter à un rythme accéléré. Ce sont là les derniers élans démographiques — mais nul ne s'en doute encore — d'un peuple dont les conditions de vie ont radicalement changé.

Une foule d'architectes de grand talent construisent des cathédrales en bois (Gaspé) ou en briques (Nicolet). On laisse libre cours à l'imagination des individus. Partout, au Québec, surgissent d'étonnants bâtiments de formes étranges et belles, en forme de cône (Jonquière), de tente (Bagotville), ou de bateau (Saint-Nicolas). L'éclairage étudié avec un soin extrême, le bois utilisé avec sagacité donnent de la chaleur aux envolées de béton dont les proportions harmonieuses s'inscrivent dans les nouveaux paysages suburbains. Il est certain que Le Corbusier aura eu aussi une influence non négligeable sur les architectes de cette période.

De 1950 à 1965, c'est dans la région du lac Saint-Jean que le mouvement de renouveau religieux donne naissance à la plus grande concentration de ce genre d'édifice. La majeure partie sont des chefs-d'œuvre d'originalité, qu'ils soient de Desgagnier, de Côté, de Saint-Gelais, de Tremblay, pour n'en nommer que quelques-uns. Le mouvement de déchristianisation qui frappe soudain le Québec de la Révolution tranquille mettra un arrêt brutal à cette architecture sacrée et ira jusqu'à faire désaffecter des églises qu'on avait construites à peine une génération plus tôt.

• • •

De tous les arts, celui de l'architecte est le plus visible de tous, partant le plus «parlant». C'est aussi un art constamment en évolution qui témoigne beaucoup des changements intervenus dans une société. Si la maison est le reflet des individus qui l'habitent, l'église, à son tour, peut être considérée comme le reflet de la collectivité qui a souvent consenti de très gros sacrifices pour proclamer, avec l'emphase qui convenait, la gloire d'un Dieu invisible mais «présent parmi nous».

Notes

1. La fameuse «cabane au Canada» popularisée par la chanson française. En France, le chalet, construit en bois, désigne surtout une construction montagnarde.

2. Voir glossaire en fin de chapitre.

3. Condominium ou familièrement «condo». Serait-ce le statut particulier du Canada, comme «dominion» de l'Angleterre qui a influencé l'extension de sens de ce mot pour désigner aujourd'hui, au Québec, un immeuble en multipropriété?

4. De même qu'en Floride où nombre de Québécois résident l'hiver, voire toute l'année.

5. Le mot place ne désigne plus ici un espace en plein air libre de constructions et destiné à la promenade, au délassement ou au regroupement épisodique. C'est devenu un espace de boutiques regroupées dans des allées souterraines, doté de larges stationnements, souterrains également, où l'on ne se retrouve que pour des activités commerciales.

6. On trouve par exemple à Deschambault (Thomas Baillairgé) le même type de jubé et de voûte, en berceau dans la nef et à plafond plat pour les bas-côtés.

7. «Le premier de ces principes assimile ce qu'il y a de plus authentique dans les théories purement rationalistes de l'art; le second assimile ce qu'il y a de plus authentique également dans les théories opposées, de caractère plutôt sensualiste.» (Nicole Tardif-Painchaud, *Dom Bellot et l'architecture religieuse au Québec.*)

Bibliographie

BÉDARD, Hélène, *Maisons et Églises du Québec, du XVIIᵉ, XVIIIᵉ, XIXᵉ siècle*, Québec, MAC, 1971.

BERGERON, Claude, *L'architecture des églises du Québec, 1940-85*, Québec, PUL, 1987.

LAMY, Laurent, *Architecture contemporaine au Québec 1960-1970*, Montréal, L'Hexagone, 1983.

LESSARD, Michel, VILANDRE, Gilles, *La maison traditionnelle au Québec, construction, inventaire, restauration*, Montréal, Éditions de l'Homme, 1974.

LESSARD, Michel, MARQUIS, Huguette, *Encyclopédie de la maison québécoise, 3 siècles d'habitation*, Montréal, Éditions de l'Homme, 1972.

MORISSET, Gérard, *L'architecture en Nouvelle-France*, Québec, Éd. du Pélican, 1980, 1re édition 1946).

NOPPEN, Luc *et al.*, *Les Églises du Québec (1600-1850)*, Québec, Éditeur officiel du Québec, 1977, Montréal, Fides, 1978.

NOPPEN, Luc, *et al.*, *Québec, trois siècles d'architecture*, Montréal, Éd. Libre Expression, 1979.

TARDIF-PAINCHAUD, Nicole, *Dom Bellot et l'architecture religieuse au Québec*, Québec, PUL, 1978.

TRAQUAIR, Ramsay, *The Old Architecture of Québec*, Toronto, Macmilllan, 1947.

Périodiques

Lessard, Michel, Marquis, Huguette, «La maison québécoise, une maison qui se souvient», dans *Forces* (Hydro-Québec), nº 17, 1971.

Structures-Art Chrétien, Les églises nouvelles au Canada, nᵒˢ 43-44, (s. d., environ 1968), numéro spécial.

Filmographie

L'architecture religieuse au Canada 1640-1790, Brault, Lessard, ONF, n. b., 1982, 30 min.

Charpentier du ciel, Don Owen, ONF., coul., 1965, 14 min.

La maison québécoise, vidéo, 60 min.

Mon père a fait bâtir maison, OFQ, 15 min.

Le presbytère ancien au Québec, ONF, n. b., Brault, Lessard, 1982, 2 X 30 min.

Victor Bourgeau, architecte 1809-1888, François Brault, Yvon Provost, ONF, coul., 1984, 26 min.

GLOSSAIRE ABRÉGÉ D'ARCHITECTURE

BARDEAU: n. m. Planchette de bois (cèdre en général) qui sert à recouvrir les toits, et parfois les murs de pignon (c.f. la chanson populaire «mur blanc, toit de bardeaux/ Devant la porte, un vieux bouleau»). Au figuré: «avoir un bardeau de partl» (Québec) est l'équivalent de «il lui manque une case» (France).

FAÎTE: n. m. Pièce de charpente horizontale tout au sommet du comble du toit (poutre faîtière).

FRONTON: n. m. Ornement en saillie au-dessus d'une porte, d'une fenêtre, d'un mur de façade.

FRUIT (d'un mur): n. m. Obliquité donnée au parement extérieur d'une construction pour contrebalancer les poussées du mur et du toit.

LANTERNE: n. f. Construction circulaire ou carrée garnie d'ouvertures et placée au-dessus d'un édifice pour faire partie d'un clocher.

LARMIER: n. m. Bord d'un toit incurvé pour retenir la neige et éloigner les eaux de pluie et de fonte des neiges des murs d'un bâtiment.

LUCARNE: n. f. Ouverture pratiquée dans un comble, dans un toit.

MANSARDE: n. f. Comble brisé, inventé par Mansart, architecte de Louis XIV, et par extension, la pièce située sous le comble brisé.

NICHE: n. f. Enfoncement pratiqué dans un mur pour y placer une statue (façade d'église); par extension, petit abri pour animal domestique «niche à chien»).

ŒIL-DE-BŒUF: n. m. Fenêtre ronde ou ovale.

PALLADIEN: adj. (de Palladio, architecte italien du XVIᵉ siècle, a construit beaucoup de villas). Se dit des villas, des détails d'architecture, notamment les vastes fenêtres construites au XIXᵉ siècle par les architectes canadiens qui poursuivaient les enseignements de Palladio.

9
Le mobilier

Ancrés sur la terre de leur propriétaire, maisons et granges font partie du patrimoine foncier. L'intérieur, comme l'extérieur, se transforme. L'être humain voit ainsi à l'amélioration de ses conditions de vie. Pour aménager l'intérieur, on cloisonne ou on donne à certaines pièces des fonctions particulières (chambre, cuisine, salon) dont le mobilier devient de plus en plus spécifique. Autrefois, les personnes de haut rang qui voyageaient transportaient avec elles leur mobilier composé de tapisseries, de peaux d'animaux, de coffres et de tabourets. Même les lits — quand il y en avait —, étaient démontés pour leur permettre de suivre leurs propriétaires. De nos jours, on ne voyage pas avec son canapé et ses armoires mais on a gardé ce nom évocateur de «mobilier» pour désigner les pièces d'ameublement qui rendent une maison habitable et lui confèrent le degré d'intimité et d'originalité que désire lui donner son propriétaire.

Le meuble est, après les outils et le bâtiment qu'ils auront permis de construire, un des premiers objets de la civilisation matérielle. Le long du Saint-Laurent, la longueur et la rigueur de l'hiver forcent l'habitant à rester longtemps chez lui. La neige recouvre les champs et, à part le travail sur le boisé au bout de la terre, il n'y a pas grand ouvrage à entreprendre à l'extérieur. S'occuper en ayant pour but d'agrémenter son intérieur, de le rendre plus fonctionnel, plus «chaud», ne pouvait qu'inciter les Québécois d'autrefois à transformer ce bois qu'ils avaient en abondance.

Les essences de la forêt laurentienne produisent des bois différents de ceux de l'ouest de la France; habitants et artisans du meuble utiliseront donc les espèces locales tout en conservant au début les traditions françaises. Les administrateurs de la Nouvelle-France traversent l'océan avec de belles pièces de mobilier dont on s'inspirera au Canada. Lorsque la Conquête isole les artisans et les ébénistes canadiens des influences françaises, d'autres influences — britanniques et américaines — viendront se greffer sur l'ancien fond traditionnel. Comme le peuple canadien vit économiquement replié sur lui-même, mais en expansion démographique constante pendant tout le XIXe siècle, les artisans fabriquent beaucoup de meubles pour cette clientèle somme toute captive qui augmente constamment. L'originalité du mobilier québécois vient de tous ces éléments, traditions et emprunts divers, omniprésence de certaines essences et adaptation en finesse aux conditions spécifiques du pays.

DU MATÉRIAU À L'OBJET

À L'ÉTAT BRUT

La forêt couvre encore une bonne partie du territoire laurentien, mais elle ne peut donner l'idée de la richesse de celle qui recouvrait le pays jusqu'au XIXe siècle. Jacques Cartier, remontant le Saint-Laurent le long de la côte nord, a dû sentir ses origines normandes agressées par ces forêts de conifères si foncés et ces rochers gris qui plongeaient de façon abrupte dans un estuaire dont la taille ne lui rappelait

Ensemble de meubles traditionnels (Maison Chevalier, Québec): l'armoire et le buffet sont de style Louis XIII (panneaux à losanges, croisillons et pointes de diamant); les portes du placard sont de style Louis XV avec leurs panneaux chantournés; la grande table du milieu provient du réfectoire d'un édifice conventionnel.

photo: Ministère des Affaires culturelles, Québec.

pas les proportions plus humaines de l'embouchure de la Rance. Après avoir longé la «terre que Dieu donna à Caïn», selon ses propres mots, il ne put que se féliciter d'avoir continué son chemin lorsque ses yeux découvrirent la riante végétation d'une île qu'il baptisa l'île de Bacchus et qui deviendra l'île d'Orléans. Des bois tendres comme le pin, le sapin ou le noyer tendre, des bois fruitiers, merisiers et noyers noirs, des bois francs, frênes, érables, ormes, bouleaux et chênes, formaient un manteau forestier riche et diversifié au voisinage du Saint-Laurent et dont la qualité augmentait encore en descendant vers le sud.

Les arbres étaient alors de très belle taille. Le défrichage systématique des colons et le lucratif commerce du bois, par les marchands anglais et américains, n'ont laissé aucun sujet de grande taille dans tout le sud du territoire. Vers le nord, les essences se raréfient: bouleaux et épinettes poussent en rangs serrés mais n'atteignent qu'une taille modeste. La forêt boréale est lente à pousser. Plus au sud, les chênes avaient été de tout temps réservés au «domaine royal», en général pour les constructions navales. Peu utilisés sous le Régime français, ils étaient encore en grand nombre lorsque les Anglais avaient eu à faire face au blocus continental imposé par Napoléon et étaient venus se servir dans leur nouvelle colonie.

Les gens de l'ouest de la France découvrirent le pin, bois tendre au grain lisse, qui a l'avantage de se travailler facilement, de se polir admirablement et d'acquérir avec le temps une patine d'une belle teinte blonde, si on le laisse tel quel. De plus, il prend bien la teinture si l'on en veut changer la couleur. Cette essence poussait en abondance et la taille remarquable de certains arbres permettait de faire des planches d'une très grande surface. On taillait alors parfois en un seul panneau tout le dessus d'un coffre.

Si le pin se sculpte facilement, il n'a cependant pas beaucoup de résistance: l'usure marque rapidement le bord des portes manipulées à longueur de jour. C'est pourquoi on lui préfère un bois plus dur comme le frêne ou le merisier pour les pieds de chaise, de table, ou les montants de lit qui ont à supporter d'être tirés sans ménagement sur des planchers parfois irréguliers. Le bouleau, très résistant, sert pour les planchers. Le sapin s'utilise pour la construction: il se polit très mal et, en séchant, laisse se détacher des fibres qui rendent son usage désagréable. On comprend alors l'expression populaire exprimant le dépit «On s'est fait passer un sapin!» au lieu du pin qu'on avait acheté.

Au XXe siècle, on utilise plus fréquemment l'érable. Le pin est moins présent dans les forêts. On a, jusqu'à très récemment, négligé de reboiser et la rigueur du climat ne permet pas une repousse rapide. Cependant, dans la région des Bois-Francs notamment, l'industrie du meuble québécois tient encore une place importante dans l'économie régionale et la réputation de certains manufacturiers s'est étendue bien au-delà des frontières.

LA FABRICATION

Les artisans

Comme on faisait appel à un charpentier pour le gros œuvre du toit, on demandait au menuisier de travailler le bois en plus «menu», pour l'aménagement intérieur de la maison, planchers, huisseries, meubles. Des hommes de métier étaient venus de France avec leurs techniques et leurs habitudes. Ils formeront à leur tour des Canadiens, sur place, dans leurs ateliers ou dans des écoles d'arts et métiers (Saint-Joachim vers 1670 et à Montréal au tournant du XVIIIe siècle). Ces artisans n'ont pas signé leurs œuvres. On a pu

cependant retracer l'origine de certaines, grâce aux cahiers de comptes des communautés et aux inventaires après décès. D'autre part, des ateliers polyvalents ont laissé des noms: ceux de Liébert, de Quévillon, de Pépin sont également associés à la sculpture et à la décoration d'églises. Des familles aussi créaient une tradition dans le travail du bois: ce fut le cas des Levasseur (XVIIe-XVIIIe siècles), des Labrosse (XVIIIe) ou des Baillairgé (XVIIIe, XIXe et XXe siècles) qui se firent remarquer aussi en architecture, en peinture et toucheront même à ce que l'on appellerait aujourd'hui l'ingénierie.

Au XIXe siècle, les Anglais importent au Canada la mode des bois exotiques et foncés. Des ébénistes fabriquent de belles pièces originales. Des meubliers, comme Octave Morel, emploient des sculpteurs. À l'époque victorienne, nombreux sont ceux qui se tournent bientôt vers la fabrication en série qui gagne le monde occidental en général[1]. Si les anglophones mécanisent rapidement leurs industries, des artisans canadiens continuent cependant à travailler à la pièce.

L'assemblage à l'ancienne

On utilisait du bois massif et l'on insistait sur la solidité de l'ensemble; pas de colle mais des imbrications précises d'une pièce dans l'autre, que l'on fixait à demeure avec une cheville de bois, ce qui permettait un éventuel démontage de la pièce ouvrée. Les montages les plus communs étaient à tenon et mortaise ou à queue d'aronde, et les grands plateaux de planches embouvetées étaient encadrés par un montant qui solidifiait encore l'ensemble et finissait soigneusement ces grandes surfaces. Quant aux sièges, l'usage se répandit de prendre du bois sec pour les barreaux et traverses et du bois vert pour les pieds et montants, ceux-ci emprisonnaient ceux-là en séchant, les empêchant à tout jamais de bouger, une fois en place.

Chaise de modèle courant, dit de l'île d'Orléans (pin). Meuble d'esprit Louis XIII dont le piètement et l'entretoise sont tournés; le montage est à tenon et mortaise.

photo: *Musée de la civilisation.*

C'est sans doute à ce soin apporté au montage que l'on doit la grande solidité du meuble québécois. La tradition française de sérieux dans une profession enviée s'est conservée au Québec où chacun essayait le plus possible de «durer» dans une installation qui n'était pas sans difficulté.

La finition

Le pin qui vient d'être travaillé est clair, presque blanc, et d'une tonalité uniforme. Exposé à l'air, au frottement des mains, au contact journalier, il prend en moins de deux ans une belle teinte chaude, blonde, très lumineuse. Le passer régulièrement à la cire d'abeille fait ressortir le veinage caractéristique du bois et permet à la moindre courbe, au moindre méplat, d'accrocher la lumière. Cette patine agréable à l'œil apporte énormément de chaleur à l'intérieur des maisons québécoises que la neige hivernale éclaire d'un éclat bleuté, donc froid. Le bouleau dont on fait des incrustations est d'un jaune plus clair et plus froid, le merisier tire sur le rouge, l'érable aussi. Le noyer et le chêne vont foncer sous l'action de l'air, le sapin, pour sa part, a tendance à garder une triste teinte grise.

Un des avantages du pin est qu'il se travaille facilement: aussi n'hésite-t-on pas à le transformer en taillant des panneaux de formes diverses, en traçant des moulures autour des panneaux ou dormants des portes, des tiroirs, au bord des tables, en chanfreinant les traverses et entretoises. On crée ainsi quantité de petites surfaces qui, en plus d'adoucir une arête trop vive ou de souligner une ligne, accrochent la lumière et donnent du relief à la forme. Comme on a du bois de qualité et qu'on en a beaucoup, on fait des panneaux dans lesquels on a suffisamment d'épaisseur pour sculpter des droites, des courbes, des motifs qui évoquent souvent la nature: arabesques, fleurs, feuilles d'acanthe, etc. Et voilà pourquoi l'on retrouvait dans le même atelier, et souvent dans la même personne, un menuisier, un sculpteur et un ornemaniste[2].

La forme une fois définie, on pouvait songer à la couleur. Est-ce parce

Commode-chasublier ou buffet de sacristie.
Ce meuble d'esprit Louis XV est galbé; la
traverse du bas est chantournée à la
manière de l'école de Quévillon, et ornée
d'un motif rococo asymétrique (fini XVIIIᵉ ou
début XIXᵉ siècle).

photo: Musée de la civilisation.

que la teinte très pâle du bois fraîchement travaillé incitait l'artisan à vouloir
en changer l'apparence? Est-ce parce
que la luminosité de l'éclairage hiver-
nal que reflète le sol enneigé invitait le
Canadien à créer des contrastes? Il était
fréquent de teindre les meubles une fois
finis. La caséine qu'on trouve dans le
lait caillé sert de fixatif à des colorants
d'origine végétale (brou de noix, écorce
de pruche, bleuet, plus tard de l'indigo
importé), d'origine animale (sang de
bœuf, noir de fumée) ou d'origine
minérale (ocre jaune ou rouge, terre de
Sienne). Les bleus tirant sur le vert et
les ocres auront la faveur populaire. La
teinture pénétrant le pin de façon inégale souligne les veines du bois et en
fait ressortir chaque détail.

Ce goût généralisé pour la couleur
fera qu'on n'hésitera pas, plus tard, à
appliquer, parfois en couches successives, des peintures très vives dont on
trouvait les diverses composantes au
magasin général. Dans la deuxième
moitié du XIXᵉ siècle, le goût de la
décoration ira toujours croissant:
l'influence de l'art victorien, de plus en
plus enclin à l'ornementation, est alors
en vogue au Québec. En même temps,
la fabrication du meuble, d'exclusivement artisanale qu'elle était, devient en
grande partie industrielle. On fait les
meubles en série, les vis remplacent
chevilles et clous forgés, les motifs découpés ou tournés par procédé mécanique sont collés et non sculptés à même
le panneau. La mise au point de techniques de collage permet le placage de
minces couches de bois l'une sur l'autre. On peut dorénavant choisir son
mobilier sur le catalogue du magasin
Eaton qui, selon les mots de l'éditeur
de 1901, «arrive au second rang dans la
plupart des maisons canadiennes, derrière la Bible familiale».

Dans les espèces de bois que l'on
trouvait sur place, une essence abondante, le cèdre, avait des utilisations
particulières: outre les bardeaux de formes différentes, il était utilisé pour certains coffres à habit (on y plaçait son
«butin de corps»). Par la suite, encore
maintenant, on en faisait un garde-
robe[3], petite pièce dont on habillait de
cèdre systématiquement tous les côtés
et les tablettes. Le cèdre a la propriété
d'être bactéricide, insecticide et agréablement parfumé. On rapporte également l'habitude de certains chasseurs
d'enfermer dans un coffre en cèdre
leurs habits de chasse et d'y ajouter des
branches de «sapinage» quelques
semaines avant de partir dans les bois,

l'opération ayant pour but d'absorber l'odeur humaine ou de la transformer de façon à déjouer l'odorat très sensible des grands cervidés.

Les garnitures de métal

À côté de la cheville de bois, on utilise beaucoup les clous forgés. Faits un à un par le forgeron, une fois en place et la pointe retournée à l'intérieur du meuble, ils deviennent inamovibles. De belles pièces «de main de forge» servent même de décor sur des tabourets ou de petites tables du XVIIIe siècle. Le forgeron produisait aussi des poignées, des entrées de serrure et surtout des charnières nécessaires à l'articulation des portes de buffet ou d'armoire. Les plus fréquentes sont les fiches simples, les plus françaises sont à perle ou à balustre, les plus populaires (fin XVIIIe et XIXe siècles) sont en queue de rat, les plus anglo-saxonnes sont en L, en H ou en ailes de papillon: le ton foncé du fer œuvré sur le bois clair forme un contraste plaisant.

Le meuble québécois se ferme très majoritairement avec un loquet de bois tout simple, de préférence à tout autre moyen. Quant aux poignées, ce sont souvent de gros boutons de bois tourné, remplacé au XIXe siècle par de la porcelaine blanche. L'usage se répand aussi, plus tardivement, des poignées en fer-blanc ou en laiton.

LES MEUBLES

FONCTION ET DIVERSIFICATION

Le meuble de base, celui que l'on commande en premier, celui que l'on offre à une jeune épousée, est un coffre: multifonctionnel, il peut servir de chaise, de table, de marche-pied, de berceau. On peut aussi y ranger bien des choses, y compris «les papiers de conséquence» dans l'équipette, un petit tiroir placé près du dessus.

Sans doute est-ce à cause de son sens pratique que le Québécois affectionne les meubles à fonctions diverses: on trouve des tables dont le dessus se rabat pour devenir un dossier de chaise, des bancs dont l'avant et le dessus basculent d'un seul coup, ménageant alors un espace suffisant pour y coucher un adulte ou des enfants. Le banc-lit, aussi appelé banc de quêteux[4], devient une pièce de mobilier fréquente au XIXe siècle. Comme il y a la table-chaise, il y a aussi la chaise-coffre à multiples usages et non moins multiples variantes.

Au fur et à mesure que les gens s'installent, leurs besoins évoluent, le mode de rangement se raffine et le confort crée de nouvelles exigences. Le coffre va peu à peu voir sa forme évoluer: on le monte sur un piètement, on l'agrandit, on le dote de deux portes, puis de tiroirs. Avec l'aménagement intérieur, il devient alors bahut, buffet, armoire. Celle-ci reste de taille modeste. Il existe bien sûr des maisons hautes de plafond, à commencer par les couvents et certains manoirs, mais la nécessité de chauffer a longtemps con-

Banc-lit, ou banc de quêteux, en pin; deux pentures au niveau du plancher du meuble permettent au siège de basculer vers l'avant. On peut alors utiliser ce meuble comme lit (XIXᵉ siècle).

photo: Musée de la civilisation.

aussitôt que l'aménagement intérieur de la maison le permettra. Il s'en est fait des quantités dont nulle n'est absolument semblable à celle du voisin. Les proportions changeaient, ou peut-être le découpage des tiroirs; on en chantournait la traverse du bas, on imaginait des pieds originaux (tête, griffes, motifs bizarres), on montait des colonnettes en façade, on jouait sur les teintes des boutons de tiroir, on allait même — mais c'était très rare — jusqu'à incruster une date ou un nom en bois de bouleau pour personnaliser le meuble. Les modèles plus travaillés auront une façade galbée, reprendront le dessin d'une arbalète, ou seront à ressaut: ceux-là exigeront de bonnes notions d'ébénisterie.

traint la majorité à se contenter de plafonds relativement bas et donc à ne faire faire que des meubles de proportions plutôt réduites.

On surperpose un autre meuble sur le dessus du buffet bas et apparaissent les buffets à deux, trois et même quatre corps. La partie supérieure peut aussi être un vaisselier, ou un buffet vitré. Une armoire moins large, à un seul vantail, sert soit à ranger diverses pièces d'habillement — c'est alors une bonnetière — ou bien elle est ajourée et sert de garde-manger. Se répand aussi la mode des encoignures: hautes, généralement à deux corps, vitrées dans leur partie supérieure, souvent bombées, elles sont caractéristiques du mobilier du Bas-Canada.

Comme dans les vieux pays, une autre des variations sur le coffre va créer la commode qui deviendra l'un des classiques de la chambre à coucher

Buffet à deux-corps; pentures en queue de rat. Le meuble est d'esprit Louis XIII, mais le piètement est chantourné (début XIXᵉ siècle).

photo: Ministère des Affaires culturelles, Québec.

Du côté des sièges, lorsque les États voisins introduisent le *rocking chair*, chaque famille se fait un devoir d'avoir sa chaise berceuse, sa berçante. Le meuble doit être particulièrement solide à cause du mouvement continu auquel il est soumis. Et la mode dure encore: «les chaises sorties sur la galerie», comme le chante le groupe Beau Dommage, sont indubitablement ici le signe que l'été est enfin arrivé et qu'on va pouvoir se bercer à la brunante en jasant avec les voisins.

STYLES ET INFLUENCES

En France et en Angleterre, c'était la cour qui lançait la mode dans le vêtement, comme en architecture ou dans le mobilier. Les artisans canadiens firent comme les artisans des provinces françaises: on imitait ce qui se faisait à Versailles ou à Paris avec parfois beaucoup de retard et souvent un solide bon sens esthétique.

Styles populaires au Québec

France	Angleterre
Louis XIII (1610-1643)	
Louis XIV (1643-1715)	
Louis XV (1723-1774)	Chippendale (1749-1779)
	Adam (1765-1785)
	Hepplewhite (1785-1795)
	Sheraton (1795-1805)
	Victoriens (1840-1901)

Le mobilier d'esprit français

Les premières personnalités importantes qui vinrent en Nouvelle-France tenir des postes d'administrateurs civils ou ecclésiastiques emportèrent avec eux quelques rares pièces de mobilier. Ce furent les modèles des artisans du pays: les tout premiers meubles étaient d'époque Louis XIII et c'est ce style, qui, en outre, convenait à la rusticité de l'environnement, qui va prévaloir jusqu'au milieu du XVIIIe siècle. Mais on le retrouve encore fréquemment un siècle plus tard, alors parfois mêlé à un autre style sur un même meuble.

Le style Louis XIII se caractérise par des lignes droites, une allure générale massive: les montants sont épais, les formes sont angulaires, les piètements renforcés d'une entretoise en H. L'ensemble respire la robustesse. Les premiers artisans étaient venus avec leurs tours à bois, aussi les meubles plus raffinés sont-ils montés sur des pieds élégamment tournés. Les panneaux privilégient la ligne droite, le losange, le croisillon, la pointe de diamant. Les ferrures imposantes sur les coffres ajoutent encore à l'impression de robustesse.

Vu de l'Amérique du Nord, le style Louis XV apparaît comme le moins «présent» en Nouvelle-France. Le style Louis XV est à l'opposé du style Louis XIII: tout en courbes gracieuses, en volutes, il affine les piètements qu'il allège souvent de leur entretoise, il arrondit les angles, il décore les ferrures d'arabesques, allonge les lignes, agrémente les panneaux, ceintures et traverses de moulures chantournées, de motifs sculptés en feuilles d'acanthe.

Jusqu'à l'union du Haut et du Bas-Canada et même encore après, les artisans canadiens aimeront à imposer au fil du bois les courbes qu'exige ce style.

Cependant, et c'est là l'une des charmantes particularités du mobilier québécois, très nombreuses sont les pièces qui tiennent à la fois des deux styles: un buffet peut avoir des panneaux de porte Louis XV et des tiroirs en losange Louis XIII. De toute façon le style Louis XV à la québécoise reste majoritairement rustique: il est fait pour une société surtout rurale. Il reste massif et demeure très solide.

Les influences anglo-américaines

À leur tour, des administrateurs anglais vinrent s'établir après la Conquête, apportant avec eux leurs habitudes et leurs mobiliers cossus. Les suivent quelques artisans d'Angleterre, d'Irlande, venus avec les autres immigrés du début du XIXᵉ siècle, et d'Écosse où l'on fabriquait de fort beaux meubles avec le pin, abondant aussi là-bas.

Cette présence des styles anglais, le va-et-vient fréquent des négociants anglais ou américains, ainsi que l'émigration massive des Québécois vers le mirage états-unien familiarisent peu à peu l'artisan et sa clientèle à des modèles jusque-là inconnus. Les formes se superposent aux styles traditionnellement français et le mélange des deux cultures d'origine apporte une nouvelle vie au mobilier québécois. On note ainsi la mode des sièges Windsor, à «pattes» et dossier en barreaux tournés, des chaises berceuses et des bancs-lits

Chaise berceuse de type Windsor: siège et accoudoirs recourbés en volutes, piètement tourné, XIXᵉ siècle.

dont la vogue se répand à partir des États-Unis même si certains modèles ont d'autres origines plus anciennes. Un ébéniste anglais reconnu, Chippendale, a beaucoup utilisé et mis à la mode le dessin du pied terminé par des griffes qui enferment une balle: on le retrouve fréquemment au Québec. D'autres variantes du piètement, du profil et des proportions sont également nées sous l'influence du style Chippendale.

Les styles Adam et Hepplewhite avec leurs pieds carrés et effilés, les cannelures, les denticules en corniche, ont quelque parenté avec le style Louis XVI et correspondent d'ailleurs à la période de ce règne. Les meubles, de part et d'autre de la Manche, allient à ce moment-là grâce et légèreté. On rembourre les sièges, on utilise des essences exotiques comme l'acajou, le palissandre, de couleurs foncées, que l'on vernit.

Sheraton, un autre des grands ébénistes anglais à se complaire dans l'utilisation de tous les bois que l'Empire met à sa disposition, insiste sur le décor et ne craint pas les incrustations. Les formes Sheraton rappellent par certains côtés celles du Directoire français.

Fauteuils d'époque victorienne, rembourrés et dont le bois est très travaillé.

photo: Service des ressources pédagogiques, Université Laval.

C'est pendant l'époque de la reine Victoria que se répandent au Québec les divers styles victoriens. Comme en architecture, l'influence s'en fait sentir pendant toute la deuxième moitié du XIXe siècle et longtemps après la mort de la reine Victoria (1901). Le meuble victorien est cossu, confortable; il semble parfaitement adapté à la riche bourgeoisie d'affaires, à l'élite politique de l'époque. Splendide, fastueux, il

déroute parfois, tant le créateur fait preuve d'éclectisme: c'est la période des «néo-styles» (rococo, Henri II, élisabéthain, renaissance) interprétés en de multiples variantes. Le victorien doit sa diffusion dans les classes sociales moins favorisées à l'industrialisation du meuble qui s'est répandue alors dans les centres urbains. Des ateliers répètent souvent le même modèle et font de la publicité dans les journaux pour vendre des «sets» de chambre à coucher ou de salles à manger. Il y a cependant des meubliers encore amoureux de la pièce unique qui conservent la tradition artisanale comme Honoré Roy, dit Belleau. L'industrie du meuble est devenue une activité commerciale lucrative que les grands magasins sauront exploiter au maximum. Ce sont les machines qui tournent, creusent, sculptent. Toutes les formes, toutes les folies sont permises. Le rembourrage et le capitonnage ajoutent du confort et peut-être un peu de lourdeur à ce qui est déjà trop orné. Enfin, comme la population québécoise francophone augmente à grande vitesse, les fabriques de meubles organisent des intérieurs assez stéréotypés comme les maisons qui les abritent et qui s'alignent le long des rues sans fin des grandes villes. La mécanisation a du bon car elle diminue les coûts de production et permet donc un plus grand confort à prix égal. Des techniques simplifient aussi la vie. On ajoute des roulettes sous les pieds de certains meubles; la colle permet toutes les audaces des placages et d'assemblage. Cependant, le désir de «faire plus» surcharge l'ornementation et le grand défaut du victorien tardif est souvent le manque de simplicité et d'équilibre, encore que d'audacieux dessinateurs aient justement trouvé parfois dans le délire de leur imagination ce je ne sais quoi qui fait l'objet d'art. Francis P. Gauvin a sculpté, jusqu'à sa mort en 1934, des guirlandes de roses sur des pièces de mobilier qui ne manquent ni d'allure ni d'originalité[5].

Les techniques amérindiennes

Dans le brassage de ces cultures qui donna tant d'heureux résultats, on ne peut négliger l'apport des Amérindiens

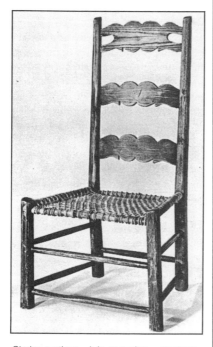

Chaise rustique «à la capucine», montage des barreaux à tourillon, siège en babiche (bois divers, fin XVIIIe siècle).

photo: Ministère des Affaires culturelles, Québec.

qui ont appris aux Canadiens à faire des fonds de siège en babiche, comme ils faisaient les raquettes pour marcher sur la neige. Ils connaissaient aussi le moment exact où il faut ramasser sur les battures le foin de mer dont les Canadiens surent pailler des chaises. Une autre technique très utilisée par les Amérindiens pour faire des paniers était le tressage de longues lanières d'orme ou de frêne. On trouve au Québec quantité de sièges dont le fond fut ainsi fabriqué. En séchant, l'ensemble devient d'une solidité exceptionnelle.

ORIGINALITÉ DU MEUBLE QUÉBÉCOIS

Aucun de ces apports ne peut être jugé négligeable, et toutes ces influences, souvent fondues dans un ensemble, font du mobilier québécois un bel exemple de métissage des cultures. L'équilibre entre l'homme et la nature s'est maintenu dans la volonté constante d'utiliser au mieux le bois qui couvrait la terre à exploiter.

Le souci du travail bien fait a incliné les artisans à faire des meubles de qualité: après deux siècles d'usage une table ne «bouge» toujours pas; après avoir séjourné trente ans dans une grange humide, une armoire a juste besoin d'un nettoyage énergique et dans certains cas d'un bon décapage.

Si le meublier québécois avait le souci de l'esthétique — esthétique qui fut rarement une pure et simple imitation — l'artisan gardait le souci de l'usage et c'est pourquoi le meuble québécois ancien nous est parvenu encore en abondance et paraît encore maintenant si agréable à regarder et à vivre. Les proportions justes des fauteuils à la capucine, l'équilibre parfait des chaises de l'île d'Orléans, l'imagination des décors de dossiers de berçantes sont autant de traits qui en disent long sur la formation de ces artisans et sur le plaisir qu'ils trouvaient à travailler le bois.

Les habitants ont su adapter les techniques du pays à leurs habitudes: un siège en babiche fraîche par-dessus des traverses montées à tourillon, après séchage, durera plusieurs générations. Le goût de la finition leur fait fabriquer d'épaisses corniches qui solidifient d'un même mouvement une armoire ou un bahut. D'autres particularités peuvent être notées: la moulure qui encadre toute la façade d'un buffet bas, le mélange de styles, le décor d'une naïveté charmante ou d'une originalité étonnante.

Les meubles sont rustiques plutôt que raffinés: il y a peu de fauteuils rembourrés et les sièges, qu'ils soient avec ou sans accoudoirs, s'appellent volontiers des chaises. Très peu de marqueterie, de préférence des bois massifs; très peu de bois rares et précieux ou importés avant la vogue du mobilier anglais qui, avant l'industrialisation, demeure réservé à une élite. Mais rusticité ne signifie pas lourdeur; bien au contraire, le charme du mobilier québécois réside aussi dans cet équilibre heureux entre des lignes, des formes et des couleurs qui sont à la fois belles et fonctionnelles.

Cette tradition qui, à de rares exceptions, avait disparu avec les artisans sous la poussée des fabriques à la fin du siècle dernier, a repris corps, tout particulièrement dans les Bois-Francs, région réputée pour la qualité de ses bois. Le pin jaune s'est raréfié; mais il reste des feuillus. Quelques meubliers avaient su, en leur temps, conserver le goût de la création à partir de ce matériau fascinant qu'est le bois à qui l'on prête des lettres de noblesse. Vers 1850, Georges Bigaouette, F.-X. Drolet, François et Pierre Drouin, T. M. Poulin, Adolphe Bélanger, les Falardeau, etc. font partie d'une longue lignée de menuisiers et d'ébénistes québécois dont certains sont aussi sculpteurs comme Jean-Baptiste Côté ou les Vallière. Plus récemment, Pierre Roy et d'autres envoient des œuvres dans des expositions internationales en Europe et en reçoivent une notoriété qui dépasse les frontières du Québec. En 1980, une entreprise comme celle de Roger Rougier (Montréal) participe à l'exposition de Milan, la plus grande exposition mondiale de design. Elle exporte 80% de sa production de meubles haut de gamme et les États-Unis, pour leur part, en achètent la grande majorité pour laquelle ils paient un prix élevé.

Fondée à Montréal en 1934, l'École du meuble fut jusqu'en 1958 une véritable pépinière d'artistes en tous genres (l'école devint alors l'Institut des arts appliqués du Québec). Parmi les enseignants figurèrent plusieurs grands noms de la peinture québécoise, tel Paul-Émile Borduas et Jean-Paul Lemieux, ce qui donne une idée de la formation de qualité qu'on y recevait. Il n'est dès lors pas surprenant de constater que les spécialistes du meuble en pin, par exemple, après avoir arpenté l'Autri-

Ensemble créé par Roger Rougier, 1988.

photo: Service des ressources pédagogiques, Université Laval; catalogue Rougier.

che, la Scandinavie et l'Écosse, s'accordent à reconnaître la qualité et l'originalité du mobilier québécois, tout particulièrement la production des XVIIIᵉ et XIXᵉ siècles canadiens.

Pourtant, peu conscient de cette valeur patrimoniale avant 1960, le Québec a malheureusement, et longtemps, laissé partir ses meubles et ses objets anciens aux États-Unis, pour le plus grand bonheur des antiquaires. Il faudra attendre le livre de Jean Palardy, *Les meubles anciens du Canada français* (publié après des années de recherches passionnées en compagnie de Marius Barbeau), pour attirer l'attention de tous sur cet aspect négligé du patrimoine québécois. Heureusement le Musée du Québec, dirigé par des conservateurs avisés, avait su s'approprier de belles pièces qui appartiennent maintenant à la collectivité.

Une sculpture, une peinture sont à regarder; un meuble est, en outre, un objet à vivre; il participe à la vie de tous les jours et s'adresse à tous les ordres de sensations: l'odeur d'une bibliothèque, le toucher quotidien du vieux taquet d'un placard, le crissement attendu de l'armoire où l'arrivant accroche son manteau sont autant de signes de cette intimité qui lie le meuble à son usager. C'est un objet usuel, certes, mais pas seulement utilitaire; il porte avec élégance les marques d'un usage qui l'embellit avec le temps et constitue une belle leçon pour l'être humain qui a peur de vieillir!

GLOSSAIRE ABRÉGÉ

BABICHE: *n. f.* Lanière de peau de bœuf, d'orignal, de chevreuil (d'anguille ou d'autres bêtes) dont on se sert pour tresser des fonds de siège, des raquettes ou réunir deux pièces de cuir.

BOIS FRANC: *n. m.* Bois dur: chêne, frêne, bouleau, érable.

BROU DE NOIX: *n. m.* Colorant contenu dans l'enveloppe verte des noix fraîches.

CHANFREIN: *n. m.* Surface oblique, obtenue lorsque l'on abat une arête.

ENTRETOISE: *n. f.* Pièce de bois, en H ou en X, qui consolide le piètement d'une table ou d'une chaise.

EMBOUVETER: *vb.* Creuser des rainures au bouvet pour préparer des planches à assembler (à rainures et languettes).

ENCOIGNURE: *n. f.* Meuble triangulaire, fait pour utiliser l'espace délimité par l'angle de deux murs dans un coin; la façade peut en être bombée ou vitrée.

MARQUETERIE: *n. f.* Assemblage décoratif de petits morceaux de bois d'essences différentes plaqués ou incrustés sur une surface de bois massif.

MOULURE: *n. f.* Ornement en relief ou en creux qui offre le même profil sur toute sa longueur.

PATINE: *n. f.* Coloration qui résulte de l'action du temps sur certaines surfaces de bois, de bronze, de marbre, etc.

PENTURE: *n. f.* Partie d'une charnière, comme le gond, et par extension la charnière tout entière.

Notes

1. Au Québec, de 1850 à 1880, le nombre de fabricants de meubles passe de 321 à 1359 (J. Porter).

2. Voir le chapitre 12, «Métiers d'art et art populaire».

3. Dans l'usage québécois, contrairement à celui de la France, garde-robe est logiquement au masculin comme la plupart des autres noms composés avec ce mot (garde-boue, garde-fou, garde-meuble).

4. Le quêteux, ou quêteur, est un personnage sans domicile fixe, qui va de village en village, de maison en maison quêter sa nourriture en échange de menus services et de nouvelles qu'il apporte d'ailleurs.

5. Le baldaquin de l'église Saint-Jean-Baptiste à Québec lui avait demandé un an de travail.

Bibliographie

LESSARD, Michel, MARQUIS, Huguette, *Encyclopédie des antiquités du Québec, trois siècles de production artisanale*, Montréal, Éd. de l'Homme, 1971.

OLIVER, Lucile, *Mobilier québécois*, Montréal, LRP; Paris, Éd. Ch. Massin, 1979.

PALARDY, Jean, *Les meubles anciens du Canada français*, Paris, Arts et Métiers graphiques, 1963. Réédité en livre de Poche au CLF, Montréal, 1971.

Dans *Art et Décoration*, n° 206, Paris 1978, Lucile Oliver résume son livre dans un article illustré, intitulé «Le mobilier québécois».

Filmographie

Diapositives

Série «Ethnologie québécoise», Musée du Québec. 16 jeux de 10 diapositives + notes, portant chacun sur un type de meuble. (photos Luc Chartier)

Le mobilier de mariage au Québec, (Paul-Louis Martin), 30 diapositives + notes, ONF, 1974.

Civilisation et vie quotidienne en Nouvelle-France, (1000 diapositives, commentaires et bibliographie), Robert Lahaise, Montréal, Guérin éditeur, 1973.

Films

Crac, Frédéric Back, Radio-Canada, coul., 1981, 16 min.

Le discours de l'Armoire, Bernard Gosselin, ONF et Radio-Canada, série «La belle ouvrage», 1978, 56 min.

Le meuble fait Québec, André Ricard, Radio-Canada, coul., série «Du simple au multiple», 1973, 26 min.

Le mobilier, Fernand Dansereau, Radio-Canada, coul., série «Un pays, une forêt, une manière», 1977, 28 min.

Vieux métiers, jeunes gens, Guy Glower, ONF, n. b., l'École du meuble, 1947, 22 min.

Les meubles anciens du Québec, Jacques Faure, ORTQ, coul., Vidéo 3/4, 1973, 55 min.

10
La peinture

Autoportrait dans un paysage de Théophile
Hamel (détail). Il s'agit du premier portrait
fait au Canada devant un paysage, c.1840.

*photo: Musée du Séminaire de Québec,
Pierre Soulard.*

Comme la sculpture ou l'orfèvrerie, la peinture est un luxe qui n'apparaît pas prioritaire pour les colons français. Avec les autres arts d'ornementation, elle dépend de l'existence d'une classe sociale aisée qui peut se permettre cette dépense. Cette classe sociale mettra deux générations après la Conquête à se reconstituer. Aussi comprendra-t-on que ce soit surtout après 1830 que l'on assiste au développement de cet art raffiné. Il faudra attendre plus d'un siècle encore pour que la société québécoise dans son ensemble s'intéresse à la peinture et la considère comme un de ses meilleurs moyens d'expression collective sur le plan national et international.

PEINTURE TRADITIONNELLE

LE RÉGIME FRANÇAIS

La cartographie. En des temps où l'appareil photographique n'existait pas, le dessin n'était pas considéré comme un art mais bien comme le seul moyen de rendre compte exactement de la réalité. «Une image vaut mille mots» et Champlain use d'encre pour fixer le contour d'une côte, dessiner une carte, rappeler le souvenir d'une arrivée en des lieux étranges, représenter la flore, la faune et les mœurs bizarres de ses habitants. L'exotisme est à la mode en France et l'on publie des «voyages» illustrés de gravures comme celui de Gabriel Sagard *Le grand voyage au pays des Hurons.*

Les peintres venus de France. Les publications sur les voyages avaient sans doute le but plus ou moins avoué d'intéresser le public à la colonie naissante, où l'on avait besoin d'investissements et d'énergies civiles et religieuses. Dès 1670, Mgr de Laval insistait pour former des hommes de métier et des artistes. Louis XIV avait repris lui-même en main, par l'intermédiaire de Colbert, les destinées de la Nouvelle-France à laquelle il voulait donner un essor incomparable. Aussi la venue à Québec d'un peintre professionnel comme frère Luc est-elle significative.

Frère Luc séjourne près de deux ans à Québec, sans doute pour aider à la décoration des églises dont la plupart disparaîtront dans des incendies. On sait que l'Église a, de tout temps, prôné la valeur didactique de l'image. Si la représentation des scènes de la Bible ou de l'Évangile a toujours fait partie de l'art sacré, combien plus en sera-t-il en un pays où l'image peut servir à la communication et où l'art du peintre remplace les développements théologiques d'une façon très concrète et souvent très belle. La sublime beauté des madones du Beato Angelico, le rayonnement d'un visage envahi par la grâce, pense-t-on, ne peuvent qu'inciter les fidèles à ressembler à ces modèles idylliques.

Il existe chez les Ursulines de Québec un tableau intitulé *La France apportant la foi aux Hurons de Nouvelle-France.* Attribué sans certitude au frère Luc, il souligne la modestie des artistes au service de l'Église. Le plus souvent anonymes, leurs œuvres sont destinées à être vues pour leurs qualités plastiques et didactiques: le message est clair; la France, personnage féminin couronné portant un manteau fleurde-lisé, débarque d'un bateau sur le Saint-Laurent et présente à un Amérindien agenouillé, qu'elle a recouvert du vête-ment de la civilisation, un tableau où Dieu le père, le fils et le Saint-Esprit, à la verticale, évoquent les mêmes per-sonnages que l'on voit trôner au ciel mais cette fois-ci côte à côte. Cette œu-vre allégorique bien composée montre à quel point il était utile à l'époque de savoir s'exprimer par la peinture et le dessin pour renforcer la portée de l'en-seignement religieux.

La France apportant la foi aux Hurons de Nouvelle-France, (anonyme; peut être attribué à frère Luc), XVIIe siècle.

photo: *Archives nationales du Québec à Québec (fonds OFQ).*

Les rares tableaux qui nous restent du XVIIIe siècle ont une portée didac-tique ou une fonction méditative. Parmi les scènes religieuses, plusieurs ta-bleaux sont intitulés *L'ange gardien.* Une place importante est aussi accor-dée aux personnalités de l'époque.

L'abbé Hugues Pommier peint la mère Catherine de St-Augustin; le frère Luc laisse de beaux portraits de Mgr de Laval et de l'intendant Jean Talon. La valeur éducative se double alors d'une valeur documentaire.

La peinture votive. Ce sont les pièces les plus authentiques de l'art canadien: pris en un péril grave, il ne reste plus qu'à faire un vœu: «Bonne sainte Anne, si vous me sauvez du naufrage, je vous bâtirai une église»; les ex-voto les plus modestes sont des tableaux d'une naï-veté charmante; ils expriment en quatre coups de pinceau, parfois malhabiles, parfois plus raffinés, le drame dont s'est sorti celui qui offre le tableau en témoignage de gratitude; à cet égard, le plus simple est sans contredit l'*Ex-voto de Dorval*: le malheureux bûcheron, coincé sous l'arbre qu'il abattait, était assuré d'une mort certaine dans ce désert glacé si la bonne sainte Anne, suspendue en haut à gauche du tableau, n'avait pas indiqué à son chien le village qu'elle lui montre du doigt pour qu'il aille quérir du secours.

On trouve aussi des tableaux plus raffinés comme l'*Ex-voto de Mme Riverin et de ses enfants* attribué à Michel Dessailliant. Toutes ces œuvres expriment d'un même cœur l'impuis-sance de l'être humain devant les élé-ments déchaînés — tel l'*Ex-voto des trois naufragés de Lévis* — et du même coup, cette totale confiance en la toute-puissance de Dieu. Il devait y en avoir beaucoup plus que les quelques exem-plaires qui nous sont parvenus, toujours intensément chargés d'émotion; ceux-ci en disent déjà long sur la foi des Canadiens.

L'église de la basse-ville et la place du marché à Québec. Aquarelle de James-Patterson Cockburn, c.1830.

photo: *Musée du Séminaire de Québec, Pierre Soulard.*

La peinture religieuse. Au XVIIIᵉ siècle, la tradition de la peinture religieuse continue dans l'anonymat des peintres populaires comme dans la précision des modèles en très grande majorité religieux. Les traits des supérieures d'ordres féminins sont fixés parfois de façon posthume: était-il interdit à ces saintes femmes de perdre leur temps à poser de leur vivant? Les portraits faits par Pierre Le Ber (1669-1707) ou Jean Guyon (1659-1687) sont en général austères.

Michel Dessailliant, au début du siècle, savait donner à ses scènes religieuses le mouvement qui fait défaut dans les portraits. Son *Ange gardien* témoigne d'un certain talent et pouvait à coup sûr en imposer par sa force tranquille et sa belle assurance.

LE RÉGIME ANGLAIS JUSQU'À L'UNION

Même si la peinture sacrée garde ses droits d'aînesse, la peinture profane commence timidement à se développer. Les portraitistes se tournent du côté de la clientèle bourgeoise, et, en même temps, la tradition anglaise de l'amour de la nature ouvre les yeux des peintres et délie les bourses des acheteurs qui prennent goût au paysage.

Les portraitistes. Parmi les portraitistes d'après la Conquête, François Beaucourt (1740-1794) ramène de ses voyages à travers l'Europe des idées nouvelles. François Baillairgé (1759-1830), lui aussi, étudie en France avant de revenir installer à Québec un atelier polyvalent où il pratique aussi l'architecture et la sculpture. À Montréal, c'est Louis Dulongpré (1754-1843) qui est le portraitiste le plus connu de l'élite de la métropole. On estime sa production à plus de trois mille œuvres. À peu près au même moment que ce Français, venu à Montréal par les États-Unis, un Autrichien, William Von Moll Berczy (1749-1813), s'établit aussi à Montréal et concourt, par le métier qu'il démontre, à développer dans l'élite du Québec un goût prononcé pour le portrait à tel point qu'un Jean Baptiste Roy-Audy (mort en 1845) se fera portraitiste ambulant.

Les paysagistes. Lorsque les armées britanniques s'emparent de Québec, estafettes et messagers transportent d'un officier à l'autre quantité de croquis, de dessins, d'aquarelles, indiquant précisément les mouvements de l'ennemi dans une topographie difficile. Ces officiers avaient suivi des cours de dessin au moment de leur formation militaire. D'autres Britanniques, spécialisés en topographie et rattachés à l'administration anglaise, font preuve de jolis talents de dessinateurs. James Patterson Cockburn, officier à Québec vers 1830, se montre amusé par les mœurs des Canadiens et vivement intéressé par les paysages.

Ce regard de l'extérieur sur un pays magnifique pique la curiosité d'artistes nés sur place. Ingénieur, arpenteur, Joseph Bouchette (1774-1841) exécute de minutieuses aquarelles faites sur le motif qui permettent aux graveurs une très fidèle reproduction.

Joseph Légaré. À Montréal comme à Québec, un petit groupe de collectionneurs commence à s'intéresser à la peinture européenne. En 1817, on met en vente la collection Desjardins, une série de deux cents tableaux expédiés de Paris et acquis surtout par des paroisses. Cet ensemble relance le goût de la peinture religieuse: nombre de peintres feront des copies d'originaux (Murillo, Champaigne, Le Brun) pour les centaines d'églises qui jalonnent les limites toujours repoussées de la zone habitée par les Canadiens.

Joseph Légaré (1795-1855) commence par restaurer les tableaux de la Collection Desjardins, puis, tenté par ce moyen d'expression, se met à peindre lui-même. Ses portraits, réalistes, restent empreints d'une grande sensibilité. Quant à ses scènes historiques, elles dénotent l'influence du romantisme anglais, allemand et français. Il a un goût marqué pour le désastre d'actualité[1] (les incendies, les épidémies) ou historique[2] (*Massacre de Hurons*) qu'il peint dans de très grands tableaux sombres évoquant la force de la nature (eau, feu) en face de la faiblesse de l'homme (personnages minuscules). Attiré par l'apocalyptique, le macabre, la mort, il crée un effet émotif intense auquel le spectateur ne peut échapper. Les paysages grandioses qu'il découvre et fait découvrir à ses compatriotes, comme sa prédilection à traiter d'un événement sur le vif, en font un peintre engagé dans son temps.

AUTOUR DE 1850

Les portraitistes. L'élite anglaise aimait se faire portraiturer; l'élite canadienne lui emboîte le pas et permet à de nombreux artistes de pratiquer leur métier en faisant autre chose que de l'art sacré dont il est toujours un grand besoin. J. Légaré avait prouvé son ouverture d'esprit. Dans son atelier-galerie se trouvait déjà l'ébauche d'un musée. On ne s'étonnera donc pas que ce soit chez lui qu'Antoine Plamondon (1804-1895) commence à peindre avant de partir se perfectionner à Paris chez les romantiques Géricault et Delacroix. Plamondon, de retour à Québec, devient un portraitiste prospère et forme à son tour Théophile Hamel (1817-1870): fidèle à une tradition maintenant établie, celui-ci part pour l'Europe et en revient avec une main agile et sûre qui lui gagne une nombreuse clientèle. Ses portraits d'enfants sont pleins de charme et sûreté d'exécution de ses œuvres en font un chaînon important de cette longue suite d'artistes. On retrouve chez Plamondon et Hamel des similarités avec le style de David et d'Ingres: primauté de la forme statique méticuleusement modelée et du dessin précis des contours sur le mouvement et la couleur, précision de la ligne dans une surface lisse. On note chez Hamel l'influence d'une tradition anglaise (cf. Gainsborough) dans le portrait en plein air.

De l'atelier de T. Hamel sortent son neveu, Eugène Hamel (mort en 1932) et Napoléon Bourassa (1827-1916). Ce dernier épouse la fille de Louis-Joseph Papineau. Dessinateur avisé, il était aussi peintre d'église quand il n'était pas sculpteur, architecte ou homme de lettres. Sa dernière œuvre, immense composition restée inachevée, *L'apothéose de Christophe Colomb*, élève le découvreur de l'Amérique au rang des «immortels» qui ont incarné les diverses expressions du génie humain. Zacharie Vincent (1812-1896), chef des Hurons d'Ancienne-Lorette, s'adonne lui aussi à la peinture: on a de lui des autoportraits à divers moments de sa vie — le peintre lui-même n'est-il pas son modèle le plus patient?

Le dessin. La tradition britannique du dessin se poursuit: Robert Todd, vers 1834 à Québec, et Martin Somerville, qui enseigne le dessin à Montréal, sont intéressés par les personnages et les paysages spécifiquement québécois, qu'ils exécutent avec une grande finesse. Ils vulgarisent ainsi les techniques de la gravure. William Bartlett donne au paysage québécois ses lettres de noblesse par les illustrations d'un album intitulé *Canadian Scenery* en 1842.

Les artistes de l'étranger. Pendant que la bourgeoisie canadienne se faisait portraiturer par les peintres à la mode, la peinture d'église tirait de l'arrière. Si elle avait intéressé Légaré et Plamondon, elle enthousiasmait moins les portraitistes qui les suivirent. Or, 1840 marque le début de la période où l'Église triomphante domine le Québec: les besoins étaient grands en ornementation d'églises; la tradition de sculpture sur bois donnait déjà du travail à des centaines d'ornemanistes mais il fallait aussi des peintres. Comme on voyage beaucoup dans les milieux artistiques, arrivèrent alors des étrangers des États-Unis tout proches, d'Italie, où la tradition de la peinture sacrée n'est pas un vain mot, et même d'Allemagne. Ces nouveaux arrivants apportèrent de nouvelles techniques, de nouveaux procédés, et stimulèrent les peintres canadiens d'origine qui voyaient en ces étrangers des concurrents redoutables.

Cornélius Krieghoff (1815-1872, à Montréal vers 1850, puis à Québec). D'origine hollandaise, le jeune peintre s'installe à Montréal par amour. Après des débuts difficiles, Krieghoff va réunir dans ses tableaux de genre des paysages typiquement québécois, d'hiver, de tempêtes de neige et des scènes automnales animées par des personnages populaires, habitants dans leur masure, Indiens en raquettes, dont la qualité primordiale semble le pittoresque. Le peintre donne dans le folklore avec habileté et parfois humour; ses tableaux de dimensions réduites — ce qui en fait un bon argument de vente —

satisfont la curiosité, somme toute ethnographique des Anglais et des Américains pour le Québec. Son origine flamande l'a rendu sensible à la vie rustique: il considère l'homme dans son milieu, partenaire d'une nature qui ne vise pas à l'engloutir comme elle semblait le faire chez bon nombre de romantiques. Réaliste, il détaille les formes, use de couleurs vives et contrastées, suggère le mouvement par la posture des personnages et crée ainsi un effet de réel qui lui attire une clientèle nombreuse; d'autant plus nombreuse qu'il se met à vendre aussi des lithographies faites à partir de ses tableaux; il va même jusqu'à colorier des photographies de ces derniers.

L'influence de Krieghoff sera importante sur toute une tradition de dessins à sujet populaire que la reproduction (gravures, illustrations de journaux)

Ice Harvest (La coupe de la glace) de Cornélius Krieghoff. Huile sur toile, c.1860.

photo: Musée du Québec: G 59 605 P, Patrick Altman.

diffusera en quantité. S'il a agacé nombre de Québécois, c'est sans doute qu'il semblait réduire le Québec à un terroir où de joyeux lurons peuvent oublier leur misère (*La ferme*, 1856) dans des ribotes exagérément gaies chez l'aubergiste Jolifou (*Merrymaking*, 1860).

DE LA CONFÉDÉRATION À LA PREMIÈRE GUERRE MONDIALE

L'académisme. L'avènement de la photographie enlève soudain leur gagne-pain aux portraitistes: plusieurs se recyclent dans le montage et la retouche de clichés. La fin du XIXe siècle consacre aussi l'habitude pour les jeunes artistes d'aller chercher, en France[2] surtout, un complément de formation. Ils sont nombreux à fréquenter les Académies de Paris (Julian, par exemple) d'où ils reviennent pétris de «bonnes» techniques mais sans grande originalité. Ces «forts en thème», si l'on peut dire, manquent d'imagination ou de personnalité; Henri Beau et Ludger Larose, parmi d'autres, illustrent cette tendance. J. Russell Harper a sans doute raison de parler du «mercantilisme et du matérialisme» de l'époque.

Horatio Walker, «seigneur de Sainte-Pétronille» (1858-1938). Ontarien de naissance, formé en Europe, amoureux des paysages bucoliques de l'île d'Orléans, il s'y installe et, par prédilection, peint de nombreuses scènes de paysannerie québécoise où l'harmonie et la paix[3] semblent régner entre la nature, les hommes et les animaux. La nostalgie qui se dégage de ces toiles plaisait beaucoup à ses admirateurs new-yorkais qui n'hésitèrent pas à les payer au prix fort sans se demander si leur originalité ne devait pas beaucoup à l'École de Barbizon (Millet, par exemple).

Les peintres de la fierté nationale. Krieghoff avait lancé la mode de la pittoresque peinture du terroir. Henry Julien (1852-1908), pour sa part, a toujours touché de près au monde de l'édition. Cette connaissance viscérale des encres et des papiers et un coup de crayon rapide l'amènent à devenir caricaturiste au *Montréal Star*. Ce qui ne l'empêche pas d'éprouver une véritable tendresse pour ce peuple qui est le sien: dans ses scènes rustiques d'anciens Canadiens, ses multiples croquis et tableaux, il exprime, de l'intérieur, des qualités de société que jusqu'alors nul peintre n'avait su voir avec autant d'authenticité. Plus tard, Edmond J. Massicotte (1875-1929), dans des dessins plus statiques, moins vifs, continuera cette tradition nationaliste que journaux et magazines diffuseront dans les foyers.

La fin du XIXe siècle est marquée par une quantité de constructions publiques d'importance, hôtels de ville, gares, palais de justice etc. Or, l'histoire, depuis F.-X. Garneau jusqu'à B. Sulte en passant par poètes et littérateurs de l'École littéraire et patriotique de Québec, donnait aux Canadiens français des racines dont ils pouvaient s'enorgueillir vis-à-vis des Canadiens anglais. Pour orner le Parlement, on fait donc appel à Charles Huot (1855-1930) pour illustrer par de très grandes toiles historiques le Salon bleu (la salle des débats de l'Assemblée nationale) et le Salon rouge (l'ancien Conseil législatif). La peinture d'histoire était alors une autre façon d'exprimer la fierté nationale.

Les héritiers de l'impressionnisme. Ils se situent idéologiquement dans la dernière phase de la renaissance en peinture, dans la mesure où ce mouvement vise la représentation du monde visible. Malgré cette apparente continuité avec la peinture qui l'avait précédé, l'impressionnisme était en rupture avec elle et comportait plusieurs innovations techniques qui contribueront à l'évolution de la peinture au XXe siècle. Cela explique la très grande méfiance que les Académies entretiennent vis-à-vis des peintres qui décomposent la lumière dans ses éléments spectraux, utilisent des couleurs pures juxtaposées sans mélange en minuscules touches sur le tableau, abandonnant le contour précis, le structuré, le clair-obscur et le modelé au profit d'un effet global, «l'atmosphère» qu'ils transposent dans leurs tableaux. Ils préfèrent la peinture de chevalet qui permet la plus exacte reproduction de la lumière à la peinture d'atelier qui reste l'exercice préféré de l'enseignement officiel.

Il était naturel que ce mouvement ait ses répercussions sur la peinture québécoise du début du XXe siècle. William Brymner, professeur à Montréal de 1886 à 1921, Maurice Cullen (1866-1934) et James Wilson Morrice (1865-1924) sont tous les trois ouverts à cette évolution non conformiste de la peinture. Cullen renouvelle, tels les impressionnistes, le paysage québécois avec des «nocturnes» et des scènes de neige audacieuses pour le milieu artis-

tique de l'époque. Il y est encouragé par les visites régulières de Morrice qui a choisi de vivre à Paris, «ville lumière», tout en peignant indifféremment Venise, le Maroc ou *La Citadelle de Québec* dont la neige semble se métamorphoser en sable sous un soleil méditerranéen. À l'affût de tout ce qui se fait à Paris, il pratique le tachisme à la manière d'un Vuillard et manifeste parfois des tendances cloisonnistes comme Gauguin mais reste très personnel dans sa vision du monde. Paris avait d'ailleurs su reconnaître avant le Québec l'originalité de ses œuvres.

Vers une peinture québécoise. Aurèle de Foy Suzor-Côté (1869-1937) présente, à certains égards, des points communs avec Maurice Cullen, sans pour autant renier la tradition de terroir mise à la mode par Krieghoff. En fait, Suzor-Côté a touché à tous les genres: dans ses premières œuvres, il évoque la même paysannerie qui fit le bonheur d'un Millet et la fortune des marchands de vaisselle reproduisant «ad nauseam» son *Angelus* ou ses *Glaneuses* au fond d'un plat. Plus tard, conquis par le charme des impressionnistes, il brosse des scènes où il réussit à donner chaleur et couleur à la neige fondante des fins d'hiver (*Dégel d'avril*, 1920). Intimiste à sa manière, il dessine avec finesse de vieux paysans québécois chaussés de pichous ou de bottes sauvages. La sûreté de sa main se retrouve dans les quelques bronzes qu'il fit à la fin de sa carrière de peintre.

Clarence Gagnon (1880-1942), montréalais d'origine, après l'obligatoire pèlerinage aux sources parisiennes, se prend d'amitié pour la côte de Charlevoix qu'il mettra à la mode puisque les artistes-peintres seront nombreux à y venir en estivants sur les caps dominant Baie-Saint-Paul ou sur les rives escarpées de la Rivière-du-Gouffre dans l'arrière-pays. Gagnon peint de beaux paysages d'automne aux couleurs vives, des paysages d'hiver où les silhouettes de maisons québécoises semblent danser sur fond de fleuve enneigé. Moderne par certains côtés, en particulier par l'heureuse synthèse qu'il fait des mouvements parisiens, il ne saura cependant pas prévoir les grands bouleversements des années quarante: «Pellan est perdu, il fait de l'art moderne!» s'écrie-t-il en 1930. Comme il était plutôt conservateur — et professeur — sa mort en 1942 libérera les esprits frondeurs.

Ozias Leduc (1864-1955). Différent de tous les peintres de son époque, mais bien à sa place dans la lignée des peintres québécois, le maître de Correlieu, propriété rustique sur le mont Saint-Hilaire, près de Montréal, ne s'intéresse pas autant que les autres aux courants de renouveau de la peinture française. Très engagé dans son métier de peintre décorateur d'églises, il ne répugne pas à laisser aller son lyrisme devant la beauté d'un verger de pommiers, la simplicité d'une corbeille d'oignons sur un coin de table, la concentration d'un visage occupé à lire ou à jouer de l'harmonica. On retrouve dans ses scènes domestiques le calme intimiste des natures mortes de Chardin et, dans ses œuvres d'art sacré, un contenu mystique, une approche presque cloisonniste, une prédominance du plan pictural sur l'espace pictural qui pourrait

évoquer les Nabis, si ce n'était pas porter ombrage à un peintre exceptionnellement indépendant et infiniment plus serein que ne l'autorise en général la vie d'artiste.

À part Ozias Leduc, tous les peintres québécois de cette époque sont très tributaires de l'enseignement reçu au Canada ou en France[4]. Comme ils voyagent de plus en plus entre Montréal, Québec et Paris, ils ne peuvent être insensibles aux mouvements qui bousculent allègrement, en France surtout, des siècles de certitudes. Les artistes regimbent devant l'esprit d'imitation qui baigne au Québec la littérature comme la peinture. Ils sentent qu'il leur faut secouer leurs habitudes pour en arriver à une véritable innovation, seule méthode pour créer de façon autonome. Les tensions augmentent entre les anciens et les modernes; la Deuxième Guerre mondiale servira de détonateur à l'explosion d'une nouvelle peinture québécoise.

PEINTURE MODERNE ET CONTEMPORAINE

L'ENTRE-DEUX-GUERRES

Le Groupe des Sept à Toronto. Un anglophone, montréalais d'origine, A.Y. Jackson (né en 1882), agacé par la soumission académique du milieu artistique de la métropole canadienne, décide de s'installer à Toronto où se développe bientôt le goût d'une peinture nationale, canadienne et non plus d'importation. La force et la somptuosité de la palette de Tom Thomson (mort en 1917) oriente le groupe vers une peinture vigoureuse et colorée. Le Groupe des Sept est également influencé par l'évolution de l'art moderne en Europe: il emprunte aux Fauves l'intensité de la couleur, à Pont-Aven, la forme simplifiée, aux Nabis la ligne décorative. Il conserve la perspective traditionnelle mais accompagnée d'une mise en valeur du plan pictural comme élément positif dans la perception du tableau. Trois d'entre eux séjournent régulièrement au Québec; A. Lismer devient professeur à Montréal. Leur prédilection pour un paysage «sauvage», leur détermination à former le goût du public en lui offrant un contour formel plus rigoureux, des couleurs franches et contrastées, entre autres, vont faire réfléchir les peintres québécois.

Les écoles des Beaux-Arts. Montréal devient une ville d'importance. Son développement démographique et économique accentue les différences qui existent déjà entre la vieille capitale et la jeune métropole. Aussi, lorsque vient la décision de fonder des écoles d'art, en fonde-t-on une à Québec et une à Montréal. La rivalité qui existe toujours entre les deux villes stimule en fait les professeurs et les élèves de ces deux institutions.

Les regroupements montréalais. Montréal est une ville qui «bouge». Sur la côte du Beaver Hall se côtoient des ateliers de peintres qui entretiennent des liens d'amitié et de confiance. Il y a des anglophones dont beaucoup de femmes; Clarence Gagnon lui-même semble avoir joué un rôle dans ce regroupement. Toujours à Montréal, un autre groupe de peintres moins «intellectuels» reste dans la tradition rustique du paysage québécois; les peintres de la montée St-Michel sont des citadins qui chantent dans leurs toiles la beauté d'un domaine campagnard en pleine ville.

Un peu plus tard (1938), John Lyman regroupe autour de lui les peintres de l'Est (Goodridge Roberts, Jori Smith, Philip Surrey qui excelle dans des peintures de scènes urbaines nocturnes), avant de devenir le fondateur et l'animateur de la Société d'art contemporain (SAC) en 1939. S'ajoutent alors aux peintres de l'Est, Paul-Émile Borduas, Louise Gadbois, Stanley Cosgrove parmi les plus connus. La SAC est le premier groupe organisé avec une charte et des élections. C'est aussi le premier groupe qui accueille en même temps des peintres connus et de tout jeunes artistes.

Il faut noter ici le rôle d'animateur, de critique d'art et d'éducateur d'un Lyman (1886-1967), comme celui de Fritz Brandtner: tous deux se font les défenseurs de l'art contemporain et les promoteurs d'une ouverture d'esprit dont on n'avait pas encore l'habitude dans le milieu artistique francophone. Brandtner (1896-1969) est résolument de son temps et la variété surprenante de ses toiles très «modernes» en fait un praticien de première grandeur qui voulait partager avec le public le plaisir de l'œuvre d'art. Lyman et Brandtner sont directement influencés par les mouvements modernes européens, Lyman par les Fauves et Matisse, Brandtner par les cubistes et les surréalistes.

Marc-Aurèle Fortin (1888-1970). C'est un solitaire, un être libre d'influence qui innove constamment. «J'ai voulu créer une école du paysage canadienne complètement détachée de l'école européenne», dit-il en 1969. Il mourra, âgé, dans un dénuement extrême, que la cécité devait encore aggraver. Amoureux de la nature mais très personnel dans sa vision, il peint des arbres somptueux ou hallucinants, colore les caps du Saguenay avec intensité, simplifie les motifs, supprime les détails, élimine la perspective des collines colorées des Appalaches et accentue

L'Orme à Pont-Viau de Marc-Aurèle Fortin. Huile sur toile, 1935.

photo: Musée du Québec: A37 20 P, Patrick Altman.

l'importance accordée au plan pictural. C'est le premier des grands peintres modernes du Québec, et le fait qu'il ait peint sans relâche le paysage québécois, en utilisant des techniques différentes de celles utilisées jusque-là, par exemple en brossant des couleurs claires sur un fond préalablement passé au noir ou au bleu foncé, en fait en outre un des meilleurs paysagistes de l'ensemble du Canada.

De l'Europe à l'Amérique. La guerre déchire l'Europe, la France est occupée, l'entrée en scène des États-Unis et du Japon mondialisent le conflit. En fait, les deux guerres mondiales consécutives ont de grandes conséquences sur l'art occidental en ce qu'elles déplacent les centres artistiques. Jusqu'en

1914, Paris est la capitale occidentale de l'art. Entre les deux guerres, le mouvement dada, à partir de Genève, New York[5], puis Berlin et Zurich, remet en question cette suprématie culturelle de la capitale française qui, pourtant, produit le surréalisme qui s'avère une profonde révolution culturelle. La Deuxième Guerre mondiale déplace définitivement vers l'Amérique du Nord la capitale artistique de l'Occident. New York affirmera un leadership qu'on ne lui enlèvera plus et Montréal accueillera alors toutes sortes d'énergies nouvelles. Paris est affamé: les restrictions et la peur s'installent dans les villes. Artistes et hommes de lettres québécois qui vivaient dans la capitale française n'ont d'autre choix que de revenir au pays (certains d'entre eux seront d'ailleurs incarcérés en France). Alfred Pellan, pour sa part, arrive au Québec en 1940 après 14 ans de séjour à Paris. Les Québécois ne sont pas seuls à s'éloigner d'une France exsangue: Fernand Léger est à New York et vient à Montréal fustiger l'inertie culturelle du milieu politique et du milieu montréalais. Avant lui, un dominicain français, le père Alain-Marie Couturier, a permis une première mise au point et organisé une exposition des «Indépendants» à Montréal et à Québec en 1941. François Hertel, jésuite, défend l'esthétique surréaliste et publie en 1942 son *Plaidoyer en faveur de l'art abstrait.*

LES ANNÉES QUARANTE ET CINQUANTE

Pellan et Prisme d'yeux. Après un long séjour à Paris, coupé d'un essai malheureux de retour à Montréal, Alfred Pellan (1906-1988) expose au Québec et se voit offrir un poste de professeur (1943) à l'École des beaux-arts de Montréal dont il affronte le très académiste directeur. Bon communicateur, il reçoit peintres et étudiants dans son atelier; il les initie au surréalisme[6] dont il avait suivi la naissance et l'évolution à Paris. Après l'expostion des Indépendants de 1941, une quinzaine de peintres se regroupent autour de Pellan dans une nouvelle exposition et produisent en même temps (1948) un manifeste, *Prisme d'yeux.*

Prisme d'yeux s'ouvre à toute peinture d'inspiration et d'expression traditionnelles. Nous pensons à la peinture qui n'obéit qu'à ses plus profonds besoins spirituels dans le respect des aptitudes matérielles de la plastique picturale.

En fait ce groupe n'a ni chef de file, ni credo, ni d'autres préjugés que la qualité de «l'expérience picturale de chacun». C'est un «mouvement de mouvements divers, diversifiés par la vie même» qui permet à plusieurs artistes de talent, comme Jacques de Tonnancour, Albert Dumouchel, Léon Bellefleur, Louis Archambault et Goodridge Roberts, de poursuivre chacun de leur côté une carrière prometteuse.

Comme eux tous, Pellan est individualiste: il essaie toutes sortes de supports pour sa peinture, touche à la décoration de théâtre jusqu'aux costumes et maquillages, peint des murs de maison, orne des constructions publiques de murales, de vitraux, fait des cartons de tapisserie et relance la hautelisse au Québec. Dans ses tableaux hautement colorés et finement décorés de motifs, c'est le surréalisme qui lui dicte l'agencement étrange de formes représentatives. Fantaisie, humour, mystère font naître sur les toiles un monde intérieur, onirique, qui n'est pas sans parenté avec un monde extérieur plus familier (ses *Jardins*). Formes et couleurs sont agencées dans la bonne humeur, semble-t-il, et chacune de ses toiles est une fête pour l'œil, même le moins averti. Pellan sait aussi être drôle sans lourdeur ni vulgarité (*Adam et Ève et les diables*). A. Galdu et F. Pilon voient en lui «le premier artiste nord-américain à avoir réussi la synthèse de l'art populaire et de l'art savant».

Borduas et les automatistes. Auprès d'Ozias Leduc, Paul-Émile Borduas (1905-1960) commence son apprentissage de peintre. Avec le maître, il décore des églises et apprend un métier qu'il va améliorer à Paris vers 1930. Sa participation active au sein de la SAC l'implique dans les divers événements qui ponctuent l'avènement d'un art moderne au Québec. En 1942, une exposition de ses gouaches révèle ses dispositions pour l'abstraction; c'est dans cette voie qu'il s'engagera définitivement. Professeur lui aussi, mais à l'École du meuble, il aime à se sentir entouré d'un groupe de jeunes peintres iconoclastes, qui le suivent dans la non-figuration. Avec les automatistes, il prône une peinture libérée du contrôle de la raison et du poids de la traditon comme la veulent les surréalistes et donne libre cours à l'aspect automatique de la création, comme le font en même temps les tenants de l'expressionnisme abstrait (qu'on appellera l'*Action Painting* à New York). Devant l'insatisfaction profonde de l'être conscient, il faut développer son accès à l'inconscient; c'est pourquoi il faut

accorder la primauté au geste spontané, s'exprimer comme un enfant dans son dessin, refuser les contraintes de tout ordre et n'accorder de place qu'au dynamisme de l'impulsion créatrice, qu'à la fantaisie de l'imagination intuitive. L'œuvre en vient à signifier un épisode du drame de la vie émotive de l'artiste (cet épisode étant l'acte même de la création) plutôt que d'être un objet à perfectionner. L'enthousiasme de Borduas, la passion de ses étudiants et amis permettent coup sur coup plusieurs expositions (1946, 1947).

Après le «boum» économique qui a transformé Montréal au moment de la Deuxième Guerre mondiale, Duplessis est au pouvoir et préfère s'occuper de valeur sûres comme l'agriculture plutôt que de la culture tout court. Il se méfie plus encore des artistes qui lui semblent

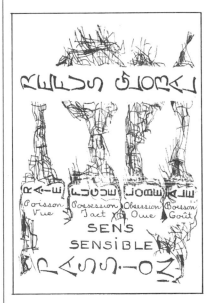

Page couverture du *Refus global*.

véhiculer des idées beaucoup trop d'avant-garde et décidément en dehors de l'idéologie qui domine le Québec depuis un siècle. Cette sourde opposition pousse Borduas à rédiger un manifeste flamboyant et contestataire dont le titre seul est assez suggestif: *Refus global*. Les 16 signataires ne comptent pas que des peintres mais un photographe, des poètes, des dramaturges, des artistes de la scène: Jean-Paul Mousseau, les Riopelle, les Gauvreau, Marcelle Ferron, Fernand Leduc, Françoise Sullivan, les sœurs Renaud, Bruno Cormier, etc.

REFUS GLOBAL

Rejetons de modestes familles canadiennes-françaises, ouvrières ou petites bourgeoises, de l'arrivée du pays à nos jours restées françaises et catholiques par résistance au vainqueur, par attachement arbitraire au passé, par plaisir et orgueil sentimental et autres nécessités.

Colonie précipitée dès 1760 dans les murs lisses de la peur, refuge habituel des vaincus; là, une première fois abandonnée. L'élite reprend la mer ou se vend au plus fort. Elle ne manquera plus de le faire chaque fois qu'une occasion sera belle.

Un petit peuple serré de près aux soutanes restées les seules dépositaires de la foi, du savoir, de la vérité et de la richesse nationale. Tenu à l'écart de l'évolution universelle de la pensée pleine de risques et de dangers, éduqué sans mauvaise volonté, mais sans contrôle, dans le faux jugement des grands faits de l'histoire quand l'ignorance complète est impraticable.

Petit peuple issu d'une colonie janséniste, isolé, vaincu, sans défense contre l'invasion de toutes les congrégations de France et de Navarre, en mal de perpétuer en ces lieux bénis de la peur (c'est-le-commencement-de-la-sagesse!) le prestige et les bénéfices du catholicisme malmené en Europe. Héritières de l'autorité papale, mécanique, sans réplique, grands maîtres des méthodes obscuran-

tistes nos maisons d'enseignement ont dès lors les moyens d'organiser en monopole le règne de la mémoire exploiteuse, de la raison immobile, de l'intention néfaste.

Petit peuple qui malgré tout se multiplie dans la générosité de la chair sinon dans celle de l'esprit, au nord de l'immense Amérique au corps sémillant de la jeunesse au cœur d'or, mais à la morale simiesque, envoûtée par le prestige annihilant du souvenir des chefs-d'œuvre d'Europe, dédaigneuse des authentiques créations de ses classes opprimées.

Notre destin sembla durement fixé.
[...]
Au diable le goupillon et la tuque! Mille fois ils extorquèrent ce qu'ils donnèrent jadis.

Par delà le christianisme nous touchons la brûlante fraternité humaine dont il est devenu la porte fermée.

Le règne de la peur multiforme est terminé.
[...]
Du règne de la peur soustrayante nous passons à celui de l'angoisse.
[...]
Un nouvel espoir collectif naîtra.
[...]
D'ici là notre devoir est simple.

Rompre définitivement avec toutes les habitudes de la société, se désolidariser de son esprit utilitaire. Refus d'être sciemment au-dessous de nos possibilités psychiques. Refus de fermer les yeux sur les vices, les duperies perpétrées sous le couvert du savoir, du service rendu, de la reconnaissance due. Refus d'un cantonnement dans la seule bourgade plastique, place fortifiée mais trop facile d'évitement. Refus de se taire — faites de nous ce qu'il vous plaira mais vous devez nous entendre — refus de la gloire, des honneurs (le premier consenti): stigmates de la nuisance, de l'inconscience, de la servilité. Refus de la servir, être utilisable pour de telles fins. Refus de toute INTENTION, arme néfaste de la RAISON. À bas toutes deux, au second rang!
Place à la magie! Place aux mystères objectifs!
Place à l'amour!
Place aux nécessités!

Au refus global nous opposons la responsabilité entière!

P.-É. BORDUAS,
août 1948

Le ton en est passionné, violent, très pamphlétaire. L'anticléricalisme foncier paraît intolérable aux autorités ainsi contestées. Borduas perd son poste. Sans doute trop autoritaire et — dit-on — misogyne, il ne sait pas garder, après la publication de *Refus Global*, la belle cohésion qui avait présidé à sa parution. Pour comble de malheur, la Société d'art contemporain ne résiste pas à de graves tensions internes et se dissout en 1948. Borduas quitte Montréal et s'exile à New York d'où il gagnera Paris. Il mourra dans l'amertume d'un exil intérieur douloureux, mais peintre avant tout, comme il le dit à J. Éthier-Blais:

> Au fond, l'élément du monde qui me demeure le plus permanent, le seul peut-être, c'est la peinture, la peinture physique, la matière, la pâte. C'est là mon sol natal, c'est ma terre. Sans elle, je suis déraciné. Avec elle,— que je sois à Paris ou ailleurs, peu importe — je suis chez moi.

Dans ses œuvres de la période automatiste, la spontanéité du mouvement et les couleurs multiples expriment assez bien la richesse du personnage qui livre impulsivement ses états d'âme (*l'Île sous le vent*). Ses dernières toiles, en revanche, sont des compositions en noir et blanc, parfois éclairées ici ou là au revers d'une trace de couteau d'un reflet de couleur vive; plus austères, d'une esthétique que rendent très mal les reproductions, ses dernières œuvres sont peut-être le reflet d'une angoisse dont l'auteur ne s'était jamais départi? Pour le 40e anniversaire de la parution de *Refus global*, le Musée des beaux-arts de Montréal a organisé une grande rétrospective de Borduas qui a permis aux Québécois de voir dans son ensemble une œuvre remarquable et personnelle qui est à l'origine de la peinture québécoise moderne. Un an avant sa mort, Borduas écrivait ces quelques mots révélateurs d'une personnalité riche et complexe, tournée vers la connaissance de l'univers:

> Je me suis reconnu de mon village d'abord, de ma province ensuite, Canadien français après, plus Canadien que Français à mon premier voyage en Europe, Canadien (tout court, profondément semblable à mes compatriotes) à New York, Nord-Américain depuis peu. De là, j'espère «posséder» la terre entière.

Lettre à Claude Gauvreau,
19 janvier 1959

La peinture non figurative. En dix ans, le Québec a rapatrié une élite, est passé de l'enfance de l'art à l'âge adulte en traversant les tourbillons d'une adolescence collective tumultueuse. Il a gagné une réputation internationale enviable dans le domaine de la peinture, et, sur le plan local, s'est donné les moyens de faire vivre toute une pléiade de peintres de formations et d'horizons divers. Qu'il y ait eu des tensions entre Pellan et Borduas était inévitable dans le milieu culturel alors très restreint de Montréal: sans doute était-ce souhaitable? Il n'y a pas d'art vivant sans émulation ni confrontation.

Du groupe qui entourait Pellan, Goodridge Roberts reste le plus figuratif: ses paysages, ses natures mortes respirent un calme qu'on trouve moins chez les autres peintres de cette période; Jacques de Tonnancour hésite entre des paysages à la Roberts et de grandes murales géométriques pour l'Université de Montréal. Léon Bellefleur opte pour l'exigence formelle de l'art abstrait que vient renforcer un long séjour en France où il fréquente les surréalistes: longtemps près d'enfants à qui il enseigne, il en garde la fascination pour les couleurs en mouvement.

Albert Dumouchel, avec Pellan, aura la carrière la plus prestigieuse. Professeur lui aussi pour gagner sa vie, il joue un rôle de tout premier plan dans le développement de la gravure au Québec. Sa verve truculente, son humour ramènent ce coloriste à une figuration qu'il n'avait jamais vraiment négligée. Chacun dans son genre suit son inspiration dans le respect de ce que font les autres et dans le respect du support que le tableau exige. Les automatistes, tout pris par la spontanéité de la démarche, négligent parfois l'aspect «métier» du peintre. Autour de Pellan, on a appris à préparer la toile, à utiliser le matériau pictural dans les meilleures conditions: une œuvre d'art est aussi faite pour durer.

Les automatistes s'orientent carrément vers l'abstraction. De nombreuses manifestations jalonnent la décennie cinquante de prises de position marquées qui iront jusqu'à la formation d'un autre groupe de peintres axés sur la représentation géométrique.

Jean-Paul Riopelle (né en 1923) vit surtout en France depuis *Refus global*. Il conserve au sein de l'École de Paris une fougue et une personnalité qui lui donnent une audience internationale. Avec énergie et curiosité, il se lance dans de grandes toiles très rythmées mais ne dédaigne pas l'aquarelle et tou-

che à la sculpture à l'occasion. Sa production est abondante et, par fidélité au pays où il revient peindre régulièrement, il a donné au Musée du Québec toute une collection de ses œuvres que les Français ont peine à voir quitter la France. Des gravures ont aussi contribué à une renommée méritée. Ses œuvres ne semblent pas, même après des années, se départir d'une sorte d'intensité joyeuse quel que soit le choix du médium utilisé.

Marcelle Ferron était, après Borduas, la plus fervente automatiste; elle l'est encore. Toujours fascinée par les contacts des couleurs, elle dessine d'une spatule énergique des toiles qui ne laissent pas indifférent; elle a mis également ses talents de coloriste dans le vitrail (maisons particulières, métro de Montréal). Jean-Paul Mousseau aussi se laisse entraîner dans des orgies sagement contrôlées de couleurs vibrantes. Il quitte le tableau pour des murales de céramique et de curieux «totems» en fibre de verre lumineuse. Il a fait le décor d'une discothèque où jeux de lumières et mannequins montrent l'attirance qu'il a pour l'art cinétique. Marcel Barbeau glisse peu à peu vers un géométrisme inspiré du «Hard Edge» américain, qui affirme, plus que toute autre forme d'art, le statut autonome et non référentiel du tableau. Les surfaces pigmentées sont cernées de bords très nets, très précis. De ce mouvement à l'art optique («Op Art»), il n'y a qu'un pas qu'il franchira avec facilité. Pierre Gauvreau écrit beaucoup et consacre ses énergies à l'expression audiovisuelle.

Comme Riopelle, Fernand Leduc fuit le Québec de la grande noirceur, va chercher à Paris la bouffée d'air frais dont il a besoin. Très personnel, il brûlera le surréalisme et même l'automatisme autrefois adorés et se tournera vers une recherche toute formelle, extrêmement réfléchie, très plastique. Il a aimé trouver le rythme d'un tableau par des recherches chromatiques précises: l'aboutissement de ce «voyage au cœur de la lumière»[7] sera la série des *Microchromies*.

L'abstraction lyrique tentera encore des dizaines d'artistes: Rita Letendre et Marcelle Maltais, Jacques Hurtubise et Réal Arsenault, Jean Mc Ewen, le frère Jérôme et Edmund Alleyn.

Des plasticiens aux formalistes. L'exigence de Leduc vis-à-vis de la qualité plastique de ses tableaux le rapproche d'un groupe qui voit le jour en 1955: les plasticiens. Dans le mouvement de repli qui suivit la publication révolutionnaire de *Refus global*, deux tendances non figuratives viennent à s'opposer. D'une part, les inconditionnels de l'acte inconscient, du gestuel spontané, du délire onirique un peu démonstratif, d'autre part, ceux qui veulent réfléchir sur la forme et qui insistent sur la qualité intrinsèquement plastique du tableau[8]. Comme les parnassiens après les romantiques, les plasticiens rejettent le romantisme de l'expressionnisme abstrait, de l'automatisme et insistent sur la recherche rigoureuse de l'équilibre formel du tableau en soi. La forme est le résultat d'un travail sur le

---

Aire des blancs différentiels. Huile sur panneau de Fernand Toupin, 1956.

photo: Galerie nationale du Canada.

plan pictural: tout doit en venir et y revenir. C'est une peinture résolument bi-dimensionnelle qui demande des connaissances précises concernant la chimie des couleurs. Cette recherche de laboratoire est une autre forme du vieux combat que l'homme mène avec la matière. En un sens, les plasticiens vont plus loin encore que les automatistes puisque ces derniers exprimaient comme les Romantiques leurs pulsions profondes qui déterminaient la forme du tableau. Les plasticiens, les formalistes, ne travaillent que sur la forme, les lignes, les couleurs, les structures, les rythmes et les relations internes de tensions et d'équilibre; la beauté est le contenu de l'œuvre qui est non référentiel, ou auto-référentiel. Ils travaillent de façon nette les contours, peignent avec du ruban à masquer et jouent sur les vibrations engendrées par le voisinage des couleurs.

Les plasticiens écrivent à leur tour un manifeste. Jauran est aussi critique d'art et rédige les idées du groupe (à partir de ce groupe, il deviendra courant de voir les artistes expliquer leur travail). Les autres signataires du manifeste sont Jean-Paul Jérôme, Louis Belzile et Fernand Toupin. Il est intéressant de voir combien cette recherche plastique, formelle, tente de jeunes artistes. Bien après le mouvement de 1955, le géométrisme continue à avoir des adeptes dont les plus producteurs s'appellent Guido Molinari, Denis Juneau, Claude Tousignant, Jean Goguen, Yves Gaucher. Des automatistes tels Fernand Leduc et Marcel Barbeau sont attirés par la discipline qu'exige ce type de peinture abstraite. Dans les années soixante et soixante-dix, il y a à Montréal un véritable engouement pour ce type d'abstraction (Guy Montpetit, Louis Jaque, Michel Lagacé). On en comprend mieux la séduction quand on écoute un de ces artistes parler de lumière et de couleur.

> La lumière décomposée crée la couleur et la couleur elle-même est génératrice de lumière. Pour moi, la couleur n'est pas un complément de la forme, mais une réalité et je la traite comme telle. La couleur a sa signification propre, son expression. Elle est harmonieuse tout autant que la musique. C'est elle aussi qui crée l'espace dans un tableau. Dès que l'on applique une couleur à côté d'une autre, une dimension nouvelle apparaît. Certaines couleurs sont au premier plan, d'autres s'en éloignent.»
>
> OMER PARENT, 1976.

Ce goût de la recherche force les artistes, non seulement les plasticiens, à se renouveler, ne serait-ce que pour ne pas tomber dans une monotonie répétitive. Est-ce dans le vieux presbytère bourguignon qu'il habite la plupart du temps près d'Avallon que Pierre Lafleur a mis au point ses *Réflexions*, auxquelles une combinaison de miroirs ajoute perspective et profondeur? Réal Arsenault, quant à lui, obtient des effets de couleur surprenants avec des *Aluchromies* qui utilisent une matière première abondamment fabriquée au Québec.

LA PEINTURE FIGURATIVE

La grande vogue de l'art abstrait après la dernière guerre mondiale ne doit pas faire oublier qu'un très grand nombre de peintres sont souvent solitaires, ne font ni manifestes ni revendications et peuvent paraître plus discrets; ils ont leur importance dans le marché de l'art:

le grand public en général se moque de ce que ressent l'artiste comme du degré de difficulté qu'exige telle ou telle recherche chromatique; ce que veulent les acheteurs, c'est un tableau qui leur plaise, qui leur rappelle quelque coin du pays, qui leur parle d'eux-mêmes: c'est pourquoi il y aura toujours une place de choix pour les peintres figuratifs, même pour les «peintureux[9] de cabanes à sucre» comme disait une artiste d'une de ses collègues qui, à son avis, vendait trop facilement une production médiocre à des touristes américains, rue du Trésor à Québec.

Les peintres figuratifs. Il n'y a pas en fait une figuration, mais des peintres figuratifs, indépendants, différents les uns des autres. Jean-Paul Lemieux, né en 1904, traitait avec humour et finesse de sujets sérieux comme la guerre (*Lazare*, 1941). Il abandonnera bientôt des toiles qui fourmillent de personnages et font un clin d'œil aux spectateurs pour présenter des tableaux où les personnages, parfois juste esquissés, se détachent sur une grande surface glacée; certains tableaux semblent inspirés de l'art abstrait: *Le train de midi, Le visiteur du soir*. Nul ne sait mieux que lui donner une idée de l'espace et du poids qu'il impose climatiquement aux Québécois. Il sait aussi évoquer l'histoire, pas nécessairement celle qui va de Champlain à Pierre Elliott Trudeau mais celle de chacun, de la naissance à la mort, en des scènes d'une intensité dramatique rare (*Amélie et le temps*, 1965). Ses portraits sont chargés d'émotion et de tendresse, même les plus officiels (Elisabeth II pour le départ d'un Gouverneur général). Il sait

que la solitude se lit en chacun de nous et ne facilite pas la communication. Il y a une manière Lemieux, fascinante et troublante à la fois, que les Européens et les Russes ont pu apprécier par une grande rétrospective de ses œuvres.

Bien différente est la courte carrière de Jean Dallaire. Dans la lignée surréaliste, il nous entraîne au gré d'une folle imagination par des images étonnamment suggestives qui ne peuvent laisser indifférent. Coloriste dans l'âme, il se lie avec Jean Lurçat et passe les dernières années de sa vie en Provence. Albert Dumouchel lui a emprunté quelques-unes de ses joyeuses couleurs qu'il mêle avec passablement d'humour. Graveur comme lui, et de plus poète, Roland Giguère s'inscrit à la suite du même surréalisme. Kittie Bruneau a une tendance particulière à privilégier la forme circulaire: «le cercle, c'est la forme première dont partent toutes les autres, même la droite».

La plus grande partie des peintres vivent à Montréal, comme Stanley Cosgrove; d'autres ont choisi de quitter Montréal pour la Toscane comme Jeanne Rhéaume, ou pour la France comme Fernand Leduc ou Riopelle, mais alors, comme eux, ils reviennent au Québec pour vérifier que leurs racines sont encore profondément québécoises et pour s'assurer de l'amitié de ceux qui sont restés dans la métropole. On peut à bon droit parler de l'École de Montréal comme on parle de l'École de Paris ou de l'École de New York. La vie artistique trépidante et cosmopolite y a fait éclore des quantités de galeries pour les goûts de tout un éventail de collectionneurs. Le mouvement a suivi avec un peu de retard à Québec dont certains préfèrent la silhouette de ses murs en coupe-feu: Antoine Dumas, dont on copie souvent le style, célèbre la vieille capitale avec vénération mais non sans un regard qui va de la féroce exactitude à la pure tendresse. Betty Goodwin utilise du papier vélin comme support et de la peinture à l'huile en bâton; elle superpose ses laizes de papier et fait ainsi jouer les transparences obtenues avec les huiles (*Nageurs*, 1980).

Les paysages continuent à séduire des peintres comme Henri Masson ou René Richard (mort en 1982), fascinés par la brusquerie des caps de Charlevoix et la multiple variété de la forêt canadienne. Léo Ayotte, Albert Rousseau, Madeleine Laliberté, René Gagnon, Francesco Iacurto se dévouent, qui au Saguenay, qui à Charlevoix ou dans l'Outaouais, à explorer les mille possibilités qu'une lumière presque violente donne à une topographie qu'un climat non moins vif transforme d'une saison à l'autre. Attirés par ces possibilités, des artistes de l'extérieur viennent résider au Québec: Chaki, Geneviève Jost, Littorio del Signore évoquent les mêmes sujets que les Québécois: paysages d'automne somptueusement colorés, paysages d'hiver qui forcent les individus à la solitude ou les invitent à se regrouper dans des loisirs pour dompter la soi-disant mauvaise saison.

Les Saints-Pères. Aquarelle d'Antoine Prévost, 1978.

photo: Service des ressources pédagogiques, Université Laval, Michel Bourassa.

Les personnages. Louise Gadbois (1896-1985) était des membres fondateurs de la Société d'art contemporain avec John Lyman. Femme d'abord et artiste accomplie, elle a mené, loin du tumulte des années quarante, une longue et sage carrière de portraitiste qui traduit le caractère du modèle plutôt que d'en chercher la ressemblance. Pour Louise Carrier, trop tôt disparue, «la vie d'un visage était plus émouvante que les événements de la vie». Secrète, chaleureuse, elle savait insuffler à ses portraits l'intensité de la vie intérieure qui l'habitait. Plus jeune, Louise Scott dans des huiles et pastels évoque les miniatures médiévales.

Parmi tous ceux que la figure humaine a maintenus dans la tradition figurative, on peut choisir des exemples très différents: Claude LeSauteur campe ses personnages dans une nature aussi robuste qu'eux, alors que les silhouettes dans les camaïeux de rose et de bleu d'Antoine Prévost effleurent de longs paysages. Du Japon, Miyuki Tanobe a rapporté une technique orientale, le nihonga (pigments en poudre mélangés directement à de la colle) qui donne vie à des scènes de village ou à des rues pétillantes de santé. Gilles Boisvert opte pour un hyperréalisme où l'on sent l'influence du «Pop-Art» américain. À côté de ces artistes qui jouissent d'une notoriété confortable, illustrent des livres et sont rattachés à des galeries torontoises de renom (comme Antoine Prévost), il existe une pléiade d'autodidactes: la région de Charlevoix a abrité les sœurs Bouchard, les sœurs Bolduc et Alfred Deschênes; à Chicoutimi, on peut visiter la maison d'Arthur Villeneuve, «peintre barbier»

comme il laissait sa femme le définir. Le charme, la naïveté, la drôlerie, l'astuce font des tableaux de ces peintres du terroir des pièces de collection savoureuses.

LA PEINTURE EN TROIS DIMENSIONS

On assiste à partir des années soixante-dix à une nouvelle vision du monde artistique: de plus en plus, on voit les arts s'intégrer l'un à l'autre, les frontières disparaître entre peinture et sculpture, entre tapisserie et architecture, entre peinture et théâtre, entre peinture et environnement. Jean-Marc Desgent, poète, et Luc Béland, peintre, exposent des diptyques, toiles et textes non signés; les sept vers du texte n'expliquent pas le tableau qui ne peut exister sans le discours auquel il est lié.

La danseuse Françoise Sullivan s'adonne à la sculpture (acier peint ou mobiles de plexiglas) puis se consacre à la peinture. Lucienne Cornet, dans sa série des *Loups,* laisse l'ombre du carnivore investir une partie du tableau; dans une autre série, elle a construit soigneusement avec des branches et des liens quelque chose qui pourrait être un piège. Paul Béliveau fait parfois référence dans ses tableaux, comme Pierre Dorian, à une œuvre connue dont il reprend tout ou partie comme on userait d'une citation dans un texte; ailleurs ce sont des éléments architecturaux que l'artiste déconstruit, liquide en longues gouttes; dans des travaux plus récents encore il présentait des «boîtes» dont la lecture se faisait des panneaux extérieurs vers le triptyque intérieur où le bois, la pierre et des objets divers

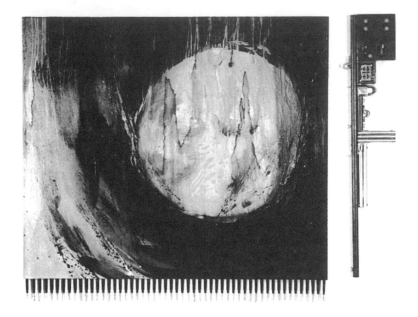

L'arme à gauche. Huile sur toile et métal de Jean-Pierre Gilbert, 1989.

créent des *Jardins intérieurs* dans un coffret marouflé de toile. Alain Laframboise également met la peinture en boîte et travaille à partir de «citations» d'œuvres que l'historien de l'art connaît bien et qui constituent son matériau privilégié. Alan Glass aussi a fait de mystérieux coffrets vitrés remplis d'objets qui perdent leur autonomie au profit de l'équilibre de l'ensemble.

Denis Juneau fait participer le spectateur en proposant des séries de planches colorées que le «voyeur» doit manipuler pour créer un ordre d'où jaillira une esthétique sans cesse renouvelée (*Les spectrorames*). Serge Lemoyne estime que les artistes du Québec en dépassent difficilement les frontières: pour briser cet isolement, il invente des

«événements liés à la peinture», veut démystifier l'objet d'art, utilise de la corde et du tapis dans ses hommages à ses prédécesseurs (Lemoyne man show) et rappelle au Québec que la peinture est communication entre un artiste et son public.

La peinture peut aussi être un art fugace. Bill Vazan peint une longue spirale blanche sur la pelouse des plaines d'Abraham — où s'est joué le sort de la Nouvelle-France un certain jour de septembre. Il travaille plusieurs jours avec une équipe du 1er au 4 septembre 1979. Il fallait être oiseau ou hélicoptère pour voir *Pression / présence*; les pluies de l'automne en ont bientôt lavé les dernières traces que seule conserve la photographie. Des artistes mutidisciplinaires font des installations; Raymond Gervais utilise des objets usuels, de la musique et de la

In memoriam III de Jean-Marc Garneau.
Techniques mixtes sur toile, exposé à
«Montréal/Berlin 88-89».

photo: Pierre Charrier.

lumière pour communiquer avec le visiteur. Line Lapointe et Martha Fleming exposent dans des bâtiments abandonnés (bureau de poste, caserne de pompiers): il s'agit d'un travail éphémère fait pour un lieu et un temps donnés: elles pensent ainsi éveiller le sens artistique de gens qui ne sont pas habitués à aller dans les musées; mission accomplie: une installation au théâtre Corona de Saint-Henri a attiré plus de cinq mille visiteurs.

Par la quantité, par la diversité des peintres dont il est seulement esquissé quelques traits, on voit bien quelle importance a la jeune peinture au Québec. La tradition avec ses timidités a été longue à sortir des limbes de l'imitation. Avec le XXe siècle, les personnalités se sont affirmées, ont pris des risques personnels et des responsabilités collectives. En même temps qu'ils découvraient les grands mouvements qui ont renouvelé la vision occidentale de l'art dans le centre artistique qu'était Paris, les artistes se sont sentis enracinés dans le Québec, ont senti l'urgence de le faire participer à un vaste mouvement occidental de réorientation des valeurs traditionnelles. En s'ouvrant sur le monde, notamment sur New York, creuset d'idées et d'expériences, l'École de Montréal s'est fait un nom international dont les Québécois peuvent être fiers. Le gouvernement l'a bien compris qui met à la disposition des artistes pour six mois un studio qu'il a acquis dans la métropole états-unienne.

La soudaine multiplication des groupes, des artistes, des façons de faire, rend très malaisée la tâche qui consiste à dégager les lignes de force de ce jaillissement pictural. Pourquoi ne pas avoir parlé de Michel Pellus ou de Suzanne Bergeron? Pourquoi avoir omis de mentionner Benoit East, Monique Mercier et des centaines d'autres? Il ne s'agit dans ce chapitre, comme dans les autres, que de jeter quelques jalons pour aiguiser l'appétit de connaissance. Il existe d'ailleurs une documentation abondante sur la question et de nombreux musées. Quant aux galeries, elles se sont multipliées jusque dans les centres commerciaux des grandes villes comme dans certaines petites villes éloignées.

Dans ce type d'expression culturelle, c'est surtout la sensibilité individuelle qui se fait jour, neuve, aiguë, inquiète d'un avenir qui n'est jamais certain et dont la seule certitude est le besoin fondamental de dire avec des lignes, des formes et des couleurs que le vieux fond québécois est toujours présent au plus profond de chacun, que le déchaînement d'une tempête hivernale n'a de juste revers que la somptuosité des couleurs automnales et que la solitude des uns équilibre le bonheur des autres qu'on peut trouver parfois dans la bonne humeur d'une fête improvisée.

Les Québécois, comme groupe, prennent conscience de l'importance nouvelle des arts dans l'évolution d'une société[10], en grande partie parce que l'art moderne demande au spectateur l'effort de s'abstraire du réel qui l'entoure. En gagnant si vite son autonomie, la peinture a été le déclencheur d'une prise de conscience collective qui

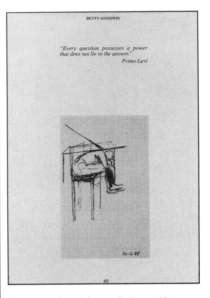

Une page du catalogue de l'exposition «Montréal sur papier» au Centre Saidye Bronfman, 1989, Peter Kransz, conservateur.

a amené le Québec à se poser quelques questions d'ordre culturel, donc fondamentales. La peinture entraînera dans son sillage d'abord la gravure, puis la sculpture, la photographie[11] et l'édition d'art. Ce qui nous ramène au livre; n'était-il pas prémonitoire que le manifeste des automatistes ait été lancé en août 1948 à la librairie Tranquille... comme la Révolution?

Notes

1. Géricault peint *Le Radeau de la méduse* en 1819 et Delacroix *Les Massacres de Scio* en 1824.

2. Les communications avec la France sont facilitées par les nouvelles habitudes de voyage avec l'ère des paquebots. On voyage aussi, par voie ferrée, à l'intérieur du Canada.

3. Cela explique le succès de ce peintre au Québec puisqu'il semble en union d'esprit avec l'idéologie dominante du moment.

4. Étant donné la succession rapide des mouvements qui font, en quelques décennies, évoluer la peinture à pas de géant, on trouvera en fin de chapitre un bref historique de la peinture française de cette époque qui continue jusqu'en 1940 à attirer systématiquement tous les artistes peintres du Québec.

5. Marcel Duchamp y est déjà, qui compte parmi les innovateurs les plus importants de l'art moderne. L'exposition *Armory Show* date de 1913.

6. André Breton lui-même vient en Amérique du Nord (1941-42) et y publie *Situation du surréalisme entre les deux guerres*.

7. La lumière «conséquence ultime de l'abstrait, pulsation du tableau» s'impose à lui comme le sujet essentiel à conserver (1988).

8. Un chien dont on aurait trempé les quatre pattes dans quatre pots de peinture de couleurs différentes pourrait faire quelque chose d'intéressant sur un drap étendu à terre mais les chances sont très minces d'avoir un résultat positif.

9. Noter l'usage québécois spécifique du verbe «peindre» qui est un art, alors que «peinturer» se rapporte au métier qu'exerce le peintre en bâtiment.

10. Gaz Métropolitain demandait à Riopelle et à quatre autres peintres d'illustrer le slogan de sa campagne publicitaire de 1988: «la force de l'énergie».

11. La photographie avait, à ses débuts, porté un rude coup à la peinture et forcé les peintres à redéfinir leurs objectifs. Elle est devenue un art que maîtrisent des artistes dans la ligne de Karsh (Mia et Klaus, Eugen Kedl, Serge Tousignant) et qui se diversifie avec l'holographie.

Bibliographie

Elle est très abondante; outre les périodiques et les ouvrages portant sur l'art en général et qui sont répertoriés dans la Bibliographie générale, il y a les catalogues des Musées du Québec et de la Galerie nationale du Canada. De plus, il existe une quantité de monographies et de belles éditions d'art sur beaucoup de peintres québécois. Nous ne citons ici qu'un choix très restreint de documents d'ordre général ou qui traitent d'un ensemble, d'un mouvement ou d'une école.

BORDUAS, Paul-Émile, *Refus Global, Projections libérantes*, Montréal, Éd. Parti pris, 1974.

BOURASSA, André-G., *Surréalisme et littérature québécoise*, Montréal, Éd. l'Étincelle, 1977.

ÉTHIER-BLAIS, Jean, *Les pays étrangers*, Montréal, Leméac, 1982.

GAGNON, François-Marc, CLOUTIER, Nicole, *et al., Premiers peintres de la Nouvelle-France*, Québec, ministère des Affaires culturelles, 1976.

HARPER, J. Russell, *La peinture au Canada des origines à nos jours*, Québec, Presses de l'Université Laval, 1966.

MORISSET, Gérard, *La peinture traditionnelle au Canada français*, Montréal, Cercle du livre de France, 1960.

OSTIGUY, Jean-René, *Un siècle de peinture canadienne 1870-1970*, Québec, Presses de l'Université Laval, 1971.

OSTIGUY, Jean-René, *Esthétiques modernes au Québec, 1916-1946*, Ottawa, Galerie nationale, 1982.

REID, Dennis, *A Concise history of Canadian Painting*, Toronto, Oxford University Press, 1973.

ROBERT, Guy, *École de Montréal, situation et tendances*, Montréal, Centre de psychologie et de pédagogie, 1964.

ROBERT, Guy, *La peinture au Québec depuis ses origines*, Sainte-Adèle, Iconia, 1978.

ROBERT, Guy, *Art actuel au Québec depuis 1970*, Montréal, Iconia, 1983.

WITHROW, William, *La peinture canadienne contemporaine*, Montréal, Éd. du Jour, 1973.

Filmographie

Diapositives

Yvan Boulerice a produit et distribué des séries de diapositives sur un grand nombre de peintres:

• en monographies (F. Leduc, A. Villeneuve, etc.) dans la série *Quarante artistes de la société des artistes professionnels du Québec.*

• en ensembles diapos sur 4 écrans, avec bande sonore: *En partant de Borduas*, *En partant de Pellan.*

Le Musée du Québec offre diapositives (à la pièce et en ensembles) et reproductions (plusieurs formats).

L'*Aluchromie*, Éditeur officiel du Québec, 1974.

Paul-Émile Borduas et Alfred Pellan, (10 diapos) ONF, 1965.

Passage de la figuration à la non-figuration dans l'art québécois, (80 diapos), Yvan Boulerice, 1976, sur la peinture des années cinquante et soixante.

Peinture québécoise contemporaine, (200 diapos) Yvan Boulerice, 1971, sur 5 peintres québécois.

Peintures du Musée du Québec, (115 diapos) Yvan Boulerice, 1976, sur la peinture des XIXe et XXe siècles.

Peintures figuratives traditionnelles et contemporaines du Canada-français, (50 diapos) Yvan Boulerice, 1975.

Films fixes

Une série un peu ancienne (vers 1960).

Les artistes canadiens, série faite par l'ONF qui offre l'avantage de pouvoir s'arrêter sur les trentaines de reproductions par artiste (couleurs décevantes): Alfred Pellan, Cornélius Krieghoff, Jean-Paul Riopelle, Paul-Émile Borduas, la peinture ancienne au Canada français.

Vidéos

En assez grand nombre: conférences, panels, entrevues avec un artiste ou ses commentaires faits par le Vidéographe, la Galerie nationale (Ottawa), le Musée d'art contemporain (Montréal), la direction générale des moyens d'enseignement (Québec).

Films

La qualité des pellicules plus anciennes laisse à désirer, le choix est fait surtout à partir des productions d'après 1960.

Borduas et les automatistes, Musée d'art contemporain, coul., 1972, 7 min.

Paul-Émile Borduas, Jacques Godbout, ONF, coul., 1963, 22 min.

Ce monde éphémère, Miyuki Tanobé, Rankui, Steinhouse, Voizard, ONF, coul., 1979, 27 min.

Dimension lumineuse, Michel Régnier, Musée d'art contemporain, 1962, 18 min.; sur Jean-Paul Mousseau et sa murale à Hydro-Québec.

Georges St-Pierre, peintre, Rota Zizka, OFQ, coul., 1977, 29 min.

Instants privilégiés, Marcel Barceau et Vincent Dionne, Paul Vezina, OFQ, 1976, 5 min. M. Barbeau crée un tableau sur les percussions de V. Dionne.

Marc-Aurèle Fortin, André Gladu, coul., Radio-Canada, 1982, 54 min.

La peinture votive, Brault-Lessard, ONF, coul., 1982, 30 min.

Pellan, André Gladu et France Pilon, coul., 1986, 73 min.

Riopelle, Pierre Letarte et Marianne Feaver, coul., ONF, 1982, 54 min.

Rita Letendre, Joyce Teff, coopérative des cinéastes indépendants, coul., 1966, 12 min.

Québec en silence, Gilles Gascon, ONF, coul., 1969, 10 min.

Tel qu'en Lemieux, Guy Robert, OFQ, 1973, 26 min.

Un Québécois retrouvé, Raymond Brousseau, ONF, coul., 1980, 58 min., (Joseph Légaré).

Villeneuve, peintre barbier, Marcel Carrière, ONF, coul., 1964, 17 min.

Voir Pellan, Louis Portugais, ONF, coul., 1968, 19 min.; version abrégée: *Alfred Pellan, peintre*, 1974, 6 min.

Il existe également de nombreux documents d'artistes (films, vidéos, etc.) produits par divers organismes et réalisés par diverses personnes.

11
La sculpture

Page précédente: Le diable aux forges du Saint-Maurice le dimanche matin d'Alfred Laliberté. Bronze.

photo: Musée du Québec: 34.4415, Patrick Altman.

Dans un pays couvert de forêts où le bois est le matériau de base qui sert à l'habitation, au chauffage, à la construction navale ou à la défense, il est naturel que l'on se sente attiré vers la sculpture dès qu'il s'agit d'ornementation. Le sculpteur utilise les outils de l'artisan: d'ailleurs, tout habitant adore «gosser du bois», ce qui lui dicte la fabrication d'instruments simples et précis: un morceau de métal, ou même un clou fiché dans une pièce de bois qu'un système ingénieux fait coulisser permet de couper, de tailler, de creuser, de raboter, d'aplanir, de tracer des lignes ou de faire des moulures. La sculpture apparaît alors dans le prolongement de la vraie vie, comparativement à la peinture qui demeure un art très distancé du réel quotidien du colon et qui requiert des outils plus raffinés, des matériaux plus délicats. C'est sans doute la raison pour laquelle cet art a connu dès les débuts de la colonisation française une certaine popularité et pourquoi il s'est développé rapidement après la Conquête, avant de décliner dans la deuxième moitié du XIXᵉ siècle puis de reprendre sa vigueur, plus tard, sous la poussée de nouvelles formes d'expression. À part quelques exemples, d'ailleurs marquants, de sculpteurs qui utilisent le bronze au tournant du XXᵉ siècle, il faut attendre au-delà des années quarante pour retrouver au Québec l'engouement des débuts vis-à-vis de cet art quels que soient alors les matériaux utilisés. On pourra même parler d'enthousiasme à partir de 1960.

LA SCULPTURE TRADITIONNELLE

Art de décoration, art «superflu» comme la peinture, la sculpture sert d'abord à orner les églises et les chapelles. Ces lieux, dignes de la grandeur et de la munificence de Dieu, se doivent d'être différents des lieux habituellement fréquentés par les fidèles. À l'extrême simplicité des habitations s'oppose la richesse et le raffinement des lieux de culte dont le but est précisément d'élever l'âme au-dessus des contraintes matérielles pour ouvrir la conscience à une autre dimension. La sculpture ancienne, de l'avis de Jean Soucy, «témoigne de cet intense sentiment religieux qui a profondément marqué le peuple canadien-français durant une longue période de son histoire».

Les églises présentaient en général un extérieur austère: simples constructions de bois comme les maisons, puis de pierre des champs comme le deviennent aussi les habitations, ce n'est qu'au cours du XVIIIᵉ et du XIXᵉ siècle que des motifs architecturaux, tours, frontons, formes des fenêtres, vont peu à peu magnifier des constructions auxquelles la pierre grise donne une dignité un peu distante, même si la forme en croix des églises à transept, le transfert du clocher depuis la croisée des transepts à la façade sont déjà de grosses améliorations du début du XVIIIᵉ siècle. Par le contraste entre la sobriété de la construction et le faste de l'intérieur, on veut créer une tension, un émerveillement qui dispose l'être à sortir de son ordinaire pour avoir accès à ce qui reste de l'ordre du mystère.

L'église constitue le seul lieu où le colon, puis l'habitant, voient des œuvres d'art.

En devenant plus à l'aise, l'habitant pourra à son tour commander au menuisier des meubles plus recherchés, assurant d'une certaine façon le passage du sacré au profane et faisant alors globalement œuvre de «civilisation». En Nouvelle-France, plus qu'ailleurs, étant donné la population restreinte, ce sont en effet les mêmes artistes, les mêmes artisans qui travaillent le bois; il n'y a alors guère de différences entre ces divers corps d'Arts et métiers: le même homme peut être tour à tour menuisier, sculpteur ou architecte. Peut-être est-ce la raison pour laquelle le décor intérieur central d'une église, celui qui entoure l'autel, reprend quantité de motifs architecturaux qui intègrent l'esprit et la manière d'un édifice en réduction à l'intérieur même du bâtiment? Le décor d'église relève un peu de la même démarche que celle de sa construction.

LE MATÉRIAU

Parmi les essences de qualité qui abondent en Nouvelle-France, le chêne tente les premiers sculpteurs, sans doute à cause de sa noblesse; son grain serré le rend difficile à travailler mais quasi indestructible. On lui préférera toutefois des bois plus tendres, plus souples à travailler, moins coûteux, et parce que la commune habitude de les recouvrir d'un pigment ou de dorure ne justifiait pas aux yeux du curé ou du conseil de fabrique le recours à un onéreux mais invisible matériau de base.

Le noyer tendre et le pin étaient faciles à trouver, à sculpter, à recouvrir: ce dernier devient donc, à l'église aussi, le matériau usuel en dépit de ses inconvénients: dehors, sensible aux intempéries, le pin pourrit par l'intérieur, se délite et perd peu à peu toute résistance et durabilité. À la fin du XIXe siècle, la technologie s'en mêlant, on applique des peintures quasi imperméables qui, empêchant le bois de respirer et de sécher, accentuent le processus de pourriture interne.

Et pourtant à ce moment-là, les statues ont gagné droit de cité hors des bâtiments. On imagine de les recouvrir en partie de feuilles de plomb ou de zinc, métaux[1] mous qu'il est relativement facile de mouler sur la tête, les épaules et les pieds des saints qui ornent les églises.

On utilisait en général une seule pièce de bois. C'était assez naturel pour les statuettes du tabernacle ou du retable, mais cela posait un certain nombre d'exigences lorsqu'il s'agissait de sculptures grandeur nature, et plus encore si elles étaient colossales. L'on commandait parfois de très grands objets: la taille en imposait aux fidèles et flattait leur goût pour les histoires de géant ou de bottes de sept lieues. Si l'endroit à orner était éloigné des regards, c'était une véritable obligation que de faire grand. On s'arrangeait alors dans le choix de l'arbre en question pour se servir de ses formes naturelles. On ne faisait pas beaucoup d'assemblages, sources de fragilité, à peine un coude, un bras tendu; on préférait une forme ramassée, les bras souvent près du corps et le socle pris dans la même pièce de bois ajoutaient à la solidité de l'œuvre. Ainsi la forme brute était-elle à la source même de l'allégorie qu'elle représentait.

Le matériau n'était presque jamais présenté à nu. On le finissait en général à la dorure, plus rarement à l'argenture; la dorure est une opération lente et compliquée qui exige doigté et finesse: c'est pourquoi elle devint la spécialité des communautés religieuses féminines comme les Ursulines ou les Hospitalières de Québec. La dernière des 17 étapes consiste en l'application d'une feuille d'or mince et souple qui épouse parfaitement le poli du bois et lui donne un reflet chaud et lumineux mettant en valeur tous les détails du modelé mieux que ne le ferait la plus moelleuse des cires. Son seul inconvénient en est le prix: souvent il en coûtait plus cher de dorer une statue que de la sculpter. La polychromie, ou application de plusieurs couleurs, était une méthode plus simple, beaucoup moins coûteuse, très réaliste et qui donnait de charmants résultats. La carnation du visage et des mains exigeait toutefois une grande maîtrise des pigments.

Un autre handicap de ces méthodes de finition, or ou polychromie, était leur relatif manque de résistance. Chapelles de couvents et églises ont toujours été l'objet des soins énergiques de religieuses ou de ménagères de presbytère: traquant la poussière dans les moindres recoins, elles secouaient au grand vent des chiffons d'où s'envolaient des paillettes d'or. Aussi recolorait-on, redorait-on sans relâche. Quand l'industrie des peintures, pigments et vernis fit de grands progrès, on délaissa les anciennes méthodes coûteuses au profit de produits prémélangés, quand on ne choisit pas car-

rément les peintures en aérosol avec des résultats parfois catastrophiques.

L'autre danger qui guettait ces ensembles était la destruction par le feu, les bombardements, la négligence ou le désir de changement, bien qu'en revanche cela procurât du travail à d'autres

Père Éternel de Pierre-Noël Levasseur. Haut-relief en bois polychrome, vers 1768.

photo: Musée du Québec: 55 1935, Patrick Altman.

ornemanistes et pût être l'occasion de nouveaux chefs-d'œuvre. À cet égard, les gravures de Richard Short, dessinateur anglais de la Conquête, sont éloquentes et ne permettent que d'imaginer les intérieurs de la chapelle des Récollets ou de celle des Jésuites. Les Français de passage avaient décrit dans l'enthousiasme la beauté de tels lieux, La Hontan[2] d'abord puis le père Charlevoix[3] en 1744. Aussi ne s'étonnera-t-on pas d'entendre Lord Dufferin[4] s'extasier à son heure, devant l'harmonie de l'église de Trois-Rivières que Benjamin Sulte lui faisait visiter: «Je ne croyais pas rencontrer un pareil bijou en Amérique.»

D'autres matériaux pouvaient à l'occasion compléter une sculpture: des angelots ont été habillés de tissu raide et épais; sur d'autres statues la toile a été dorée ou peinte. Comme ailleurs, on trouve aussi des statuettes de cire, surtout des Jésus nouveau-nés. Les Sœurs Grises, au XIXᵉ siècle, ont diffusé une nouvelle technique, apprise des Oblats, arrivés au pays en 1841: le papier-pâte qui exige une grande habileté mais traduit gracieusement la finesse des détails des dentelles, par exemple.

ORNEMANISTES ET SCULPTEURS

Jusque vers 1850

Les œuvres sont en général anonymes: le statut un peu particulier de ces artistes-ouvriers ne leur aurait pas permis d'avoir la prétention de signer leurs œuvres. Par recoupement, grâce aux patientes recherches que permettent les archives des fabriques, on finit par connaître avec certitude la paternité d'un bon nombre d'œuvres. Par les comptes des couvents on apprend que l'on doit la chapelle des Ursulines à Noël Levasseur «dont le fils servait régulièrement la messe au couvent»... Le travail des spécialistes en histoire de l'art a permis ainsi de sortir de l'anonymat des œuvres que le public admire, telles quelles, dans leur vigoureuse beauté.

À l'école de Saint-Joachim, un certain Jacques LeBlond, dit Latour, enseigne son métier vers 1690. La minuscule colonie, si elle ne trouve pas sur place les personnes-ressources nécessaires, continue à faire appel à la métropole: Jacquier, dit Leblond, exerce vers 1715, Gilles Bolvin, des Flandres françaises, se marie pour la première fois en 1732 et travaille à l'église de Trois-Rivières. Vers 1755, Philippe Liébert commence une longue carrière à Montréal.

En fait, les écoles d'arts et métiers de Saint-Joachim et de Montréal ne sont pas promises à un long avenir: le métier s'apprend surtout en atelier et les meilleurs apprentis, du moins ceux à qui le maître voulait passer son savoir, étaient ses fils ou ses neveux. Ainsi Noël Levasseur forme-t-il ses fils — François-Noël et Jean-Baptiste Antoine — qui travaillent en même temps qu'un certain Pierre-Noël Levasseur. Cette dynastie-là a presque duré tout le XVIIIᵉ siècle à Québec, alors qu'à Montréal et dans la région on reconnaissait le talent des Labrosse (le plus renommé fut Paul Jourdain, dit Labrosse, également facteur d'orgues). On connaît aussi vers 1760 les frères Hardy.

Après la Conquête, il fallut reconstruire: ce fut le début de l'âge d'or de ces architectes ornemanistes. Juste avant la Guerre de Sept ans, Philippe Liébert (mort en 1804) quitte les environs de Fontainebleau pour s'installer à Montréal. Il est en pleine possession de ses moyens lorsqu'il faut rebâtir. De France, il est venu avec le goût du baroque qui apparaît dans le traitement des draperies, la position des bras, la ligne générale du corps. Le baroque reste cependant modéré en terre laurentienne, tempéré sans doute par la simplicité et la vigueur du tempérament canadien qui préfère la robustesse et la solidité à la complication du décor.

Mgr de Pontbriand recrute en 1741 un jeune homme qui deviendra le père d'une longue lignée de sculpteurs-architectes à Québec et dans les environs, les Baillairgé. Jean travaille avec son fils François à l'Hôtel-Dieu de la capitale puis l'envoie se former à Paris, en sculpture et en architecture. Le fils de François, Thomas, continue l'œuvre de son père dans le respect de lignes plus droites, de colonnes cannelées: c'est qu'à Québec aussi on réagit parfois en classiques devant les exagérations du «rococo». Une sobre élégance caractérise les églises dont François et Thomas sont responsables. À Montréal, Louis Quévillon profite de l'essor incomparable de la cité au XIXᵉ siècle et fonde l'atelier des Écores, avec des associés, Joseph Pépin (1770-1842) et René Saint-James, dit Beauvais (1785-1837). Cet atelier emploie plusieurs dizaines de personnes; il rayonne tout autour de la métropole et le long du Richelieu où pousse une nouvelle génération d'églises. Quévillon affectionnait les courbes, les volutes, les rinceaux, le rocaille, le style baroque en général dont il exagère parfois les décorations. La main-d'œuvre était abondante, les décors fouillés traduiront cette abondance par des motifs de fruits, de fleurs, par une recherche poussée des plans de retables.

Après 1850

D'après Marius Barbeau, que cite Gérard Lavallée, l'abbé Jérôme Demers (1774-1833) aurait permis à un artisan italien de coller des moulages de plâtre à la voûte de la basilique de Québec pendant que Thomas Baillairgé chevillait ses sculptures sur les murs; c'est le début de la fin pour les sculpteurs sur bois. Les plâtres moulés et peints ne coûtent presque rien. La peinture, que le plâtre absorbe littéralement, a des coloris presque inaltérables: le style «Saint-Sulpice» de ces objets industrialisés favorise les attitudes extatiques, l'air éthéré, les yeux au ciel, les joues trop roses et les longues draperies bleu marial: la sainteté semble ainsi s'éloigner du réel. Quant aux motifs des décors, ils ne sont que monotone répétition. Des exceptions à cette uniformisation viennent d'Italiens bien intégrés au milieu québécois et qui, outre le plâtre, utilisent d'autres matériaux. En 1858, Thomas Carli, né en Italie, vient s'installer à Montréal, y fonde un atelier qui compte jusqu'à 60 employés. Son affaire devient une entreprise de famille. Plus tard (1923) s'y associe la famille Petrucci. L'atelier fermera ses portes en 1972.

Victimes de cette industrie très florissante, les imagiers du bois voient leurs commandes diminuer. Une tradition aussi forte qui avait imposé un style et des manières de travailler ne peut cependant pas disparaître comme gommée par un goût incertain qui se généralise. Après la mort d'André Paquet (1860), Jean-Baptiste Côté (1832-1907) continue à travailler le bois. On connaît de lui plusieurs bas-reliefs qui dénotent une imagination et un sens de la composition pleins d'intérêt. C'est plutôt dans la région de Québec que se maintiennent des ateliers.

De chez F.-X. Berlinguet, sort Louis Jobin (1844-1928): statuaire exceptionnel, il produit des milliers de statues que l'on vient chercher de toute l'Amérique du Nord. C'est à Saint-Henri de Lévis qu'on trouve encore la plus grande quantité d'œuvres de Jobin (46) et à Rivière-du-Loup. Amoureux de son art, il mourut à 84 ans, toujours aussi pauvre car il lui répugnait de faire payer ses immenses statues de bois plus cher qu'un plâtre. Il put former un apprenti, Henri Angers (1870-1933) qui réalisait en 1909 les quatre sculptures de la façade de Saint-Ambroise de Loretteville. C'est aussi l'époque où Lauréat et Robert Vallière sont les sculpteurs de Saint-Dominique à Québec. Le fils raconte que, poussé par l'un de ses clients, Lauréat remet à ce dernier au jour convenu l'œuvre comman-

Monument à Saint-Georges, en bois recouvert de cuivre doré de Louis Jobin, devant l'église de Saint-Georges de Beauce, 1909.

photo: Musée du Québec, Patrick Altman (Collection Fabrique Saint-Georges-Beauce).

dée, mais lui en apporte une autre dix jours plus tard: «Voilà la sculpture que je vous aurais faite si vous ne m'aviez pas poussé dans le dos.»

IMAGES TAILLÉES

La sculpture d'ornementation des églises

C'était là le gros marché des artistes. L'accroissement de la population, l'agrandissement, la rénovation ou la construction des églises leur assuraient un travail de longue haleine. Mais il n'est pas toujours facile de faire admettre à une fabrique, à un supérieur de couvent, un plan et même un œuvre finie. Gilles Bolvin (1711-1766) se fait vertement rabrouer par un Sulpicien de l'Assomption. A.Y. Jackson, rendant visite à Louis Jobin deux ans avant sa mort, avait remarqué une statue d'ange jouant de la lyre, accrochée à l'extérieur de son atelier: «Regardez le bois, dit Jobin, il est déjà vermoulu. Les insectes le vrillent; ils s'en nourrissent. Ils l'aiment mieux que le curé pour qui je l'ai fait et qui n'en a pas voulu». Pour ceux qui payaient, l'esthétique semblait n'avoir qu'une importance relative alors qu'il existait des critères à ne pas négliger: ces œuvres devaient avant tout être des modèles proposés à la piété des fidèles et avoir aussi un contenu didactique. Les évangélistes étaient présentés avec un livre ouvert et l'animal qui les identifie, l'aigle pour saint Jean, le lion pour saint-Marc. Saint Roch a toujours son chien avec lui et montre la plaie de sa jambe. Saint Pierre ne sort jamais sans les clefs du paradis, etc.

En plus des statues en ronde bosse, il y avait aussi des bas-reliefs qui présentent peu de saillie sur un fond plat et dont certains sont polychromes. Le haut-relief est plus en saillie, sans toutefois se détacher du fond. Il existe à Sainte-Marie de Beauce un relief intéressant présentant une Vierge à l'enfant très curieuse: sur les genoux de sa mère, l'enfant semble pagayer devant un paysage qui évoque celui de Québec.

Le grand œuvre des ornemanistes demeure le retable qui entoure l'autel ainsi que le tabernacle: colonnes, dôme, frises, statuettes nombreuses, chapiteaux, guirlandes, niches, vases, torches, cartouches, permettent tous les styles qu'ils mêlent souvent avec bonheur. On y trouve même des audaces qui surprennent. Il y a d'habitude un tableau au fond du retable sur lequel se détache la monstrance, au-dessus du tabernacle.

La forme des autels ressemble volontiers à celle du tombeau qui adopte les côtés galbés du style Louis XV. Le tabernacle du maître-autel est en général un édicule avec des caractéristiques de type plutôt architectural: porte, toit en dôme, colonnettes, grilles, niches. La porte même du tabernacle est toujours ornée d'un motif, épi de blé et grappe de raisins ou Bon Pasteur et sa brebis. Dès qu'on a aménagé une surface plane, on la garnit d'un motif: scène religieuse, fleurs, fruits, étoiles.

On retrouve ces motifs un peu partout: sur les murs, sur les boiseries des stalles du chœur, sur les bancs — dont le «banc de fabrique» — ou sur le trône curial, sur les confessionnaux. Souvent une corniche fait tout le tour de l'église,

Retable et maître-autel de l'Hôpital Général de Québec (chapelle). Attribué à Noël Levasseur, c.1722.

photo: Guy Perrault.

soulignée par des denticules, et semble supporter la voûte en anse de panier dont certaines sont constellées de motifs sculptés (Saint-Jean-Port-Joli). La chaire, d'où vient la parole de Dieu, est fixée à gauche en hauteur et adopte une forme arrondie ou à pans coupés: elle est souvent surmontée d'un abat-voix, au-dessus duquel un ange à la trompette invite les paroissiens à être attentifs. Ce sont aussi des anges et angelots que l'on retrouve sur des corbillards ou des stèles de cimetière.

Thématique de l'iconographie

Les thèmes sont liés à des dévotions particulières au territoire québécois. En tout premier lieu, c'est la sainte Famille qui retient l'attention; saint Joseph à la fois père de famille et artisan, la Sainte Vierge et son enfant, parfois de proportions étonnantes (un très grand «Petit-Jésus» domine presque une jolie jeune femme plus timide qu'étonnée devant la taille de l'enfant), sainte Anne, patronne des marins bretons, tient une grande place dans la dévotion populaire, attestée par le pèlerinage de Sainte-Anne-de-Beaupré et les ex-voto si nombreux en sa faveur, (elle fait aussi partie de la sainte Famille, puisqu'elle est la mère de Marie). On voit aussi Jésus enfant mais déjà empreint de la sagesse de Dieu. Le thème du Bon Pasteur «parle» aux tièdes et aux négligents: il est toujours représenté avec, sur les épaules, la brebis qui s'était éloignée du troupeau. Sainte Ursule et saint Augustin, pour leur part, avaient la faveur des couvents de femmes qui vénéraient leurs saints patrons. Quant à saint François-Xavier et saint Ignace de Loyola, ils font partie de la Congrégation de Jésus. D'autres saints auront la faveur de l'Église tout simplement parce qu'ils sont en position de force: l'archange saint Michel, saint Georges terrassant le dragon sont des représentations populaires de la victoire sur le mal. On trouve aussi beaucoup d'évangélistes qui forment un ensemble où les animaux ont aussi leur place: voilà qui devait intéresser les artistes et leur permettre le peu de liberté dont ils jouissaient.

Originalité de la sculpture québécoise

On demandait souvent aux sculpteurs de copier soit une œuvre, importée ou non, soit une gravure, soit une image. Ils exécutaient alors les commandes dans un esprit de soumission qui ferait sourire les artistes d'aujourd'hui. À part quelques pièces empreintes d'une grande originalité, l'ensemble de la sculpture québécoise suit les canons de l'iconographie de l'époque. Ce qui fait son originalité, c'est l'interprétation des modèles qu'on leur a donnés.

De formation populaire, les sculpteurs exprimaient avec une foi évidente l'admiration que les modèles de sainteté leur suggéraient. Cette admiration se traduit par des traits émouvants; en ce qui concerne l'ensemble attribué à Pierre Émond (1738-1808), le saint Joseph et la Sainte Vierge qu'abrite la chapelle de Mgr Briand au séminaire de Québec tiennent leur charme étonnant de la belle naïveté de leur facture: bras loin du corps dans une attitude paisible d'accueil, figure massive, cou robuste, mains de la Vierge d'une taille très audessus de la moyenne; la rigidité de saint Joseph contraste avec l'attitude plus en mouvement de la Vierge qui écrase le serpent.

Gérard Lavallée parle d'un «art viril, sans concession»: il se dégage des calvaires de Louis Jobin, comme des évangélistes sculptés d'Henri Angers ou des Baillairgé, cette même tranquille assurance qui a fait la force du peuple québécois. Que les proportions ne soient pas respectées n'enlève rien à la valeur des œuvres, au contraire. Louis Jobin enlevait ses chaussures pour tailler les pieds du christ en croix et se désolait dans sa vieillesse que les siens eussent trop enflé pour continuer à servir de modèles. La polychromie faite avec tendresse accentuait encore la bonté, l'accessibilité des modèles proposés au peuple chrétien. Ces personnages créés à l'image et à la ressemblance de ce que leur créateur avait sous les yeux: des habitants et des mères de famille robustes.

Que dire des ensembles qui parent encore d'innombrables églises dont aucun n'est semblable à celui de la paroisse voisine? La finesse des feuilles d'acanthe ou des grappes de raisins rivalise avec l'originalité et la quantité incroyable de motifs qui ornent frises et corniches, murs et plafonds. Les David en ont façonné des centaines dont la variété étonne (par exemple au Sault-au-Récollet, vers 1820). La qualité et la variété des œuvres, raffinement et recherche d'une part, franchise et simplicité non exempte de maladresse, d'autre part, sont les témoins évidents de la place et de l'ardeur de la vie religieuse au Québec pendant plus de trois siècles.

LA SCULPTURE PROFANE

LE BOIS

Les œuvres qui témoignent de cette autre activité artisanale et artistique sont en très petit nombre, comparativement aux milliers de pièces d'ordre sacré. Les premières enseignes urbaines ont malheureusement été détruites par les aléas du temps et du climat. Celles qui nous restent sont plus récentes, comme ces beaux exemples de sauvages qu'on mettait à la porte des tabagies pour rendre hommage aux premiers utilisateurs du tabac. Louis Jobin qui s'était d'abord installé à Montréal en a fait un bon nombre. Il y eut aussi une longue tradition de figures de proue pour orner les bateaux qui sortaient des chantiers maritimes: on en a retrouvé des projets dans les cartons à dessins des Baillairgé et l'on sait que la construction navale de voiliers était encore lucrative à la fin du siècle dernier.

La fête nationale des Canadiens français, la Saint-Jean-Baptiste, qui correspond au solstice d'été, est marquée par un grand défilé. Il reste encore des chars allégoriques immenses de Jobin (1880) très explicites des valeurs traditionnelles. Médard Bourgault, né en 1897 à Saint-Jean-Port-Joli, avait commencé par fabriquer des figures sacrées. Il s'oriente ensuite vers la figurine de petite taille représentant les mille et une situations de la vie rurale. Étant donné le succès de ses œuvres auprès des touristes, son frère, ses fils ont continué sur sa lancée et ont créé dans cette petite ville de la rive sud un véritable centre culturel dévoué à la sculpture sur bois. En 1984, s'y tenait un symposium international de sculpture.

Une dernière activité digne de mention: au tournant du siècle, la mode a pris naissance de sculpter un matériau abondant et gratuit mais de courte durée, la glace ou la neige. Jobin exécute des œuvres dont il ne reste que de mauvaises photos mais la tradition se continue et, tous les ans, on organise des concours de sculpture sur glace ou en neige, dont une manifestation internationale pendant le Carnaval de Québec. En même temps, dans la Basse-Ville, la rue Sainte-Thérèse est alors le lieu d'une expression locale populaire dont la drôlerie et l'invention laissent pantois les sculpteurs professionnels qui travaillent en Haute-Ville[5].

LE BRONZE

Sculpture et urbanisme

Les villes prennent de l'importance à la fin du XIXᵉ siècle, et l'urbanisme fait pousser de grands édifices publics au milieu d'espaces délimités à cette fin. Ces espaces sont habités par des groupes de personnages en bronze érigés à la gloire des héros ou des premiers habitants du continent, Louis Hébert, Marie Rollet, Guillaume Couillard, etc. Philippe Hébert avait ainsi réalisé et exposé en France (1889) son *Pêcheur à la nigogue*, toujours guettant devant l'Assemblée nationale un poisson imaginaire.

Les petits bronzes d'Alfred Laliberté. Suzor-Côté avait tâté de la sculpture: on lui doit une cinquantaine de petits bronzes, hauts de 40 cm environ: son groupe d'*Iroquoises* est saisissant de vérité et de mouvement.

Mais son œuvre reste très modeste en comparaison de celle d'un Alfred Laliberté (1878-1953). Professeur pour vivre comme tant d'autres, il partage son temps entre des commandes officielles (statues et monuments, telle la façade du parlement de Québec) et une quantité de statuettes d'une trentaine de centimètres de haut, étonnantes de vie et d'imagination. Cette œuvre considérable a pour thèmes les coutumes et les métiers de la vie d'autrefois. Laliberté n'avait qu'à se souvenir de son enfance dans les Bois-Francs pour camper une femme d'habitant en train de baratter la crème ou le forgeron du village en pleine action. La proportion et l'équilibre des pièces, la vigueur du modelé, la qualité du ciselé, la beauté de la patine en font le plus grand artiste de cette période. Connu de son vivant, vite oublié après sa mort puis redevenu célèbre, on organisa pour le centième anniversaire de sa naissance plusieurs expositions qui révélèrent au grand public, entre autres, les 200 bronzes qui appartiennent au Musée de Québec.

Dans ses 925 sculptures, grâce aux statuettes sur les traditions populaires, le Québécois d'aujourd'hui retrouve avec émotion tout un pan de la mémoire collective. Grand conteur, Alfred Laliberté s'est souvenu de la place qu'occupait la tradition orale dans les veillées d'autrefois. Il a tenu à traduire dans le bronze les innombrables légendes qui enchantaient les anciens: ainsi l'histoire de *Grenache*[6]. Les bonnes actions sont récompensées: *La mesure de blé*, *Le gobelet revenu*. Le diable est également très présent dans son œuvre: *Le jeu de cartes du Diable*, *Le Diable aux forges du Saint-Maurice le dimanche matin*, *Le berlot du poil*, et bien sûr la *Chasse-galerie*[7]. Ses sculptures sont expressives, pleines de vie, dramatiques dans certains cas (*Le vaurien repentant*, *La Corriveau*, *La tête à Pierre*); son œuvre, d'un intérêt socioculturel et documentaire évident, se double d'une qualité artistique indéniable. Il fut l'un des premiers à utiliser le bronze; il a de plus su le rendre vivant. Peintre également, le jeune homme qui ne savait ni lire ni écrire à 18 ans à son arrivée à Montréal laisse en outre à sa mort des *Souvenirs* récemment publiés.

LA SCULPTURE MODERNE ET CONTEMPORAINE

Après avoir occupé les espaces urbains et les façaces des édifices publics, le bronze avait gagné d'autres secteurs et trouvé de nouvelles utilisations. Les techniques s'améliorant avec le siècle, les matériaux se diversifiant permettent toutes les improvisations formelles aux sculpteurs de notre temps. L'église Saint-Zéphirin de La Tuque a trois doubles portes monumentales[8] en cuivre repoussé, sur les deux faces. La sculpture montréalaise est moins connue que la peinture, tout simplement parce que les artistes sont moins nombreux dans cette discipline, que la taille de certaines œuvres rend impossible le transport et difficiles les expositions, et qu'une pièce sculptée est souvent plus onéreuse qu'une œuvre peinte. L'École de Montréal, en sculpture, a profité du mouvement de libération lancé par *Refus global*, mais c'est surtout après 1960 qu'elle prend son essor avec une vigueur et dans une variété étonnantes. L'École de Montréal n'impose ni règles ni théorie, mais constitue un lieu où s'échangent les idées, où se raffinent les expériences et qui attire les étrangers par sa seule puissance de rayonnement. Une fonderie d'art s'est installée en 1988 dans la région de l'amiante: en quelques mois, elle n'arrivait plus à répondre à la demande.

VARIÉTÉ DES MATÉRIAUX

Le bois garde ses adeptes, même si l'on change de techniques; on utilise des arbres sur pied; on en brûle des parties avant de finir au ciseau ou à la gouge; on peut aussi choisir du bois ouvré, déjà en madriers ou en planches dont on fait des assemblages. Le bronze a l'avantage sur le bois de durer: ses adeptes sont de plus en plus nombreux tant il est vrai qu'un artiste, en général, aime à voir ses œuvres le prolonger longtemps après sa mort.

D'autres matériaux s'ajoutent à ces deux classiques de la discipline: la fonte, le fer et l'aluminium dont Le Québec est riche. La pierre reprend ses droits: on l'utilise telle quelle, sous forme de roches ou de cailloux, ou on la travaille au ciseau et au maillet. Le carton, les objets recyclés, le ciment semblent à première vue moins nobles que les précédents: ils ouvrent cependant de toutes nouvelles voies à la création. Les plastiques sont voués aux gémonies par les amoureux de l'environnement, mais ces sous-produits du pétrole, non biodégradables, honnis des amateurs d'antiquités, trouvent grâce devant le public de la nouvelle sculpture. On découvre à la mousse de polystyrène expansé, au plexiglas et à la fibre de verre des vertus qu'on ne soupçonnait pas il y a moins d'une génération.

VARIÉTÉ DES TECHNIQUES

L'industrialisation a des quantités d'avantages qui compensent plus que largement ses inconvénients. À son actif, des technologies qu'un sculpteur peut appliquer à la matière et qui lui ouvrent une gamme très étendue de possibilités concernant les matériaux, traditionnels ou modernes. Au ciseau et au maillet s'ajoutent les soudures, le brûlage, le laminage, les compressions, etc. Maurice Lemieux en chauffant à un peu plus de 500 °C une mousse d'aluminium, (matériau nouveau qui pèse le tiers de ce métal) obtient une malléabilité qui lui permet de sculpter le métal même sans passer par la pénible opération du moulage et de la fonte.

On n'hésite pas à mélanger les matériaux: bois et fer, plastique, verre et métaux. On assemble comme autrefois, mais l'assemblage maintenant si varié fait souvent partie du visuel: on voit chevilles et boulons. *Fac-Similé* de Michel Goulet qui aime à transformer

L'homme de fer de Germain Bergeron, Shefferville, 1970.

photo: Mark Skarzynski.

l'objet usuel, dont il propose une nouvelle lecture, est un assemblage sculptural qui démontre des qualités d'imagination peu communes. À l'immobilité succède le mobile; l'art cinétique devient courant si l'on peut dire! Le son, la lumière, la photographie ont aussi de nouveaux rôles à jouer.

INTÉGRATION AUX AUTRES ARTS

Ce n'est pas en soi nouveau, la sculpture religieuse nous avait habitués à la présence d'un tableau au milieu d'un retable; le cadre même d'une œuvre peinte n'affirme-t-il pas la longue habitude de cette intégration? Ce qui se passe après 1960 dépasse de beaucoup les vieilles habitudes: l'architecture demande à la sculpture la mise en valeur de ses formes monumentales par une présence à moindre échelle qui équilibre intérieurement ou extérieurement le tout. Dans le monde entier, on assiste à une certaine renaissance de l'intégration des formes d'expression plastiques dans la vie urbaine: les personnages descendent des socles qui les éloignaient des yeux et se rapprochent des mouvements du sol et de la foule. L'eau devient un matériau au même titre que la pierre ou le métal. La science[9] se sert du laser qui, à son tour, peut servir à la sculpture comme la lumière. Le néon, le son électrique, tout est utilisable, tout devient possible. Une fois sur son socle, un collier devient une sculpture-bijou, un objet d'art différent de ce qu'il est au cou de sa propriétaire. Assez fréquemment, un peintre se laisse tenter par la sculpture, et vice-versa. Dans la société québécoise, les expériences de toutes sortes sont de plus en plus acceptées.

EXPRESSION DE NOUVELLES VALEURS

Comme pour la peinture, le même type de changement s'opère à partir des années quarante. La société a vu se déplacer ses intérêts et les artistes reflètent cette mutation. Parce que plus sensibles que le groupe social dont ils font partie, ils la ressentent avec plus d'acuité et la devancent dans leurs œuvres.

Les sculpteurs, aux prises avec la matière en trois dimensions, sont plus immédiatement obligés de faire face à des problèmes de volumes, de masse, à des questions d'ordre formel essentielles: le respect du volume fait que le cubisme et le surréalisme auront des répercussions rapides sur cette discipline artistique. Un élément, peu utilisé jusque-là, prend soudain sa place: la couleur qui permet d'ajouter un accent ou une autre dimension à une œuvre. L'humour investit peu à peu toutes les formes d'expression culturelle, au Québec plus qu'ailleurs, où le rire — pour salutaire qu'il soit — devient presqu'une drogue qui permet d'encaisser désillusions et coups durs individuels ou collectifs. L'érotisme devenu littéraire dans les années soixante passe dans le champ des arts visuels au même moment et suscite parfois des réactions étrangement destructrices qui en disent long sur les pulsions profondes des êtres humains. Tout, finalement, en matière de sculpture, comme en architecture, contribuera à apprivoiser l'espace, l'habiter et l'habiller; non plus, cette fois, pour vaincre une nature hostile, mais afin de permettre, dans l'environnement physique et social, une intégration de l'homme et de sa culture.

PIONNIERS ET REGROUPEMENTS

À Saint-Jean-Port-Joli, les Bourgault ont fait école; leur village, à l'ombre d'une ancienne église particulièrement harmonieuse, est devenu un lieu de rassemblement pour ceux qui s'intéressent aux figurines de bois. Le travail se diversifie, certains retrouvent le plaisir de fabriquer des jouets, d'autres se spécialisent dans les animaux ou les statues de plus grande taille.

Les sculpteurs se sont regroupés en association. Après la disparition de la Société d'art contemporain en 1948, les groupes constitués autour de théories éphémères étaient composés surtout, sinon exclusivement, de peintres. L'Association des sculpteurs du Québec (ASQ) fut créée pour répondre au besoin des artistes de sortir de leur isolement. Elle organise des expositions et fait connaître les Québécois à leurs compatriotes, rayonnant aussi en dehors des frontières. Dès 1973, elle comptait soixante membres actifs: son dynamisme n'est pas étranger au remarquable essor de la sculpture québécoise à la fin des années soixante. Une autre formule de regroupement fut importante à cette période, le symposium, qui permet à plusieurs sculpteurs de travailler en même temps, en un même lieu (généralement à l'extérieur), parfois avec un matériau imposé, bois, pierre ou métal. L'organisation d'un symposium n'est pas une mince affaire, du point de vue financier comme du point de vue psychologique, lorsqu'il s'agit de concilier les exigences des créateurs et les réactions du public.

Ces réunions, régionales ou internationales, ont le mérite d'ouvrir le Québec à l'art qui se pratique à l'extérieur et en contrepartie de mieux le faire connaître. Le brassage des idées favorise le dialogue culturel et la fraternité des arts. De 1964 à 1970, on tint en terre laurentienne trois symposiums internationaux et quatre régionaux. Le coût élevé de l'événement restreint toutefois sa fréquence. Le dernier symposium international à retenir est celui de Saint-Jean-Port-Joli en 1984. Les symposiums ne sont pas étrangers à la décision de plusieurs artistes étrangers de s'installer à Montréal, comme l'Espagnol Jordi Bonet ou Hans Schleeh.

Les professeurs à l'École des beaux-arts de Montréal ne pouvaient ignorer ce qui se passait dans le milieu artistique du Montréal des années quarante: les madones de Sylvia Daoust, par exemple, renouvellent les thèmes religieux avec bonheur et apportent certaines simplifications de lignes qui conviennent très bien aux nombreuses églises modernes qu'on construit autour de 1960. Parmi les pionniers, Armand Filion travaille le bois et le marbre: son enseignement permet aux étudiants un choix éclairé du matériau.

Des signataires de *Refus global*, Jean-Paul Mousseau s'était tourné, lui, vers le totem lumineux, la murale en pâte de verre ou la décoration de discothèques; Françoise Sullivan fait évoluer autour d'un axe des cercles de métal coloré ou présente d'intéressants mobiles en plexiglas; son œuvre joue évidemment sur le mouvement dont la danse lui avait révélé la séduction. Jean-Paul Riopelle aussi s'essaie alors aux trois dimensions.

Le plus direct des pionniers est aussi professeur. Entré dans le royaume de la sculpture par la modeste porte de la céramique, Louis Archambault utilise un vocabulaire d'élégance et de fantaisie (*Les Dames-Lunes*, 1955). Il signe *Prisme d'Yeux* en 1948 et évolue vers un géométrisme rigoureux et de plus en plus monumental. Il est un de ceux qui ouvrent à la sculpture le champ immense de l'intégration à l'environnement.

LES MENEURS

Robert Roussil, en 1949, fait scandale dans une exposition à Montréal. Une œuvre représentant un couple est accusée d'indécence; deux ans plus tard, un vandale détruit une autre de ses œuvres devant une galerie montréalaise. Trouvant le milieu québécois un peu trop rétrograde à son goût, il va s'installer dans le midi de la France. Dans son œuvre, des bois dont des assemblages monumentaux, des métaux soudés ou fondus, des murales, des céramiques, des gouaches, des gravures, des cartons de tapisserie, de l'édition poétique. Artiste dynamique, complet, complexe, il continue à explorer toutes les avenues qui peuvent encore s'ouvrir à lui: il surprendra toujours le Québec où il revient souvent.

Armand Vaillancourt, vers le milieu des années cinquante, sculpte un arbre qu'on allait abattre rue Durocher. C'est le signe de son désir de marquer l'environnement, d'inscrire son travail dans

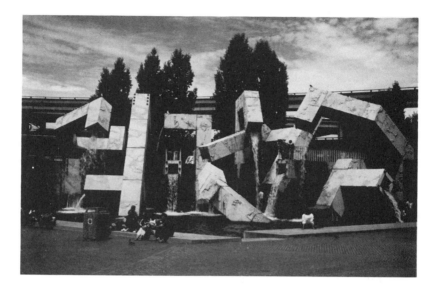

Sculpture-fontaine de l'Embarcadero à San Francisco d'Armand Vaillancourt, sur laquelle il avait installé un écriteau: «Québec libre», 1971.

photo: Françoise Tétu de Labsade.

l'espace, au sens large du terme. Sa prédilection, c'est le gigantesque, le monumental. Il adore travailler en équipe, conduit un tracteur, bouscule des (petites) montagnes, construit des fonderies sur les lieux de travail et laisse ses assistants dégager le bronze de la gangue de sable qui l'entoure. À Toronto, en 1967, il laisse en pleine ville une œuvre de 200 tonnes intitulée *Je me souviens*, «encombrante et inachevée comme le Québec» (G. Robert). Non figuratif, il se défend contre la mauvaise volonté d'un public qui peut se montrer borné, mais il se bat toujours en gardant le respect de l'autre même s'il est provocant de nature. Ses fontaines (Embarcadero de San Fran-

cisco, Palais de Justice de Québec) paraissent plus géométriques que ses bronzes. Comme beaucoup d'autres, il utilise la mousse de polystyrène expansé[10] pour montrer son modèle, puis sculpte à grands coups de torche avant de le fignoler. Il enferme ensuite le tout dans une gangue de sable; la fonte en fusion prend la place du plastique comme elle l'aurait fait de la cire dans la technique à cire perdue. Force de la nature, il a tout du meneur: une opiniâtreté, un sens du spectacle et un désir de communication qui lui fait toucher à tous les matériaux, bois, fonte, béton, roche, tôle, avec une égale ardeur. Sa belle folie, à l'opposé de la discrétion d'un Archambault et du calme d'un Daudelin, a défoncé plusieurs portes et enfoncé plusieurs préjugés. Nombre de personnes profiteront de son généreux dynamisme.

André Fournelle partage avec Vaillancourt le goût du travail en équipe et avec Roussil celui de la provocation. En 1968, il participe à l'*Opération Déclic* qui voulait conscientiser le public montréalais à toutes sortes d'expressions artistiques. Il fait des expériences à partir du laser ou du son électro-acoustique. Aucune de ses expositions ne ressemble à la précédente. Se renouvelant constamment, il est sans doute le plus aventureux des sculpteurs: la plastique de ses *Néons* est particulièrement attirante.

LES TENDANCES

La tendance figurative

Comme en peinture, la figuration a ses défenseurs et ses détracteurs. Elle reste cependant très forte par sa puissance d'évocation et, apparemment, par sa plus grande et immédiate accessibilité.

Cette tendance figurative permet les allusions érotiques de Germain Bergeron (*Macromagnon*, 1968; *L'homme de fer*, 1970), celles de Pier Bourgault (*Libido*, 1970) ou de Claire Hogenkamp. Elle rend le spectateur complice des glissements de sens que le sculpteur laisse aller en chemin du titre à l'œuvre ou vice-versa, (les œuvres d'Archambault; ou *Hot-dog autoportrait* de Fournelle).

Germain Bergeron recycle inlassablement de vieilles ferrailles avec une imagination malicieuse. Maurice Bergeron, quant à lui, invente des *Charnières-portes*. Jean-Claude Lajeunie aussi transforme de réels rebuts en objet minutieusement fabriqués et non moins bien titrés. Anne Kahane, Gaétan Thérien, Serge Otis, à des degrés divers, sont restés figuratifs quand la

grande marée de l'abstraction s'est mise à balayer un monde des arts en ébullition.

Suzanne Guité, gaspésienne de naissance et de cœur, ne s'est pas lassée d'exprimer dans la pierre des figures dont on dirait qu'elle n'a pas voulu les arracher au granit. Comme si la créatrice avait eu peur d'insuffler la vie à ces créatures prisonnières d'un réel trop pesant. Ses têtes, québécoises, gaspésiennes, gardent une forme plus ou moins définie, yeux fermés, bouches scellées dans l'obsession d'un effort surhumain. On lui doit aussi de belles «maternités». Elle avait fondé à Percé un Centre d'art dont elle fut l'inlassable animatrice. Elle aimait l'Amérique latine, ses monuments, les figures de l'Île de Pâques. Elle est morte en 1981 au Mexique où elle était allée revoir les têtes mayas.

La tendance non figurative

«L'art, c'est comme la mini-jupe, il faut s'y habituer» (J.-P. Mousseau). Les automatistes, comme Marcel Barbeau, peintre et sculpteur, plaidaient pour l'abstraction: la sculpture aura ses adeptes de la forme non référentielle. Yves Trudeau a été à l'école d'Henry Moore: il touche au fer, au bronze, à l'aluminium, au plexiglas. Dans la série des *Murs ouverts et fermés* (1970), il est tenté par la géométrie nette des volumes et des surfaces; plus tard, *Parvis et portraits* sont mobiles. Jacques Huet, Roland Dinel, Jacques Chapdelaine ont choisi le bois avant d'essayer d'autres matériaux (fonte d'aluminium ou pierre). Le bois continue à fasciner les Québécois: on doit le traiter avec infiniment plus de tendresse et de précaution que la pierre qui résiste farouchement au sculpteur. Ivanhoe Fortier, Joan Esar, Hans Schleeh sont stimulés par cette inertie dont il faut réveiller les formes avec parfois la détermination du désespoir.

Ulysse Comtois a essayé le fer soudé à l'instar de beaucoup de ses collègues; Peter Gnass s'est orienté avec bonheur vers le plexiglass dont l'intérêt réside dans les rapports avec la lumière (*Topolog*, 1970). La sculpture moderne ne dédaigne par les assemblages d'un même matériau ou de matériaux divers. Cela donne des œuvres surréalistes pleines à la fois d'équilibre et de poésie. Gilles Mihalcean conjugue la sémiotique des composantes avec son imaginaire; ses évocations restent magiques; le regardeur est responsable du sens qu'il donne à l'œuvre; nous sommes bien dans la lignée du surréalisme et de l'automatisme québécois.

On ne peut parler de non-figuration sans parler de Charles Daudelin, peut-être le plus connu avec Armand Vaillancourt, bien que d'un tempérament opposé. Né en 1920, Daudelin travaille avec P.-É. Borduas puis avec Fernand Léger à New York. Professeur, il expérimente l'aluminium coulé en murale, se sert d'acier, de béton, mais son matériau de prédilection semble le bronze dont il fabrique aussi bien les objets du culte de l'église Saint-Jean que la sculpture de la Place des Arts à Montréal et l'œuvre monumentale pour le Centre national des arts d'Ottawa. Comme Vaillancourt, il a fait des fontaines (Charlottetown); son *Embâcle*, place du Québec à Paris, est bien à son image: discrète, mêlant astucieusement la pierre et le bronze, elle semble évoquer la profondeur d'un être réfléchi et amoureux de son art.

L'Embâcle, sculpture-fontaine de Charles Daudelin, place du Québec à Paris, 1980.

photo: Françoise Tétu de Lbsade.

L'intégration à l'architecture

La statuaire va aux deux extrêmes des volumes: les figurines de Saint-Jean-Port-Joli ont quelques pouces de haut, les statuettes des tabernacles un pied ou un pied et demi; les statues des façades d'églises peuvent avoir de deux à trois mètres de hauteur; mais cela n'est rien comparativement à la taille de certaines œuvres dont le volume est en relation avec celui des monuments voisins. Ces œuvres monumentales sont réalisées en équipe et exigent, outre un travail de maquette précis, une transposition à l'échelle qui demande technique et adaptation. Le gouvernement du Québec, ayant institué en 1973 une loi exigeant que 1% du budget de la construction publique soit consacré aux beaux-arts, créa ainsi un débouché pour les artistes: peintres[11], sculpteurs et lissiers pouvaient alors présenter des soumissions pour l'embellissement des bâtiments, ce qui explique l'engouement pour les sculptures monumentales et autres œuvres d'arts intégrées à l'architecture. Nombre d'édifices gouvernementaux s'entourent d'œuvres sculptées ou s'ornent de murales (Mario Merola, Denis Juneau, Claude Théberge).

Vaillancourt avait donné l'exemple, Daudelin et presque tous les autres l'ont suivi. Des intégrations à l'architecture se font plus précises encore: Jean-Noël Poliquin fait de beaux murs de soutènement à l'Université de Montréal; I. Fortier construit à Vaudreuil une maison de la culture exceptionnellement belle.

Parmi tous les sculpteurs de murales, un personnage a joué un rôle patient, divers et parfois difficile: Jordi Bonet, Espagnol d'origine, né en 1932, est mort en 1978 avant d'avoir pu donner la pleine mesure de son art. Il en est venu à transformer la matière par le matériau le plus simple, la terre. Il fit d'abord plusieurs murales de céramique, dont une banque à Chicago. Il a aussi sculpté en fonte d'aluminium entre autres, mais sa réalisation la plus extraordinaire est l'immense murale intérieure du Grand Théâtre de Québec (1969-1970); sur trois des quatre côtés intérieurs de cet édifice et sur toute sa hauteur, sur une surface totale de 12 000 pieds carrés (1300 mètres carrés), Bonet a fait une œuvre à mi-chemin entre la figuration et la non-figuration, mais dont le message universel est très clair; son appel à la liberté utilise des formes référentielles, un poème au verbe violent, des phrases à lire à l'envers. Cette murale exige une participation renouvelée du spectateur

Murale intérieure du Grand Théâtre, en ciment de Jordi Bonet (partie), 1969-1970.

photo: *Grand Théâtre de Québec, Krieber.*

qui, se promenant à tous les étages, peut chaque fois avoir un autre point de vue sur celui que l'artiste lui propose. À partir du matériau le plus usuel en construction, apparemment le moins noble, Jordi Bonet a su inscrire dans le ciment une étape du destin collectif des Québécois.

> Trop souvent nous œuvrons dans la solitude, loin des champs d'action où notre destinée pourrait s'épanouir: des villes se bâtissent autour de nous mais nous n'y sommes pas.
> L'art est pourtant aussi à l'aise dans les rues et places publiques que dans les salles d'un musée; il est la richesse collective de tous les hommes: chacun a droit de le retrouver dans la maison qu'il habite, dans l'objet qu'il utilise, partout dans le pays où il vit.
> Si là nous devons témoigner de la civilisation inquiétante qui est la nôtre, exprimer l'angoisse, nos œuvres doivent surtout dire l'espérance, ce que nous avons à devenir.
> Fermer nos yeux, ouvrir notre tête, voir: l'art est l'écriture de visions à dire.
>
> JORDI BONET

Peinture et sculpture n'ont souvent plus de frontières pour le plus grand bénéfice du public. Roussil, P. Bourgault, D. Juneau font des sculptures habitables; Edmund Alleyn va plus loin encore; avec son *Introscaphe 1* (1971), il invite le spectateur à entrer à l'intérieur d'une forme ovoïde pour faciliter la communication avec lui-même; c'est l'art au service de la connaissance de soi mais si directement appliqué ici que le visiteur-participant vit pendant quatre minutes et demie une polysensibilisation par le biais d'une combinaison de facteurs stimulants: cinéma, son, lumière, changement de température, mobilité du fauteuil, etc. L'œu[f]vre d'art est ainsi vue du dehors et du dedans.

Avec des pionniers tels que Daudelin et Archambault, Vaillancourt et Roussil, la sculpture s'est engagée pendant les années quarante dans la voie de la modernité. La céramique (Lorraine Basque et ses interprétations miniatures de tableaux célèbres en 1984), le bois, sont des matériaux qui gardent des liens serrés avec l'artisanat. Alors que, pendant les années cinquante, la sculpture restait tributaire de l'évolution picturale, s'inspirant du surréalisme ou s'épurant dans l'esprit du formalisme, dans la décennie suivante, le dynamisme de cet art atteint son apogée: il bénéficie de matériaux nouveaux, jusqu'au plastique gonflable, pour se réaliser dans des formats plus importants, développer ses modes de diffusion et participer au monde du show-business. Tandis que Monic et Yvon Cosic habillent les ormes d'un parc d'écharpes multicolores ou font des installations multidisciplinaires, Jean-Marie Delavalle passe d'un art minimaliste (*Rails*) à la photo et retourne ainsi aux deux dimensions de la peinture. William Vazan, aussi, a recours à la photo pour fixer des œuvres dont le caractère éphémère subvertit un des principes de l'œuvre d'art qui est de durer, comme ce *Paysage transformé par 5000 pas dans la neige pendant l'éclipse du soleil du 7 mars 1970*.

Redevenu récemment le partenaire de l'architecte, le sculpteur moderne, sous de multiples formes, renoue des liens anciens avec le facteur de tabernacles des siècles précédents. Autrefois le bois doré des tabernacles se détachait sur le tableau du fond du retable et les statuettes de saints étaient ravivées de polychromie. Maintenant la multidisciplinarité offre aux arts visuels un immense champ de recherche dont les limites jamais atteintes réservent aux artistes comme aux «consommateurs» que nous sommes un avenir plein de surprises.

L'ART DES AMÉRINDIENS ET DES INUIT

Les Premières Nations du pays avaient su tailler de belles images de bois divers. Ce sont soit de petites sculptures représentant surtout des oiseaux soit d'immenses totems où sont superposées des formes animales stylisées et vivement colorées que les Amérindiens ont gardé l'habitude de dresser dans leurs villages. La tradition de bois sculpté se manifestait aussi sur les porte-bébés que l'on ornait très richement de motifs floraux.

En fait, les Amérindiens, peu sédentaires, ne s'encombraient pas d'objets lourds; leur art s'est surtout épanoui dans les pièces d'habillement: cuirs, fourrures et tissus décorés de perles. Les traditions se sont maintenues jusqu'à nos jours et les artistes fabriquent encore de délicieuses boîtes en écorce de bouleau décorées de piquants de porc-épic, teints de couleurs vives et disposés géométriquement.

Les Inuit[12], ou esquimaux, sont un peuple de sculpteurs exceptionnels, mais leur production s'inscrit dans une approche très différente de la statuaire occidentale. Vivant dans le Nouveau-Québec, la partie la plus septentrionale du pays, les Inuit ont émigré d'ouest en est, au nord du globe, à la période des grandes glaciations, amenant en particulier avec eux le fameux chien d'attelage, le Husky sibérien. Les animaux sont omniprésents dans leurs œuvres, mais leur bestiaire sculpté est bien différent de celui que nous ont légué l'Orient et la Grèce, puis Rome et le Moyen Âge. Ici, point de lionceaux, de béliers, de pattes cornues ou griffues, de licornes ou d'hippocampes, mais plutôt le contour souple, insaisissable et lisse de la loutre et de l'ours blanc ou le profil stylisé de grands oiseaux (huard, marmette, etc.).

Bestiaire inuit.

photo: Service des ressources pédagogiques, Université Laval, Michel Bourassa.

Les Inuit figurent parmi les plus grands sculpteurs animaliers au monde et témoignent d'une communication constante avec la vie animale, avec ses mythes, son âme et sa cosmogonie. Le sculpteur inuit traditionnel travaille la stéatite, ou «pierre à savon», matériau tendre et propice au modelage des surfaces. La stéatite existe en plusieurs couleurs, de gris bleuté au noir en passant par le vert, et le polissage lui donne un fini «huileux» caractérisque. Il emploie aussi l'os de baleine, dont la texture sèche et alvéolée de couleur claire fournit des effets graphiques et plastiques bien différents des marbrures lisses et foncées de la stéatite. Les Inuit sont également de remarquables graveurs qui savent transposer — en surfaces à plat et en contrastes de valeurs — l'esprit de la matière qu'anime le monde extérieur, les gestes, les visages, les corps et leurs parements.

Les collectionneurs avisés ont, à travers le monde, emporté les témoignages authentiques d'une culture qui se commercialise beaucoup aujourd'hui. Les boutiques pour touristes donnent à voir et à acheter de nombreuses copies ou variations sur le même thème; mais ce n'est qu'un pâle reflet de l'apport original des Inuit à l'art et à la civilisation — à moins que ce ne soit, ironiquement, leur plus manifeste contribution. En Inuktituk, en effet, le verbe «avoir» n'existe pas (au sens où nous l'entendons) et le radical «inuk» désigne indifféremment l'homme, le peuple, la nation ou le genre humain. c'est assez dire que, pour eux, nés d'une longue migration, les aléas de l'histoire événementielle ne changeront rien, symboliquement, à la rapidité de l'ourson ou à l'ingéniosité du castor[13]. D'une façon réelle, plus ou moins confuse dans l'esprit de certains, les Inuit font partie intégrante du panorama culturel québécois.

Notes

1. Louis Jobin, l'un des derniers grands statuaires, mort en 1928, tenta même, pour protéger son travail, de recouvrir entièrement de feuilles de métal une statue équestre de Saint-Georges: cette œuvre magnifique a été récemment sauvée de justesse. Jobin se définissait avec modestie comme un ouvrier: comme ses devanciers, il allait en forêt quérir le bois nécessaire à son ouvrage et commençait à la hache (Jean-Paul Desbiens, le Frère Untel, s'enorgueillit d'affirmer, commentant sa propre façon: «J'écris à la hache»), comme devaient travailler les imagiers du Moyen Âge.

2. Il vécut en Nouvelle-France de 1683 à 1693 et publia en 1703 ses récits de *Voyages*.

3. Jésuite, il séjourna en Nouvelle-France et publia en 1744 une *Histoire et Description de la Nouvelle-France*.

4. Lord Dufferin, gouverneur général de 1872 à 1878, aimait le Québec qu'il parcourait volontiers et en appréciait particulièrement les vieux quartiers qui lui rappelaient l'Europe médiévale, disait-il.

Chose curieuse, ce fut lui, l'Anglais ou «l'envahisseur», qui s'opposa aux visées de l'élite canadienne locale — par trop admirative du baron Haussmann qui avait, à grands coups d'avenues, remodelé Paris — et tint à conserver les vieilles rues agréablement incommodes du Vieux-Québec. C'est donc à un Anglais que la cité de Champlain doit d'avoir conservé son quartier dans l'enceinte fortifiée des débuts. Québec figurera en 1987 sur la liste du patrimoine mondial de l'UNESCO. Le charme de Québec, l'intérêt de Montréal viennent en partie de ce double apport si perceptible dans l'urbanisme.

Détail non moins étrange: lorsque le premier ministre de France, monsieur Jacques Chirac, vint en visite officielle au Québec, il félicita le maire de Montréal pour l'ampleur de ses travaux dans la métropole qu'il compara, cette fois, à ceux du baron Haussmann... Le Québec a, décidément, un grand et double héritage!

5. Les habitants de Québec se rappellent ainsi une «coccinelle» — la petite Volkswagen d'autrefois — faite de neige bien tassée, toute redressée sur ses roues arrière, qui embrassait avec effusion un vrai poteau électrique.

6. Un étranger lui demande: Où reste Grenache? Je voudrais le rencontrer pour le battre. Pour toute réponse, le laboureur lève sa charrue à bout de bras et pointe sa

maison juste au bout du champ. L'autre court encore.

7. «Au temps des fêtes, les bûcherons dans les chantiers ne pouvaient pas toujours se rendre dans leurs familles. Un jour de l'An, des gars de Lavaltrie qui bûchaient dans la Gatineau décidèrent d'aller célébrer la nouvelle année avec leurs amis. Ils montèrent dans leur canot d'écorce et, "Acabris! Acabras! Acabram! Fais-nous voyager par dessus les montagnes!", l'embarcation s'envola. Pendant le voyage, il leur suffisait de ne pas prononcer le nom de Dieu et d'éviter les clochers d'églises au passage pour ne pas que le diable s'empare de leurs âmes.» (Musée du Québec).

8. Sculptées par Albert Gilles, installées en 1958; chacune de ces portes mesure 8 pieds de large sur 13 pieds de haut, pèse une demi-tonne et est montée sur roulement à bille.

9. Autrefois, les sculpteurs sortaient des Écoles des arts et métiers, on se demande maintenant s'ils n'ont pas suivi les cours spécialisés des facultés des arts et des sciences.

10. Le «styrofoam».

11. Tous les murs de Montréal, jusque-là étonnamment tristes, se couvrent de peintures intelligentes et humoristiques. Au carré Saint-Louis, un Institut d'hôtellerie en réduction sur le mur d'à côté faisait un plat au four particulièrement croustillant pour les habitués du petit parc qui n'appréciaient pas ce nouvel édifice un peu sombre avant qu'un nouveau restaurant ne masque l'à-propos du trompe-l'œil.

12. On dit: un Inuk, des Inuit. On trouve ce radical dans toute la langue (l'inuktituk) et dans les noms de lieux, comme Inukjuak. Ivujivik (200 habitants) est la localité la plus septentrionale du Québec, distante à vol d'oiseau de 1942 km de Montréal.

13. Le castor tient une certaine place dans la mythologie (Sartre appelait ainsi affectueusement Simone de Beauvoir) et en particulier chez ceux qui habitent ce territoire, Amérindiens, Inuit, Canadiens, Québécois; André Breton, le «pape du surréalisme», nommait gentiment le peintre Riopelle «le castor supérieur».

Bibliographie

BÉLAND, Mario, *Louis Jobin, maître-sculpteur*, Québec, Musée du Québec-Fides, 1986.

GAUTHIER, Raymonde, *Les tabernacles anciens du Québec des XVIIe, XVIIIe et XIXe siècles*, Québec, ministère des Affaires culturelles, 1974.

LAVALLÉE, Gérard, *Anciens ornemanistes et imagiers du Canada français*, Québec, ministère des Affaires culturelles, 1968.

MORISSET, Jean-Paul, *Sculpture ancienne du Québec*, Ottawa, GNC, 1959.

TRUDEL, Jean, *Un chef-d'œuvre de l'art ancien du Québec, la chapelle des Ursulines*, Québec, PUL, 1972.

Profil de la sculpture québécoise XVIIe-XIXe siècle, Québec, ministère des Affaires culturelles, 1969.

PORTER, John, *L'art de la dorure au Québec, du XVIIe siècle à nos jours*, Québec, Éd. Garneau, 1975.

PORTER, John R., BÉLISLE, Jean, *La sculpture ancienne au Québec*, Montréal, Éditions de l'Homme, 1986.

SARRAZIN, Jean, *Sculptures et gravures chez les Esquimaux aujourd'hui*, dans *Forces* n°s 41-42, Montréal, 1977-1978.

SAUCIER, Céline, KEDL, Eugen, *Image inuit du Nouveau-Québec*, Montréal, Fides et Québec, Musée de la civilisation, 1988.

Panorama de la sculpture au Québec, 1945-1970, Québec, Éditeur officiel du Québec, 1970.

Espace, périodique (publié de 1982 à 1985 par le Conseil de sculpture du Québec), Montréal, trimestriel depuis 1987.

Filmographie

Diapositives

Sculpture traditionnelle du Québec, 40 diapos + 1 catalogue; Musée du Québec.

Aux Éditions Yvan Boulerice (1974), des séries de 20 diapos avec notes (André Fournelle, Jordi Bonet, William Vazan).

Sculpture québécoise contemporaine, 120 diapos, 75 artistes, 1971, Yvan Boulerice.

La sculpture québécoise des années soixante, diaporama 11 min., 80 diapos, Yvan Boulerice.

Initiation aux métiers d'art du Québec. L'Éditeur officiel du Québec a publié des diapos (par 40) sur les techniques de sculpture (fait vers 1974).

Vidéos

Le Vidéographe a produit plusieurs vidéos dont: *André Fournelle* (15 min., 1974), *Ivanhoe Fortier* (30 min., 1972), *Jordi Bonet, muraliste* (30 min., 1972), *Mario Merola, muraliste* (15 min., 1974) et *Peter Gnass* (30 min., 1972).

Films

Alfred Laliberté, sculpteur 1878-1953, Jean Pierre Lefèbvre, François Brault, Les films François Brault et les Productions Dix Huit, coul., 1987, 80 min.

Bronze, Moretti. P., ONF, coul., 1969, 14 min., sur Charles Daudelin.

Et Titonton et Titontaine, Richard Lavoie, coul., 1977, 4 min., sur la sculpture sur glace.

Faire hurler les murs, Jean Saulnier, OFQ, coul., 1972, 22 min., sur Jordi Bonet et la murale du Grand Théâtre de Québec.

La forme des choses, J. Giraldeau, ONF, coul., 1965, 10 min., symposium de sculpture à Montréal en été 1964.

L'introscaphe, Charles Chaboud, Office de la Radio-Télévision Française, coul., 1970, 11 min.

La sculpture I, D. Bertolino, coul., 1973, 25 min., sur la sculpture actuelle.

La sculpture II, R. Morellec, coul., 1973, 25 min., sur la sculpture actuelle.

Les statues de monsieur Basile, Diane Létourneau, ONF et Radio-Canada, coul., 1979, 29 min.

Tamusie et Marcosie, Daniel Bertolino, Radio-Canada, coul., 1976, 18 min., sur la sculpture des Inuit.

Topolog, Jacques Dupont, Direction générale du cinéma et de l'audio-visuel, coul., 1971, 13 min., sur Peter Gnass.

Vaillancourt, sculpteur, D. Millar, ONF, n. b., 1964, 17 min.

12
Métiers d'art et art populaire

Page précédente: Verre opalin blanc,
couverture bleu acier, grillage d'acier,
feuilles d'argent; Jean Vallières, c.1987.

Art et artisanat sont des concepts flous dont il n'est pas facile de définir les limites. La peinture et la sculpture sont des arts plastiques, des arts visuels, des arts de décoration; mais les peintres et les sculpteurs ne sont pas qu'artistes, ce sont aussi des gens de métier et de technique, comme on l'a vu des artisans. Des amateurs et de modestes paysans peuvent également réussir des œuvres d'art: la création artistique n'est pas l'apanage des ateliers et des académies, mais, émanant d'un simple habitant, elle n'a pas l'occasion d'être sur le marché de l'art: on parlera alors d'art populaire. Les critères d'utilité et de beauté ne suffisent pas à établir la différence. Une soupière en étain, voire en argent, n'est-elle pas aussi utile qu'un récipient de bois? Et une petite vache sculptée dans un morceau d'érable et peinte par un inconnu est en général beaucoup plus belle qu'une «peinture format divan» vendue dans une boutique «d'art et d'encadrement».

On trouvera donc, sous le présent intitulé, certains métiers d'art traditionnels les plus répandus au Québec, prestigieux comme l'orfèvrerie et la gravure, d'autres plus populaires comme les arts du feu et du textile et on verra, enfin, comment certains Québécois, industrieux par nécessité, peuvent en même temps avoir l'âme d'un poète et la main d'un artiste.

L'ORFÈVRERIE

Les besoins en orfèvrerie de la toute jeune colonie n'étaient pas très grands: administrateurs, bienfaitrices et religieux apportèrent avec eux quelques objets de métal précieux, utiles et monnayables, ou quelques vases sacrés pour pouvoir dire la messe. Au XVIIIe siècle, l'orfèvrerie s'implante en Nouvelle-France et devient rapidement importante, jusqu'à créer une tradition qui se transmettra avec bonheur jusque vers la fin du XIXe siècle.

LES MATÉRIAUX

L'orfèvre utilise de préférence des matériaux nobles, l'or et l'argent, et un matériau plus usuel: l'étain. Tous ces métaux sont d'autant plus mous qu'ils sont plus purs et il faut souvent les allier à un autre métal dur pour assurer la solidité d'une pièce; la concentration en métal précieux suit des règles rigoureuses. Ainsi l'or est tout à fait pur mais se déforme facilement à 24 carats, il devient mieux façonnable et plus solide à 18 carats et au-dessous. Les métaux précieux ayant une valeur mondiale, les gouvernements ont mis sur pied des moyens de vérifier leur degré de pureté: le contrôle est apposé sur la pièce par un poinçon de garantie qui diffère selon les époques et les contrées d'origine. Cependant, ce type de contrôle n'existait pas en Nouvelle-France et les pièces d'orfèvrerie seront longtemps faites à partir d'alliages de teneurs diverses.

Avant de découvrir les ressources minières du Canada et du Québec à la fin du XIXe siècle, la matière première venait en grande partie des monnaies qui circulaient dans le pays. On récupérait ainsi le «vieil argent» de monnaies étrangères qui n'avaient pas cours au Canada, ce qui explique aussi les différences de qualité des matériaux utilisés.

Un orfèvre pouvait être appelé à recouvrir d'or une pièce d'argent: l'intérieur de la coupe d'un calice devait être doré. L'étain, très malléable, fond à température relativement basse; il était plutôt utilisé pour les objets usuels, cuillers, écuelles, pour lesquels on avait des moules et qui étaient beaucoup moins souvent décorés par la suite. Il était d'ailleurs commun de faire fondre des objets domestiques pour fabriquer des balles en temps de guerre, d'où la rareté actuelle de certains d'entre eux. Le cuivre aussi est utilisé mais peu couramment; il le sera plus dans les temps modernes.

LES TECHNIQUES

Le métal fondu, on le moule ou on l'emboutit sur une petite enclume, la bigorne, puis on polit l'objet qui peut rester tel quel ou être décoré: on peut le graver, le ciseler (dessiner des filets), le repousser de dessous ou de l'intérieur, formant à l'extérieur des perles, des godrons. On peut même trouer le métal par des ajours qui en allègent le poids, permettent une aération et décorent tout en même temps. On peut aussi ajouter quelques motifs par soudure. Le procédé est long et demande de la patience et une main très sûre: à tout moment un geste trop vif peut transformer une pièce presque finie en métal à recycler. Plus récemment le martelage est devenu à la mode; il permet un travail varié, différent de ce qu'on obtient en polissant simplement le métal.

LA CLIENTÈLE

C'était surtout l'Église qui commandait des pièces d'orfèvrerie: les vases sacrés, calice, ciboire, ostensoir, patène, porte-Dieu. Au fur et à mesure que les paroisses s'agrandissaient et s'enrichissaient, il était de bon ton de faire faire de nouvelles pièces qui servaient, comme les peintures et les sculptures, à montrer que rien n'était trop beau pour la gloire de Dieu. Au Québec, le «trésor» de certaines églises rurales est tout à fait remarquable. On y retrouve, en plus des vases sacrés, la lampe du sanctuaire dont la lueur indique la présence d'hosties consacrées dans le tabernacle, les chandeliers, l'encensoir qui sert aux grandes cérémonies avec sa navette, les burettes pour l'eau et le vin, des boîtes pour les saintes huiles, le bénitier, etc. Ces objets du culte sont en général en argent, parfois doré à l'intérieur.

Boîte aux Saintes huiles, en argent de Paul Lambert, dit Saint Paul, c.1740.

photo: Service des ressources pédagogiques, Université Laval, Michel Bourassa.

Les orfèvres comptaient aussi une clientèle bourgeoise qui avait besoin de plats et d'ustensiles. Cette clientèle deviendra plus importante vers le milieu du XIXᵉ siècle. Les cuillers étaient plus nombreuses que les fourchettes qui paraissaient d'un luxe encore supérieur. Lorsque l'on partait en voyage, il était d'usage d'emporter son gobelet et son couteau, mais ce dernier instrument était plus proche de l'outil de chasse que de l'actuel couteau de table.

Un autre groupe social donnait du travail aux orfèvres: les Amérindiens aimaient les bijoux, couronnes, brassards, colliers, couettes qu'ils cousaient sur leurs habits d'apparat. Dans toute l'Amérique du Nord, les trappeurs se servaient d'orfèvrerie de traite comme monnaie d'échange pour les fourrures. Ce genre de bijoux était assez souvent grossier et vite fait; on trouve ainsi parfois à l'envers d'un ornement les traces de la piécette d'argent à partir de laquelle il a été travaillé.

LES ORFÈVRES

Traditionnellement, l'artiste orfèvre signe ses œuvres d'un poinçon bien à lui. Comme il n'y a pas de contrôle officiel de la teneur en métal précieux en Nouvelle-France, c'est la seule marque qui authentifie les objets ouvrés ici. En général, il s'agit des initiales de l'artiste, agrémentées d'un motif; celui de Paul Lambert s'ornait d'une fleur de lis.

Au XVIIIᵉ siècle, les premiers orfèvres arrivent de France et apprennent le métier à de jeunes apprentis du pays. Certains serruriers s'improvisent parfois orfèvres, bien que les techniques et les matériaux soient différents.

Paul Lambert, dit Saint Paul (mort en 1749), Jean-François Landron (mort en 1759) et Roland Paradis (mort en 1754) œuvrent à Québec vers 1735: le décor de «feuilles d'eau» revient fréquemment sur les pieds de calices ou de ciboires de forme simple et d'allure robuste. Puis Ignace-François Delezenne (ou Delzenne) arrive au Québec et travaille aussi surtout dans la région de la capitale vers 1750. La Conquête allait forcer l'école locale d'orfèvrerie à se surpasser. Les besoins en objets du culte deviennent en effet pressants.

François Ranvoyzé (1739-1819), le premier grand orfèvre du XVIIIᵉ siècle, passe toute sa vie à Québec. Il com-

Calice en argent (coupe en or) de François Ranvoyzé, c.1780.

photo: Musée du Québec: A69.850, Patrick Altman.

mence sa carrière juste après la Conquête en pleine période d'incertitude pour l'Église catholique: elle perd ses droits, s'alarme de l'obligation du Serment du test et de la baisse du nombre des prêtres alors que les fidèles augmentent. Avec l'Acte de Québec (1774), l'Église recouvre certaines libertés et un peu de son ancienne aisance qui lui permet de commander des travaux à Ranvoyzé[1]. On lui doit ainsi une quantité de pièces simplement ornées d'une ligne de perles ou de godrons[2]. Les calices sont plus ouvragés, comme c'est l'usage; il utilise abondamment un décor de feuilles et de fleurs bien caractéristique de sa main. En avançant en âge, il devient de plus en plus habile mais préfère toujours les compositions simples et classiques.

Un de ses apprentis, Laurent Amyot (1764-1839) prend la relève dans la région de Québec, à son retour de France. On parle alors de rivalité entre les deux hommes, ce qui est probable, mais en même temps la santé économique du Bas-Canada était redevenue excellente et il y avait certainement du travail pour deux dans la région de la capitale. Amyot rapporte de France un goût pour les surfaces simplement polies et ornées de moulures: l'élégance de ses pièces est évidente.

À Montréal, Pierre Huguet, dit Latour (1749-1817), jouissait du même type de réputation que Ranvoyzé à Québec. Il était aussi connu pour son orfèvrerie de traite. Salomon Marion (1782-1830) dans la métropole, puis Paul Morand (1784-1854), François Sasseville (1797-1864) et Pierre Lespérance (1819-1882) dans la capitale, profitèrent de la conjoncture politico-culturelle. Il n'est pas interdit non plus de penser que la nouvelle bourgeoisie canadienne n'hésitait pas à commander pour elle-même de belles pièces d'orfèvrerie. La très grande mobilité de ces pièces, leur relatif manque de résistance qui obligeait souvent à des réparations majeures, voire à une refonte totale du métal, ont fait disparaître une quantité de pièces originelles. En dépit de ces pertes, la quantité et la variété de l'orfèvrerie traditionnelle était telle qu'elle a attiré au XXe siècle l'attention de nombreux amateurs dont Henry Birks[3] qui en a fait une collection remarquable.

ORFÈVRERIE ET JOAILLERIE MODERNES ET CONTEMPORAINES

À la fin du XIXe siècle, l'orfèvrerie québécoise tombe en léthargie. Les importations de France, d'Angleterre ou des États-Unis reprennent, au détriment d'un art local plus spécifique. L'industrialisation, qui, par galvanoplastie, permet de plaquer un métal sur un autre, touche aussi l'orfèvrerie: les moules se perfectionnent et permettent un décor qui devient répétitif. C'est seulement après 1940 que l'on assiste à la renaissance d'une orfèvrerie québécoise qui se réorientera parallèlement aux nouvelles valeurs de la société québécoise.

Gilles Beaugrand abandonne la ferronnerie d'art pour se consacrer à l'orfèvrerie religieuse qu'il renouvelle. Il avait rencontré à Paris le père Couturier, très influent dans le domaine de l'art sacré. Mais la société change: le concile Vatican II simplifie les cérémonies religieuses. Les «conseils de fabrique»[4] se débarrassent d'une grande partie de leur «trésor»; on préfère se rapprocher du peuple et utiliser des objets moins luxueux pour célébrer la messe.

La classe moyenne augmente rapidement et favorise l'éclosion d'ateliers d'art profane; la joaillerie québécoise, prend la relève, et connaît un essor remarquable. Gérard Tremblay, dès 1952, propose des compositions nouvelles où les agates de la Gaspésie sont mises en valeur par des formes d'ébène ou d'ivoire serties d'argent. Georges Delrue, juste avant 1960, n'avait pas moins de six artisans avec lui; il se consacre alors aux bijoux somptueux et baroques. Ses élèves, Armand Brochard et Hans Gehrig, deviennent des maîtres-joailliers de grande classe. Guy Vidal pour sa part redonne une nouvelle noblesse à l'étain. Il façonne et reproduit dans son atelier, à une centaine d'exemplaires, des bijoux d'un prix abordable. Inventif, il prolonge la vie des parures en les montant sur socle quand elles ne sont pas portées: ces bracelets-mobiles, ces pendentifs-sculptures acquièrent ainsi de nouvelles qualités esthétiques.

Louis Perrier insiste aussi sur la vie autonome du pendentif. Bernard Chaudron s'est lancé dans le bronze, Édouard Basilières-Portenier fait des mariages audacieux de formes géométriques, de perles et de pierres. Le petit format a également tenté sculpteurs et peintres. Tous, tel Michel-Alain Forgues, rêvent de ne réaliser que des pièces uniques mais beaucoup ont la sagesse de se mettre à la petite série qui permet une plus grande diffusion et touche une clientèle plus large.

Avec l'Église, les formes étaient restées très traditionnelles du XVIIe au XXe siècle. En changeant de clientèle, les orfèvres se spécialisent maintenant dans une joaillerie originale, de plus en plus audacieuse; l'art de la médaille connaît également un renouveau notable.

LA GRAVURE

Le 16 octobre 1848, un journal de Montréal, le *Morning Courier*, publiait une annonce offrant une

> SÉRIE DE DESSINS sur PIERRE, par Borum, lithographe du roi de Bavière, d'après des tableaux de C. Krieghoff, de Montréal, illustrant la VIE au BAS-CANADA.

L'artiste, d'origine hollandaise, à la mode non seulement au Canada, mais à New York et à Londres, s'était parfaitement rendu compte de l'intérêt que pouvait représenter la reproduction de certains de ses tableaux. En fait, lui-même ne semble pas y avoir travaillé personnellement, mais autorisait la réalisation d'estampes à partir de ses tableaux à des lithographes de Munich, de New York et de Londres. Ces estampes étaient tirées en noir et blanc et en couleurs, pour un prix modique (la série en couleurs pour un souscripteur lui revenait à 2 livres sterling). Artiste avisé, Krieghoff s'était rendu compte de l'intérêt d'être ainsi connu d'un plus grand public. À cette époque, la gravure tenait un peu le rôle de la photographie aujourd'hui et reproduisait un dessin à un nombre élevé d'exemplaires, illustrait des livres, des périodiques, des journaux.

Au Québec, l'œuvre la plus considérable est celle de Edmond J. Massicotte qui fut un documentaliste et un ethnographe remarquable. Un millier de dessins reflètent très authentiquement la culture traditionnelle des Québécois (*Histoire illustrée de notre race, Nos Canadiens d'autrefois*). Il produisit, de 1892 à 1929, avec un goût prononcé pour le terroir, des estampes respectueuses des valeurs du temps, inspirées par un très vif sentiment religieux, patriotique et même didactique. Parmi la vingtaine d'artistes qui s'adonnent à la gravure dans la première moitié du siècle, Rodolphe Duguay travaille sur le bois: son œuvre gravée est anecdotique (*Le brassin de savon*) mais plus austère que l'œuvre de Massicotte qui savait flatter à l'occasion en évoquant les bons moments de l'activité paysanne (*L'épluchette de blé d'Inde*).

LES TECHNIQUES

La gravure est un art extrêmement exigeant: elle s'exprime par des techniques différentes et demande une grande précision. L'artiste fait la matrice ou les écrans de soie, puis il suit normalement toutes les étapes de production. Le support habituel de l'impression d'une gravure est un papier de qualité, ce qui en limite la taille, en comparaison de certaines œuvres peintes. La gravure exige des connaissances précises dans le domaine de la chimie puisque l'on joue sur l'adhérence des encres et des couleurs. En revanche, avec la même image originale, la gravure peut produire jusqu'à 300 épreuves, contrairement à la peinture qui est unique, par essence. Aussi la gravure est-elle un art très différent qui conçoit l'image en fonction du procédé de reproduction choisi.

La gravure en relief, ou taille d'épargne. L'artiste fait apparaître en relief les parties qui seront reproduites après encrage. Toute surface dure peut être utilisée: bois, linoléum, plastique, pierre; on applique de l'encre ou de la couleur sur le relief avant de mettre sous presse.

La gravure en creux ou taille douce. C'est un vieux procédé comme le précédent. L'artiste creuse une surface dure (plaque de métal, de cuivre, de zinc, de verre) pour que les creux retiennent l'encre. On applique l'encre, on essuie ce qui n'est pas dans les creux et on presse le papier. La technique la plus courante est l'eau-forte: on vernit une plaque de cuivre, on dessine par-dessus avec une pointe sèche qui enlève le vernis, on «brûle» la plaque à l'acide nitrique qui attaque le métal aux endroits découverts. On nettoie la plaque, on encre puis on essuie l'excédent. On peut alors imprimer.

La lithographie. Sur la surface d'une pierre calcaire, (mais aussi sur zinc ou aluminium), l'artiste dessine avec un crayon gras, fixe son dessin avec une solution chimique, enlève l'excédent. L'encre sera retenue là où l'on a dessiné et fixé à l'acide.

La sérigraphie. L'artiste dessine sur un écran de soie et masque le reste du tissu avec un corps gras qui va se déposer sur le papier placé sous la trame. On utilise plusieurs écrans de soie suivant les étapes du travail. Ce procédé permet des surimpressions de couleurs superbes. Aujourd'hui, l'artisan sérigraphe prend le relais de l'artiste en transposant sur papier l'œuvre originale, en séparant puis en reconstituant les couleurs en de nombreuses passes superposées.

LES GRAVEURS MODERNES

Albert Dumouchel (1916-1971) enseigne pendant 20 ans à l'Institut des Arts graphiques de Montréal. Il a sympathisé avec Pellan et est charmé par les possibilités innombrables du surréalisme. Il a publié pendant quatre ans des cahiers intitulés *Ateliers d'Art graphi-* *que* et n'hésite pas à aller perfectionner ses techniques à Paris. À son retour, il communique son savoir étendu à tout un groupe, dont Richard Lacroix, et prend en mains l'enseignement de la gravure à l'École des beaux-arts en 1960. Dumouchel est le moins directif des professeurs; cela nous explique comment il peut être à l'origine même de toute la gravure moderne au Québec. Il se disait autodidacte[5] et respectait à son tour la liberté de ses élèves. Amoureux de la couleur[6], il sait rester

Roland Giguère, poète et graveur, fondateur des éditions d'art Era.

photo: Centre de documentation Y. Boulerice, Daniel Roussel.

malicieux, que ce soit dans l'observation de la nature ou dans celle de l'être humain; l'érotisme très net de nombre de ses toiles et gravures a contribué à décaper le vieux fond de préjugés qui perdurait encore au début des années soixante. Son amour du métier le pousse à expérimenter toutes les techniques; sa philosophie sereine, sa joie de vivre marqueront toute une génération de jeunes.

Au même moment, Roland Giguère fonde les Éditions d'art Erta, l'édition s'étant toujours intéressée à la gravure qui permet des illustrations de qualité. S'y rencontrent des poètes (Gilles Hénault, Claude Gauvreau, Alan Horic, Claude Haeffely et d'autres) et des peintres (Dumouchel en tête, L. Bellefleur, J.-P. Mousseau, M. Ferron, et Gérard Tremblay). Roland Giguère en est l'infatigable animateur; il s'exprime aussi bien avec le verbe qu'avec la presse typographique. Françoise Bujold touche aussi aux deux disciplines.

En 1961 naît à Povungnituk le premier atelier de gravure du Nouveau-Québec qui atteint vite une renommée mondiale. Les artistes inuit ont gardé intactes la fraîcheur et la spontanéité qui font le charme de leur pierre gravée représentant leurs légendes, leur bestiaire étonnant et les scènes de leur vie journalière.

Après 1960, les arts graphiques prennent une place considérable dans le milieu artistique montréalais. Les ateliers se multiplient: l'Atelier libre de Recherches graphiques, GRAFF, Graphia, Arachel, l'Atelier de réalisations graphiques à Québec en 1972, l'Atelier de l'Île à Val-David en 1975 et, depuis, malgré les exigences de technologies toujours plus précises, les ateliers n'ont pas cessé de grandir et d'éclore un peu partout au Québec.

En 1966, la Guilde Graphique devient un lieu de diffusion; «la gravure maintient l'idée de rareté de l'œuvre d'art bien qu'elle soit un multiple»: un tirage moyen est de 100 exemplaires, beaucoup tirent à moins, Danielle April parfois à un seul; on est aux antipodes de la reproduction mécanique à tirage illimité. Dans un numéro spécial de Vie des Arts, Yves Robillard répertorie en 1978 «dans la région montréalaise, au moins 75 artistes, graveurs de quelque renom [... et estime] à 3000 images différentes le nombre de gravures que ces 75 artistes ont mis sur le marché en dix ans».

Richard Lacroix, Serge Tousignant, Robert Savoie et Tobie Steinhouse font de l'eau-forte, Roussil, René Derouin (Nouveau Québec) et Janine Leroux-Guillaume des bois gravés, Gilbert Marion de la linogravure. Gilles Boisvert, Lauréat Marois sont tentés par les infinies possibilités chromatiques de la sérigraphie, comme Antoine Dumas à Québec. Yves Gaucher, pour sa part, poursuit une carrière internationale remarquable avec des impressions en relief ou en creux sur du papier laminé d'une pureté géométrique très grande (En hommage à Webern).

Les peintres aiment ce médium qui leur ouvre un autre public; Pellan, Toupin, Molinari, Letendre, Claude Tousignant, L. Jacque, Hurtubise ont tâté de la sérigraphie, Betty Goodwin des eaux-fortes et Riopelle a aussi consacré une partie de son œuvre à l'estampe. Toutes les tendances esthétiques modernes sont représentées dans la gravure québécoise, de la figuration en passant par le surréalisme et le Pop Art, au lyrisme de l'expressionnisme abstrait et à l'extrême dépouillement des lignes et des couleurs. C'est un milieu prolifique et ouvert: un bon nombre d'artistes étrangers sont venus se joindre aux Québécois, ajoutant encore à la riche variété des images gravées ici.

D'AUTRES MÉTIERS D'ART

LES ARTS DU FEU

La ferronnerie

C'est un type d'art qui est précisément à la limite entre le métier d'art et l'art populaire. Suivant le goût du client et ses possibilités, le forgeron choisit de faire pratique et bon marché ou original et plein d'invention, beau et sans doute plus cher.

Les forgerons étaient présents dès le tout début de la colonisation; les bâtisseurs de maisons et les menuisiers ne pouvaient se passer de ce métier. On installe donc dans chaque village, jusqu'à la fin du XIXᵉ, une forge qui était aussi un lieu de rencontre. Cela donnait une importance sociale incontestée au maître des lieux, homme d'expérience, plus ou moins complice du feu avec son outillage spécialisé, soufflet, enclumes, outils: depuis Vulcain, ce côté mythique a alimenté la tradition populaire selon laquelle le coq de clocher, une fois sorti des mains du forgeron, pouvait voler de ses propres ailes jusqu'à la place qui lui avait été assignée. Pentures, crochets, systèmes de fermeture étaient souvent de véritables œuvres d'art. Les réussites les plus belles sont souvent les croix de cimetière qui témoignent aussi de l'importance du culte des morts.

Le ferblantier découpait pour sa part des feuilles de fer pour fabriquer toutes sortes d'objets domestiques. Au Québec, il fabriquait aussi des coqs de clocher ou des croix de chemin. Il en reste de beaux et d'amusants spécimens.

Dans cette même ligne, l'ornementation des poêles produits par les Forges du Saint-Maurice à partir de 1737, et par d'autres fonderies, a de belles qualités mais il s'agit alors d'objets moulés et produits en série.

De nos jours, les quincailleries ont pris le relais des ferblantiers et des forgerons pour les objets d'utilisation courante. Il existe toutefois au Québec quelques artistes qui travaillent encore le fer et le cuivre; leur métier s'est anobli: on les classe souvent parmi les sculpteurs.

L'émail est une discipline artistique relativement récente au Québec. La technique en est simple et, avec l'accroissement des loisirs, on assiste à un engouement populaire pour ce type d'artisanat. Des quantités d'amateurs fabriquent pendentifs, bracelets et cendriers de tout acabit. Quelques artistes font de très belles pièces uniques comme Thérèse Brassard (*Fête maya*, 1956). Et l'on ne saurait oublier le couple Micheline de Passillé–Yves Sylvestre qui pratique l'émaillerie sur cuivre dans toutes ses possibilités avec une gamme étendue de produits finis, de la murale aux bijoux; *Perspective* (1960) superpose deux motifs décoratifs, l'un figuratif, l'autre, totalement abstrait, dans la transparence de son émail.

La céramique

La Nouvelle-France ne semble pas avoir produit beaucoup de céramique, entre autres parce que la métropole préférait en exporter, ne souhaitant pas l'autonomie de la colonie en matière de produits manufacturés malgré les pressions de certains intendants. Le premier atelier de poterie, fondé par Landron et Larchevêque, remonte à 1686. La poterie se développe de 1700 jusqu'en 1850: l'introduction des techniques industrielles fait alors disparaître le bel objet unique au profit de la pièce moulée. Le long du Richelieu, à cause de l'abondance des dépôts d'argile

Pot à eau en céramique vernissée blanche.
photo: Françoise Tétu de Labsade.

grise, s'installent de grosses manufactures le plus souvent anglophones. Les Dion, à l'Ancienne-Lorette, semblent résister à l'envahissement des influences britanniques et américaines et travaillent une argile locale d'un rouge brun foncé qu'ils recouvrent d'une glaçure au plomb, rendue originale par l'adjonction d'un peu de cuivre. La porcelaine arrive d'Angleterre au XIXe siècle et introduit dans la bourgeoisie les habitudes de la bonne société britannique. Les normes d'hygiène transforment encore les habitudes au début du XXe siècle et, cette fois-ci, c'est la technologie américaine, plus avancée, qui finit par éliminer toute originalité en la matière.

Vers 1930, un nouvel intérêt pour cette discipline renaît timidement. Les Normandeau, formés en France, commencent à enseigner la céramique aux Beaux-Arts de Montréal, puis à l'École du Meuble. Un de leurs élèves, Louis Archambault, prend la relève et se lance dans la céramique avant de réussir une belle carrière de sculpteur[7]. À Rimouski, puis dans les Cantons de l'Est, Gaétan Beaudin forme aussi des élèves auxquels il inculque le raffinement du tournage et des glaçures, Louise Doucet-Saïto va se perfectionner au Japon; Pierre Legault invente un tour qui porte son nom et qu'il fabrique dans une petite usine; Marc Dumas se spécialise dans le grès.

Des céramistes et des potiers d'origine étrangère s'installent au Québec, tentés par une qualité de vie exceptionnelle. Jordi Bonet est probablement celui à qui la céramique québécoise doit la plus grande ouverture d'esprit. Jean Cartier, Robert Champagne, J.-P.

Mousseau font de vastes murales, ainsi que Claude Vermette qui combine pour de grandes surfaces des briques plates ou concaves. À partir de 1960, Jacques Garnier dirige l'atelier de l'Argile Vivante, mais ses pièces sont maintenant faites en série par une petite industrie beauceronne. Maurice Savoie fait soit de très belles céramiques destinées à une clientèle aisée, soit des prototypes reproduits en série par coulage, et vendus à des prix plus abordables. Alain et Michel Tremblay conçoivent le métier de potier comme un art de créer des formes nouvelles aux glaçures originales pour des fonctions bien définies. C'est à une véritable renaissance d'un métier d'art un peu négligé depuis plus d'un siècle que l'on assiste aujourd'hui, comme en témoignent les ateliers qui se sont installés un peu partout sur le territoire québécois.

Le verre et le vitrail

Les églises rurales de tradition canadienne n'ont en général pas de vitraux. Leurs fenêtres sont transparentes. Il en va autrement des grandes églises des cités qui ont fait exécuter leurs vitraux en Europe; la tradition se continue lors de la construction des nombreuses églises modernes un peu partout au Québec. À Bagotville, à Jonquière, à la cathédrale de Nicolet, d'immenses verrières réchauffent avec bonheur les briques ou le béton de la structure. Il semble cependant que la plupart de ces verrières aient encore été commandées à l'extérieur du pays. Pourtant, il existe bel et bien une tradition du vitrail au Québec. Marius Plamondon lançait en 1951 un cours de vitrail à Québec;

Olivier Ferland ouvrait un atelier dans la même ville. On s'est intéressé à cette lumineuse transparence colorée, au moment où architectes et peintres ont vu de nouvelles utilisations du vitrail pour réveiller les matériaux de l'architecture moderne. Marcelle Ferron a su faire chanter le béton gris des stations de métro ou le bois clair d'une porte d'entrée. Alfred Pellan, coloriste dans l'âme, s'est aussi laissé tenter par cette discipline (Place des Arts à Montréal).

Les Bettinger père et fils, Théo Lubbers, Solange Léveillée sont des maîtres verriers de qualité, comme Gilles Desaulniers à Trois-Rivières, Klain Toan à Montréal ou Alfie dans les Laurentides. Jean Vallières, à Québec, excelle dans l'art de sortir du verre soufflé des formes dans lesquelles la couleur joue de somptueuses harmonies, à moins que le verrier n'ait préféré sculpter le verre ou le gravier.

LES ARTS DU TEXTILE

Il s'agissait au début de la colonie d'économie de survivance: Jean Talon fait cultiver le lin et le chanvre pour subvenir aux besoins de la Nouvelle-France. Plus tard, les moulins à blé s'organisent pour doubler leur machinerie agricole d'une machine à carder et d'une autre à fouler qui augmentent leur clientèle, surtout après le sursaut des Patriotes qui préféraient se vêtir d'étoffe du pays plutôt que d'importations anglaises. La tradition de la couverture piquée était alors répandue dans l'est de l'Amérique du Nord; cette récupération de vieux tissus permet à des femmes pleines d'imagination de créer des pièces d'une qualité esthé-

La Sainte-Trinité, parement d'autel de broderie professionnelle exécutée par les Ursulines de Québec, XVIIe siècle.

photo: Service des ressources pédagogiques, Université Laval.

tique évidente Le ministère de l'Agriculture, qui, au début du XXe siècle, assumait dans ses responsabilités la formation et le perfectionnement des fermières dans le domaine de l'artisanat de soutien, avait publié nombre de petites brochures expliquant les techniques du textile pour les femmes en milieu rural[8].

La broderie

Il était de tradition européenne que les ornements d'église fussent à la hauteur des magnifiques cérémonies religieuses. Cette habitude transposée en territoire laurentien reprit une vigueur qu'elle était en train de perdre dans les vieux pays. Les ordres féminins se chargèrent principalement de ce savoir:

il n'est pas impossible qu'ayant observé l'habileté des mains indiennes lorsqu'elles décoraient des vêtements, les religieuses, comme mère Marie le Maire des Anges (vers 1670), se soient senties incitées à cultiver et à transmettre cet art en Nouvelle-France, d'autant plus qu'il leur apportait d'importantes sources de revenus.

Ursulines et Augustines étaient des brodeuses réputées; on a parlé à leur sujet de «peinture à l'aiguille». Elles savaient en effet manier l'aiguille avec finesse et agencer les couleurs avec brio, dorant ou argentant la broderie à la feuille, ou utilisant des fils dorés et argentés. Elles ont conservé, à Québec, notamment dans leurs musées, un bon nombre de parements d'autel et d'ornements sacerdotaux. Les plus beaux datent du Régime français pendant lequel cet art atteignit son âge d'or.

La simplification des cérémonies catholiques, après le concile Vatican II, eut comme corollaire l'abandon de cette coutume de passer de très longues heures sur la décoration d'un pan d'étole. La mode est alors à la stylisation des symboles et à l'usage de gros fils de laine ou de coton plutôt que de soie.

La tapisserie

Si le XXe siècle voit se raréfier et se transformer l'art de la broderie, la tapisserie, en revanche, reprend des droits qu'elle n'avait pas encore revendiqués en terre québécoise. Alfred Pellan, de retour d'Europe, donne des cartons de tapisserie à des lissières qui apprennent à traduire les couleurs vives du peintre dans le moelleux de la laine. Leduc, Olinari, Belzile, Dallaire préparent à leur tour des cartons parce que leur peinture trouve ainsi une nouvelle forme d'expression. Peu à peu, on redécouvre combien il est avantageux de réchauffer la froide apparence du béton d'une tapisserie épaisse et colorée. Et comme on construit énormément après les années soixante, le métier de tapissier connaît un nouvel avenir alors que la tapisserie devient le lieu d'exploitation d'un nouveau langage artistique. Gaby Pinsonneault, Mariette Rousseau-Vermette, Jeanne-d'Arc Corriveau font partie d'une première génération de lissières. Nicole Gagné, Michelle Bernatchez, Marcel Marois bénéficient des acquis de leurs aînés.

À Grondines, Micheline Beauchemin a installé son atelier-école. Pour elle, la tapisserie est un moyen d'expression très divers que l'on peut renouveler sans cesse avec un peu d'imagination et d'ouverture d'esprit. Elle est allée partout où l'on tisse, partout où l'on fait de la tapisserie dans le monde et en a rapporté des fibres nouvelles, des techniques originales. La tapisserie, qui a souvent eu tendance à s'en tenir aux deux dimensions de l'espace pictural, s'aventure avec Micheline Beauchemin dans les trois dimensions de l'espace sculptural ou architectural. Sa renommée internationale a fait savoir au monde que tout était encore possible dans le domaine de la tapisserie quand on a le dynamisme d'une lissière québécoise.

Le tissage et la haute couture

Dans les débuts de la colonie, la fabrication du textile était de première nécessité. Au XIXe siècle, chaque maison, du moins en milieu rural, avait encore son rouet et chaque famille, son métier à tisser. Maintenant que les objets, manufacturés le plus souvent à l'extérieur du pays, ont remplacé les vêtements faits chez soi, le tissage a trouvé d'autres titres de noblesse. Édith Martin, à Trois-Pistoles, passe des heures à teindre amoureusement ses laines ou d'autres fibres avec de vieilles recettes; elle en marie textures et couleurs dans des tissus ou dans des vêtements inédits.

La haute couture est de tradition récente au Québec mais solidement établie maintenant. Des créateurs, de plus en plus nombreux, proposent leurs modèles à une clientèle citadine au goût sûr. Le nom de Michel Robichaud est connu en Amérique du Nord comme en Europe, et son parfum, *Brunante*, est une réussite du genre. Ce haut couturier a déjà utilisé avec fierté les tissus d'Édith Martin pour des créations doublement originales.

Ceinture fléchée; laine, 254 cm de long,
22,5 cm de large (Ile-aux-Coudres).

photo: Musée de la civilisation

Le fléché

Dans les gravures et tableaux anciens,
habitants, voyageurs et Indiens portent
souvent une ceinture fléchée enroulée
plusieurs fois autour des reins. L'usage
de fils de laine fins et multicolores faisait de ce vêtement un objet recherché
pour le confort et l'apparence. Les
Amérindiens, un peu partout en Amérique, étaient friands de ces pièces de
couleurs vives: au Fort Albany à Moose
River, en 1833, selon Horace T. Martin,
on échangeait deux ceintures contre
une peau de castor.

On se perd en conjectures sur l'origine de ce tissage dont on ne retrouve
pas trace en France, mais en Norvège.
Il semble peu probable que les Amérindiens l'aient pratiqué; toujours est-il
que cet art est devenu spécifiquement
québécois, contrairement aux courtepointes et tapis tressés que l'on retrouve ailleurs dans le nord-est du
continent.

Ce sont surtout les femmes de l'Assomption qui avaient conservé la tradition du «tissage aux doigts», sans
métier. Leurs productions étaient récupérées vers 1880 par les commerçants
anglais pour une somme dérisoire, ce
qui décida le curé Viger à convaincre
ses ouailles d'en cesser la production;
la technique faillit donc se perdre à tout
jamais et a été sauvée in extremis grâce
à Marius Barbeau et à Françoise
Gaudet-Smet, puis à Germaine Galarneau, Cécile Barot, Monique Leblanc,
Lucien Desmarais et Véronique
Hamelin[9]. Des brins de laine fins et
multicolores sont attachés au plafond et
l'artisan n'a plus qu'à faire preuve
d'imagination pour faire danser les fils
qui servent alternativement de chaîne et
de trame. La trame est toujours en dia-
gonale et les motifs, toujours en forme
de flèches (têtes de flèche, éclairs,
chevrons). Les laines étaient très fines,
très vivement colorées et cirées pour les
rendre imperméables; une ceinture traditionnelle, comme on peut en voir sur
les tableaux de Krieghoff, peut mesurer
de neuf à douze pieds de long sans
compter les franges.

ARTISTES DE L'ORDINAIRE OU ART POPULAIRE

L'artisanat apparaît comme le résultat des menues recettes quotidiennes qui permettent à l'homme de maîtriser les matériaux les plus ordinaires de son environnement en les intégrant aussi bien sur le plan de l'utile que sur celui de l'art.

JOCELYNE ÉTIENNE-NUGE

Par rapport à l'expression artistique des gens de métier, l'art populaire apparaît comme l'expression artistique spontanée d'une personne sans apprentissage qui, avec des moyens très limités, crée un objet, utile ou non, possédant des qualités esthétiques — au moins dans l'esprit de son créateur. Le sens pratique et l'habileté des Québécois, une longue tradition de décoration, un climat qui autorise de longs loisirs en hiver ont développé ainsi un penchant pour l'art populaire de tous genres.

LES MATÉRIAUX

Ils se caractérisent par leur coût minime, à cause de leur abondance (ferblanc, tôle), ou par leur coût nul (bois, argile, piquants de porc-épic). Le recyclage permet une réutilisation sans fin de matériaux modestes et communs: coquillages, pailles, cheveux, tissus usagés et même contenants de plastique. L'art d'utiliser les restes, précieux dans les économies primaires, a longtemps imposé de nécessaires exigences. C'est ainsi que les fermières québécoises étaient passées maîtresses

dans la manière de faire des tapis tressés, des tapis à langue ou à roulettes[10], des catalognes où le fil de trame est fait de lanières de vieux tissus récupérés, des couvertures piquées ou courtepointes, dont on peut faire des chefs-d'œuvre en y mettant quelques doses de bon goût pour beaucoup d'autres de patience.

LES MOTIFS D'ORNEMENTATION

On retrouve les mêmes motifs dans le monde entier. Le soleil, la lune et les étoiles avec leur symbolique populaire. S'y ajoute une flore abondante où la fleur de lis, emblème royal français, tient la première place. Le trèfle est également fréquent, sans doute à cause de sa forme trilobée, mais surtout en raison de sa symbolique pour les Irlandais, nombreux à partir de 1840. Du côté des animaux, on trouve beaucoup de castors; c'est un animal presque mythique dont la fourrure précieuse cache une nature travailleuse; il vit en famille, construit de véritables appartements en abattant des arbres entiers pour édifier des barrages d'une efficacité parfaite. Le coq a aussi la faveur populaire: la forme en est belle, il est synonyme de puissance (il réveille le soleil!) et de richesse; il est aussi l'animal qui évoque la Gaule d'autrefois, d'où est sortie la France[11]. Le cœur est aussi un motif fréquent dans tout art populaire; comme le soleil, il évoque la vie. Il est aussi le siège des sentiments, dont l'amour n'est pas le moindre, comme l'ont dit et répété poèmes, dictons et proverbes.

Les motifs religieux, on s'en doute,

ont été extrêmement courants au Québec. Même les motifs populaires se doublaient souvent d'une symbolique religieuse. Le coq que l'on trouve sur un foule de croix de chemin rappelle, bien sûr, celui qui a souligné la triple trahison de l'apôtre Pierre. Le trèfle, qui termine beaucoup de branches de croix, évoque la Sainte-Trinité: un seul Dieu en trois personnes; les rayons du soleil radié sont une gloire[12] qui exprime la force, le rayonnement et la toute-puissance de Dieu. La lune et les étoiles sont les attributs de la Vierge Marie, «Maris Stella»[13].

On trouve des multitudes de symboles religieux tout à fait explicites: des croix, des vases sacrés comme l'ostensoir. Orner un lit d'enfant d'un calice assure peut-être son occupant d'une vocation religieuse qui sera l'honneur de la famille?

Quant au cœur, dont il est fait si grand usage, on en a modifié l'apparence en donnant au motif populaire une symbolique particulière. Le XIXe siècle est la période où a été diffusée dans l'iconographie catholique la dévotion au Sacré-Cœur de Jésus. Aussi trouve-t-on au Québec le cœur saignant («voici ce cœur qui a tant souffert»), le cœur sanglant (percé par la lance sur la croix), le cœur ardent (qui brûle d'amour, c'est l'attribut de sainte Ursule), le cœur radié qui évoque la gloire de la résurrection.

LES OBJETS

On peut produire des objets utiles qui soient en même temps beaux et personnalisés. Ainsi, pour identifier un ustensile courant, il n'est pas rare d'y ajouter une décoration; mettre une fleur au fond d'un moule à beurre enjolive et signe la motte de beurre en question qui sera vendue au marché. Au Québec, les moules à sucre d'érable sont l'occasion d'une créativité exceptionnelle; le temps des sucres arrive à la fin de l'hiver, occasionnant de belles réjouissances: c'est la toute première récolte de l'année en une saison encore morte pour les habitants qui ont donc du temps à consacrer à cette activité. Il était courant qu'un jeune homme déclare sa flamme à sa future femme en lui présentant la preuve de son habileté à travailler le bois. On trouve donc des moules à sucre de formes surprenantes: le pieux fera un missel, l'amoureux un cœur, le pratique bâtira un moule démontable (pour le démoulage) en forme de maison québécoise.

Contenant en écorce de bouleau décorée, village huron d'Ancienne-Lorette.

photo: Service des ressources pédagogiques, Université Laval, Michel Bourassa.

Les objets usuels

Sont vraiment spécifiques au Québec les moules à sucre, les contenants en écorce de bouleau décorés, de très grands plats en bois dur, généralement d'érable, dont on façonne aussi des pelles pour usages divers (à sucre, à déneiger les toits, etc.).

Du côté des instruments, on trouve le long du Saint-Laurent de grosses pinces à glace qui servaient en février, lors du découpage de la glace dans le fleuve, pour la conservation des aliments pendant l'été dans le caveau à légumes. Pour la chasse, on sculptait des appelants, souvent peinturés par la suite, pour tromper les oiseaux migrateurs, grandes oies blanches, bernaches, outardes, malards et autres canards.

Au chapitre du luminaire, outre les bougeoirs classiques, on note des becs de corbeau en fer forgé et toute une panoplie de falots, fanaux[14] et lanternes sourdes en fer-blanc que dentellent les perforations.

Toute une série d'accessoires, simples et beaux, faisaient également partie du commun: boîtes à ustensiles, boîtes à sel, moules à chandelles, hachoirs à tabac, etc.

Les jouets

Les miniatures sont légion, des animaux, des poupées avec leur mobilier et leur berlot pour se promener sur la neige (comme celui sur lequel un père avait peint le capitonnage en trompe-l'œil), des chevaux dont certains à bascule et avec de vrais crins sur la tête et sur la queue. La poupée gigueuse a les genoux et les chevilles articulés et

danse la gigue sur le genoux de celui qui la manipule en cadence. Elle n'est pas si facile à réaliser, aussi la trouve-t-on parfois sans bras, toute l'ardeur du sculpteur néophyte ayant été déployée pour les articulations des jambes.

La décoration

À l'intérieur, ce sont des peintures naïves et des objets sculptés. À l'extérieur, l'espace est là qui invite les imaginations à se surpasser: y placer un objet n'est-il pas aussi une façon d'occuper et de baliser l'espace? Après le déplacement des familles qu'exigeait l'accroissement de la population, il vint aux habitants le désir d'identifier leur appartenance[15] en peignant certains motifs sur les portes de grange et les autres bâtiments de ferme. Le Québécois aime à orner sa maison pour la personnaliser. Certains se fabriquent une boîte aux lettres qui est une miniature de leur propre maison, d'autres disséminent sur leur terrain des cabanes d'oiseaux amusantes ou décoratives. On plante des girouettes au faîte du toit ou, dans la pelouse, des figurines articulées que le vent anime. On va même jusqu'à entourer son terrain de longues chaînes faites de milliers de capsules de bouteilles de bière enfilées sur un fil de fer.

Les patenteux[16] du Québec sont décidément pleins d'une imagination sans borne. Une descente se transformera en petit canal sur lequel nageront des appelants en réduction et qu'enjambera un coquet petit pont comme ceux des compagnies de chemin de fer. À Saint-Séverin-de-Beauce, Roméo Vachon a construit dans sa prairie une espèce de cheval, à l'instar des ennemis de Troie, dans lequel on peut grimper et s'installer pour fumer une pipe.

L'ingéniosité et l'humour sont des qualités de première nécessité: avec des ingrédients qui ne coûtent rien, comme ces contenants de plastique, en général affreux, dont sont remplis les supermarchés d'une Amérique du Nord «propre, propre, propre», on peut fabriquer des mobiles qui égayent les journées tristes de leurs couleurs en mouvement; et, le long du Saint-Laurent, le vent non plus ne coûte rien.

LA DÉVOTION POPULAIRE

Tout un patrimoine a été légué par les anciens. Le premier objet pendu au mur est le crucifix (on le voit encore, même dans le Québec citadin déchristianisé

Croix de la passion montée dans un authentique dix-onces de gin.

photo: Service des ressources pédagogiques, Université Laval, Michel Bourassa.

d'aujourd'hui, sur le mur de certains magasins et entrepôts), avec parfois un corpus (corps du Christ) intensément évocateur de la souffrance du crucifié. Les gaucheries dans l'anatomie rendent plus cruel le supplice de la crucifixion.

L'alcoolisme a toujours été battu en brèche par les curés qui organisaient des croisades de tempérance avec des groupes de garçons (les Lacordaires) et de filles (les Jeanne-d'Arc) s'engageant à ne jamais toucher à une goutte d'alcool. Quand un habitué du fort ou du p'tit whisky blanc distillé en cachette dans la grange s'amendait, il se fabriquait une croix de tempérance, peinte en noir, pour se rappeler la promesse de ne plus boire. Ceux qui réellement aimaient à se créer des défis construisaient dans une bouteille une petite croix avec les instruments de la passion ou même un calvaire tout entier.

Voilà pour l'intérieur d'une maison où l'on se soucie de sauver son âme. Quant à l'extérieur, on y plantera, sous un prétexte quelconque, ou même simplement par pure piété, une croix de chemin. Il y en a encore de très nombreuses dans tout le Québec et même dans les banlieues des grandes villes qui n'étaient que rurales voilà quarante ans.

Ces croix de chemin sont en général de grande taille, en bois, souvent peintes en noir et ornées de divers objets qui rappellent la mort du Christ: sur le sommet se dresse le coq de saint Pierre; on y trouve aussi l'échelle, la lance et l'éponge (trempée dans le vinaigre), le marteau, les clous et même une paire de tenailles. Au centre, un cercle lancéolé représente la couronne d'épines mais symbolise aussi la gloire de la résurrection. Ces croix de chemin n'ont pas de corpus dans la plupart des cas: elles ont été faites par de braves gens qui n'avaient pas l'habileté nécessaire à une telle besogne; bien entretenues, elles sont le témoignage émouvant et durable de la piété des Québécois.

Pour une occasion vraiment spéciale, une communauté paroissiale commandait à un sculpteur un calvaire que l'on abritait sous un toit. Des personnages figurent en croix, et d'autres debout ou à genoux. Louis Jobin en fit un très grand nombre. L'ensemble, abrité grossièrement, est plus ou moins à l'abri des intempéries, ce qui nécessite un entretien régulier dont en général on ne se plaint pas car les calvaires sont un élément de fierté pour les paroissiens.

Sur la côte de Beaupré, ou sur l'île d'Orléans, on passe parfois devant une minuscule chapelle: ce bâtiment en pierre des champs du XVIIIe siècle et du début du XIXe siècle abrite un autel et souvent n'a guère qu'une porte comme ouverture. Avec son abside arrondie, son toit à larmier et son clocheton, la chapelle-souvenir indique aux passants le lieu d'un drame qu'on a voulu occasion de prière ou au contraire «remerciement pour grâces obtenues». Les ex-voto[17] sont parfois plus explicites mais bien souvent on ne sait pas qui a construit ou a fait construire ce petit édifice; pour cette personne comme pour nous, il est un témoignage d'une ferveur maintenant révolue.

Dans les cimetières s'élèvent encore d'émouvantes stèles de bois, de pierre ou de ciment représentant un ange, voisinant de modestes croix de tôle ou de fer. Ce sont, par excellence, des lieux où apprendre le passé et parfois tout un pan de l'histoire d'un village: la lourde mortalité infantile; la mortalité, plus catastrophique encore, de femmes en couches; les ravages d'une épidémie et la survivance, plus de trente ans après l'abolition du régime seigneurial, d'une forme d'allégeance qui se continue par-delà la mort du «seigneur de cette paroisse».

Au Québec, la quantité d'objets d'art populaire révèle une population qui a des valeurs précises: le sens du travail manuel, le goût de la décoration, et un profond sentiment religieux. On peut même, à partir de ce que les anciens ont laissé, tirer quelques conclusions sur la façon dont l'Église «enseignait» la religion. Il semble bien que l'accent était mis sur la souffrance; la passion du Christ, conséquence de la méchanceté humaine, ne peut être rachetée que par l'offrande des petites et grandes misères individuelles. Dans l'art populaire, il y a très peu d'évocations de la naissance, de la vie publique du Christ, des miracles ou de la résurrection, ce qui n'est pas le cas de l'art qui était commandé et payé.

Maquette: bateau de pêche, en bois, de Paul-Marie Lapointe, Matane, c.1975.

photo: Françoise Tétu de Labsade

L'art populaire est bien un art de l'ordinaire (témoins, ces girouettes faites à partir de contenants d'un nettoyeur liquide) en ce sens qu'il tend à combler chez tout individu le besoin de création, de transformation de l'univers, d'amélioration du mileu de vie, de communication avec autrui. Dans ce domaine, tout individu peut «s'adonner à une activité par laquelle il se sent valorisé parce qu'il la contrôle totalement et qu'elle ne met aucun frein à sa liberté d'invention» (L. de Grosbois).

L'art populaire constitue une expression culturelle très forte qui se situe finalement dans la même ligne que l'expression artistique des créateurs de métier. Les critères d'esthétique, de qualité, de commercialisation, ne peuvent évidemment suffire à établir une distinction qui apparaît d'ailleurs inutile entre deux formes d'expression individuelle d'une culture collective. L'originalité, la fantaisie, la naïveté sont dans les deux cas d'autant plus précieuses que le créateur agit sans prétention artistique, mais poussé par le désir, ou la nécessité, de réaliser un objet, un environnement. En ce sens, les maladresses de certaines sculptures anciennes, la naïveté de certains tableaux et, de nos jours, la candeur de certains objets offerts dans les marchés aux puces sont de la même veine où l'utilitaire et le gratuit se côtoient avec le même bonheur. Dans le passé, les Cercles de fermières, à l'échelon local, étaient l'occasion de rencontres et d'échanges fructueux; maintenant, le marché aux puces, qui connaît un regain de popularité, est devenu à son tour une activité sociale, ferment de la convivialité ainsi que d'une certaine émulation. Plus près de nous, le ministère du Loisir a mis sur pied des ateliers de culture populaire, et le ministère des Affaires culturelles a fondé la Centrale d'artisanat du Québec pour une diffusion plus efficace des œuvres des meilleurs créateurs. Les expositions, les salons des Métiers d'art et les marchés aux puces permettent de constater que l'imagination et l'ingéniosité sont encore denrées courantes en pays québécois. Elles ont d'ailleurs mené certains à des inventions d'application internationale: Donimat Jalbert, né avec le siècle à Saint-Michel-des-Saints, avait «le génie du vent». N'ayant qu'une modeste sixième année, il a inventé le paraplane, qui sert à prendre des photos aériennes et est l'ancêtre du parachute ascensionnel.

Notes

1. Comme certaines des pièces de Ranvoyzé semblent frustes et parfois maladroites, on en déduit qu'il aurait eu une formation de serrurier. Cependant Delezenne était témoin à son mariage; peut-être Ranvoyzé avait-il été son apprenti? On considérait qu'il fallait huit ans au XVIIIe siècle pour former un orfèvre.

2. Godron (de godet): ornement en creux ou en saillie de forme ovoïde asymétrique.

3. Henry Birks est le fondateur de l'une des plus importantes entreprises contemporaines d'orfèvrerie et de bijouterie au Canada.

4. La gestion matérielle des affaires paroissiales est confiée à un groupe de laïques qui forment le conseil de fabrique; ils bénéficient d'un banc spécial à l'église.

5. Dumouchel avait tout juste terminé son cours primaire. Il figure cependant comme l'un des grands du milieu culturel du Québec.

6. Voir le chapitre 10 «La peinture».

7. Voir le chapitre 11 «La sculpture».

8. Parallèlement, dans les cités, de nombreuses petites industries de transformation se montèrent, utilisant une main-d'œuvre féminine habile et soumise (ex.: la Dominion Corset du boulevard Charest à Québec a employé jusqu'à mille personnes et avait étendu ses marchés en Amérique du Nord bien sûr, mais aussi en Europe et jusqu'en Australie).

9. Madame Phidias Robert vint s'installer dans un grand magasin de Montréal en 1967 pour «partager ce beau bagage de connaissances».

10. Il s'agit ici des formes découpées dans des tissus de couleurs différentes qui sont cousues côte à côte sur un fond plus solide.

11. Symbole de la francité, le coq est aussi l'emblème national des Wallons. On comprend qu'il ait une place privilégiée au Québec.

12. Voir le chapitre 11 «La sculpture».

13. Étoile de la mer, que l'on retrouve sur le drapeau acadien, bleu, blanc, rouge comme le drapeau français.

14. L'expression populaire: «attendre quelqu'un avec une brique et un fanal» confirme l'importance de cet objet dans la vie quotidienne, comme sa portée symbolique et affective.

15. Le terme «appartenance» a, dans l'usage au Québec, une extension de sens particulière. Il désigne aussi bien les régions ou collectivités d'origine, que le sentiment d'adhésion à des valeurs que celles-ci incarnent et maintiennent dans le temps, comme l'exprime Claude Gauthier dans sa chanson *Le plus beau voyage*:

[...] J'ai revu mes appartenances
[...] Je suis de lacs et de rivières
[...] Je suis d'Amérique et de France
[...] Je suis Québec mort ou vivant

16. Le mot patente utilisé familièrement signifie: affaire, chose, machin; le patenteux est celui qui fait un de ces «machins»; c'est aussi une personne débrouillarde qui fait quelque chose avec presque rien ou un bon bricoleur.

17. Voir le chapitre 10 «La peinture».

Bibliographie

Outre les ouvrages de référence cités en Bibliographie générale, existent de nombreux ouvrages sur chaque métier, presque sur chaque technique, et des monographies sur certains artistes.

BARBEAU, Marius, *Maîtres-Artisans de chez-nous*, Montréal, Éd. du Zodiaque, 1942.

BARBEAU, Marius, *Saintes Artisanes*, vol. I, Broderie, Montréal, Fides, 1942.

BARBEAU, Marius, *Saintes Artisanes*, vol. II, Mille petites adresses, Montréal, Fides, 1943.

DÉSY, Léopold, PORTER, John, *Calvaires et croix de chemin du Québec*, Montréal, Hurtubise-HMH, 1973.

DAIGNEAULT, Gilles, DESLAURIERS, Ginette, *La gravure au Québec (1940-1980)*, Saint-Lambert, Éd. Héritage, 1981.

FISETTE, Serge, BARZEL, Robert, *Potiers québécois*, Montréal, Leméac, 1974.

GENET, Nicole, *et al.*, *Les objets familiers de nos ancêtres*, Montréal, Éd. de l'Homme, 1974.

GROSBOIS, Louise de, *et al.*, *Les «patenteux» du Québec*, Montréal, Éd. Parti pris, 1978.

HAMELIN, Véronique, *Le fléché authentique du Québec*, Montréal, Leméac, 1983.

LAMY, Vincent, LAMY, Suzanne, *La renaissance des métiers d'art au Canada français*, Québec, ministère des Affaires culturelles, 1967.

MARTIN, Denis, *L'estampe au Québec 1900-1950*, Québec, Musée du Québec, 1988.

SÉGUIN, Robert-Lionel, *Les jouets anciens du Québec*, Montréal, Leméac, 1969.

SÉGUIN, Robert-Lionel, *Les moules du Québec*, Ottawa, 1963.

SÉGUIN, Robert-Lionel, *Les ustensiles en Nouvelle-France*, Montréal, Leméac, 1972.

SIMARD, Cyril, NOËL, Michel, *Artisanat québécois*, Montréal, Éd. de l'Homme, 1975 à 1985.

4 tomes: 1. Bois et textiles. 2. Poterie et céramique, émaillerie, ferronnerie, verrerie, étain, orfèvrerie et joaillerie, bougies, poupées, cuirs, papier fait à la main, gravure, reliure. 3. Indiens et Esquimaux. 4. La dentelle, le feutre, les pipes, la lutherie, la broderie, la vannerie.

TRUDEL, Jean, *L'orfèvrerie en Nouvelle-France*, Ottawa, GNC, 1974.

Les métiers d'art du Québec et l'histoire, T. 1, Québec, Éditeur officiel du Québec, 1978.

Vie des Arts, un numéro sur «La gravure au Québec», nº 90, printemps 1978.

Filmographie

Diapositives

Collection: *Initiation aux métiers d'art*, édition Formart, réalisée vers 1973, sur 30 techniques ou métiers d'art différents.

Série: *Ethnologie québécoise*, réalisée par le Musée du Québec (ministère des Affaires culturelles).

L'art populaire du Canada français, Jean-Claude Dupont, (250 diapos), Québec, Université Laval.

Civilisation et vie quotidienne en Nouvelle-France, Robert Lahaise, (1000 diapos), Montréal, Guérin éditeur, 1973.

Diaporamas

Série *Les aventures de la ligne*, 12 X 80 diapos, 15 min environ, OFQ ou Musée d'art contemporain.

La courtepointe, 75 diapos + bande sonore, ministère des Affaires culturelles, 1976, 15 min.

Les patenteux du Québec, 80 diapos + bande sonore, Louise de Grosbois, *et al.*, OFQ, 1974, 13 min.

Un patrimoine en déroute: les croix de chemin du Québec, 15 min, Jean Simard, CÉLAT et Service audiovisuel de l'Université Laval, 1978.

Vidéos

Flécher de toutes laines, coul., 1976, au Vidéographe, 20 min.

Films

La documentation est très abondante et correspond au moment (vers 1975) où le Québec s'est préoccupé de son patrimoine culturel. La liste suivante est très sélective.

1. Séries:

Artisans québécois, fait à l'Université du Québec à Trois-Rivières, coul., (vers 1975), env. 30 min.

Les arts; en hommage aux artistes de la province de Québec, OFQ, coul., vers 1960, env. 15 min.

Les arts sacrés au Québec, François Brault, ONF, coul., vers 1982, 28 min, (Peinture votive, broderie, orfèvrerie, cimetières, etc.).

La belle ouvrage, Léo Plamondon et Bernard Gosselin, ONF, coul., vers 1978, env. 28 min, (22 films).

La courtepointe, coul., 1977, 25 min.

2. Films:

L'art populaire, Radio-Canada, coul., 1977, 28 min.

La grande chanson, Adrien Peuvion, n. b., 1961, 26 min, (sur l'atelier l'Argile Vivante).

L'inutile et l'agréable, André Ricard, Cenatos, coul., 1974, 25 min.

13
La chanson

> Les chansons populaires, ce sont les archives du peuple, le trésor de sa science, de sa religion, de sa théogonie, de sa cosmogonie, de la vie de ses pères, des fastes de son histoire. C'est l'expression de son cœur, l'image de son intérieur dans la joie et les larmes...
>
> JOHANN GOTTFRIED HERDER,
> *Chansons de tous les peuples*

Dans la tradition orale du Québec, la chanson tient une place très importante. C'est après la Conquête, surtout au XIXe siècle que les traditions se sont développées, à cause de l'accroissement rapide d'une population isolée linguistiquement et culturellement pour des raisons politiques. Le goût du Québécois d'aujourd'hui pour la parole sous toutes ses formes s'est forgé au siècle précédent: discours et «parlements»[1], veillées en famille ou entre voisins où alternaient contes, légendes et chansons.

Cette tradition orale, qui s'appuie sur la langue, facteur principal d'identité culturelle, est toujours de première importance dans les sociétés où l'écrit fait défaut. Au Québec, le conteur qui savait tenir son auditoire en haleine avec des histoires dont le fond était connu de tous, comme la chanteuse capable d'entraîner une trentaine de personnes dans une chanson à répondre, resteront des personnes-ressources précieuses jusqu'à l'intrusion de la radio et surtout de la télévision. Miraculeusement conservée jusqu'au milieu du XXe siècle, la chanson folklorique passera le relais aux chansonniers[2] qui, eux, se serviront des moyens modernes (radio, télévision, disques, cassettes, vidéos) pour faire connaître leurs œuvres.

On sait la place que tient la musique dans l'expresion culturelle des peuples. N'est-il pas naturel que la chanson qui allie paroles et musique et qui peut se pratiquer sans instrument, soit l'expression première d'une société qui grandit? Par la chanson, le Québec se démarque rapidement de la France et acquiert une autonomie basée sur la simplicité et l'authenticité de cette manifestation populaire.

D'autres facteurs aident les Canadiens du XIXe siècle à avouer leur penchant pour la chanson: on dit que le climat sec et froid renforce les cordes vocales (on a observé le même phénomène en Russie); en outre le chant grégorien éduque le souffle de nombreux chantres d'église. Au XXe siècle, la chanson québécoise s'enracine en sol américain, d'où son adéquation à un certain type de musique anglo-saxonne fort prisé des jeunes; tout en voulant rester de langue française, elle ne désire pas basculer du côté de la chanson à message, trop intellectuelle.

> Le Québec, c'est un confluent. Là viennent se mêler les vieux airs, les vieilles coutumes, amenés dans leurs bagages par les émigrants d'autrefois, et les sons neufs, les rythmiques futuristes, inventés par les personnages les plus fous de la délirante Amérique. Au Québec, on est à la fois européen et américain, traditionnel et ultramoderne, cohérent et contradictoire, heureux et déchiré à cause des deux civilisations auxquelles on se raccroche.
>
> LUC RENARD,
> *Le Matin,* 5 juin 1975.

C'est cet équilibre heureux qui soustend l'évolution récente de la chanson au Québec, et lui a permis de faire connaître ce pays aux francophones, plus particulièrement aux francophones d'Europe.

LA CHANSON FOLKLORIQUE

Dans les bagages des premiers colons, il y avait presque toujours des chansons. Elles avaient l'avantage de n'être ni lourdes ni encombrantes et voyageaient à l'aise dans la mémoire des individus. Comme ces derniers venaient de provinces diverses, le répertoire transporté en terre québécoise était vaste et riche. Saintongeais ou Normands ne chantaient pas les mêmes couplets, pas plus qu'ils ne parlaient tout à fait la même langue. On estime à cinquante mille le nombre de chansons ainsi venues de France.

Le français s'impose comme langue de communication en Nouvelle-France et les chansons s'adaptent à ce nouveau pays.

Mon père il veut me marier
À un jeune Anglais, il m'a donnée.
J'aimerais mieux soldats français
Avec rien
Que d'épouser le roi anglais
Tu le sais bien.

Mais quand ça vint pour embarquer
A voulu les yeux lui bander.
«Bande les tiens, laisse les miens,
Maudit Anglais,
Si j'ai la mer à traverser
Je la voirai.»

Quand ils furent rendus à Québec
Du canon ils ont entendu tirer.
«Pourquoi faut-il nous saluer,
Maudit Anglais?
C'sont les canons du roi français
Qu'on attendait.»

Mais quand ça vint pour le souper
Il a voulu lui couper son manger.
«Coupe pour toi, laisse le mien,
Maudit Anglais,
J'aurai des gens de mon pays
Pour me nourrir.»

Mais quand ça vint pour le coucher,
Il a voulu la déchausser.
«Déchausse-toé et couche-toé,
Maudit Anglais,
J'aurai des filles de mon pays
Pour me servir.»

Mais quand ça vint sur la minuit,
L'Anglais soupire dans son lit.
«Dévire-toé, embrasse-moé,
Joli Anglais,
Puisque nos pères nous ont mariés,
Il faut s'aimer.»

Les paroles sont changées et font allusion à des réalités québécoises: *Sur la route de Louviers* devient *Sur la route de Berthier*. Le rythme change aussi: la chanson aide à certains travaux. Canotiers et voyageurs ont besoin de chants pour marquer la cadence et conjuguer leurs efforts (*Envoyons d'l'avant, nos gens*). Plus tard, certains métiers du bois imposeront d'autres rythmes et d'autres paroles (*Les Raftsmen*). Dans les groupes isolés se développent des versions différentes. La tradition orale conserve longtemps ces versions et a permis aux chercheurs de repérer, à titre d'exemple, cinq cents versions de la célèbre *À la claire fontaine*. On ne se contente pas de faire des variations de chansons françaises, on crée aussi des chansons: une sur vingt verra le jour ici.

Les instruments de musique sont choses fragiles et supportent mal les changements brusques de température: aussi s'accompagnera-t-on de bombarde, de «musique à bouche»[3] ou d'objets frustes comme les cuillers tenues dos à dos entre les doigts d'une main et qui s'entrechoquent en cadence entre la cuisse du musicien et son autre main. On fabrique aussi des petits violons dont on tire d'allègres mesures d'une musique essentiellement rythmique. La célébrité de certains de ces violoneux a d'ailleurs dépassé le cercle étroit du village, et même le Québec dans certains cas[4] comme Jean Carignan. Mais le plus souvent, le chanteur s'accompagnera lui-même de turlute («tirelire et tra la la») qui lui permet de retrouver souffle et mémoire.

En 1865, Ernest Gagnon, tout juste âgé de trente ans, publie le texte et la musique de 100 *Chansons populaires du Canada*. Le volume est accueilli avec plaisir par tout le monde et sera réédité régulièrement jusqu'en 1955. *Le Journal de l'Instruction publique* en 1867 lui fait une belle publicité. Lors de la deuxième édition, un autre journal reprenait une note prise dans *Le Globe*:

Dans cette classe d'écrivains qui se livrent à la tâche louable de conserver intacte l'histoire sociale et politique de Québec, M. Gagnon peut être placé au premier rang. Garneau, Ferland et Turcotte ont recueilli les archives politiques. Le docteur Taché, l'abbé Casgrain, Larue, Faucher de Saint-Maurice, Lemoine, et autres ont exploité le vaste champ des traditions; Benjamin Sulte dans ses magnifiques chroniques, [...] De Gaspé, dans ses *Anciens Canadiens* nous a laissé une peinture vivante de la vie sociale du vieux temps; et M. Gagnon a recueilli et mis en ordre les chansons et ballades chantées par le peuple, couronnant ainsi l'œuvre de De Gaspé.

Le Courrier du Canada,
12 juillet 1880
cité par Conrad Laforte

Thomas Chapais va, en 1916, jusqu'à parler de «monument national». C'est dire quel prix l'on attache alors à ce type d'expression culturelle.

Dans ses «remarques générales» à la fin de l'ouvrage, Ernest Gagnon montre que cette musique est née des chants d'église du Moyen Âge et que les mélodies populaires empruntent au mode grégorien bon nombre de leurs propriétés. L'esprit de Dieu n'est jamais loin de l'habitant.

Dans nos chants populaires, le caractère personnel, le moi humain trouve son expression dans le rythme mesuré. Mais, même lorsqu'il ne chante que ses joies, ses peines, ou des sujets d'amour, d'aventures, de combats, etc., le paysan, le colon ou le voyageur canadien entend toujours la grande voix de Dieu dans les champs qu'il cultive, dans la solitude des bois, sur le fleuve géant ou sur les lacs immenses; les plus belles fêtes auxquelles il lui est donné d'assister sont toujours les fêtes de l'église; son âme, peccable sans doute, ne connaît pas la hideuse incrédulité; un sentiment religieux accompagne toutes ses actions, parle à sa conscience; il pense à Dieu dans les jeux de la veillée comme dans le travail; la prière entre un peu dans toutes ses actions. De là, dans ses chansons, l'infini, le permanent, à côté du fini, du passager; de là le rythme majestueux, insaisissable du plain-chant à côté du rythme tangible, mesuré de la musique moderne.

E. GAGNON

Il est étonnant de voir à quel point le type de mélodie de la chanson folklorique va influencer la chanson contemporaine. Gilles Vigneault est sans doute celui qui a, à son acquis, le plus de mélodies qui rappellent le XVIIIe siècle, mais on pourrait évoquer aussi Paul Piché ou Raoul Duguay, pourtant très original.

Beaucoup de chanteurs, ou de groupes, se sont dévoués au chant folklorique: Jacques Labrecque, Alan Mill, Raoul Roy, Ovila Légaré, Jean-Paul Filion, les Cailloux, Breton-Cyr, le Rêve du diable, Garolou, La Bottine souriante. En Amérique française, nombreux ont commencé une carrière d'interprète ou de compositeur en sacrifiant sur l'autel du folklore: Édith Butler d'Acadie, Zacharie Richard de

Louisiane, Monique Leyrac et combien d'autres.

FONCTIONS ET TYPES

La chanson populaire a comme première fonction le divertissement au sens large du terme: la berceuse réconforte; la chanson aide à lutter contre la solitude et le découragement, elle accompagne l'être humain dans son travail ou dans son exil comme *Un Canadien errant*, d'Antoine Gérin-Lajoie.

Un Canadien errant,
Banni de ses foyers,
Parcourait en pleurant
Des pays étrangers.

Un jour triste et pensif,
Assis au bord des flots,
Au courant fugitif
Il adressa ces mots:

«Si tu vois mon pays,
Mon pays malheureux,
Va dire à mes amis
Que je me souviens d'eux.

«Ô jours si pleins d'appas
Vous êtes disparus
Et ma patrie, hélas!
Je ne la verrai plus!

«Non, mais en expirant,
Ô mon cher Canada!
Mon regard languissant
Vers toi se portera...»

La chanson populaire a évidemment une fonction mnémonique: elle permet d'actualiser la mémoire par le son et assure la pérennité de figures ou événements passés par leur re-création dans la mélodie ou le récit. C'est le cas du *Canadien errant* qui rappelait l'exil auquel avaient été condamnés un bon nombre de Patriotes[5].

La chanson a aussi un rôle informatif: elle accompagne les rites de passage de l'enfant à l'adulte, au mariage et jusqu'à la mort; elle dit le non-dit de certains tabous sociaux. Elle fait une large place au rêve («Si l'amour prenait racine/J'en planterais dans mon jardin») mais n'oublie pas la réalité; exprime la joie de vivre, sait se moquer avec humour et même contester.

Il y a même toute une tradition de chansons politiques dont celle sur laquelle Jacques Viger, maire de Montréal et cousin de Papineau, a ironiquement brodé toute une série de couplets:

Tous les maux nous sont venus
De tous ces gueux revêtus
Qui s'emparent des affaires
Intérieures, étrangères
Si tout s'en va-t-à vau-l'eau
C'est la faute à Papineau
C'est la faute, faute, faute
C'est la faute à Papineau.

C'est à certaines fonctions que sont rattachés certains types de chansons folkloriques: la chanson de table ou la chanson à boire, la chanson d'amour ou de mariage, la chanson de voyageur ou de soldat, viennent toutes plus ou moins du même fond ancien. Au Québec, la chanson à répondre est fréquemment utilisée à cause précisément du côté social des veillées où il est bon de faire participer tout le monde: l'auditoire reprend tout ou partie du couplet après le meneur. Très en faveur aussi, la chanson casse-cou permet à la fois la participation du public et la virtuosité du chanteur qui, s'il se trompe, s'attire les rires de l'assistance.

Alouette, gentille alouette,
Alouette, je t'y plumerai.
Alouette, gentille alouette,
Alouette, je t'y plumerai.

Je t'y plumerai la têt',
Je t'y plumerai la têt'.

Et la tête, et la tête,
Alouette, alouette, Ah!

...
Je t'y plumerai les yeux, ...

Je t'y plumerai le bec, ...

Je t'y plumerai le cou, ...

Je t'y plumerai les ailes, ...

Je t'y plumerai les pattes, ...

Je t'y plumerai le dos, ...

Je t'y plumerai la queue, ... etc.

Dernier refrain[6]:
Et la queue, et la queue
Et le dos, et le dos
Et les pattes, et les pattes
Et les ailes, et les ailes
Et le cou, et le cou
Et le bec, et le bec
Et les yeux, et les yeux
Et la tête, et la tête

Alouette, Alouette, Ah!

Ces deux derniers types de chanson comme la chanson signée favorisent la créativité. En 1962, Arthur Lamothe, dans son documentaire *Les bûcherons de la Manouane*, filmait une veillée au chantier; une des chansons se terminait ainsi:

La chanson que j'viens de vous chanter
C'est moi-même qui l'a composée
Mon nom c'est Dominique...

Chose curieuse, la chanson folklorique a survécu à la période d'industrialisation et d'urbanisation du début du siècle actuel. Le déclin marqué des années quarante au fur et à mesure que la communication de masse gagnait en technologie a cependant été compensé par un regain d'énergie au début des années soixante quand le besoin de retour aux sources, le désir de connaître et d'assurer ses racines ont fait renaître l'intérêt pour la tradition. Chercheurs et musicologues se sont assurés de sauvegarder scientifiquement cet héritage culturel[7].

LA CHANSON CONTEMPORAINE

LES PRÉCURSEURS

La Bolduc

Au moment de la crise de 1929-1930, une petite bonne femme se mit à parcourir le Québec avec un répertoire de chansons variées. Mary Travers, devenue Madame Bolduc, chantait des variantes de vieilles chansons françaises: *Chez ma tante Gervais* est une succession de coq-à-l'âne suggérés par des associations d'idées où la cocasserie le dispute au désordre. C'est en fait une des versions des *Menteries*, vieille chanson qui apparaît dans le *Formulaire fort récréatif* «fait par Bredin le Cocu, notaire rural» en 1954.

Mary Travers, dite la Bolduc.

photo: Archives nationales du Québec à Québec: N 1274-45.

En même temps, la Bolduc est très engagée dans les dures réalités du temps. Lourde de ce bagage traditionnel, accueillie dans les sous-sols d'église, accompagnée sur un méchant piano par son mari, elle passe les messages qu'elle sent devoir lancer à ses compatriotes.

C'est aux braves habitants
Que je m'adresse maintenant
Quittez jamais vos campagnes
Pour venir rester à Montréal
Dans des grandes villes comme ça
De la misère il y en a
Et surtout cet hiver
Il y en a qui mangent du pain noir

À sa mort en 1941, son répertoire étendu était déjà diffusé en disques 78 tours. La première chanteuse professionnelle utilise des rythmes de gigue, de reel; elle invente d'ailleurs un turlutage très personnel. En 1968, Marthe Fleurant reprendra bon nombre de ses chansons, alors qu'André Gagnon lui dédiera une pièce qu'il intitule: *Les turluteries*. Charles Trenet lui rendra hommage dans l'une de ses compositions. Avec son gros bon sens et son courage, la Bolduc représente une charnière entre le passé et le présent, même si, avec le recul, ses chansons nous paraissent tout à fait dans la ligne de l'idéologie traditionnelle. À sa suite, les chanteurs populaires, Oscar Thiffault (*Le rapide blanc*) et le soldat Lebrun connaissent aussi un grand succès.

Félix Leclerc

Poète, romancier et chansonnier (1914-1988), chansons dérangent d'abord: surréalistes, volontiers contestataires, elles sont boudées par la génération de la fin des années quarante. Paradoxa-

lement, alors que la France ne connaît presque rien du Québec, elle découvre le talent de cet homme qui n'a jamais peur de chanter d'une puissante voix de basse ce que pensent certains sans oser le dire. Et il le dit dans son propre code linguistique, moins typé que celui de la Bolduc et d'Oscar Thiffault. Il s'accompagne à la guitare et assène à son auditoire des petits tableaux de genre (*Attends-moi ti-gars*, *L'héritage*, *Les rogations*) qui sont loin d'être rassurants pour la société québécoise. Esprit frondeur par devoir et par solidarité avec son peuple qui chante une joie de vivre dangereusement inconsciente, il évoluera de la chanson poétique traditionnelle, à base de nature, d'amour et d'humour, à la chanson de plus en plus engagée après octobre 1970. L'album caractéristique de cette évolution s'intitule *L'alouette en colère*.

J'ai un fils dépouillé
Comme le fut son père
Porteur d'eau, scieur de bois, locataire
    et chômeur
Dans son propre pays.
Il ne lui reste plus
Qu'la belle vue sur le fleuve
Et sa langue maternelle
Qu'on ne reconnaît pas.

La bonne conscience du Québec est ébranlée par tant de sincérité, tant de force de conviction. Au moment où les chansons de France et des États-Unis pénètrent les foyers laurentiens par le biais de la radio et des disques, on hésitait encore à prendre la parole pour s'opposer aux autorités. La poésie du père de la chanson québécoise opère une cure miraculeuse sur la génération qui le suit et qui reconnaît qu'il faut suivre la voie (la voix?) du grand Félix chez qui même «les crapauds chantent la liberté».

Les Bozos qui se sont appelés ainsi à cause de la chanson[8] de Félix Leclerc, Jean-Pierre Ferland, Claude Léveillée, Hervé Brousseau, Clémence Desrochers, Raymond Lévesque, souvent accompagnés par André Gagnon au piano, forment un groupe qui fait les beaux soirs des cabarets de Montréal au moment où le Québec passe du duplessisme à la Révolution tranquille. De ce collectif, Jacques Blanchet, si souvent interprété par Lucille Dumont, est peut-être le premier des chansonniers à réussir ici et ailleurs: il était connu jusqu'en Russie.

LA GÉNÉRATION DE 1960

Gilles Vigneault

Autour de 1955, les poètes avaient déjà commencé à nommer le pays, quelques années plus tard, les chansonniers emboîtent le pas. Si les premiers ne sont en aucun pays connus du grand public, il n'en est pas de même des «faiseurs de chansons» que la radio et le disque soutiennent dans leur effort de diffusion de leurs idées. Un grand nombre de chansonniers de la Révolution tranquille s'ajoute au groupe des Bozos; parmi eux, Gilles Vigneault, d'abord et surtout; puis Georges Dor, Claude Gauthier, Monique Miville-Deschênes, Pierre Létourneau, Pierre Calvé et tant d'autres qui auront dans l'ensemble une belle carrière. Le public se reconnaît dans leurs chansons et leur sait gré de si bien lui renvoyer son reflet. Les années soixante voient un engouement sans

Jean-Pierre Ferland.

photo: Archives nationales du Québec à Québec (Fonds: ministère des Communications): 76-685(10).

précédent pour les boîtes à chansons où les uns entraînent les autres. Conscients qu'il ne faut pas chanter pour ne rien dire, ils soignent leurs textes, qui expriment le malaise profond de toute une société qui se sent tout à coup devenir québécoise.

Parlant de mon pays
je vous entends parler
et j'en ai danse aux pieds
et musique aux oreilles
et du loin au plus loin
de ce neigeux désert
où vous vous entêtez
à jeter des villages
je vous répéterai
vos parlers et vos dires
vos propos et parlures

Claude Léveillée.

photo: Archives nationales du Québec à Québec (Fonds: ministère des Communications): 76-253(29).

jusqu'à perdre mon nom
Ô voix tant écoutées
pour qu'il ne reste plus
de moi-même qu'un peu
de votre écho sonore

Aborder la grave question de l'identité ne les empêche pas d'être poètes, de séduire les foules en dehors du Québec et de gagner, tous les ans ou presque, de grands prix en Europe. Le public francophone, et même français, est comme envoûté par cette harmonie entre texte et musique, par l'aisance et le métier de ces Québécois pour qui la ville est devenue à son tour source d'inspiration.

De ce groupe de chanteurs doués se détache la silhouette au nez busqué, au regard attentif de Gilles Vigneault. Originaire de Natashquan, petit village isolé de la Côte-Nord, il devient professeur de mathématiques et de littérature, puis rapidement se consacre à la chanson sans négliger cependant la création littéraire (contes, poèmes). Petit homme mince à la voix déroutante, un peu cassée, il possède une énergie redoutable et une présence, sur scène et dans la vie, étonnante. Après avoir fait les beaux jours des boîtes à chansons qui se créaient au Québec au début des années soixante, il fit une tournée de pionnier hors du Québec. Vers 1964-1965, il s'en alla avec deux musiciens dans le Nord franco-ontarien qui s'éveillait à son tour. On passait le chapeau à la fin de spectacles qui émerveillaient des centaines de jeunes de Sturgeon Falls, de Sudbury ou de Kapuskasing; en naquirent sept boîtes à chansons. Très engagé dans la lutte pour le «Oui» au référendum de 1980,

Gilles Vigneault.

photo: Archives nationales du Québec à Québec (Fonds: ministère des Communications): 76-549(25).

il restera éloigné de la scène québécoise pendant trois ans plutôt que de montrer au public combien l'avait meurtri la réponse négative du Québec à cette question de fond. Sa voix autrefois éraillée s'est approfondie avec l'âge et reste incroyablement émouvante. Devenu très célèbre dans toute l'Europe, où il se produit régulièrement en plus de l'Amérique, il est resté fidèle à cette vocation sans compromission de chantre d'un pays encore en devenir:

> Mon pays, ce n'est pas un pays,
> c'est l'envers
> D'un pays qui n'était ni pays,
> ni patrie

LA DEUXIÈME GÉNÉRATION

À la fin des années soixante, le Québec avait l'habitude de se reconnaître à travers eux et donc d'aimer ses chansonniers: ceux-ci ont parfois pris des positions très fermes pendant la crise d'octobre. Qu'on se souvienne seulement des *Poèmes et chants de la résistance* qui mirent en commun des énergies jusque-là plutôt individuelles. Le goût du spectacle aidant, nombreux sont les chanteurs qui veulent monter sur les planches. Cette génération se caractérise par une plus grande et plus active participation des femmes et en même temps par le décloisonnement des métiers de la chanson. Les interprètes deviennent créateurs, les paroliers ou les musiciens (Serge Fiori, François Dompierre) vont au micro, les chansonniers échangent leurs chansons, tous ont du métier et c'est cette qualité professionnelle qui assure à la chanson québécoise sa diffusion internationale:

les studios d'enregistrement de Montréal et des environs sont techniquement irréprochables; on peut même dire les plus sophistiqués de la francophonie.

En même temps que les chansonniers qui continuent à privilégier la chason à texte, surgissent des chanteurs populaires: de ceux-ci, solides interprètes aux très bonnes voix (Ginette Ravel, Ginette Reno, Michel Louvain, Pierre Lalonde, Renée Claude, Tex Lecor), certains chantent des chansons plus accessibles, plus rentables. Le phénomène chanson québécoise sort de son époque intellectuelle et devient un phénomène de masse que vont étudier sociologues et littéraires.

Robert Charlebois

C'est là que le rôle joué par Robert Charlebois prend toute sa signification. Se disant «un gars ben ordinaire» mais très québécois, il est sensible au rythme de la chanson anglo-saxonne et plus particulièrement américaine. Il sait susciter autour d'une personnalité attachante des paroliers originaux (Mouffe, Claude Péloquin, Pierre Bourgault et même Gilles Vigneault). Branché en direct sur la réalité québécoise sans ombre de masochisme, il se moque de l'hiver et, comme les Québécois qui filent en Floride dès qu'ils peuvent faire coïncider huit jours de congé avec un voyage organisé, il chante:

> Je m'en vais dans le Sud, au soleil [...]
> Je vous laisse «mon pays, ce n'est
> pas un pays, c'est l'hiver» [...]
> Je vous laisse ma pelle.
> Je vous donne ma pelle.

Plein d'humour, plein d'énergie, Charlebois révolutionne le monde de la

Robert Charlebois.

photo: Archives nationales du Québec à Québec (Fonds: ministère des Communications): 76-486(19).

chanson. Il accroche des paroles en français, drôles et intelligentes, sur une musique anglo-saxonne rythmée et populaire. Il utilise naturellement le français québécois, parfois très oralisé et suscite l'adhésion des jeunes et des moins jeunes. Aux boîtes à chansons ont succédé les discothèques: le spectacle est descendu dans la salle; on se saoule de musiques tonitruantes dans une orgie de projecteurs aux couleurs changeantes. On se défoule en dansant en solitaire, absorbé que l'on est par ce son et lumière qui laisse peu de place au vague à l'âme.

L'astuce de Charlebois, c'est d'avoir su équilibrer les forces d'un orchestre rock avec la présence d'un texte bien tourné. Le personnage s'est révélé au moment de l'Osstidcho[9] (1968) et *Lindberg* marque le début d'une chanson rythmée à l'américaine mais dont le contenu fait appel malicieusement à la quotidienneté québécoise. Cette orientation originale de la chanson perdure encore chez Michel Rivard ou Paul Piché, par exemple.

> J'ai été
> [...]
> Au soleil bleu blanc rouge
> Les palmiers et les cocotiers glacés
> Dans les pôles aux esquimaux bronzés
> Qui tricotent des ceintures fléchées farcies
> [...]
>
> Alors chu r'parti sur Québec Air,
>   Transworld, Northern, Eastern, Western
> Pi Pan American!
> Mais, ché pu...
> Où chu rendu.
> [...]

Les groupes

Le chanteur ne se hasarde plus guère seul sur scène en grattant sa guitare, il s'appuie sur un groupe de musiciens très structuré. Les années soixante-dix sont aussi la période qui a vu naître le plus de groupes. La mode est à la création collective. Harmonium, Beau Dommage, Maneige, Sloche, Morse Code, Octobre, Offenbach, Boule Noire, Ville Émard Blues Band, auront, pour certains, de longues heures de gloire et lorsque l'imaginaire collectif se sera épuisé, de ces groupes sortiront à leur tour des chanteurs qui entreprendront en solitaires une nouvelle carrière: de Beau Dommage émergeront Marie-Michèle Desrosiers, Pierre Bertrand et Michel Rivard, de Corbeau sortira Marjo; Octobre enfantera Pierre Flynn, Offenbach, Pierre Harel et Gerry Boulet (*Toujours vivant*). La séparation des Séguin révèle les personnalités attachantes de Marie-Claire d'une part, et de son frère Richard d'autre part.

Cette nouvelle génération grouille de talents les plus divers. Des paroliers (Luc Plamondon), des musiciens (François Cousineau) de premier ordre font des chansons pour des interprètes aux voix superbes (Fabienne Thibeault, Pascal Normand, Louise Forestier) et dont la personnalité impose le respect. Diane Dufresne réussit à remplir le Forum de Montréal (environ 20 000 places) deux soirs de suite pour y don-

ner deux spectacles entièrement différents: *Halloween/Hollywood* et donne un autre spectacle au stade olympique (55 000 places). La performance de la chanteuse est fabuleuse et, si le rêve n'était incarné avec tant de savoir-faire et de désinvolture, on pourrait croire au mythe.

Poètes et écrivains trouvent dans la chanson un complément d'autres formes d'expression. Suzanne Jacob continue à écrire avec succès parallèlement à une carrière de chanteuse et de parolière. Raoul Duguay met sa voix de ténor au service de son Abitibi d'origine. *Le voyage* est un chef-d'œuvre qui a le défaut de durer plus de neuf minutes, ce qui rend la chanson

Beau Dommage.

photo: Gracieuseté de la Société du Grand Théâtre de Québec.

Diane Dufresne.

photo: Gracieuseté de la Société du Grand
Théâtre de Québec.

impossible à passer sur les antennes de
radios populaires.

> Vouloir savoir être au pouvoir de soi
> est l'ultime avoir, le Voyage
> il n'y a de repos
> que pour celui qui cherche
> il n'y a de repos
> que pour celui qui trouve
> tout est toujours à recommencer
> mais dites-moi encore
> où trouver le chemin
> que je ne cherche plus

Plume Latraverse occupe le côté
joual de la scène, Diane Juster et les
Simard donnent plutôt dans le sentimental ou le romantique. Jean Lapointe, ancien duettiste des Jérolas,
communicateur-né, sait admirablement
passer du rire à la tendresse: homme de
spectacle confirmé, il sait en outre
prouver sa virtuosité dans sa *Sonate à la
lune* sans se départir d'une agréable
simplicité. Et tout cela n'est que la
pointe d'un iceberg aux multiples reflets.

Le courant des créations collectives
— c'est aussi le temps où le Grand

Cirque ordinaire brasse les cœurs sensibles avec son *T'es pas tannée, Jeanne
d'Arc* — lance aussi le monde de la
chanson dans la comédie musicale: si le
succès de *Pied-de-poule* ne dépasse pas
le Québec, en revanche *Starmania* est
la preuve que les Québécois sont les
dignes fils du continent nord-américain.

LA RELÈVE

Tous les ans depuis une vingtaine
d'années, à Granby dans les Cantons de
l'Est, a lieu le Festival de la chanson.
C'est là que se sont révélées des voix
peu ordinaires comme celle de
Fabienne Thibeault ou des talents prometteurs comme Sylvie Bernard en
1986 et Caroline Harvey en 1987.

Tous les ans, de nouvelles futures
vedettes voient le jour qui sont la relève
de demain (Luc de la Rochellière).
Pour l'instant, celle-ci se décline sur-
tout au féminin: Céline Dion, Marie
Carmen, Sylvie Tremblay, Martine
Saint-Clair ou Martine Chevrier, Joe
Bocan, Mitsou, Johanne Blouin. Portés

Plume (Michel) Latraverse.

photo: Archives nationales du Québec à
Québec (Fonds: ministère des
Communications): 75-477(4).

vers le rock (Diane Tell) ou vers la chanson à texte (Gaston Mandeville), refusant d'être étiquetés (Marie Philippe), d'autres, plus âgés (Paul Piché), continuent une carrière de ce côté-ci ou de l'autre de l'Atlantique. La chanson a attiré des actrices: Carole Laure et Louise Portal. Les nouveaux groupes s'appellent Bogart (comme Humphrey), Les Échalotes, Nuance ou Paparazzi. En dix ans, le gala annuel de l'ADISQ a consacré les vedettes d'une industrie culturelle dont le très large spectre représente les diverses orientations de la chanson française en territoire laurentien.

THÉMATIQUE DE LA CHANSON QUÉBÉCOISE

Expression culturelle spécifiquement québécoise, la chanson offre une thématique assez semblable à celle que l'on retrouve en poésie — et c'est bien naturel — mais aussi en littérature ou en peinture.

C'est d'abord le pays que l'on veut nommer («J'ai un pays à te dire»), dont on décrit le cadre grandiose, l'espace et la toponymie caractéristique (Monique Miville-Deschênes):

Saint-Octave-de-l'Avenir
Saint-Joachim-de-Tourelle
Saint-Denis-de-la-Bouteillerie
Saint-Louis-du-Ha-Ha
Sainte-Rose-du-Dégelis
Sainte-Émilie-de-l'Énergie
[...]

Le fleuve (Pierre Calvé) est omniprésent, avec le vent (Georges Dor) et cet hiver («Attendre à l'année longue qu'arrive enfin l'été») dont on finit par souhaiter «la blanche cérémonie/où la neige au vent se marie». Les citadins d'aujourd'hui évoquent fièrement leurs racines et un passé qui leur échappe, l'un à *Saint-Germain*, l'autre à *Sainte-Adèle P.Q.* ou à *Saint-Dilon*. Mais ils disent aussi les villes dont le dynamisme symbolise celui de la Révolution tranquille (*En descendant la rue Saint-Laurent*, *La Manic*, *La rue Sanguinet*, *Je reviendrai à Montréal*).

Ce sont aussi *Les gens du pays* qui animent ces grands espaces de personnages plus vivants que nature, du *Grand six pieds* de Claude Gauthier au *Businessman* de Claude Dubois en passant par *Caillou-la-Pierre* et *La serveuse automate*. Dans cette société dont le féminisme a ébranlé les anciennes certitudes, la femme est l'objet de l'attention de tous: Félix Leclerc, Sylvain Lelièvre, Monique Leyrac, Marjo. Pauline Julien enregistre coup sur coup *Femmes de Parole* et *Une sorcière comme les autres*. Chantal Beaupré déploie beaucoup d'énergie dans son spectacle *Mères et filles* présenté aux Foufounes électriques en 1983. Diane Dufresne fascine, déconcertante par son ambivalence si féminine, et dédie un disque à sa mère.

La chanson du Québec exprime aussi les sentiments de l'homme universel: la solitude et ses remèdes qui ont nom tendresse, amour et amitié; l'individu, aux prises avec une société qui refuse de le comprendre, qui réagit avec humour et joie de vivre.

Plus spécifiquement, les chansonniers se font contestataires vers la fin des années soixante et abordent carrément la question de la langue: «C'est de valeur qu'on se comprenne guère» (Vigneault), *Un château de sable* (Piché).

QUAND NOUS PARTIRONS
POUR LA LOUISIANE

Quand un pays se dépayse
c'est comme lorsqu'un homme
  se déshumanise
quand on l'apprend c'est déjà fait
et alors on est tous rendus en Louisiane

Quand nous partirons pour la Louisiane
Anne ma sœur Anne
  Quand nous partirons
Nous saurons par cœur
  toutes nos chansons
[...]

Les problèmes d'une population minoritaire trouvent leur écho dans les chansons d'anciens comme Félix Leclerc (*L'alouette en colère*) ou Raymond Lévesque (*Bozo les culottes*) ou de nouveaux comme Jacques Michel, qu'interprète avec une passion farouche Pauline Julien, qui avait osé lancer un «Vive le Québec libre» dans une réunion internationale en Afrique; si con-

nue de la francophonie qu'on retrouve des chansons interprétées par elle sur un disque intitulé: *La liberté en marche, Bruxelles-Wallonie*, disque qui présente des extraits de discours de Lucien Outers, une des figures de proue du Front démocratique des francophones/Rassemblement wallon.

UN NOUVEAU JOUR

Viens, un nouveau jour
va se lever
Et son soleil
Brillera pour la majorité
Qui s'éveille
[...]

Le temps des révérences,
Le temps du long silence,
Le temps de se taire est passé:
C'est assez!

JACQUES MICHEL

C'est ainsi que parle un peuple qui ne s'étonne plus d'avoir une identité culturelle bien à lui.

En 1969, Jean-Guy Gaulin pouvait déjà affirmer ce que les décennies suivantes sont venues confirmer: «La chanson est jaillie du sol québécois avec la rapidité d'un champignon et la ténacité d'un conifère de la savane... Elle a plus fait pour nous faire connaître à l'étranger que nos écrivains, nos peintres, nos soldats et surtout nos diplomates et ambassadeurs politiques.»

La chanson est l'expression première d'une culture populaire, elle permet à la collectivité d'exprimer librement et de mille manières l'âme d'un peuple d'autant mieux que le peuple la comprend et y trouve ses forces vives; elle permet à cette même collectivité de s'affirmer, de se détendre, voire de rouspéter. Elle permet aussi à l'individu de s'identifier, de se retrouver, de ne pas se sentir seul.

La chanson est la première forme

Pauline Julien.

photo: Archives nationales du Québec à Québec (Fonds: ministère des Communications): 72-204(25).

sous laquelle les peuples qui naissent unissent musique et poésie. Contrairement à la poésie écrite, qui reste une affaire d'élite, la chanson est un art populaire: cela tient sans doute à ce que la musique touche l'être humain plus directement et opère près de son inconscient: musique et rythme précèdent le verbe dont ils sauront soutenir l'équilibre dans la chanson. Conscient de cette réalité, l'Orchestre symphonique de Québec organise, depuis peu, de grands concerts au Colisée (centre sportif de 15 000 places environ) ou au Grand Théâtre avec des chanteuses comme Ginette Reno ou Diane Dufresne.

Née au Québec, la chanson a su faire connaître le pays «à la face du monde». Charlebois, Vigneault «font» l'Olympia, Bobino ou le Palais des Congrès à Paris; Diane Dufresne et Diane Tell passent plus de temps dans la capitale française que dans la métropole québécoise. Jean Lapointe prévoit audacieusement des mois de représentations successives à Montparnasse en 1988. On doit prolonger deux fois la reprise de *Starmania*. La communauté française de Belgique adule les chanteurs québécois; une grande amitié lie d'ailleurs Julos Beaucarne avec le Québec des poètes et des chansonniers. C'est que la chanson exprime bien le lyrisme joyeux du peuple québécois en même temps que son goût viscéral de parler pour le plaisir de jouer avec les mots.

La preuve évidente de la vitalité de la chanson québécoise est dans son influence sur la chanson francophone d'Amérique[10]. De l'Acadie, toute proche au regard du continent, Édith Butler (Nouveau-Brunswick) et Angèle

Pochette de disque: le tout premier spectacle de *Starmania* ayant été monté en France, il imposait de préciser avec humour où était enregistré ce disque-ci (*Made in Québec*).

Arsenault (Île-du-Prince-Édouard) apportent rythmes enlevants et bonne humeur alors que le groupe Beausoleil-Broussard paraît plus nostalgique. Du sud, nous arrive l'écho de cette Louisiane dont l'exemple ne devrait jamais quitter l'esprit d'un Québécois; Zachary Richard pour le son, Barry Jean Ancelet pour le livre sur les *Musiciens cadiens et créoles* (paru en 1984) sont les témoins de cette renaissance inattendue d'une communauté culturelle que la pression états-unienne avait presque gommée de la carte francophone. De son Manitoba natal, après avoir conquis le Québec, Daniel Lavoie, qui chante aussi en anglais, est parti pour l'Europe; Leonard Cohen, poète et romancier anglo-québécois, est très connu comme chansonnier à Paris et Los Angeles. Quant au nord de l'Ontario, lui aussi francophone, il a vécu son mouvement de libération à peu près en même temps que le Québec vivait sa

Daniel Lavoie.

photo: Ministère des Communications: 84-506 B3, Bernard Vallée.

Révolution tranquille et compte aussi ses chantres: le groupe CANO, Robert Paquette, pour parler de ceux que les Québécois connaissent le mieux.

C'est à celui que l'on qualifie encore de père de la chanson québécoise que se doit de revenir le dernier mot, l'avant-dernier aussi: «Le Québec est un pays divisé, sauf quand il chante.» Le même jour, peu avant le Référendum de 1980, Félix Leclerc, l'auteur du *Petit Bonheur*, avait su dire, avec cet art de la formule qui le caractérise:

Chante, et le Québec ne mourra jamais.

Notes

1. On retrouve ici le sens étymologique du terme dans ces assemblées de village ou de collège, où chacun était invité à s'exprimer selon des opinions politiques divergentes.

2. Prendre ici le mot dans son sens premier, celui de «faiseur de chansons» (Bélisle).

3. La bombarde, ou guimbarde, est un tout petit instrument rudimentaire en fer recourbé dont on fait vibrer un élément en le tenant entre les dents. La musique à bouche est un autre nom pour l'harmonica.

4. Voir le chapitre 14 «La musique et la danse».

5. Voir les chapitres 2 «L'histoire» et 5 «Le mouvement des idées».

6. Le plus casse-cou: tous les éléments doivent être cités à l'envers et dans l'ordre inventé par le chanteur.

7. Marius Barbeau, Luc Lacourcière, les Archives de folklore puis le CÉLAT (Centre d'études sur la langue, les arts et les traditions populaires des francophones d'Amérique du Nord) de l'Université Laval.

8. *Bozo* date de 1946:
   «Y'avait Bozo/Le fils du matelot/
   Maître céans/De ce palais branlant»

9. Jean-François Doré qualifie ce spectacle ainsi vingt ans plus tard: «provocant, révolutionnaire, révoltant, neuf, courageux, créateur, déchiré, déchirant, inconscient, osé,...» (*Le Devoir*, septembre 1988).

10. Et pas seulement la chanson francophone: au Québec, la chanson jouit d'une si belle santé qu'elle a même conquis l'espace américain au sens le plus large avec des formations comme «The Box» ou «Men without hats»; ce dernier groupe de Montréalais astucieux a «fait un tabac» aux États-Unis en chantant en anglais.

Bibliographie

Le nombre d'ouvrages concernant la chanson québécoise est impressionnant. Outre les monographies sur certains chansonniers (Ferland, Vigneault, Leclerc,

Charlebois et d'autres), il existe quantité de livres de paroles de chansons dont on trouvera facilement les références ailleurs.

BÉLAND, Madeleine, *Chansons de voyageurs, coureurs de bois et forestiers*, Québec, PUL, 1982.

CARRIER, Maurice, VACHON, Monique, *Chansons politiques du Québec*, tome I: 1765-1833 (1977); tome II: 1834-1858 (1979); Montréal, Leméac.

GAGNÉ, Marc, POULIN, Monique, *Chantons la chanson*, Québec, PUL, 1985.

MILLIÈRE, Guy, *Québec, chant des possibles*, Paris, Albin Michel, 1978.

NORMAND, Pascal (interprète connu et universitaire), *La chanson québécoise, miroir d'un peuple*, Montréal, France-Amérique, 1981.

ROY, Bruno, *Et cette Amérique chante en québécois*, Montréal, Leméac, 1978.

Collectif (sous la direction de Robert Giroux), trois titres qui prouvent que la recherche s'organise autour du phénomène qu'est la chanson québécoise, Montréal, Triptyque, 1984, 1985, 1987.

Dans la série des Bibliographies québécoises, le numéro 3 est consacré à *La chanson au Québec, 1965-1975*, Montréal, ministère des Affaires culturelles du Québec, 1975.

Chansons d'aujourd'hui, seule revue québécoise consacrée à la chanson, bimestrielle depuis 1984.

Les multiples publications, recueils, albums, feuilles séparées, cassettes édités par *La bonne chanson*, de l'abbé Charles-Émile Gadbois qui propage des chansons traditionnelles à la morale irréprochable.

Québec-français a publié plusieurs numéros spéciaux sur la chanson avec des disco-graphies (mars 1978, mars 1979, mars 1980, mai 1982, etc.).

Filmographie

La drave, Raymond Garceau, ONF, n. b., 1957, 21 min, sur une chanson de Félix Leclerc.

Félix Leclerc, troubadour, Claude Jutra, ONF, n. b., 1958, 28 min.

Je chante pour..., John Howe, ONF, coul., 1972, 56 min, (Gilles Vigneault).

La guerre oubliée, Richard Boutet, Canada, 1987.
   Joe Bocan interprète une quinzaine de chansons presque toutes anonymes écrites à l'occasion du refus de la conscription de *la Première Guerre mondiale*.

Le merle, Norman McLaren, ONF, coul., 1958, 4 min.

Swing la baquaise, Jean-Pierre Masse, ONF, 1968 (La Bolduc).

La série des «Chansons contemporaines» dont:

Fleur de Macadam	J.-P. Ferland
Taxi	C. Léveillée
Tout écartillé	R. Charlebois

Discographie

Étant donné la quantité de chansonniers québécois et la quantité de disques ou d'albums édités, il est impensable d'indiquer ne serait-ce qu'un seul disque par personne. On peut tout au plus dire qu'il a existé une collection «Pleins feux sur...», et une autre intitulée: «Les grands succès de...» qui reprennent les chansons les plus connues de Leclerc, Charlebois, Vigneault, Julien, Ferland, etc.

Il existe un répertoire en 4 pages dans *Découvrir le Québec, un guide culturel* (publication Québec-français 1987).

Disques collectifs:

J'ai vu le loup, le renard, le lion (Charlebois, Leclerc, Vigneault), productions du 13 août, VLC-13.

Le Québec en fête (deux disques, une dizaine de chansonniers, et trois groupes), CBS.FFC2.80039.

14
La musique et la danse

LA MUSIQUE

Il sera ici essentiellement question de musique savante — la musique populaire étant partie prenante du chapitre consacré à la chanson folklorique et contemporaine. Rappelons seulement que la musique populaire a connu un développement quantitatif et qualitatif remarquable en terre canadienne et un grand rayonnement outre-frontière. La musique savante semble avoir mis plus de temps que les autres arts à acquérir ses lettres de noblesse. Si elle est de qualité de nos jours, ce n'est qu'au XXe siècle que s'est créé au Québec le besoin de se doter d'établissements d'enseignement et d'organismes de diffusion de la musique. Contrairement aux domaines des arts visuels, on ne paraît pas avoir demandé, sous le Régime français, à des professionnels de traverser l'océan pour communiquer leur savoir.

SOUS LE RÉGIME FRANÇAIS

Il est peu fait mention d'événements musicaux dans la jeune colonie. Willy Amtmann, un des premiers historiographes de la musique au Québec, s'étonne que la Nouvelle-France ait fait preuve d'un manque d'intérêt qu'il compare — faits à l'appui — à la situation ailleurs en Amérique du Nord. La Louisiane jouissait alors d'une position privilégiée dans l'ensemble de la colonie française. Peut-être était-ce dû à la proximité du Mexique où existait une vie musicale intense? On y fabriquait des orgues dès 1527 et un premier livre de musique liturgique y était imprimé vers 1550. Évoquant le Québec à ce chapitre, Amtmann parle d'«isolement culturel» de la colonie, de «distance spirituelle qui la séparait de la mère patrie», et de «négligence teintée de mépris de la mère patrie alliée à l'indifférence et à l'inertie de la société elle-même». Cette généralisation est sans doute fondée, s'expliquant par les difficultés d'installation et la lenteur du développement de la colonie française. Si l'on se souvient du petit nombre de colons établis le long du Saint-Laurent au moment de la Conquête, comparativement aux établissements de Nouvelle-Angleterre et du Mexique, on ne peut pas s'étonner de rencontrer peu de musiciens en Nouvelle-France.

Les Amérindiens

L'originalité et l'étrangeté de la musique amérindienne avaient frappé les Français à leur arrivée, qu'ils soient explorateurs et curieux de nature, tel Marc Lescarbot (il note la transcription, musique et sons, d'un chant indigène), ou missionnaires, tel le Récollet Gabriel Sagard, et le Jésuite Paul Lejeune (il fait chanter «le Pater Noster» en Sauvage» à de jeunes Indiens). Pour les Amérindiens, musique et danse étaient indissociables et faisaient partie de rituels précis: avant l'attaque — ce qui avait en outre le don d'effarer l'ennemi — en cas de victoire, ou pour d'autres manifestations de leur vie quotidienne: rapports avec la nature, communications d'ordre religieux, rites de passage, cérémonies de guérison... La musique avait des fonctions diverses et diverses formes de représentation suivant les nations. Elle était tout à fait différente de la musique à laquelle les oreilles européennes étaient habituées. Les Amérindiens se servaient d'instruments à percussion, tambours, carapaces de tortues pleines de cailloux et de flûtes. Les rythmes étaient très différents de ceux que connaissaient les Blancs et se caractérisaient par une grande diversité et une indépendance par rapport à la mélodie. Par ailleurs, la fonction guerrière de certaines cérémonies avait dû laisser de mauvais souvenirs à certains chroniqueurs. C'est pourquoi, sans doute, les Blancs parlent de vacarme et de hurlements.

En fait, cette longue habitude du chant et de l'incantation renforçait considérablement les cordes vocales des Amérindiens qui, intrigués à leur tour par les mœurs des nouveaux arrivants, se mirent assez facilement à la musique religieuse, que les missionnaires tentèrent de substituer à la musique autochtone. *Les Relations* des Jésuites et autres chroniques du même genre ne tarissent pas d'éloges sur la qualité des voix indiennes quand elles chantent des cantiques:

> La beauté de leur voix est rare par excellence, particulièrement des filles. On leur a composé des Cantiques Hurons sur l'air des Hymnes de l'Église, elles les chantent à ravir. C'est une Sainte consolation, qui n'a rien de barbare, que d'entendre les champs et les bois résonner si mélodieusement des louanges de Dieu, au milieu d'un pays, qu'il n'y a pas longtemps qu'«on appelait barbare».
>
> PÈRE F. LE MERCIER (1653)

La musique d'église

Tous les religieux avaient reçu une formation musicale assez solide. On les choisissait d'ailleurs en conséquence, sans doute après avoir constaté l'effet salutaire — le mot est approprié — de la musique sacrée sur les autochtones. L'arrivée des Jésuites allait donner une première impulsion à l'enseignement du chant: le père Jean de Quen (mort en 1659) fut l'un d'entre eux. Le père Ménard a peut-être même composé. Du côté des prêtres séculiers, l'abbé Jean le Sueur, curé de Québec, avait une bonne connaissance de la musique. Chez les Ursulines, mère Marie de Saint-Joseph avait apporté une viole dont elle se servait pour son enseignement.

La musique sacrée était celle que l'on jouait et chantait en France: missels et antiphonaires avaient été apportés de France; les pièces liturgiques manuscrites sont des copies de messes ou de motets connus sauf peut-être *La Prose Sacræ Familiæ*, une œuvre de plain-chant d'Amador Martin, qui aurait composé cette première œuvre canadienne vers 1650. À Montréal, le Sulpicien François de Belmont jouait du luth pour accompagner les cantiques des indigènes, et cela jusqu'à sa mort en 1732.

Du côté des laïcs, Martin Boutet fut le premier professeur de musique sacrée vers le milieu du XVIIᵉ siècle. Il enseignait aussi l'arpentage et le pilotage. Un de ses élèves, Louis Jolliet, devint un assez bon organiste. Il y avait deux orgues en Nouvelle-France en 1660.

La musique de divertissement

Les religieux jugeaient sévèrement la musique profane parce qu'elle s'accompagnait de danses et que ces divertissements étaient réprouvés par une morale très stricte. On n'encourageait que la musique sacrée, et encore fallait-il qu'elle fût conforme à l'idée que s'en faisaient les autorités cléricales. Cette attitude envers un art très développé, voire primordial dans de nombreuses civilisations, étonne, surtout quand on sait combien Mgr de Laval tenait à développer ici les arts plastiques et les métiers. Mais la morale était primordiale: ce qui explique aussi qu'on ne permît le théâtre que dans certaines conditions. En 1646 fut présentée la première pièce en Amérique. Il s'agissait du *Cid* de Corneille. *Tartuffe*, en 1690, n'eut pas le même bonheur: il fut interdit par l'évêque du temps, Mgr de Saint-Vallier.

Vers la fin du Régime français, il existait pourtant en Nouvelle-France une vie sociale tournée vers d'autres divertissements. Jacques Raudot, intendant de 1705 à 1711, donnait des soirées musicales courues. Plus tard, l'intendant Bigot organisait des bals dont témoignent les lettres de Madame Bégon[1]. Il y avait donc des musiciens pour jouer ces menuets, mais on ne sait rien de ces personnes qui étaient à l'époque plus ou moins considérées comme des domestiques.

Il semble bien qu'on ait interprété des œuvres françaises choisies; on accordait d'ailleurs moins d'importance à la composition qu'à l'interprétation. Cela explique pourquoi l'esthétique musicale française marquera longtemps la musique québécoise; quant à la tradition modale grégorienne[2], elle se retrouve aussi bien dans les chansons de folklore que dans certaines des compositions de musique contemporaine[3].

APRÈS LA CONQUÊTE ET JUSQU'EN 1920

La musique citadine

Après une vingtaine d'années d'indécision sur leur comportement mutuel, vainqueurs et vaincus s'adaptent à leurs nouveaux rôles et recommencent à vivre une vie sociale. La musique instrumentale des fanfares militaires participe à des assemblées, des cérémonies et des concerts publics. Friedrich Glackemeyer, arrivé au Québec avec un régiment de mercenaires allemands, s'y établit après avoir quitté l'armée et devient le premier commerçant à offrir de la musique en feuilles et divers instruments dont il s'offrait à enseigner la technique. Il apportait avec lui une tradition musicale différente de celle des Anglais. Ce brassage d'idées ne put que favoriser l'essor de la vie musicale à Québec, qui eut cependant l'honneur de donner une des premières du *Messie* de Haendel, probablement à Noël 1793.

À Montréal, Louis Dulongpré, connu également comme portraitiste, ouvre en 1791 une «Académie pour les Jeunes Demoiselles» où musique et danse avaient autant de place que le français et l'anglais. C'est lui aussi qui est l'instigateur du Théâtre de Société qui, en 1790, présente la première «comédie avec musique» écrite et composée au Québec: *Colas et Colinette ou le Bailli*

Dupé. Joseph Quesnel (1749-1809), Français, avait été prisonnier des Anglais puis avait décidé de s'installer à Boucherville. Bien qu'il fût un poète et un musicien cultivé, sa musique religieuse n'eut pas l'heur de plaire autant que sa musique de théâtre.

> Me voilà composant un morceau
> de musique,
> Que l'on exécuta dans un jour solennel:
> C'était, s'il m'en souvient, la fête de
> Noël.
> J'avais mêlé de tout dans ce morceau
> lyrique,
> Du vif, du lent, du gai, du doux, du
> pathétique;
> En bémol, en bécarre, en dièse, et
> cætera;
> Jamais je ne brillai si fort que ce jour-là.
> Eh bien, qu'en advient-il? On traite de
> folâtre
> Ma musique qu'on dit faite pour le
> théâtre.
> L'un se plaint qu'à l'office il a presque
> dansé,
> L'autre dit que l'auteur devrait être
> chassé;
> Chacun sur moi se lance et me pousse
> des bottes.
> Le sexe s'en mêla, mais surtout les
> dévotes;
> Doux Jésus, disait l'une, avec tout ce
> fracas,
> Les saints en paradis ne résisteraient
> pas.
> Vrai dieu! lorsque ces cris, disait une
> autre, éclatent
> On dirait qu'au jubé tous les démons se
> battent.
> Enfin cherchant à plaire en donnant du
> nouveau,
> Je vis tout mon espoir s'en aller à vau-
> l'eau.
> Pour l'oreille, il est vrai, tant soit peu
> délicate,
> Ma musique, entre-nous, était bien un
> peu plate:
> Mais leur fallait-il donc des Haendels,
> des Grétrys?
> Ma foi! qu'on aille à Londres ou qu'on
> aille à Paris.
>
> JOSEPH QUESNEL

Le XIXe siècle montre l'intérêt croissant de la population pour la musique: on accueille des étrangers virtuoses, chanteurs et instrumentistes, qui font connaître la grande musique européenne. Le premier corollaire est le regroupement des musiciens locaux dans la Société musicale de Québec en 1819: ce fut le premier ensemble instrumental. La Montreal Singing Academy ouvre en 1837. On n'hésite pas alors à monter des opéras, à faire venir des artistes à grands frais (d'Autriche, de France ou d'Italie). Helmut Kallmann note que la vie musicale était fertile en événements de toutes sortes: le Septuor Haydn (1871-1903) dirigé par Arthur Lavigne à Québec donne des centaines de concerts à travers la province. La Société philharmonique de Montréal (1877-1899), sous la direction de Guillaume Couture, entretient le goût de la belle musique. On apprécie les opéras de Wagner autant que ceux de Mozart, ce qui prouve l'éclectisme de la société de l'époque. Les débuts du Régime anglais développent donc le côté profane de la musique qui, sous le Régime français, se limitait à la musique de danse.

La musique religieuse

Après la Conquête, l'église orientée vers l'art vocal et l'orgue continue à être un lieu de rassemblement des forces musicales du pays. De bons organistes (J.C. Brauneis à Montréal, Théodore F. Molt à la cathédrale de Québec), également compositeurs, permettent à de solides chorales de donner à la musique vocale un élan décisif. L'abbé Joseph-Julien Perreault (1826-

1866) compose des messes jouées d'abord à Notre-Dame de Montréal dont il était vicaire et maître de chapelle. Quant à l'instrument majeur de la musique religieuse, l'orgue, le Québec n'en fut pas privé: Joseph Casavant (1807-1874) fut le premier facteur d'orgues au Canada; il apprit le métier à ses fils qu'il envoya à Versailles pour leur apprentissage. Samuel et Claver Casavant fondent à Saint-Hyacinthe en 1880 l'entreprise qui allait doter beaucoup d'églises québécoises d'un orgue dont on comprend qu'il soit à la fin du XIXe siècle un instrument courant au Québec. La maison Casavant existe d'ailleurs toujours.

Les compositeurs

Michel-Charles Sauvageau, né à Québec en 1809, s'avère un musicien polyvalent: chef de la Musique canadienne (1836), il organise des concerts de musique vocale et instrumentale avec ses élèves qui jouent ses propres compositions.

Antoine Dessane, Charles Wugk Sabatier, Paul Letondal viennent d'Europe s'installer au Québec et forment les artistes de la génération future, Calixa Lavallée, Henri Gagnon, Emma Albani. Célestin Lavigueur écrit des opérettes et de nombreux airs de chant; Jean-Baptiste Labelle devient en 1863 le chef d'un nouvel orchestre, la Société philharmonique de Montréal; il fait aussi des opérettes et des chansons. Il était très fréquent de composer sur des poèmes: ainsi le célèbre *Drapeau de Carillon* d'Octave Crémazie fut mis en musique par Sabatier. Le même patriotisme inspire poètes et musiciens.

Calixa Lavallée (1842-1891), après des séjours aux États-Unis, part pour le Conservatoire de Paris où l'on joue l'une de ses symphonies: revenu à Montréal en 1875, il tente sans succès de convaincre les autorités de la nécessité de mieux organiser l'enseignement de la musique. Son nom reste attaché à l'hymne national canadien qui le rendit célèbre mais pas plus riche pour autant dans son propre pays: il dut l'abandonner pour aller poursuivre sa carrière dans de meilleures conditions aux États-Unis. Le lieutenant-gouverneur Robitaille avait demandé au juge Routhier d'écrire un poème, puis à Calixa Lavallée d'en composer la musique. L'hymne national fut joué pour la première fois le 24 juin 1880, le jour de la Saint-Jean, au cours du banquet qui clôturait le grand congrès des Sociétés Saint-Jean-Baptiste du Canada et des États-Unis à Québec.

Ô CANADA

Ô Canada! Terre de nos aïeux,
Ton front est ceint de fleurons glorieux;
Car ton bras sait porter l'épée,
Il sait porter la croix!
Ton histoire est une épopée
Des plus brillants exploits
Et ta valeur, de foi trempée
Protégera nos foyers et nos droits. (bis)

Sous l'œil de Dieu, près du fleuve géant,
Le Canadien grandit en espérant.
Il est né d'une race fière,
Béni fut son berceau;
Le ciel a marqué sa carrière
Dans ce monde nouveau.
Toujours guidé par sa lumière,
Il gardera l'honneur de son drapeau. (bis)

De son patron, précurseur du vrai Dieu,
Il porte au front l'auréole de feu;
Ennemi de la tyrannie,
Mais plein de loyauté,
Il veut garder dans l'harmonie
Sa fière liberté,
Et par l'effort de son génie,
Sur notre sol asseoir la vérité. (bis)

Amour sacré du trône et de l'autel,
Remplis nos cœurs de ton souffle
   immortel!
Parmi les races étrangères,
Notre guide est la loi;
Sachons être un peuple de frères,
Sous le joug de la foi,
Et répétons comme nos pères le cri
   vainqueur:
«Pour le Christ et le Roi!». (bis)

Guillaume Couture (1851-1915) fut chez d'orchestre et critique musical à *La Minerve* alors que Romain-Octave Pelletier (1844-1928) exerçait une activité pédagogique non négligeable. Arthur et Ernest Lavigne tinrent un magasin de musique qui devint, à l'instar de la librairie d'Octave Crémazie pour les lettres, le rendez-vous des pionniers de la vie musicale de la capitale.

Les interprètes

Emma Albani (1847-1930) est la première artiste lyrique née au Canada à connaître une carrière internationale; obligée de s'exiler pour assurer sa formation, Emma Lajeunesse devint célèbre en Europe et en Amérique. Elle épousa le directeur du Covent Garden de Londres dont elle était la vedette.

LES TEMPS MODERNES

Avec l'avènement des moyens de diffusion modernes, disque, radio, télévision, la musique va pouvoir toucher toutes les couches de la société. Même les paroisses les plus éloignées des grands centres culturels auront accès à la production musicale et permettront l'éclosion de nouvelles vocations.

LES ORGANISMES

Pour donner au public l'habitude et le plaisir de la musique, il faut des orchestres: l'Orchestre symphonique de Québec — qui deviendra un temps la Société symphonique de Québec[4] — fut fondé en 1903. Son premier chef, Joseph Vézina, le restera jusqu'à sa mort en 1924. De 1935 à 1942, la capitale se paiera le luxe de deux ensembles symphoniques, quelques musiciens de la Société symphonique ayant décidé de former le Cercle philharmonique sous la direction d'un brillant violoniste, Edwin Bélanger, qui deviendra le chef d'orchestre de l'Orchestre symphonique de Québec lorsque les deux orchestres fusionneront en 1942.

Le Club musical de Québec organise depuis 1891 une série de concerts d'abord donnés le matin, d'où le nom anglais du club à ses débuts: Quebec Ladies Morning Musical Club, puis le soir. Des clubs musicaux de dames existaient également à Montréal et Ottawa depuis 1892: d'abord mondains et sélects, installés successivement dans diverses salles de spectacle, ils élargissent le cercle de leurs habitués et deviennent le lieu de concerts de haut niveau.

L'Orchestre symphonique de Montréal, né en 1934, a beaucoup fait pour la reconnaissance des musiciens québécois, compositeurs et interprètes. Il a à son actif plusieurs tournées européennes et maints enregistrements de très grande tenue. Sa qualité s'est améliorée régulièrement jusqu'aux années quatre-vingt; l'arrivée à sa tête du Suisse Charles Dutoit lui permet de rivaliser avec les plus grands orchestres mondiaux.

Charles Dutoit dirige l'Orchestre symphonique de Montréal.

photo: Société du Grand Théâtre de Québec.

Les Jeunesses musicales du Canada (à partir de 1949), pour leur part, ont eu à cœur de rayonner à travers le pays. Elles ont installé un camp musical d'été au mont Orford, qui rassemble de nombreux jeunes artistes prometteurs. Quant au ministère des Affaires culturelles, fondé par Lesage en 1961, il ne fut pas totalement étranger au remarquable développement de la musique. La prise en compte par l'État de responsabilités jusque-là laissées à la discrétion d'une élite, dans la musique comme dans les autres arts d'ailleurs, est à porter au crédit du Québec[5].

L'ENSEIGNEMENT

La tradition de la musique sacrée s'était établie au Québec grâce à la présence presque systématique d'un chœur de chant dans chaque église. De très belles voix se sont ainsi révélées dont la rudesse du climat et la pratique du grégorien renforcèrent les qualités. Presque tous les musiciens ont été aussi professeurs de musique. Il manquait toutefois jusqu'au début du siècle des établissements assurant une formation régulière, sanctionnée par un diplôme.

Il y eut d'abord des institutions privées: à Québec, Émile La Rochelle ouvre le premier studio d'enseignement de chant choral en 1924. Il y forme, entre autres, Raoul Jobin et Léopold Simoneau; dans la métropole, le Conservatoire national de musique (1905), rattaché un temps à l'Université de

Montréal. L'École Vincent-d'Indy, dont l'origine remonte à 1920, offre un enseignement musical à tous les niveaux et a été affiliée aux Universités de Montréal et de Sherbrooke. L'Université McGill fonde sa faculté de musique en 1920 à Montréal; à Québec l'Université Laval fonde la sienne en 1922. Mais c'est en 1942 que le Québec ouvre un Conservatoire de musique et d'art dramatique, réseau de sept établissements d'État, constitué graduellement à partir de cette date.

Wilfrid Pelletier (1896-1982) fut le premier directeur de l'établissement de Montréal jusqu'en 1961. Son rôle d'initiateur et d'éveilleur de jeunes talents avait commencé par une belle carrière de pianiste et de chef d'orchestre au Metropolitan Opera de New York. Ani-

Wilfrid Pelletier.

photo: OFQ, Conservatoire de musique de Québec.

mateur des Matinées d'Initiation (1936) puis des Festivals de Montréal, il sut mettre la musique à la portée du grand public peu habitué. Il apporta son concours à l'Orchestre symphonique de Montréal, et dirigea aussi l'Orchestre symphonique de Québec. Claude Champagne a été son assistant pendant de nombreuses années avant de devenir célèbre à son tour.

LES COMPOSITEURS

Claude Champagne (1891-1965) est un des géants de la musique québécoise: Louise Laplante parle à son sujet «d'une page d'histoire». Né à Montréal en 1891, il se forme à l'écoute d'un grand-père violoneux et à la fréquentation du pianiste Alfred Laliberté, mort en 1952, qui tenait salon. À trente ans, il complète à Paris sa formation, à l'école de la musique française du début du siècle (Debussy, Fauré). À son retour, il se dévoue à la cause de l'enseignement à tous les niveaux avec passion et efficacité.

Il lui reste peu de temps libre, aussi compose-t-il peu et plutôt pour orchestre. La *Symphonie gaspésienne* (1945) est un exemple patent de son amour pour le Québec, pour les origines folkloriques et religieuses de la musique de son pays, qu'on avait déjà remarqué dans *Images du Canada français*. Romantique, il reste très simple cependant: harmonie et rythme sont subordonnés à la mélodie. Dans ses dernières œuvres on note un certain esprit dodécaphonique (*Altitude*, 1959, est l'une des premières œuvres qui fait appel aux ondes Martenot). À sa mort en 1965, il avait déjà pu constater la portée de son enseignement chez ses élèves auxquels il demandait chaque semaine ce qu'ils avaient écrit la semaine précédente. Parmi eux, Roger Matton, François Morel, Clermont Pépin, Pierre Mercure ont gardé une vénération pour ce maître qui respectait chez ses étudiants la différence et l'originalité.

Au début du siècle, Charles Beaudoin, Achile Fortier, Alexis Contant, Georges-Émile Tanguay n'ont pas eu la chance de voir leur musique diffusée comme le sera celle de leurs successeurs. On la redécouvre de nos jours avec d'autant plus de bonheur que la musique contemporaine, par sa diversité, avait déshabitué le public de ces mélodies simples et souvent composées sur des poèmes de Gonzalve Desaulniers ou Albert Lozeau, entre autres. Henri Gagnon (1887-1961), professeur et administrateur, eut une carrière de compositeur qu'il voulut discrète et élégante, à son image. Rodolphe Mathieu (1894-1962) est le premier boursier du Québec en composition: sa *Chevauchée* (pour piano, 1911), tout à fait moderne, fait de lui un précurseur.

Maurice Blackburn a fait la musique d'une quantité de films de l'Office national du film et a ainsi acquis une renommée internationale due également à la qualité remarquable des films d'animation de l'organisme. Gabriel Charpentier, pour sa part, s'est orienté vers la musique de théâtre qu'il envisage comme un «commentaire» et non pas comme «du remplissage». Mélodiste, il avoue son penchant pour le grégorien où il a sans doute puisé le sens du rythme qui le caractérise. Jean Vallerand, violoniste de formation, mais aussi compositeur et critique, a produit une œuvre multiple et n'a pas craint de toucher aux diverses tendances de la musique contemporaine, du poème symphonique *le Diable dans le beffroi*, à l'opéra *le Magicien*, en passant par les partitions musicales des pièces de théâtre réalisées à Radio-Canada.

Jean Papineau-Couture, pédagogue depuis 1945 et animateur dévoué, a produit environ deux œuvres par an dont beaucoup sont écrites pour la musique de chambre. Roger Matton, venu à la musique par le piano, compose surtout pour un grand effectif instrumental. Ethnomusicologue (CÉLAT, Université Laval), il a découvert la riche variété du folklore canadien-français qui lui a inspiré l'*Escaouette* et *L'horoscope*: lyrique, il reste solidaire des structures traditionnelles.

Les interprètes

C'est par eux que le Québec a atteint une renommée internationale. On sait le plaisir que les Québécois trouvent dans le chant, qu'il soit populaire, chant choral ou d'opéra. On aime l'art vocal, et les compositeurs — y compris les contemporains — ne négligent pas cet aspect de la musique.

L'art vocal

Emma Albani avait propulsé sur scène Eva Gauthier (1885-1958), qui fit scandale en incluant dans un récital quelques succès de George Gershwin en 1923: son pianiste habituel ayant refusé de l'accompagner parce qu'il trouvait cette musique barbare, elle demanda à Gershwin lui-même de le faire!

Raoul Jobin.

photo: Archives nationales du Québec à Québec (Fonds: Raoul Jobin): CN 89-072.

Rodolphe Plamondon (1877-1940) était réputé pour le timbre très pur de sa voix de ténor mise au service de l'oratorio. Dans le même registre, Raoul Jobin (1906-1974) avait débuté à l'Opéra de Paris vers 1930. Il joua sur toutes les grandes scènes mondiales et son fils André semble avoir hérité des qualités de voix de son père. Le couple Léopold Simoneau et Pierrette Alarie, soprano, mène de front, mais surtout à l'étranger, une belle carrière et une vie conjugale déjà longues — l'opéra ne suffit pas au Québec pour faire vivre les chanteurs. Aux ténors Richard Verreau, Léopold Simoneau et Giuseppe Venditelli s'ajoutent de nombreuses basses: Gaston Germain, Yoland Guérard (1923-1987), les Corbeil père et fils, Joseph Rouleau (au Covent Garden entre autres), Jean-Pierre Hurteau (à

l'Opéra de Paris) sans oublier les barytons Louis Quilico, Robert Savoie, Bernard Turgeon, Charles Prévost, Claude Létourneau et le jeune Jean-François Lapointe.

Du côté des femmes, il faut noter les sœurs Parent, chez les sopranos Béatrice La Palme, Colette Boky et le timbre pur de Pauline Vaillancourt (*Vêpres de la Vierge*, *Kopernicus*) et du côté des mezzo-sopranos, Huguette Tourangeau et Gabrielle Lavigne.

Les instrumentistes

Le piano emporte les faveurs de la majorité des instrumentistes. Si Glackemeyer s'étonnait de ne trouver juste après la Conquête — faut-il préciser ? — qu'un seul piano à Québec, les choses ont bien changé. Les duettistes Renée Morisset et Victor Bouchard, les pianistes Jeanne Landry, Guy Bourassa, Paul Loyonnet ont eu des heures de gloire bien méritées. John Newmark est considéré comme l'un des cinq plus grands accompagnateurs au monde dont la presse internationale loue «l'adaptation parfaite à l'artiste accompagné, la virtuosité et la sensibilité intense». Parmi les plus jeunes, mentionnons Henri Brassard et le virtuose André Laplante; Marc-André Hamelin s'est établi aux États-Unis et a déjà joué au Carnegie Hall; Louis Lortie est vanté pour «l'acuité de sa sensibilité, la finesse de son interprétation, l'attention qu'il porte à son jeu et à celui de l'orchestre» (*The Times*, Londres).

Dans le domaine des claviers, l'orgue a aussi ses adeptes. Henri Gagnon occupa le poste d'organiste auxiliaire puis titulaire à la basilique de Québec pendant un demi-siècle, jusqu'à ce que Wilfrid Pelletier lui confie la direction du Conservatoire. Parmi ses élèves, Jean Beaudet, Marius Cayouette, Claude Lagacé. Plus près de nous, Bernard Lagacé poursuit l'intégrale des œuvres de Bach pour orgue, par une succession de récitals mensuels échelonnés sur deux ans.

Un instrument plus connu de tous dans sa version populaire, le violon, a attiré certains Québécois qui se sont taillé une place enviable, comme Annette Lasalle-Leduc et la sémillante Angèle Dubeau qui a la chance de jouer sur un stradivarius fabriqué en 1733. Dans la ligne des violoneux de village dont l'entrain et la virtuosité ont fait le bonheur des veillées d'autrefois, un

Angèle Dubeau.
photo: Gracieuseté de la Société du Grand Théâtre de Québec.

homme mérite d'être salué. Le grand Yehudi Menuhin ne cachait pas son admiration pour Jean Carignan, mort en 1988; devenu sourd dans les dernières années de sa vie, il se rappelait avec amertume les difficultés qu'il avait dû contourner toute sa vie pour atteindre une technique qualifiée de renversante. «Je suis sourd, disait-il, parce que j'habite au Québec et parce que j'ai été obligé de gagner ma vie, de travailler à la shop avec les machines et les marteaux pilons» (1978). Apprenti cordonnier, puis chauffeur de taxi pendant 20 ans, il était le maître de la gigue et du reel et avait contribué à mieux faire connaître aux Québécois leurs racines musicales irlandaises et écossaises. On doit à sa mémoire de le ranger parmi les grands musiciens du Québec.

LA MUSIQUE ACTUELLE

Ce monde qu'on entend, [...] je tiens à le capter, non pas en improvisation bâclée, mais à travers des choses rigoureuses et précises.

SERGE GARANT

Le Québec des années cinquante s'ouvre à d'autres cultures. On voyage de plus en plus facilement, les bandes magnétiques aussi qui sont retransmises par la radio et la télévision. Aussi, les oreilles découvrent-elles de nouvelles musiques tant orientales (autres façons de jouer avec les sons) qu'occidentales (Messiaen, Boulez, Webern, Stockhausen essaient des structures originales). À la radio, Maryvonne Kendergi présente sans relâche des émissions où elle fait une large place à la musique contemporaine européenne. Plusieurs jeunes musiciens montréalais sont tentés par de nouvelles expériences:

c'est le début de la musique électro-nique ou électro-acoustique qui permet les «mixages» les plus subtils.

Les institutions

Dans les années soixante, le phénomè-ne musical gagne des régions jusque-là défavorisées; de nouvelles sections du Conservatoire s'ouvrent à Rimouski, Trois-Rivières, Chicoutimi, etc. Trois-Rivières peut maintenant s'honorer d'avoir un orchestre symphonique bien à elle, comme la ville de Laval d'ail-leurs. Il existe aussi maintenant un Orchestre métropolitain du grand Montréal (1981) et un Orchestre natio-nal des jeunes.

En 1956, on avait inauguré les con-certs de Musique de notre temps à l'instigation de Serge Garant, entouré de Jeanne Landry, François Morel, Otto Joachim. En 1961, Pierre Mercure organise la Semaine internationale de musique actuelle, pendant laquelle il offrira des pièces du répertoire de Stockhausen, de John Cage, de Iannis Xenakis et de Serge Garant. En 1966, S. Garant, G. Tremblay, W. Pelletier, M. Kendergi, J. Papineau-Couture fon-dent la Société de musique contempo-raine du Québec. Lorraine Vaillancourt dirige le Nouvel ensemble moderne. Par ces initiatives, le Québec musical s'oriente délibérément vers l'avenir. D'ailleurs, à Montréal, chaque établis-sement d'enseignement supérieur dis-pose depuis les années soixante d'un maître en écriture nouvelle: l'Univer-sité de Montréal a eu Garant; McGill, Bruce Mather et István Anhalt; G. Tremblay et C. Pépin sont au Conser-vatoire.

Les compositeurs

Ce mouvement vers une musique autre est l'œuvre d'artistes résolus à diffuser ce nouveau langage musical. À l'instar des arts visuels, la musique n'a pas de frontière, et ne connaît pas la barrière linguistique — celle qui, par exemple, rend impossible la diffusion de films non doublés ou de la littérature non traduite. Aussi le champ d'investigation reste-t-il entier pour ceux qui veulent explorer les infinies possibilités du domaine musical.

Serge Garant (1929-1986) a certai-nement mérité qu'on le reconnaisse comme un meneur. En 1954, il avait organisé à Montréal un premier concert qui surprit le milieu. Son activité de professeur (à la faculté de musique de l'Université de Montréal), d'animateur et d'écrivain, insuffle à la jeune généra-tion le goût de se créer des défis. Il a composé sur un poème de Saint-Denys Garneau, *Cage d'oiseau*, une création qui alterne les monosyllabes d'une voix et les commentaires au piano. *Phrases 1* (1967) est une composition mobile; l'ordre d'exécution des séquences peut varier, ce qui demande un contrôle du matériau musical d'autant plus rigou-reux qu'il faut prévoir toutes les possi-bilités. *Phrases II* se joue avec deux chefs d'orchestre. On ne s'étonnera pas de l'entendre parler de «disponibilité totale». On l'a entendu dire qu'il admi-rait Cage ou Xenakis sans beaucoup aimer leur musique. Sa générosité, son ouverture d'esprit ont permis aux jeu-nes de s'exprimer, et ses étudiants sont les premiers à regretter ce professeur qui affirmait qu'«en art on doit être des optimistes malgré tout». C'est un des esprits qui ont changé la face culturelle du milieu québécois.

Comme ses prédécesseurs, comme ses collègues, Pierre Mercure (1927-1966), un autre pionnier, a travaillé à partir de textes québécois, tant il est vrai qu'au Québec on ne peut se passer de la voix, pour le plaisir et peut-être aussi pour dire son identité. Il a aussi tenté de faire une synthèse entre musique instrumentale et musique électro-acoustique. Un autre aspect du musicien est son ouverture aux arts plastiques: il a fréquenté les automatistes («il s'agit pour moi d'automatisme en musique») et créé des *Structures métalliques I, II et III* pour les intégrer à des sculptures de Vaillancourt.

Gilles Tremblay attire l'attention de l'auditeur sur l'écoute du monde qui l'entoure: «pour le musicien, entendre, percevoir les relations musicales qui sont dans la vie, lever de soleil, événement politique, chant de la cigale, celui de la cloche, éruption volcanique, silence, constitue déjà un acte musical... Si l'œuvre aide l'auditeur à son tour à percevoir les musiques latentes qui nous entourent, alors le musicien sera comblé.»

C'est avec cette disponibilité d'esprit qu'il présente la musique électro-acoustique, qu'il sonorise le pavillon du Québec à Expo 67, qu'il écrit pour de petits ensembles ou pour orchestre; il manifeste une prédilection pour les instruments à vent et les percussions; la voix l'attire toujours. *Kekoba* (1965) était composé pour percussions, ondes Martenot et 3 voix; *les Vêpres de la Vierge* (1987) sont une œuvre remarquable de densité qui prouve — s'il en était besoin — que la musique sacrée peut encore inspirer de très belles œuvres d'avant-garde en terre québécoise.

François Morel a composé à partir d'une toile de Borduas un univers sonore qui évoque l'univers pictural. Il se définit comme un «artisan du son». Micheline Coulombe Saint-Marcoux joue avec les textes qu'elle met en musique pour favoriser l'émergence de cette unité nouvelle: texte-musique. Clermont Pépin, engagé politiquement, dénonce la facilité de la «musique de train» ou de la «musak» qu'on entend dans les supermarchés — cette harmonisation sirupeuse d'une musique «dédouanée» et détaxée, qui a perdu toute authenticité et qu'on diffuse indistinctivement sur l'ensemble du continent. Des tendances actuelles, il a d'abord choisi le sérialisme avant de toucher à la musique électronique et l'électro-acoustique. André Prévost, un de ses élèves, partage son goût pour la musique actuelle. Claude Vivier, mort à 34 ans, exprimait dans ses œuvres beaucoup de la grande sensibilité qui l'habitait. Il reste près du public, sans affectation de sa part. Pour lui aussi, la voix est le médium qui lui permet une certaine complicité avec l'auditeur (*Lonely child*, 1980). Un peu en marge de ce courant avant-gardiste, parce qu'il préfère les formes classiques (symphonies, variations), Jacques Hétu reste le compositeur préféré d'une majorité d'interprètes québécois.

Compositeur connu du grand public (films, publicité, musique environnementale, etc.), François Dompierre a déjà enregistré chez Deutsche-Grammophon; quant à André Gagnon, il sait toucher un vaste public — dont il garde les faveurs année après année — en mettant à sa portée tout un éventail de mélodies qu'il orchestre avec bonheur. Il envisage, avec le dramaturge Michel Tremblay, la création d'un opéra sur Émile Nelligan.

Les interprètes

Peu nombreux sont encore les interprètes qui se spécialisent en musique actuelle. L'audience est limitée; les professeurs récemment engagés n'ont pas encore eu le temps de former des élèves. On retiendra le nom d'un pianiste, Gilles Manny, d'une flûtiste, Lise Daoust. Le premier garde de profondes attaches avec les classiques mais s'engage avec conviction dans l'interprétation d'œuvres contemporaines. On peut regretter ce manque d'interprètes en musique actuelle au Québec, sauf du côté des voix, avec notamment Ginette Duplessis, Marie-Danielle Parent et Pauline Vaillancourt. Ainsi, en l'absence d'interprète, et étant donné la difficulté de faire inscrire leurs œuvres les plus audacieuses dans les concerts traditionnels, les compositeurs doivent s'en remettre à eux-mêmes ou aux moyens de diffusion habituels (cassettes, disques). Il est dommage que ces œuvres ne bénéficient pas de l'état de grâce qui ne peut naître et se développer que dans une salle de concert.

Le jazz, le blues, le rock

Il n'y a pas un jazz mais des jazz. Il faut se garder d'une pensée trop réductrice à l'endroit de cette musique, née aux États-Unis. «N'étant pas une musique traditionnelle (au sens de conserva-tion stricte de la tradition), le jazz est donc une musique évolutive» (Michel Philippot, 1983) qui a traversé facile-ment la frontière comme le rock. C'est par son côté américain que le Québec a intégré[6] naturellement cette dimension de la musique contemporaine beaucoup plus que par ses racines françaises. Vic Vogel affirme qu'il y a «plus de bons musiciens de blues au pouce carré [à Montréal] qu'à Toronto, New York ou Los Angeles». Lee Gagnon (saxopho-niste né aux États-Unis) est connu à l'époque du Big Band vers 1965; John Warren, compositeur et saxophoniste lui aussi, se rend fréquemment en Europe avec son orchestre dans les années soixante-dix, actuellement Daniel Cyr et le guitariste Jean-Denis Bélanger.

D'autre part le jazz influence l'œu-vre de compositeurs contemporains comme Michel et François Morel. La grande liberté d'improvisation que permet cette expression musicale a de nombreux adeptes et trouve un écho particulier au Québec: Patrick Straram, vers 1958, pense que «le cri du Québec est analogue à celui de la négritude, d'où cette accointance avec le jazz». On lui doit une quantité de chroniques sur ce type de musique. Le Bison ravi — son pseudonyme est l'anagramme de Boris Vian — était un contestataire. Né à Paris, mort à Montréal en 1988, il a revalorisé en outre le phénomène du folk-rock, «ce fait musico-social de modification de la praxis quotidienne».

Depuis la dernière décennie, Mont-réal profite des influences des multiples communautés d'origines diverses qui la composent. Karen Young, Michel Donato, le pianiste Oliver Jones, Oscar

Oscar Peterson.

photo: Société des droits d'exécution du Canada et BMI Inc.

Peterson (né lui aussi à Saint-Henri), le Haïtien Eval Manigat, le Dixie Band «jazzent» sur des rythmes latino-antillais servis à la sauce montréalaise. La métropole québécoise a aussi son Festival international de jazz et sa compagnie d'enregistrement consacrée au jazz: Justin Time.

Le Quatuor de jazz du Québec s'organise à Montréal en 1963 et reste actif jusqu'en 1974. Il établit dans la métropole une tradition d'improvisation qui sera perpétuée par l'Atelier de musique expérimentale (1973-1975) et l'Ensemble de musique improvisée de Montréal. Jazz libre — comme on disait familièrement — travaille aussi avec des chanteurs (Charlebois, Louise Forestier et l'Osstid'cho), avec une parolière (Mouffe) et même Yvon Deschamps — le jazz, le rock et la chanson populaire sont très liés au Québec.

L'Infonie: en 1967, un saxophoniste-compositeur rencontre le poète Raoul Duguay: de cette amitié naît l'Infonie; aux musiciens du Jazz libre dont Walter Boudreau, saxophoniste, au pupitre, s'adjoignent des écrivains, des dessinateurs. Ils sont bientôt 22 sur scène; en 1973 ils ne seront plus que huit à donner un «spectacle total». Raoul Duguay a écrit un manifeste qui se veut la «continuation du *Refus Global* de Borduas». Avant de quitter l'Infonie, il dirige, en compagnie de quelques infoniaques, 33 jeunes secrétaires de l'École commerciale de l'est dans un *Concerto pour trente-trois dactylos et autres instruments.* Walter Boudreau voulait «lutter contre la facilité, être le pont entre la musique formelle et la musique organique. Il y a un public pour la musique sérieuse. Il y en a un autre pour la musique "pop". L'infonie se veut un moyen terme». Ce fut un

Walter Boudreau, directeur artistique de la Société de musique contemporaine du Québec.

photo: Société des droits d'exécution du Canada.

moment intense de créativité collective dans l'improvisation individuelle et la recherche. W. Boudreau, toujours passionné de musique actuelle, dirige en 1985 l'Orchestre métropolitain qui interprète les jeunes compositeurs, à commencer par lui-même, Michel-Georges Brégent, Raynald Arsenault, John Rea. Le nouvel esprit qui préside à la musique actuelle n'exclut ni la fantaisie ni l'humour: *La remontée d'Adanac O* (Brégent), *Dans un champ, il y a des bibittes* (Boudreau).

Groupe rock instrumental et vocal, Harmonium (vers 1975) fait une musique de fusion d'éléments classiques, de rythme latino-américain, de rock et de jazz (avec Serge Fiori). Dans les années soixante-dix, Maneige réussit une synthèse musicale très originale, plutôt savante et intellectuelle, du moins au début. D'autres groupes font preuve d'un bel esprit de continuité: Uzeb (jazz-fusion), Wondeur Brass[7] (ce drôle de nom convient parfaitement à ces sept musiciennes — des cuivres évidemment — pleines d'allant et d'humour), Offenbach, Corbeau, Ville Émard Blues Band, également parmi d'autres. Un jeune pianiste compositeur comme Denis Hébert fait une musique où s'équilibrent construction et improvisation. Le groupe Voïvod, de Jonquière, donne dans «la musique "heavy metal", le rock pur et dur, incendiaire et sulfureux». Et la métropole peut organiser en 1988 un Festival international de rock francophone où un groupe montréalais, Vilain Pingouin, s'affiche comme les «hérauts [héros] de la loi 101»[8].

Et combien d'autres encore? La musique se porte plutôt bien au Québec[9]. On écrit encore des opéras, *Kopernikus* de Claude Vivier en 1980, *Menaud maître draveur* de Marc Gagné en 1988, bien que la production de ces œuvres rencontre d'énormes difficultés financières. Depuis cinq ans, un Festival international de musique actuelle draine dans la capitale des Bois-Francs, Victoriaville, plus de cent artistes qu'on peut qualifier d'avant-gardistes. En musique comme en arts visuels on croit à l'intégration des divers genres. En 1988 on a lancé un Jeu d'improvisation musicale au Spectrum de Montréal que Radio-Canada retransmet fidèlement.

Denys Bouliane «écrit très sérieusement de la musique sans se prendre au sérieux pour autant et tient le pari presque intenable de vivre de la composition». Ses œuvres aux titres énigmatiques (*Le cactus rieur, Douze tiroirs de demi-vérités pour alléger votre descente*) sont reprises aux États-Unis et en Europe. Claude Léveillée, Michel Longtin et Nil Parent, autant de noms dont il faudra se souvenir. Le compositeur Michel Gonneville, dans le numéro de *Dérives* consacré à la musique contemporaine, a raison de s'étonner: «combien les langages sont multiples, combien les voies d'exploration sont personnalisées!» D'un côté, l'Ensemble Nouvelle-France fait revivre la musique ancienne du Québec avec des instruments d'époque[10]; à l'autre bout de la ligne, Marcelle Deschênes et Renée Bourassa produisent des spectacles multimédia (audiovisuel, musique électro-acoustique, danse, diaporama, etc.) où l'intégration des divers moyens d'expression donne des résultats stupéfiants de beauté (*OPERAaaah, L'écran humain, Lux* en

1986). On ne peut négliger non plus les comédies musicales comme *IXE-13* et l'on ne doit pas oublier que la tradition religieuse permet encore la naissance de pièces magnifiques (M. Gagné, J. Papineau-Couture, R. Matton) et même des messes entières (*La messe québécoise* de Pierick Houdy).

Quant à la production d'instruments, à côté des «faiseurs de violons» autodidactes, Émilien Bruneau, Albert Deschênes à Montjoli, (Léonard Otis, du Saguenay, travaille dans la journée pour l'Alcan et le soir fabrique des violons), qu'on trouve encore dans les campagnes, il existe maintenant un atelier-école de lutherie (Mario Lamarre). Dans l'Estrie, on fabrique les fameuses guitares Norman et Guitabec, à Saint-Hyacinthe les orgues Casavant et Létourneau, à Sainte-Thérèse les pianos Lesage. On peut aussi se procurer des cuivres, des instruments anciens (flûtes, clavecins, archets) ouvrés à Montréal. Quant aux nombreux adeptes de la musique contemporaine, ils peuvent commander à Lévis, pour 45 000$, le modèle de base d'un synthétiseur polyphonique numérique, le 16π (Nil Parent et la coopérative Technos Électronique). Marcel Riendeau a mis au point une table tournante (Oracle) qui ravit les inconditionnels du disque en vinyle. Tradition culturelle déjà ancienne au Québec, la musique a su récemment se donner les moyens de réaliser quelques-unes de ses ambitions, par exemple en offrant deux mois de musique continue au Festival international de Lanaudière.

LA DANSE

Et j'en ai danse aux pieds
Et musique aux oreilles

GILLES VIGNEAULT

Dans de nombreuses civilisations, en Afrique ou en Amérique latine surtout, la musique met aussitôt en branle les réflexes et mécanismes de la danse. C'était ce qui se passait chez les Améridiens. Le besoin de se mettre en mouvement et d'exprimer le rythme par tout le corps leur était naturel. En Europe, au XVIIe siècle, les cours d'Angleterre et de France pratiquaient beaucoup la danse: la noblesse française calquait son comportement sur celui de Versailles. En Nouvelle-France on voudra recréer l'atmosphère de la cour; on dansera chez le gouverneur puis dans les fermes. Plus tard, le Québec sera entraîné par le même mouvement.

LA DANSE TRADITIONNELLE
Le divertissement

En milieu bourgeois, le danse apparaît dès les débuts de la colonie comme le divertissement préféré de la jeune société. Les mariages sont une occasion toute trouvée de se réjouir mais on donne aussi des soirées mondaines. Le *journal des PP. Jésuites* mentionne en 1647 que «le 27 de febvrier, il y eut un ballet au magazin; c'estoit le Mercredygras: pas un de nos PP. ny de nos FF. n'y assista, ny aussi des filles de l'Hospital et des Ursulines, sauf la petite Marsolet.» En 1667, un bal est donné pour célébrer la nomination de

Chartier de Lotbinière au poste de lieutenant civil et criminel de la prévôté (R.-L. Séguin). Frontenac offrait au château des «violons et autres récréations» en plus des pièces de théâtre.

Peu avant la Conquête, il semble même que nobles et bourgeois s'en donnaient à cœur joie. L'épistolière Élisabeth Bégon raconte, par le menu, quantité de petits potins qui laissent rêveuse: on faisait des lieues à cheval pour aller chercher des cavalières, on buvait sec et l'on perdait parfois en même temps son équilibre, sa perruque et sa tête. L'intendant Bigot était de ceux qui offraient des bals et le général Montcalm notait avec amertume cet étourdissement perpétuel qui l'agaçait. Il y avait même les maîtres à danser: à Montréal, Louis Renault, dit Duval, enseigne le menuet vers 1740.

Bourgeois et gentilshommes ne se contentaient pas des réjouissances propres à leur milieu; bientôt, il fut habituel d'aller à la campagne profiter des divertissements offerts par un habitant qui mariait un fils ou une fille. Un jeune militaire français qui relate ses dix ans de vie canadienne précise qu'il a dû apprendre à danser pour être reçu en société; en décembre 1753, il va chez l'habitant avec un compère: «nous y restâmes cinq jours en plein divertissement».

La guerre de Sept ans ralentit sûrement la fréquence des sauteries organisées mais la vie continue et avec elle l'expression corporelle reprend ses droits. En 1787, Louis Dulongpré informait le public qu'il avait ouvert une «école à danser». Les gens de passage et les administrateurs anglais notent le goût des Canadiens «très passionnés

pour la danse, depuis le seigneur jusqu'à l'habitant». Ce caractère enjoué de l'habitant fait dire à P. De Salles-Laterrière vers 1827 qu'il «n'a jamais connu nation aimant plus à danser que les Canadiens». Vers 1836, M.-Ch. Sauvageau crée le premier orchestre professionnel de danse populaire à Québec, Musique canadienne.

La veillée

Au début de la colonie, la société accuse un gros déficit en éléments féminins, ce qui force les trappeurs et voyageurs, en général de joyeux drilles célibataires, à aller se divertir dans des lieux publics. Vers le milieu du XVIIIe siècle, l'équilibre est rétabli, les jeunes gens partent moins nombreux courir les bois pour s'adonner à la trappe et des soldats logent chez l'habitant en rendant quelques services. C'est l'hiver que l'on danse principalement. On a moins de travail et plus de loisirs; les chemins couverts de neige et les rivières gelées permettent en outre des déplacements rapides.

La danse est au cœur de la veillée, sans toutefois accaparer toute la soirée; les anciens jouent aux cartes, on chante tous ensemble ou l'on fait silence pour écouter un conteur ou une soliste particulièrement en voix. De toute façon, on s'amuse, on rit, on se détend. Tous les prétextes sont bons pour organiser une veillée: voisinage, passage d'un «survenant» ou d'un quêteux porteur de nouvelles, moments privilégiés de la vie, puberté, mariage mais aussi les jours déterminés par le cycle des fêtes religieuses. Le temps des fêtes qui commence pieusement la nuit de Noël trouve son apogée dans la veillée du jour de l'An et finit avec les Rois. Les jours gras précèdent la longue période de pénitence du Carême: on se déguise, c'est la tradition populaire du Carnaval très répandue (Venise, Rio, la Nouvelle-Orléans, Québec), surtout dans les pays de forte tradition catholique.

Les saisons ramènent aussi divers travaux agricoles et ménagers parfois menés avec l'aide de tout le voisinage, à la faveur d'une corvée. Après une grosse journée de travail, rien de tel qu'une bonne danse pour remercier la compagnie qui a aidé à construire un bâtiment, à faire la moisson, à éplucher le blé d'Inde, à broyer le lin, à fouler l'étoffe de pays, à piquer une courtepointe. Ou encore, quand une famille fait boucherie, on en profite pour inviter les voisins... et pour danser.

Dans les cités modernes, il ne reste pas grand-chose des raisons de veiller d'autrefois: mais la tradition est toujours très forte au jour de l'An et pour le carnaval. En outre, pour la fin de l'hiver, la nostalgie du temps passé ramène à la cabane des bordées de citadins en goguette qui vont fêter à la campagne le temps des sucres et le printemps qui s'en vient.

L'attitude de l'Église

Gardienne de la morale, l'Église canadienne a longuement réprouvé la danse. Les premiers écrits des pères Jésuites ne perdent pas une occasion de noter qu'ils espèrent que «cela ne tirera pas à conséquence». Il est fait mention constamment, dans la correspondance des civils, de curés courroucés et de sermons propres à jeter la terreur chez les fidèles.

C'est vers le milieu du XIXᵉ siècle que le rigorisme sera le plus contraignant. En 1851, Mᵍʳ Turgeon interdit officiellement valse, polka, galop, autrement dit les danses par couple. Les danses de groupe bénéficient d'une certaine tolérance qui varie selon l'indulgence du curé. Aussi, dans les veillées, attendait-on souvent tard pour «se dérouiller les jambes», par crainte d'une visite inopinée du pasteur; mais alors, on savait se rattraper. Robert-Lionel Séguin mentionne nombre d'informateurs qui se sont vu refuser l'absolution après avoir dansé ou joué du violon. On allait parfois jusqu'à exiger du violoneux qu'il cassât ou brûlât son violon.

Le fantastique québécois est plein de références à la danse. Des légendes prennent forme, propres à frapper l'imaginaire pour peu que l'on se sente vaguement fautif. Tantôt il s'agit d'un violon magique qui ne cesse pas de jouer et force les danseur à s'exécuter jusqu'à l'épuisement; tantôt, ce même violon est doué du pouvoir étonnant de faire danser les aurores boréales. Les titres des airs de danse sont explicites: le *Reel du pendu* (terriblement difficile à jouer et qui, de plus, ne peut être joué que sur un violon désaccordé), ou le *Reel du diable*: ce dernier avait un rôle tout trouvé et les curés ne se privaient pas de fouetter l'imaginaire de leurs ouailles avec des légendes à donner le frisson. (C'est l'histoire de Rose Latulippe qui danse à en perdre souffle [l'âme] avec un bel inconnu tout de noir vêtu. Inquiète, elle se signe et le beau danseur se sauve avec son équipage: sous son traîneau, la neige a fondu; on a eu chaud!). Le sculpteur Alfred Laliberté a réalisé un bronze qui représente le diable aiguisant ses griffes aux Forges du St-Maurice; l'histoire veut qu'il ait cessé de le faire le jour où les habitants, à la demande du curé, eurent cessé de danser le dimanche, jour réservé au Seigneur.

Les danses

Danses à figures. Le menuet, très en vogue en France, le devient en Nouvelle-France. Madame Bégon parle abondamment des gens qui «coulent leur menuet». On le dansera jusqu'au début du XXe siècle dans les campagnes.

Au XIXe siècle, la danse s'anime. La contre-danse (d'origine anglaise, *country dance*) est tout de même venue par la France vers le milieu du XVIIIe siècle, en même temps que le cotillon et le rigodon. En ville, les maîtres à danser deviennent plus nombreux et lancent la mode des quadrilles, dont les figures sont précises et qui demandent un certain apprentissage aux danseurs: on salue, on tourne, on échange les partenaires, on fait la chaîne des dames, tout cela avec rigueur et ensemble.

Après le traité de Paris, les danses anglaises vont se mêler à la tradition française. Le reel, d'origine celtique, est d'après Faucher de Saint-Maurice «une danse fringante que nous tenons des Écossais». Philippe Aubert de Gaspé l'appelle d'ailleurs le «scotch reel».

La fin du XIXe siècle voit arriver d'autres danses européennes comme la valse, la polka, ou des danses américaines comme le brandy.

Danse traditionnelle sur le rivage.

photo: Archives nationales du Québec à Québec (Fonds: OFQ): 24 464-45.

Le *câleur* (de l'anglais *to call*) est le meneur de jeu qui indique aux danseurs de *danses carrées* (le terme *quadrille* est d'un sens tout voisin) les figures à accomplir. C'est un art de bien câler une danse et le personnage est tout aussi important que le violoneux pour la réussite d'une veillée. C'est d'ailleurs parfois le même qui tient les deux rôles. Il est souvent arrivé que le câleur annonce en anglais, sans qu'il en saisisse lui-même le moindre mot, pas plus que les danseurs, mais tout langage étant convention, chacun comprend parfaitement.

Danses de pas. Au Québec c'est la gigue qui est la vraie danse de pas; ce mot vient de la même racine germanique (*gigua* signifiant jambe) qui a donné aussi gigot et gigoter. Dans ce type de danse, l'accent est mis sur le seul mouvement des membres inférieurs. C'est une danse d'agilité et d'endurance. Elle se danse seul (et le défi est lancé entre le violoneux et le gigueur), ou à deux (et le défi est alors lancé entre les danseurs eux-mêmes). Le rythme en est extrêmement rapide et les semelles battent la mesure en menant un train d'enfer. Les bûcherons dansaient aussi la gigue au chantier.

> Le corps droit, la tête un peu rejetée en arrière, les bras à hauteur de poitrine et les coudes en dehors, le danseur semble immobile tant il paraît peu dérangé par le jeu des jambes et des pieds, qui s'agitent et se trémoussent sans jamais manquer la mesure. Les mêmes mouvements reviennent souvent, exécutés tantôt par un pied tantôt par l'autre, puis repris avec une variante comme la musique, d'ailleurs, qui badine sur un thème très simple et d'un rythme vif. De temps à autre, le pied du danseur frappe plus lourdement le sol comme pour scander un changement de mouvement.
>
> PIERRE DUPIN, 1935

La maîtrise de ce pas demande une réelle expérience et un souffle sans pareil. Les bons gigueurs se donnaient en spectacle dans la rue ou dans les maisons où il leur arrivait de demander en retour l'aumône d'un bon repas et d'un lit pour la nuit. Alexis le Trotteur (ainsi nommé parce qu'il était l'homme le plus rapide du Lac-Saint-Jean et de Charlevoix) pouvait giguer des heures de suite sans s'arrêter, ce qui a contribué à sa réputation d'infatigable personnage.

> En voulant tromper ma fatigue
> L'ennui, la peur, la nuit, le froid,
> J'ai chaussé d'un pied maladroit
> Le soulier vivant de la gigue.
>
> GILLES VIGNEAULT

La gigue est d'origine anglaise (*jig*) ou irlandaise et se danse sur un rythme vif à deux temps, en faisant alterner la pointe et le talon du pied; elle demande une grande souplesse des articulations des chevilles et des genoux. Vigneault a écrit quelques chansons sur un rythme de gigue et il lui arrive fréquemment d'en marquer quelques pas au cours d'un spectacle. L'art populaire a fabriqué des petites poupées gigueuses articulées qu'il faut faire danser sur une planchette de bois alors qu'on les tient au bout d'un bâton solidement fiché dans leur dos. On retrouve également ces poupées en Acadie et en Louisiane.

On les appelle également rondes et la tradition s'en est gardée dans les groupes d'enfants qui exécutent tous ensemble les mêmes gestes: lever les bras au ciel, s'accroupir, ou courir vers le centre ou reculer. C'étaient des danses très fréquentes dans les campagnes françaises: la bourrée mimait une lutte entre deux jeunes gens; c'est le même type de duel que l'on retrouve de ce côté de l'Atlantique dans *La danse du Blanc et du Sauvage*. Au Québec, les habitudes agricoles ont rendu courante *La ronde de l'avoine* ou *La ronde de la grosse gerbe*. Joseph-Charles Tâché, dans *Forestiers et voyageurs* (1884), évoque la *Ronde des voyageurs* qui met face à face le jeune homme sans expérience et l'ancien qui lui prodigue ses conseils.

> LE JEUNE VOYAGEUR:
>
> Ce sont les voyageurs
> Qui sont de bons enfants;
> Ah! qui ne mangent guère,
> Mais qui boivent souvent!
> Sur l'air du tra, lal-déra:
> Sur l'air du tra, lal-déra:
> Sur l'air du tra-déri-déra,
> La-déra!

LE VIEUX VOYAGEUR:

Si les maringouins t'piq' la tête
D'leur aiguillon,
Et t'étourdissent les oreilles,
De leurs chansons,
Endure-les, et prends patience
Afin d'apprendre
Qu'ainsi le diable te tourmente,
Pour avoir ta pauvre âme!

LE CHŒUR DE RONDE:

Lève ton pied, ma jolie bergère!
Lève ton pied, légère!
Lève ton pied, ma jolie bergère!
Lève ton pied, légèrement!

Musiciens et violoneux

En plus du câleur qui indique les figures, le musicien a, bien sûr, son importance; c'est lui qui met de l'entrain et de l'animation. Il pouvait jouer de la guitare ou de la «musique à bouche». Mais dès que l'on a affaire à des jeunes gens qui viennent avec leur «compagnie», on a besoin d'un vrai violoneux. Tout village avait le sien, sinon les siens. Dans l'innombrable cohorte des anonymes, sont restés les noms de ceux qui, plus près de nous, ont été diffusés par une notoriété qui a parfois dépassé les frontières du Québec. Des films ont heureusement immortalisé la merveilleuse dextérité d'un Monsieur Pointu (Paul Cormier), d'un Pitou Boudreault (Louis Boudreault) ou d'un Jean Carignan.

Les danses traditionnelles sont choses du passé. Dans plusieurs villages cependant, la tradition a réussi à se perpétuer, en partie grâce à une émission de télévision hebdomadaire, mais c'est surtout par les groupes folkloriques comme V'là l'Bon Vent (depuis un quart de siècle) ou les Feux-Follets que la danse populaire n'est pas devenue un lointain souvenir dans la mémoire des citadins des années quatre-vingt.

DANSE MODERNE ET CONTEMPORAINE

La danse traditionnelle était avant tout conviviale. Le désir de se montrer en spectacle n'en était pas totalement absent puisqu'il s'agit aussi d'une démonstration de savoir-faire en groupe (danses carrées) ou en solitaire. De nos jours, cette activité naturelle des anciens est devenue un art d'interprétation et plusieurs organismes de danse folklorique donnent des spectacles prisés par un grand nombre de spectateurs heureux de retrouver ainsi un passé collectif.

Depuis les années soixante, la jeunesse citadine passe dans les discothèques ce besoin naturel de s'exprimer avec le corps. Jean-Paul Mousseau a pensé le décor de plusieurs «disco»: la Moussespathèque, la Métrothèque et le Crash pour Montréal seulement, sans compter ce qu'il a fait à Québec et ailleurs. Peintre et sculpteur attentif à toutes sortes d'expressions culturelles, il est logique dans sa démarche artistique, marquée par le manifeste des automatistes.

Le ballet était très en vogue à Versailles: on se souvient de certaines créations de Molière qui comportaient une partie dansée non négligeable. Mais c'est après le traité de Paris que l'on note les premiers essais de danse professionnelle à Québec. Étienne Bellair exécute en 1786 plusieurs numéros de danse après des pièces de théâtre jouées en anglais. Louis Dulongpré, homme aux talents multiples, fonde le

Théâtre de Société qui offre en décembre 1789 un ballet au milieu d'autres divertissements comportant du théâtre et un opéra.

Au Québec, l'art du ballet reste timide, comme d'autres arts d'interprétation, jusque vers les années quarante. Comme les compagnies de danse américaines incluaient Montréal dans leurs tournées, il n'est pas interdit de penser que des artistes new-yorkais, comme José Limon et Martha Graham, ont pu susciter alors au Québec des vocations artistiques orientées vers une danse résolument contemporaine.

La danse et Refus global

C'est encore à ce manifeste qu'on en revient lorsque l'on parle d'art actuel au Québec. Des chorégraphes avaient

Françoise Sullivan danse *Black and Tan* en mai 1949, dans un costume de Jean-Paul Mousseau.

photo: Maurice Perron, tiré de *ETC Montréal*, n° 3, printemps 1988.

signé le manifeste dont Françoise Riopelle et Françoise Sullivan. Cette dernière avait en outre inclus un texte qui fit l'objet d'une conférence à l'Université de Montréal en février 1948. Elle fut la première danseuse à incorporer des mouvements modernes dans ses spectacles solos.

LA DANSE ET L'ESPOIR

Et, dans la danse, on en revient aujourd'hui à la magie du mouvement, celle qui met en cause les forces naturelles et subtiles de l'homme, visant à exalter, à charmer, à hypnotiser, à arrêter la sensibilité.

Il s'agit de remettre en action la surcharge expressive enclose dans le corps humain, cet instrument merveilleux, et de redécouvrir, selon les besoin actuels, les vérités connues déjà d'anciennes peuplades primitives ou orientales et concrétisées dans les danses du féticheur nègre, du derviche tourneur ou du bateleur tibétain, s'adressant aux sens avec des moyens précis. La danse atteint sa raison d'être, quand elle sait charmer le spectateur et le faire revenir par l'organisme, jusqu'aux plus subtiles notions.

[...]

Par cette filiation de la danse au cosmos, on comprend pourquoi il appartient aux êtres sensibles, aux artistes d'en pressentir la voie, et aux initiés de la déterminer.

[...]

Le danseur doit donc libérer les énergies de son corps, par les gestes spontanés qui lui seront dictés. Il y parviendra en se mettant lui-même dans un état de réceptivité à la manière du médium. Par la violence de la force en jeu, il peut atteindre jusqu'aux transes et touchera aux points magiques.

[...]

L'homme, par sa construction physique et psychologique, embrasse l'espace en largeur, en hauteur, en profondeur. Il donne donc un sens humain à ces dimensions. Dans le lieu délimité, espace objectif et espace rêvé s'unissent comme corps et âme. L'espace possède une nouvelle signification.

[...]

FRANÇOISE SULLIVAN

Elle enseigne, elle chorégraphie, elle danse jusqu'en 1956. Vers les années soixante, elle revient aux arts visuels par la sculpture (métal et plexiglas). Depuis 1980, elle se consacre à la peinture où se poursuit son exploration du thème de la circularité, donc du mouvement universel.

Raoul Duguay, dans *Musiques du Kébèk,* souligne les liens étroits qui continuent à exister entre musiciens et chorégraphes: il cite F. Sullivan, Jeanne Renaud et Françoise Riopelle. Cette dernière avait su faire sienne cette intégration des arts qui deviendra chose commune.

> Pour moi, la chorégraphie c'est l'art d'inventer de nouveaux rythmes, des lignes et des formes et de donner à un mouvement une qualité et une densité. La danse aujourd'hui reflète les préoccupations esthétiques actuelles; car, comme la musique, elle demande à l'interprète d'apporter une contribution créatrice; comme la sculpture, elle recherche la poésie que peut engendrer la non-fixité d'une œuvre d'art. La danse, c'est donc pour moi un objet d'art mobile dont la beauté réside dans son organisation et sa relation avec le milieu ambiant, qu'il soit musical ou non, émotif ou non. Cet objet d'art gagne à rechercher la même beauté purement abstraite d'une œuvre qu'elle soit plastique, graphique ou musicale.
>
> FRANÇOISE RIOPELLE

Elle avait monté avec son mari, Pierre Mercure, et Bruno Maderna, chef d'orchestre et compositeur également, une œuvre télévisée très «ouverte», *Formes disponibles;* voici ce qu'en disait alors Pierre Mercure:

> Les danseurs, les musiciens de l'orchestre, les éclairagistes et même les caméramens participent tous à une sorte «d'improvisation dirigée» sur une série musicale de formes disponibles. Tous tenteront de participer à un même dynamisme tout en essayant d'exploiter au maximum les possibilités spatiales d'un studio de télévision.

Ces femmes faisaient partie d'une toute petite minorité à s'intéresser à cette forme d'expression. Il existait aussi des cours pour jeunes filles de bonne famille où celles-ci apprenaient de gracieuses manières, mais l'idée qu'on pût, fille ou garçon, en faire profession demeurait saugrenue. Le Québec d'alors ne refusait pas toute valorisation du corps mais, seuls, les dieux du stade pouvaient la permettre. C'est la télévision qui, vers les années cinquante, va aider le milieu de la danse à gagner la faveur de tous. Cette évolution traduit, entre autres, la réappropriation qui sera un des signes et un des «ingrédients» de la Révolution tranquille.

La danse classique

Créée en 1958 par Ludmilla Chiriaeff[11] à partir de sa propre compagnie, la toute première grande compagnie de danse du Québec a un répertoire de plus d'une centaine d'œuvres et en a donné 75% en premières mondiales. Les Grands Ballets Canadiens, qui jouent des œuvres classiques ou contemporaines, ont formé danseurs ou danseuses comme Margaret Mercier dans une Académie et une École supérieure; ils font appel à des chorégraphes de l'extérieur ou de Montréal comme Brian McDonald et Fernand Nault. Les «Grands», comme on dit gentiment, ont maintenant leur Maison de la danse à Montréal et une renommée bien établie tant en Europe qu'en Amérique. Leur

Les Grands Ballets Canadiens dansent sur une musique d'Igor Stravinsky (chorégraphie de David Bentley), 1987.

photo: Société du Grand Théâtre de Québec, Andrew Oxenham.

fondatrice, «la grande dame de la danse au Québec», a su ne pas accaparer toutes les tâches de direction et d'enseignement de la compagnie et il faut lui savoir gré d'avoir su s'entourer d'une direction artistique à trois têtes particulièrement efficace. Une de leurs chorégraphies à succès fut *Tommy*, opéra-rock de Peter Townshend (1971), avec Alexandre Bélin dans le rôle titre[12]. Plus tard, Colin McIntyre réussit un coup de maître en recréant, après cinq années de recherches, la chorégraphie originale de Fokine pour *Petrouchka*, telle que l'avaient vue les spectateurs parisiens de 1911.

Sonia Vartanian a créé en 1987 les Ballets classiques de Montréal. Elle préconise une méthode d'apprentissage du ballet telle qu'on l'enseignait à l'École du Kirov au début du siècle. La toute jeune compagnie a des effectifs de dix danseurs dont deux ont été for-més aux Grands ballets canadiens. L'Académie de ballet Vartanian compte déjà environ 150 élèves.

L'essor des années soixante et soixante-dix

Michel Conte hérite de cette ouverture aux autres arts et son Studio d'expression corporelle présente un spectacle où danse, poésie, musique sont les pivots, «triangulation qui s'applique aussi au corps, à l'esprit, à l'âme».

Deux compagnies voient le jour presque simultanément: le Groupe de la Place royale en 1966 et le Groupe de la Nouvelle aire en 1968. De nombreux professionnels de la danse ont fait leurs classes avec l'un des deux groupes. Jeanne Renaud de la Place royale insiste sur la forme, «terrain de rencontre du musicien et du chorégraphe». Elle «place les mouvements dans l'espace, travaille avec des formes, des reliefs, des lignes» et permet, elle aussi, une collaboration audacieuse des différentes disciplines artistiques.

Aujourd'hui, la formation en danse contemporaine est assurée dans plusieurs écoles privées ou publiques (École Pierre-Laporte, École supérieure de danse, Universités Concordia et du Québec à Montréal). Cet enseignement est de première importance quand on considère que la carrière de danseur exige une longue formation pour ne durer que quinze ou vingt ans. Le milieu de la danse doit donc générer de nouveaux talents à un rythme trois fois plus rapide qu'en théâtre ou en musique[13].

C'est également au cours de ces années soixante et surtout soixante-dix que se développe au Québec le phénomène de la danse-performance et de la danse expérimentale. On assiste en même temps à une croissance du nombre de manifestations et de représentations et à une diversification des genres et lieux utilisés. La décennie soixante-dix s'est avérée prospère pour le milieu de la danse puisqu'elle a beaucoup diversifié la production et a vu la clientèle des spectateurs augmenter.

Le ballet-jazz. Cette forme de danse connaît une grande popularité. Les commanditaires ont parfois renâclé à subventionner ce type d'expression culturelle. À ce sujet, Geneviève Salbaing, directrice artistique des Ballets-jazz de Montréal (depuis 1972) notait que «la musique de jazz, issue des Noirs américains, n'avait pas à ses débuts, plus de statut que ses créateurs», et qu'il a donc fallu attendre que les Blancs veuillent bien la «récupérer». Les effectifs sont d'une douzaine de danseurs dont trois sont originaires de Montréal. Benoît Lachambre a connu un franc succès avec *J'Freak Assez*, chorégraphié sur une musique de Séguin. La mode du ballet-jazz, que celle de la danse aérobie n'a pas détrônée, leur a permis d'ouvrir plusieurs écoles à travers le Québec.

Eddy Toussaint avait été de la fondation des Ballets-jazz de Montréal. Un an après, il décidait de fonder sa propre compagnie, le Ballet de Montréal Eddy Toussaint (danseurs-étoiles, Anik Bissonnette et Louis Robitaille). Eddy Toussaint, excellent chorégraphe, classique par goût et par sens de l'effort, a travaillé sur des musiques d'Albinoni, de Dvorak, de Poulenc ou du jazzman américain Pat Metheny (*Neiges, La symphonie du Nouveau Monde*).

L'effervescence des années quatre-vingt

En 1970, la danse moderne et expérimentale ne représentait que 14% du total des manifestations de danse; en 1982, les mêmes catégories représentent 76% du même total. Jamais, ni nulle part, on n'a vu un si grand nombre de compagnies en même temps qu'une telle diversité dans les styles et les œuvres proposés. À côté des compagnies que l'on vient de mentionner, on trouve maintenant des groupes et des danseuses solos: Montréal est désormais une ville qui compte dans le milieu international de la danse.

Au Québec, on a souvent tendance à considérer les métropoles (Montréal, Toronto[14]) comme les seuls centres artistiques possibles. C'est vrai lorsque l'on se met à compter les spectateurs. Malgré cela, il existe dans la ville de Québec une compagnie, Danse-Partout, qui a décidé de relever ce genre de défi. Fondée par Chantal Belhumeur et

Claude Larouche en 1976, reprise en main en 1985 par Luc Tremblay, la compagnie compte une dizaine de danseurs et l'école, une centaine d'élèves. La danseuse étoile de la troupe, Lucie Boissinot, s'envole *Entre ciel et terre* et traduit les chorégraphies dont le directeur artistique a trouvé parfois le titre en Italie et la musique en quelque autre lieu. Étant donné le bassin de population de la capitale, c'est une véritable gageure que de vivre de la danse à Québec; il faut donc aller en tournée et savoir se servir de cette situation, qui peut être stimulante.

La danse en solo. Il s'agit d'un phénomène plutôt nouveau, extrêmement exigeant pour la danseuse puisqu'elle est seule en scène pendant toute la durée du spectacle. Margie Gillis a la passion de la danse, «lien entre la chair et l'âme». Énergique, indomptable,

Margie Gillis danse *Testimony of the rose*, 1987.

photo: Michel Slobodian

mais tout en finesse et en subtilités, elle est l'une des grandes ambassadrices de la danse montréalaise. Elle s'est produite en Chine, en Espagne, à New York. À trente-cinq ans, son agenda ne lui laisse aucun répit, mais ses occupations ne l'empêchent par de conserver une élégance et un raffinement inoubliables. Ducinée Langfelder éblouissait l'auditoire en 1985 avec *Cercle vicieux*. Quant à Marie Chouinard, son audace dans l'impudeur atteint une puissance d'évocation qui touche à l'inconscient. Cet être blessé qui gémit sur la scène inquiète: c'est un «faune hérissé de piquants qui bouge avec l'automatisme des robots et la grâce des pharaons égyptiens; une bête naïve et impudique qui se croit seule alors que tous les regards sont braqués sur elle. Comment, conclut Nathalie Petrowski, une bonne petite québécoise élevée à la tarte au sucre, a-t-elle pu imaginer un tel monstre?»

La danse expérimentale. Pour l'Europe, pour les États-Unis, Montréal est, dans la décennie quatre-vingt, un lieu privilégié du milieu de la danse. C'est pourquoi s'y tenait en septembre 1987 le Festival international de nouvelle danse fondé par Chantal Pontbriand, Dena Davida et Diane Boucher. Dena Davida, également directrice de Tangente, après avoir organisé trois festivals de danse masculine entre 1983 et 1986 (*Moment' Homme*), a décidé de consacrer en 1987 un festival à la chorégraphie et la danse féminines, *Sa geste*. Ce fut l'occasion de retrouvailles délicieuses et d'expériences fabuleuses. La jeune génération féminine en revient à l'essentiel: le corps et la simple audace de ses mouvements face aux spectateurs.

Avec Ginette Laurin et sa troupe O Vertigo (*Chagall*, *Don Quichotte*) et les danseurs d'Édouard Lock, les pulsions se déchaînent et défient les traditions. On n'oubliera pas de sitôt la performance acrobatique de Louise Lecavalier, blonde tornade de *La La La Human Steps*, qui virevolte toujours à la limite de la prouesse technique, simplement confiante en la toute-puissance du chorégraphe, redevenu sur scène le maître de ballet qui opère par magie: *New Demons* est une réalisation à couper le souffle. «Louise LeCavalier est une sorte de phénomène. Elle possède le charisme d'une diva, la force obstinée d'un manœuvre de chantier, la rapidité d'un missile Pershing... Depuis six ans qu'elle a rejoint le clan d'Édouard Lock, elle est devenue l'un des symboles de la nouvelle génération des danseuses surdouées» (Mathieu Albert).

L'imaginaire de la jeune chorégraphie féminine alimente une pluralité de courants qui vont du seul plaisir de découvrir dans le mouvement des rythmes et des enchaînements (Hélène Langevin) à un goût évident pour la théâtralité ou même le souci de partager une réflexion sociale teintée d'humour (Carole Bergeron).

Paul-André Fortier et Daniel Jackson dirigent Montréal Danse depuis peu, mais ont déjà travaillé avec d'autres compagnies. Jean-Pierre Perreault a lui aussi maintenant sa propre compagnie. Il est présent à tous les niveaux de ses réalisations: décors, costumes, éclairages, rien n'échappe à son exigence. Il a le sens de l'espace (*Lieux-dits*) et n'hé-site pas à faire évoluer ses danseurs sur un plan incliné (*Joe*).

Le milieu international de la danse a raison d'avoir les yeux tournés sur Montréal; qu'il s'agisse de répertoire, de danse solo, d'expérimentation, aucun domaine ne semble échapper aux chorégraphes, danseuses, danseurs et adeptes de la jeune et moins jeune danse québécoise. Dans la danse d'aujourd'hui, le Québec retrouve le plaisir de laisser le corps exprimer ses émotions par le biais d'une technique très au point; est-ce à cause des ancêtres amérindiens de beaucoup des Québécois d'aujourd'hui? Le caractère rituel de la danse des Amérindiens d'autrefois faisait aussi appel à tout un bagage culturel. Musique et danse existaient sur ce continent bien avant l'arrivée des Blancs, il est grand temps que la mémoire collective s'en souvienne.

Notes

1. Voir la fin de ce chapitre.

2. Voici ce qu'en dit Ernest Gagnon, dans ses *Chansons populaires du Canada* (1865): «Nos chants populaires appartiennent le plus souvent, quant à l'échelle des sons, à la tonalité grégorienne. Les exemples de ce fait qu'on a pu voir dans ce volume ne sont pas des exemples isolés. On peut affirmer que les mélodies qui n'ont jamais pénétré dans les villes — et elles sont extrêmement nombreuses —, appartiennent presque toujours à l'ordre diatonique, et que très souvent elles sont même entièrement conformes aux lois modales du chant grégorien. Ce fait étant connu, un homme, qui, du reste, ne connaîtrait rien du Canada, pourrait dire avec certitude, [...], que [...] le peuple de nos campagnes canadiennes est un peuple à mœurs simples, honnête et religieux.»

3. Comme dans *Les Vêpres de la Vierge* de Gilles Tremblay; l'œuvre fut jouée pour la première fois en été 1987.

4. Consacrée en 1907 comme le meilleur ensemble musical du Canada (trophée Lord Grey).

5. En juin 1988, le ministre québécois du Revenu a modifié le règlement fiscal pour permettre aux artistes de déduire un certain nombre de frais occasionnés par leur profession. Cette mesure s'ajoute à d'autres visant à reconnaître le «statut de l'artiste» qui n'ont pas d'équivalent dans la fiscalité fédérale.

6. Notamment grâce aux émissions de Gilles Archambault.

7. Wonder Bra est une marque de soutien-gorge connue en Amérique du Nord.

8. Et c'est tout à leur honneur. Michel Vaillancourt travaille tout le jour à la Bourse de Montréal et ne consacre à la musique que ses soirées, comme les autres musiciens du groupe.

9. Comme en témoignent ces concerts «en tandem» organisés par les Orchestres symphoniques de Québec et de Montréal avec des chanteurs comme Diane Dufresne ou Charles Trenet (1988).

10. D'autres groupes de haute qualité ont également fait leurs preuves: ainsi le Studio de musique ancienne de Montréal, Anonymus, les Violons du Roy ou l'Ensemble Claude Gervaise.

11. Voir les documents en fin de chapitre.

12. Il y avait 140 candidats pour le rôle titre! Et même le sérieux journal de Toronto, le *Globe and Mail*, avouait: «*Tommy* représente une étape passionnante du ballet moderne. C'est une forme artistique qui est révolutionnaire et authentique.» L'idée originale était de Jean Basile, co-fondateur de *Mainmise*.

13. Il est intéressant de constater qu'en danse, l'expression du goût pour le spectacle passe en général par la fréquentation d'une école privée, habituellement à but lucratif: au cours de l'été 1983, on en dénombrait 389, dont 148 offrent une formation en classique, moderne ou jazz.

14. Où Robert Desrosiers, originaire de Montréal, est devenu «le gourou de la nouvelle danse» avec une troupe qui parle français pendant les répétitions.

Bibliographie

AMTANN, Willy, *La musique au Québec, 1600-1875*, Montréal, Éd. de l'Homme, 1976.

DUGUAY, Raoul, *Musiques du Kébek*, Montréal, Éd. du Jour, 1971.

KALLMAN, Helmut, POTVIN, Gilles, WINTERS, Kenneth, *Encyclopédie de la musique au Canada*, Montréal, Fides, 1983.

LAPLANTE, Louise (dir. pour l'édition française), *Compositeurs canadiens contemporains*, Montréal, PUQ, 1977.

LASALLE-LEDUC, Annette, *La vie musicale au Canada français*, Québec, ministère des Affaires culturelles, 1964.

NATTIEZ, Jean-Jacques, *Fondements d'une sémiologie de la musique*, Paris, Union générale d'édition, 1973.

SÉGUIN, Robert-Lionel, *La danse traditionnelle au Québec*, Sillery, PUQ, 1986.

VOYER, Simone, *La danse traditionnelle dans l'est du Canada*, Québec, PUL, 1986.

WALTER, Arnold, *Aspects de la musique au Canada*, trad. par Gilles Potvin et Maryvonne Kendergi, Montréal, Centre de psychologie et de pédagogie, 1968.

Gilles Potvin a traduit les *Mémoires* d'Emma Albani, Wilfrid Pelletier a publié les siens (*Une symphonie inachevée*).

Dérives, nos 44-45, 1984, numéro spécial «Musique contemporaine au Québec».

Périodiques

Dans l'Encyclopédie Kallmann, Potvin, Winters, il y a 4 pages entières de 3 colonnes en caractères minuscules pour faire la liste des périodiques concernant seulement la musique canadienne.

Aria, Montréal, trimestriel, depuis 1979.

Les cahiers de l'ARMUQ (Association pour l'avancement de la recherche en musique au Québec), Montréal, 9 numéros, depuis 1983.

Le compositeur canadien, Toronto, 100 numéros, de 1965 à 1975, (bilingue).

Danse au Canada, Downsview, trimestriel, depuis 1975, (bilingue).

Journal de musique ancienne, (le *Tic-toc-choc*), Montréal, trimestriel, depuis 1979.

Le musicien québécois, Sillery, six fois l'an, depuis 1989.

Sonances, Sainte-Foy, trimestriel, depuis 1981.

Vie musicale, trimestriel de 1965 à 1971.

Filmographie

Séries (films et vidéos)

Le son des Français d'Amérique, Michel Brault et André Gladu, Radio-Canada, coul., 1975 à 1980, 28 X 28 min.

La tradition de l'orgue au Québec, Animage et Radio-Canada, coul., 1980, 3 X 30 min.

Plusieurs films muets ou sonores produits par le groupe de la Place Royale.

Plusieurs films et vidéos réalisés et produits par Françoise Sullivan vers 1947, 1973, 1974, 1975, 1977.

Films

Armand Felx, faiseur de violons, Léo Plamondon, UQTR, coul., 1973, 43 min.

Les Ballets Jazz, Pierre Morin, Radio-Canada, coul., 1978, 28 min.

La danse, François Floquet, Radio-Canada, coul., 1973, 28 min. (groupes de la Place Royale et de la Nouvelle Aire).

L'Infonie inachevée, Roger Frappier, SDICC, n. b., coul., 1973, 85 min.

Intermède, Jean-Claude Labrecque, ONF, coul., 1966, 10 min. (troupe de danse folklorique les Feux-Follets).

IXE-13, Jacques Godbout, musique François Dompierre, comédie musicale, ONF, 1971, 115 min.

Jean Carignan, violoneux, Bernard Gosselin, ONF, coul., 1975, 88 min.

Margaret Mercier, ballerine, George Kaczender, ONF, n. b., 1963, 28 min.

Monsieur Pointu, Bernard Longpré et André Leduc, ONF, coul., 1975, 13 min.

Pas de deux, Norman Mc Laren, ONF, n. b., 1967, 14 min.

Pierre Mercure, Charles Gagnon, coop. des cinéastes indépendants, coul., 1971, 34 min.

Tam di Delam, Radio-Canada, 1978, 31 min., les Grands Ballets Canadiens sur la musique de Vigneault et avec lui.

Vidéos

Ensemble Claude Gervaise, vidéo 1/2 p., n. b., 1970, 18 min. Centre audiovisuel de l'Université de Montréal.

La La La Human Sex Duo nº 1, sur une chorégraphie d'Édouard Lock, R. Bernard Hébert, P. Agent orange et Michel Ouellette.

Le monde de la danse, Jacques Laliberté, Daniel Vincellette, Danse Canada, n. b., 1975, 60 min.

Les Sortilèges, Carol Nadon, n. b., 1977, 75 min.

Un pas dans l'inconnu, Yves Racicot, UQAM, VHS, coul., 1988, 36 min (chorégraphies de Jeanne Renaud et Françoise Sullivan et réflexions de quelques-uns du groupe des automatistes).

Discographie

Musique

Au milieu d'une discographie variée, il est intéressant de noter que les Entreprises Radio-Canada ont édité trente et un coffrets, publiés sous le nom collectif d'*Anthologie de la musique canadienne*; chaque coffret de la série qui en comptera quarante porte sur un compositeur canadien dont les Québécois S. Garant, J. Papineau-Couture, C. Pépin, F. Morel, G. Tremblay, M. Coulombe Saint-Marcoux, J. Vallerand, I. Anhalt, A. Prévost, R. Matton. C. Champagne, R. Mathieu, etc. sur support vinyle; J. Hétu, P. Mercure et C. Vivier sur disque audionumérique.

N.B. Il existe des éditeurs de musique (Artifac, Doberman-Yppan, La Société Nouvelle d'Enregistrement, etc.) qui se font un devoir de publier les musiciens québécois (C. Vivier, B. Mather, G. Tremblay, etc.)

Musique et danse

Il existe des enregistrements sonores et des disques:

— des groupes folkloriques dont V'la le Bon Vent, Loup-Garou, le Reel du Diable, les Sortilèges, etc.

— des violoneux: Monsieur Pointu, Hercule Tremblay, Jean Carignan, etc.

— du «câleur» Noël Lemaire (1970).

15
Le cinéma

Page précédente: Claude Jutra en 1984.
photo: ACPQ.

Vers les années soixante, la recherche de l'identité québécoise a passé par une forme d'interrogation du passé, une forme de connaissance et d'appropriation d'un donné culturel riche et en quelque sorte rassurant. En fait, dès les années quarante, la culture québécoise donnait déjà les signes d'un dynamisme du présent. Le cinéma, forme d'expression nouvelle du XXe siècle, ne pouvait laisser indifférent un Québec né à lui-même en même temps que l'audiovisuel envahissait le monde.

Le cinéma est un art jeune qui fait appel à des techniques modernes, mais il coûte très cher à produire. C'est aussi un art du spectacle devant lequel l'Église a souvent éprouvé de la méfiance; si le roman lui apparaît au XIXe siècle comme une forme de littérature dont il convient de se méfier parce qu'elle montre l'homme avec ses faiblesses et ses passions, combien plus évidente en sera la représentation au cinéma! Ce sont là sans doute deux des bonnes raisons expliquant que le 7e art mit du temps à émerger au Québec. L'industrie cinématographique québécoise ne sort de son adolescence que vers les années soixante-dix. Elle atteindra sa maturité au cours des années quatre-vingt. Mais sa rapide croissance lui assure une place non négligeable en Amérique du Nord, notamment à cause de la télévision. Les règlements canadiens obligent en effet à un pourcentage important de productions nationales. Le Québec, aiguillonné par ce besoin, prit donc vite une place considérable dans le cinéma canadien. En 1981, les deux tiers des prix Génies revenaient au Québec et un tiers seulement pour tout le reste du Canada[1].

En revanche, le cinéma québécois a du mal à se faire la place qui lui revient dans la francophonie. Les films réalisés par la France y occupent une place prépondérante, le cinéma suisse et le cinéma belge produisent également de très bons films prisés des consommateurs européens. À ceux-ci, le film québécois paraît lointain: il parle d'un contenu culturel trop particulier, dans lequel le spectateur de la banlieue parisienne ne se retrouve pas. (Ce qui explique par exemple le demi-succès des *Plouffe* en 1982.) La langue parlée en rebute plusieurs: on avait envisagé en 1986 de doubler *Le matou* en français «international»[2].

Cependant, il existe depuis deux décennies un réel intérêt mondial pour le film québécois. Il y eut un premier festival à New York en 1972, suivi d'une multitude d'autres manifestations du même genre un peu partout dans le monde. *J. A. Martin, photographe* avait été primé à Cannes en 1977. La même année, on pouvait voir à Paris simultanément trois films de Gilles Carle. Le cinéma d'animation, pour sa part, a déjà remporté plusieurs Oscars. Quant au succès international du *Déclin de l'empire américain* (1986), on peut l'attribuer, entre autres, au fait que le déclin «américain» dont il s'agit est, tout compte fait, celui de l'Occident.

LES GRANDES ÉTAPES

La préhistoire

En 1896, à Montréal, boulevard Saint-Laurent, on pouvait voir sept minutes de films choisis dans la collection de trente qui avaient été rapportée de chez les frères Lumière. Le public fasciné se pressa en foule pour voir arriver un train en gare de Lyon-Perrache: «Rien de plus vivant!» s'extasie un critique. Un an après paraît cet entrefilet:

Nous apprenons avec plaisir l'arrivée au Canada d'un spectacle unique et essentiellement instructif. Il s'agirait de la reproduction, à l'aide de photographies animées, des faits hisoriques les plus connus. Le créateur de ce spectacle est, paraît-il, un Français appartenant à une des familles les plus connues dans le monde des arts, doublé d'un savant. Le but de ces reproductions serait d'aider l'enseignement de l'histoire universelle dans les écoles. Des séances de démonstration seront données prochainement dans une des salles privées de l'Eden Musée, auxquelles seront invités gratuitement MM. les membres du clergé et de l'enseignement.

La Presse, 20 octobre 1897

Henry de Grandsaignes d'Hauterives et sa mère allaient pendant 15 ans parcourir le Québec d'abord, puis l'Amérique du Nord, avec leur *Historiographe* et sillonner villes et campagnes pour montrer des séries de très courts films qui sont, sur pellicule, des tableaux vivants dans la tradition des premiers essais dramatiques du Moyen Âge.

En 1907, Ernest Ouimet inaugure un premier Ouimetoscope, une salle de 1200 places. On pourra y voir un film de J. Arthur Homier *Marie-Madeleine de Verchères et les siens* (1922) ou *Evangeline* tourné à Halifax et qui remporte un succès commercial. Mais la plupart des films présentés étaient américains ou faits au Canada anglais. La langue n'avait aucune importance puisqu'à l'époque du muet la projection était accompagnée par une pianiste et un commentateur. Dans les années vingt, Ernest Ouimet va produire lui-même des films à Hollywood avec des comédiens parisiens.

Les documentaires. Peu avant la Deuxième Guerre mondiale, deux prêtres ont vu le parti à tirer de ce nouvel art. Tous deux font de nombreux documentaires pour faire passer des messages d'ordre social ou technique. L'abbé Albert Tessier réalise une soixantaine de courts métrages, à portée sociale pour la plupart (*Hommage à notre paysannerie*, 1938). L'abbé Maurice Proulx, professeur d'agronomie à Sainte-Anne-de-La-Pocatière, collabore avec l'Université Cornell et utilise l'audio-visuel pour son enseignement (*Les ennemis de la pomme de terre*, 1949). Parallèlement, et comme Albert Tessier, il ouvre l'œil sur la nature du pays et celle des habitants: ainsi la colonisation de l'Abitibi lui inspire-t-elle, en 1933, *En pays neufs*.

Les mélodrames. Peu après la guerre, sortent des longs métrages adaptés de romans, de drames littéraires qui ne dépaysent pas les spectateurs habitués à des héros que la radio ou le théâtre ont rendu familiers: *Un homme et son péché* en 1949, *Tit-Coq* en 1953. Le traitement mélodramatique (*Cœur de maman*) atteindra un paroxysme dans *La petite Aurore l'enfant martyre* (1951); Jean-Yves Bigras y racontait l'histoire d'une fillette, morte à la suite de mauvais traitements infligés pas son père et surtout par sa marâtre[3]. Le film de Bigras émeut encore les spectateurs: chaque fois qu'il ressort dans les salles de cinéma, il fait recette.

L'industrie privée savait aussi comment flatter le public: le succès commercial des longs métrages de l'époque ne reposait pas seulement sur l'exploitation de la sensiblerie. Les productions du temps plaisaient parce qu'elles parlaient de gens d'ici, parce qu'elles montraient la ville et surtout la campagne et la nature du Québec. La fierté nationale passe alors par la contemplation de son propre reflet sur le grand écran.

L'Office national du film. Le gouvernement fédéral fonde cet organisme en 1939 pour développer l'industrie cinématographique et renforcer l'unité nationale. Après des débuts prometteurs, une morosité s'installe à l'issue de la guerre, que n'expliquent ni les pressions du politique ni l'ennui que distille alors la capitale fédérale. Montréal s'affiche au même moment comme une métropole vivante; en 1956, on prend la décision de déménager l'ONF d'Ottawa à Montréal. Ce déménagement stimule la créativité des cinéastes québécois rattachés à l'Office. La télévision facilite la diffusion des films. Le cinéma devient une nouvelle valeur culturelle en Occident, comme en témoignent les salles d'essai et autres ciné-clubs qui poussent un peu partout en Europe et en Amérique. L'ONF affirme sa compétence en ce qui concerne le film d'animation. L'équipe française de l'ONF est fascinée par le cinéma direct qui donne tant de liberté aux réalisateurs. Gilles Groulx produit *Les raquetteurs* en 1958; le même opérateur de caméra, Michel Brault, qui s'imposera par la suite comme un chef opérateur de caméra génial, fait avec Claude Jutras, en 1961, un petit chef-d'œuvre, *La lutte*, tandis qu'Arthur Lamothe tourne *Les bûcherons de la Manouane* en 1962. La direction de l'ONF n'a pas encore autorisé la production et le tournage de longs métrages en français.

L'histoire

La fin des années cinquante marque le début d'une ère moderne au Québec. À partir de 1960, l'audio-visuel prend de plus en plus de place dans la vie courante et le cinéma québécois tente d'affirmer sa place dans le domaine des activités culturelles au Québec. Il doit faire face à une forte concurrence: la France a d'excellents produits et une clientèle traditionnelle au Québec. Les États-Unis ont une très vaste production populaire et le contrôle quasi absolu de la distribution dans tout le continent nord-américain. L'effet d'entraînement (production-succès-production) favorise donc, même au Québec, des produits à dominante culturelle étrangère. Le Québec aura du mal à leur opposer une industrie cinématographique nationale. Mais on a vu combien un certain nationalisme pouvait être «payant» pendant le temps de Duplessis: le cinéma, lui aussi, témoigne du comportement de la société québécoise.

Les années soixante. Pendant les années soixante, se définit peu à peu une identité québécoise. Le cinéma direct avait déjà produit des bijoux de courts métrages. Pierre Perrault (né en 1927) allait se servir de ce qu'il appelle le «cinéma de la parole» dans ses films sur l'Île-aux-Coudres: *Pour la suite du monde* (1963) et *Le règne du jour* (1966).

Marie et Alexis Tremblay dans *Le règne du jour* de Pierre Perrault.

photo: ONF, Archives publiques du Canada.

Perrault est un poète qui sait écouter: il révèle dans ses œuvres un prototype de Québécois dont le citadin se souvient très bien et qui l'éclaire sur ce qu'il ressent profondément. Le cinéma vécu permet au cinéaste de se cacher derrière des personnages qui tiennent à l'écran le rôle qu'ils ont dans la vie. Les héros ne sont pas des acteurs; ce sont des Québécois en chair et en os: ils ont nom Alexis et Marie Tremblay. Claude Jutra oriente sa première production dans le même sens. *À tout prendre* date de 1963: c'est une œuvre autobiographique pour chacun des personnages du film. Jutra y joue son propre rôle dans un film de fiction où les personnages improvisent, dans une dynamique de l'équilibre assez particulière. Il y a loin de l'Île-aux-Coudres à Montréal mais ce dernier film interroge chaque spectateur sur son attitude face à la jeunesse citadine aux prises avec deux révolutions tranquilles, celle du Québec mais aussi la sienne.

Gilles Groulx avait fait ses débuts à l'ONF. Dans ses premiers documen-taires, il se heurta parfois aux autorités de l'Office qui n'hésitèrent pas à couper des séquences entières idéologique-ment trop loin de leurs pensées (*Normétal*). *Le Chat dans le sac*, son premier long métrage, est une fiction à laquelle la présence du document (radio, journaux) donne une crédibilité certaine. *Où êtes-vous donc?* se voulait une radiographie d'une certaine chanson populaire en 1967.

Le cinéma direct. La décennie soixante est ainsi marquée par le «cinéma-vérité», par le goût du documentaire et du commentaire, du dialogue et du monologue. Les cinéastes continueront pendant la décennie suivante à utiliser cette technique qui a son charme mais aussi ses limites. Montrer les choses et les êtres tels qu'ils sont permet une très forte identification du spectateur aux personnages. Le film est bien le reflet du pays et de ceux qui le font: quand Hauris Lalancette, agriculteur de Roquemaure en Abitibi, se promène à Versailles dans la galerie des glaces (*C'était un Québécois en Bretagne, madame*) et dit dans un aparté qui n'échappe pas au réalisateur «puis, après tout, c'est juste des miroirs», les rires fusent inévitablement dans la salle. Revivre par personnes interpo-sées les grandes incertitudes estudian-tines de la Révolution tranquille a aussi un petit côté indéniablement plaisant.

Si le réalisateur et l'opérateur de caméra sont de véritables artistes, cela donne de bons résultats, surtout dans les courts métrages. Le film de courte ou de moyenne durée force en effet le réalisateur à resserrer son propos et, en réduisant la longueur de l'exposé, limite du même coup les redites. En revanche, en laissant les personnages s'exprimer en toute liberté, en intervenant le moins possible, le cinéaste risque de laisser libre cours au verbiage, aux scènes statiques, allant à l'encontre de ce qui devait être, par définition, un art du mouvement.

Les défauts du cinéma-vérité sont surtout apparents dans le long métrage. Le cinéaste, sous prétexte de reproduire minutieusement le réel avec sa complexité et son obscurité, se dispense de rigueur et les spectateurs négligent de s'interroger sur l'au-delà de ces apparences qui est justement le propre de l'art. On parle d'objectivité mais rien n'est plus subjectif: le cinéaste coupe, triture, ordonne, monte sa pellicule pour faire une œuvre personnelle. Le spectateur se retrouve bien seul pour parcourir le long chemin de l'interrogation à la réponse, de l'analyse à la synthèse.

Comment s'étonner que ce cinéma ait été celui d'une certaine élite intellectuelle rompue aux discussions théoriques et heureuse de retrouver sur l'écran son univers de considérations générales et de belles phrases. Le grand public boude ces productions dont certaines n'étaient pourtant pas sans inquiéter les autorités qui censurent, entre autres, *On est au coton* (1970) de Denys Arcand (on en empêchera la diffusion jusqu'en 1975), comme *Cap d'espoir* de Leduc et *24 heures ou plus* (1971) de Groulx.

Cette période est cependant très riche du point de vue documentaire. En se donnant une identité claire et positive, le Québécois s'approprie le passé (*Champlain, Avec tambours et trompettes*). Il jette un œil nouveau sur le présent (*Kid sentiment, Mon amie Pierrette*) et sur un pays encore mal connu (*Nominingue, depuis qu'il existe*). La bonne santé de l'économie canadienne pendant les années soixante, et particulièrement celle de l'ONF[4], permet une forte production de ce genre et l'éclosion d'une pléiade de cinéastes de talent. Certains d'entre eux s'engagent déjà résolument dans le cinéma de fiction comme Gilles Carle (*La vie heureuse de Léopold Z., Le viol d'une jeune fille douce*).

Les mentalités changent dans la vallée du Saint-Laurent. Après l'époque documentaire — et avant que ne commence une période plus grandement politisée — le cinéma connaît une étape marquée par l'émancipation des mœurs. Les héroïnes ne sont plus de lointaines beautés ni des intellectuelles raisonneuses, mais de belles Québécoises bien incarnées qui livrent leurs charmes dans des histoires et des décors familiers. Le succès commercial de *Valérie*, par exemple, fut tel que Denis Héroux, son réalisateur, avoua l'avoir bien exploité par la suite et avoir «fait quatre fois le même film» dans ses productions ultérieures.

Par la suite, des événements d'octobre au référendum, les cinéastes vont refléter à leur tour les nouvelles préoccupations de la société québécoise. Au constat des années précédentes, succède l'engagement politique et social d'autant plus que les pratiques culturelles occidentales subissent toutes à des degrés divers les contrecoups des contestations étudiantes qui secouent les États-Unis, la France et l'Allemagne.

En 1967, était créée la Société de

développement de l'industrie cinématographique canadienne (SDICC)[5], l'organisme fédéral d'intervention dans l'industrie du film. Elle aura son importance par sa participation au financement dans l'industrie privée d'un art onéreux. Le cinéma québécois connaît alors une période de vitalité sans précédent dans son histoire; de 1970 à 1975, le cinéma québécois produit plus de films que tout le reste du Canada.

Le cinéma à base culturelle et sociale devient politique ou socio-économique (*cf* Michel Houle). Le cinéma direct a toujours ses adeptes: *Le mépris n'aura qu'un temps* (Arthur Lamothe), *On est loin du soleil* (Jacques Leduc), *Saint-Jérôme*. L'élément principal demeure donc toujours l'affirmation d'une identité culturelle québécoise, parfois élargie aux problèmes des autres francophones d'Amérique. Michel Brault fait avec André Gladu la série *Le son des Français d'Amérique*, qu'il faut entendre au sens large; avec Perrault, il évoque avec émotion la révolte des étudiants acadiens de Moncton contre «l'establishment» anglo-saxon dans *L'Acadie, l'Acadie*.

Du côté politique, *Bingo* (Jean-Claude Lord), *Les ordres* (M. Brault) rappellent la crise d'octobre; *Québec, Duplessis et après* prouve le talent d'Arcand qui a travaillé à partir de documents d'archives et présente les partis en lice aux élections de 1970 avec un à-propos désarmant.

Les années soixante-dix. Au début des années soixante-dix, l'industrie cinématographique publique et privée bat son plein: tous les ans, il sort des dizaines de longs métrages et des quantités de courts métrages. On fonde plusieurs compagnies de production; on publie des revues consacrées au cinéma. La SDICC décide de consacrer son budget à des films à caractère commercial et laisse l'ONF produire les séries à caractère culturel. Le gouvernement du Québec participe directement (le Conseil québécois pour la diffusion du cinéma s'occupe de diffusion et de publication de 1969 à 1976) et les gouvernements facilitent l'investissement privé dans le cinéma en en faisant un abri fiscal pour une dizaine d'années. Le Québec avait découvert l'importance du succès commercial avec Héroux: aussi se lance-t-on dans des films de fiction: *Mon oncle Antoine* (Claude Jutra), *IXE-13* (Jacques Godbout), *Le temps d'une chasse* (Francis Mankiewicz), *La vraie nature de Bernadette* (Gilles Carle), *Kamouraska* (Claude Jutra), *Panique* (Jean-Claude Lord), *J. A. Martin, photographe* (Jean Beaudin). Le film québécois va bien. Carle arrive à produire un long métrage par an, comme Jean Pierre Lefèbvre qui assure la direction du studio de fiction de l'ONF, mais ce dernier a aussi sa propre maison de production et de distribution. Son travail est exemplaire: contestataire éternel (*Le révolutionnaire*, *On n'engraisse pas les cochons à l'eau claire*), il peut être gentiment féroce lorsqu'il s'agit de dénoncer la grande popularité des films de sexe (*Q-bec my love ou un succès commercial*) ou délicieusement tendre comme dans *Les dernières fiançailles*. C'est un cinéaste sensible qui sait se servir de l'ironie; il sait aussi être poète dans ses dialogues (*La chambre blanche*).

En 1978, la création de l'Institut québécois du cinéma (IQC), dix ans après la SDICC, a un effet dynamisant qui portera des fruits plus tard dans les années quatre-vingt, et sera cependant tenu en échec par la crise économique du début de la décennie.

Les années post-référendaires. Les années post-référendaires sont difficiles pour le Québec. La morosité s'empare des 40% qui avaient voté Oui[6] et la récession économique n'arrange pas les choses: pour le cinéma, les capitaux se font rares. L'incertitude gagne le milieu économique et, comme toujours, le milieu culturel sera le premier à en faire les frais. La télévision assoit sa puissance, offrant aux téléromans la perspective d'être regardés par deux millions et demi de spectateurs, c'est-à-dire, grosso modo, par un Québécois francophone sur deux, chiffre encore augmenté par la vulgarisation du magnétoscope. Après le grand élan politique de 1976 à 1980 et après le recul du référendum, la société québécoise semble désabusée, et plutôt que de se tourner vers un avenir incertain, regarde à nouveau vers le passé et se tourne vers des valeurs sûres. On adapte donc des romans anciens: *Maria Chapdelaine* (1913), *Bonheur d'occasion* (1947) et *Les Plouffe* (1948) ou des best-sellers récents, *Le matou* (1981).

De nouveaux cinéastes commencent à se manifester. Francis Mankiewicz rafle en 1981 la moitié des Génies à Toronto pour *Les bons débarras* (1980) et Micheline Lanctôt obtient une mention pour son *Homme à tout faire*, mais ces succès cachent la détresse du milieu. En 1981, le budget d'un film

Micheline Lanctôt.
photo: Suzanne Girard, collection ACPQ.

québécois en français s'arrête autour de 500 000$, celui d'un film tourné en anglais peut grimper jusqu'à huit fois ce total. Les jeunes, Claude Gagnon, Yves Simoneau, ont du mal à s'en sortir. Les anciens, dont Anne-Claire Poirier et Fernand Dansereau, se tournent vers le 16mm ou la télévision. À côté du surréalisme d'André Forcier (*Au clair de la lune*), *Le journal inachevé* (1982) de Marilù Mallet, d'origine chilienne, ramène à la dure réalité de l'exil. Le cinéma québécois accueille d'autres cinéastes étrangers (Léa Pool, *La femme de l'hôtel* (1984), *Anne Trister* (1986)), et des femmes de plus en plus nombreuses. S'ouvre également dans le long métrage une nouvelle voie avec le film joué par des enfants: le producteur Rock Demers présente au public, avec des réalisateurs comme Jean-Claude Lord et André Melançon, de délicieux «contes pour tous».

En 1986, le film policier tente Yves Simoneau (*Pouvoir intime*) et Gilles Carle (*La guêpe*). Dans un autre ordre d'idées, Jean-Claude Lauzon réalise en

1987 *Un zoo la nuit* qui remporte un succès remarquable (13 Génies sur 17 en 1987) et permet à son auteur de piquer une vive colère au moment où on lui remet, en guise de reconnaissance, un montant d'argent non négligeable mais assorti de contraintes gouvernementales précises. La frustration de Lauzon met en lumière la détresse de tout le milieu de la production qui doit se contenter des «miettes gouvernementales». L'agacement est d'autant plus grand que la paperasserie administrative gagne le Québec et que la gestion des programmes d'aide à la production mange un pourcentage que d'aucuns trouvent trop importants du déjà mince porte-feuille culturel.

Le court et moyen métrage rallie toujours nombre de producteurs et de réalisateurs. Du côté des documentaires, André Gladu a signé un *Marc-Aurèle Fortin*, Arthur Lamothe renou-velle son approche des Amérindiens avec *Mémoire battante*. Le cinéma d'animation se développe et se diversifie par la découverte de nouvelles techniques. La reconnaissance mondiale du cinéma d'animation québécois en sera l'attribution de plusieurs Oscars à Hollywood.

De ces années-là, on retiendra surtout le choc du *Déclin de l'empire américain*. Denys Arcand réussit en 1986 un succès commercial jamais encore atteint au Québec. Le *Déclin* a été en nomination aux Oscars et projeté pendant de longues semaines dans les cinémas du Québec et de la francophonie européenne. Il fut également produit en version anglaise. Or c'est un film lent,

Rémy Girard, Daniel Brière, Pierre Curzi et Yves Jacques dans *Le déclin de l'empire américain* de Denys Arcand.

photo: Max Films.

sans beaucoup d'action, où les personnages, des universitaires pour la plupart, se retrouvent ponctuellement pour discuter entre eux[7].

TENDANCES ET ORIENTATIONS

De la production des 30 dernières années semblent se dégager quelques lignes de force qui sous-tendent la majorité des films. En indiquant ces quelques jalons, il n'est pas question de faire le tour d'une production de plus en plus importante: cet essai de classement, pour arbitraire qu'il soit, permettra à l'amateur de s'y retrouver plus commodément.

Le cinéma des années soixante est réaliste. Budget modeste, on tourne dans un bar ou au parc Lafontaine, avec des acteurs qui se et «nous» racontent: À tout prendre (Jutra) et Le chat dans le sac (Groulx) en sont de bons exemples. Ces films-là seront influencés par le cinéma direct comme celui de Pierre Perrault (Le règne du jour, etc.), film tourné dans les décors naturels, avec les gens qui les animent d'habitude.

Les questions politiques préoccupaient tout un chacun particulièrement après 1970. Pour en savoir plus sur les événements d'octobre ou sur le référendum, il faut voir les films d'Arcand, surtout Le confort et l'indifférence ou Un pays sans bon sens de Perrault.

Du côté du cinéma historique et culturel, Les arpents de neige de Denis Héroux nous ramènent au temps des Patriotes. Des longs métrages s'intéressent aussi à la littérature: Jean-Claude Labrecque a immortalisé sur pellicule la longue Nuit de la poésie du 27 mars

1970. On en a tiré des extraits dont l'émouvante lecture que fait Michèle Lalonde de son poème Speak white. Pour les questions sociales, on a Cordélia où Jean Beaudin évoque un procès à sensation de la fin du siècle dernier; on passe de l'Abitibi (L'hiver bleu) à la fermeture de Shefferville (Le dernier glacier, Roger Frappier, 1984), de Métier: boxeur à On n'est pas des anges qui touche adroitement au problème des handicapés. La société québécoise se retrouve dans maintes productions: La turlute des années dures (Richard Boutet et Pascal Gélinas, 1983), Chronique d'un temps flou (Sylvie Groulx, 1988).

L'érotisme, les sports, la violence et l'énigme policière, la comédie sont les valeurs habituelles du cinéma commercial. Denis Héroux avec ses films érotiques (Valérie, L'initiation), Jean-Claude Lord s'intéressant au monde du hockey (Lance et compte) ou Yves Simoneau s'essayant au film policier (Pouvoir intime) vont au-devant des goûts d'un public qui adore les films croustillants et qui joue à se faire peur. Gilles Carle avec Red ou Les mâles, Jean-Claude Lauzon avec Un zoo la nuit mettent l'accent sur la violence tandis que Claude Fournier avec Deux femmes en or, alliant comique et érotisme, réussit dans le genre de la comédie, là où plusieurs se sont essayés sans beaucoup de succès. Jacques Godbout s'est sûrement amusé à tourner Ixe 13, «l'as des espions québécois» dont Pierre Saurel avait publié des épisodes en fascicules; dans le genre comédie musicale, c'est une réussite.

Bon nombre d'œuvres littéraires connues ont été portées à l'écran. Il faut au moins citer *Kamouraska* et *Les fous de Bassan, Maria Chapdelaine*, dont il existe plusieurs versions, *Les Plouffe* et *Bonheur d'occasion* sur fond de Deuxième Guerre mondiale, ou encore *Tinamer*, à partir de *l'Amélanchier* de Jacques Ferron.

Après *Un martien de Noël* de Bernard Gosselin, André Melançon a créé toute une série de bons films avec des enfants, depuis *Les vrais perdants* et *La guerre des tuques* jusqu'à l'excellent *Bach et Bottine*. Plus récemment, Jean-Claude Lord s'est lancé aussi avec succès dans le cinéma pour tous avec *La grenouille et la baleine*.

Mon oncle Antoine (Claude Jutra), *J. A. Martin, photographe* (Jean Beaudin) ou *Le déclin de l'empire américain* (Denys Arcand) furent des succès parce que, sous-tendant une réflexion sur la vie et la mort, ils font toujours retrouver au public un peu de son enfance, de ses souvenirs ou des ses mythes d'adultes.

Nombreuses, les réalisatrices s'intéressent souvent au vécu des femmes. Anne-Claire Poirier aborde la gestation (*De mère en fille*) et le viol (*Mourir à tue-tête*). Iolande Cadrin-Rossignol ressuscite la figure combative de *Laure Gaudreault*, institutrice courageuse des temps difficiles. Diane Létourneau sait parler des religieuses, Paule Baillargeon de la vieillesse au féminin (*Sonia*, 1985); avec Frédérique Collin, elle réalise une œuvre insolite sur les rapports entre hommes et femmes (*La cuisine rouge*, 1980) tandis que Marilù Mallet et Léa Pool utilisent une écriture cinématographique très intensément féminine. Journaliste, scénariste, réalisatrice (*Qui a tiré sur nos histoires d'amour?*,

Anne-Claire Poirier.

photo: ONF, Archives publiques du Canada.

1986), Louise Carré est une des cinéastes québécoises les plus liées au milieu culturel. Ses responsabilités administratives ne l'ont jamais écartée de la création. À l'instar de ses collègues masculins, elle s'est mise également à la production. Les thèmes rattachés à l'image de la femme ne sont pas les seuls à intéresser ces femmes cinéastes: ce qui les caractérise, c'est, comme dans toute activité créatrice, une certaine façon de sentir et d'exprimer l'être humain universel, tout autre que celle des imaginaires masculins.

LE COURT MÉTRAGE

Dans le tour d'horizon qui précède sur le cinéma québécois, on a évoqué le rôle du court métrage. Sa place au Québec mérite qu'on y revienne plus spécifiquement. Le rôle des organismes gouvernementaux (Office du film du Québec, Office national du film) est extrêmement important en raison des coûts de production. Aucun investisseur privé ne va risquer des capitaux dans des films de courte durée qui présentent des risques commerciaux évidents. Toutefois, les besoins de la télévision sont énormes et, de ce côté-là, il est peut-être plus rentable de préparer des séries de films d'une demi-heure. Cette veine est sans doute loin d'être tarie pour les cinéastes québécois.

LE DOCUMENTAIRE

Il est en général d'ordre culturel. Pendant un vingtaine d'années (autour de années soixante-dix et encore à l'heure actuelle), on produit quantité de courts métrages dont l'objectif est la connaissance et la conservation du milieu spécifiquement québécois. L'éventail est extrêmement large. Rien de ce qui est québécois ne pouvait être étranger à l'équipe francophone de l'ONF: *La belle ouvrage* est une série de Plamondon et Gosselin, axée sur les métiers traditionnels, les activités domestiques et les arts populaires. *Les arts sacrés au Québec* sortent de l'ombre tout un pan du patrimoine artistique dont l'orientation religieuse a imprégné des généra-

tions tout naturellement jusqu'à ces dernières années. *Les enfants des normes*, *Les chansons contemporaines*, ou *Les écrivains québécois* parlent évidemment de la société d'aujourd'hui.

Ni l'ONF, ni l'OFQ, dont les moyens sont cependant plus limités, ne se limitent au seul territoire laurentien. Au contraire, les cinéastes mettent eux aussi leur talent à des réalisations beaucoup plus générales. *Le son des Français d'Amérique* promène les spectateurs à travers le nord du continent; *Urba 2000* les emmène sur trois continents. *La Bible en papier* présente de manière attrayante et intelligente le livre fondamental d'où sont sorties tant de religions et de cultures.

La dimension pédagogique est très présente; les responsables savent que le Québec est passé presque directement de la tradition orale à l'audio-visuel. Radio-Canada a produit des initiations à la musique, au sport (*Le hockey avec André Huneault*) et l'on ne compte plus les films concernant la langue. Du point de vue social, on retiendra les séries d'Arthur Lamothe sur les Montagnais qui illustrent ce que représente pour eux le péril blanc, dans son grand cycle amérindien[8]. Plus récemment, Michel Moreau s'est intéressé aux *Exclus* de la société avec beaucoup de tact et de finesse, a su dédramatiser artistiquement de vieilles peurs par *Une naissance apprivoisée*. Depuis déjà deux décennies, les femmes sont très présentes et n'hésitent pas à parler de choses qui les intéressent ou les tracassent (*Nuageux avec éclaircies*); la tradition féministe est forte au Québec et peut tirer avantage d'avoir accès, par sa double appartenance au continent américain et à la civilisation française, à des conceptions féministes différentes. Qui dit documentaire ne relègue pas à l'arrière-plan toutes préoccupations artistiques. *Ô Picasso* de Carle, le moyen métrage de Gladu sur *Marc-Aurèle Fortin*, les films sur Jean-Paul Lemieux ont évidemment un point de départ artistique, mais faire la publicité d'un site touristique (*Percé on the rocks*) ou *Jouer sa vie aux échecs* (Carle et encore Carle) relève de la création toute personnelle du réalisateur.

LA FICTION

L'imaginaire garde ses droits même dans les films de courte durée. Le réel s'accommode de transpositions où surréalisme et fiction font bon ménage. Bernard Longpré fait de belles images à partir de l'idée qu'une nuit les chevaux d'un carrousel s'enfuient pour s'enivrer de liberté. Jacques Godbout mêle adroitement des images prises sur le vif à un scénario, où l'on sent la présence du créateur de récit. *Mélodie, ma grand-mère* (Stella Goulet, 1983) a une dimension sociologique évidente mais agréablement relevée d'un grain de fantaisie. *Elvis Gratton* (1981) se veut une critique de l'impérialisme culturel américain qui s'impose trop bien à une société d'aculturés «quétaines»; Pierre Falardeau et Julien Poulin décapent ou trucident allègrement les mythes qui hantent les garde-robes de l'inconscient. C'est sans doute pour cela que ce film primé à l'extérieur a trouvé au Québec l'audience d'un public qui sait rire de lui-même sans arrière-pensée.

L'ANIMATION

Malgré la prédominance des documentaires, c'est le film d'animation qui a fait connaître le Québec internationalement. À l'ONF, à Radio-Canada, existent des studios d'animation renommés qui ont accueilli des cinéastes du monde entier[9] dont le plus célèbre est Norman McLaren.

Norman McLaren

Dans les premiers temps de l'ONF, à Ottawa, John Grierson invita l'Écossais Norman McLaren (mort en 1987) à monter un studio d'animation avec des cinéastes canadiens et québécois, dont Jean-Paul Ladouceur et René Jodoin. Ce fut le début d'une réussite hors du commun. McLaren sut parfaitement respecter la personnalité de chacun de ses collaborateurs et leur insuffler un esprit d'équipe remarquable. Quand l'ONF déménagea à Montréal, de nouveaux animateurs se joignirent au Stu-

Norman McLaren pendant le tournage de *Voisins* (1952).

photo: ONF, Archives publiques du Canada.

Le paysagiste de Jacques Drouin.
photo: ACPQ.

dio et lui apportèrent d'autres idées créatrices et fantaisistes qui diversifièrent les réalisations de l'Office. Jusqu'à sa mort, McLaren imprimera à cet organisme un mouvement qui le propulsera au premier plan de l'animation mondiale. Avant 1945, il aurait été impensable de contester la suprématie hollywoodienne. Après la Deuxième Guerre mondiale, l'Europe de l'Est favorisera ce genre de production et formera bon nombre de cinéastes d'animation, mais Montréal a su devenir et demeurer un foyer d'expérimentation et de production remarquable dans ce domaine.

Les techniques

À l'inverse du cinéma habituel où l'on capte le mouvement, l'animation privilégie la photographie de l'immobile et c'est la succession des photos (24 images par seconde) qui crée le mouvement. Ce peut être aussi la caméra, que l'on déplace au-dessus des dessins ou des papiers découpés. C'est donc un cinéma très technique, et pour lequel, cependant, il n'est pas toujours besoin de caméra; on peut en effet gratter, dessiner ou peindre la pellicule pour en tirer un résultat visuel et même sonore. L'animation demande une imagination particulière puisqu'elle touche à la fois la technique utilisée et le scénario; elle demande un travail gigantesque: neuf mois de travail pour quelques minutes de film, ce qui explique la très courte durée de ces productions. L'intensité du message — qui peut n'être que purement esthétique — gagne alors en profondeur et comme, de l'image à la pensée du spectateur, la communication est directe, tous les atouts sont dans les mains du réalisateur, ce qui explique l'attirance de cette technique incroyablement exigeante et merveilleusement variée.

McLaren a couramment utilisé le grattage et le dessin directement sur la pellicule (*Blinkity Blank*), les découpages animés (papier, cartons ou tout autre matériau); il inventa aussi la pixillation, qui permet d'animer les objets et les personnages image par image et, entre autres, d'en accélérer les mouvements (*Voisins*, 1952). C'est une technique d'animation qui permet de faire jouer des êtres humains en chair et en os (1440 images/minute donc 14 440 poses individuelles pour les dix minutes que dure le film). On peut aussi faire de l'animation en trois dimensions: on prend les vues image par image, et, entre chaque prise, l'animateur agit sur le décor et les protagonistes qui peuvent être des marionnettes (*Le château de sable*, Co Hoedeman).

Au banc d'animation, on peut aussi remplacer les découpages par diverses particules de matière variée — sable, perles de couleurs, boutons de culotte, pourquoi pas? Le dessin animé que l'on fait en superposant des acétates est plus connu; on peut aussi le réaliser par ordinateur en lui donnant l'image 1 et 24 et en lui demandant de dessiner les 22 étapes intermédiaires. L'ordinateur permet maintenant toutes sortes de possibilités et le langage Mira, découvert et utilisé par l'équipe des Hautes Études commerciales de l'Université de Montréal[10], constitue un pas de géant dans la création de films d'animation.

Pierre Lachapelle eut l'idée de créer le premier personnage digitalisé véhiculant des émotions, et propulsa ainsi le Québec dans le monde de l'animation électronique (*Tony De Peltrie*, 1985). Et c'est ainsi que les États-Unis ont mis la main sur Philippe Bergeron, devenu le grand spécialiste de ce type de personnage créé par ordinateur.

Alexandre Alexeïeff et Claire Parker réalisent un premier film sur l'écran d'épingles: un dispositif de la taille d'un écran de télévision dont les 240 000 aiguilles serrées les unes aux autres sont mobiles. Grâce à un éclairage latéral rasant, les zones d'ombres et de lumière créées par les différences de niveau que prépare l'animateur composent une image très souple. On n'oubliera pas de sitôt l'admirable *Paysagiste* de Jacques Drouin et le voyage intérieur auquel ces sept minutes convient le spectateur. Ce même cinéaste, avec la collaboration de Bretislav Pojar, a aussi réalisé en 1986 une magnifique *Heure des Anges*, coproduit par l'ONF et la Tchécoslovaquie.

Les cinéastes amateurs

Outre McLaren dont on a vu l'éclectisme, André Leduc et Raymond Brousseau ont aussi fait de l'animation sans caméra. André Leduc et Bernard Longpré ont pratiqué aussi la pixillation. René Jodoin, Jean Bédard utilisent les découpages, Laurent Coderre des particules, Co Hoedeman des marionnettes de sa fabrication. Pierre Hébert est tenté par l'électronique (*Op Hop Hop Op*, en 1965). On le dit l'émule de McLaren sans doute parce que, comme lui, il est curieux de tout et fou du désir d'expérimenter (*La symphonie interminable*) et de mélanger les diverses techniques. Les performances multidisciplinaires le stimulent autant que ses activités didactiques.

Quand la section française d'animation se crée autour de Jodoin en 1966, arrivent à l'Office des femmes de talent. Francine Desbiens propose une astucieuse lecture québécoise de la fable *Le corbeau et le renard*, dont la chute est irrésistible: le tout dure deux minutes. Suzanne Gervais, Clorinda Warny, Viviane Elnécavé travaillent avec Co Hoedeman et Paul Driessen qui se sont laissé tenter par les conditions de travail qu'ils savaient trouver à l'ONF.

Radio-Canada et Radio-Québec disposent aussi de studios d'animation plus souvent utilisés à des buts commerciaux (introduction à des émissions, publicité). Mais l'imaginaire veille et c'est ainsi que Frédéric Back mettra à profit ces ressources pour produire les deux chefs-d'œuvre que sont *Crac!* (1981, la plus jolie et la plus courte histoire culturelle du Québec) et *L'homme qui plantait des arbres* (qui illustre un beau texte de Jean Giono). Ces deux films ont obtenu des Oscars en 1982 et 1988. Back dessine avec des crayons de cire sur des acétates translucides, ce qui ajoute à ses œuvres le charme du flou.

Ce genre de film est une création presque totale: on n'y peut trouver une représentation du réel tel qu'il est, mais on y trouve de la poésie, souvent de la couleur, toujours de la fantaisie et parfois de l'humour, qui font passer un contenu parfois très dense, voire troublant (*La faim*, Peter Foldès). La cou-

Frédéric Back.
photo: J.P. Karsenky, collection ACPQ.

leur et le son s'amusent au gré de l'inventeur qui a mis la technique au service d'un art minutieux.

LE MILIEU DU CINÉMA

Les réalisateurs et les producteurs

Il a beaucoup été question des réalisateurs pendant les pages précédentes. On peut cependant rappeler qu'ils sont très nombreux et que le milieu en est très diversifié. De ceux qui ont donné une impulsion décisive au cinéma québécois, certains ont déjà disparu: Norman McLaren en 1987, Maurice Blackburn (1988) qui avait signé la musique de tant de films, et Claude Jutra que la maladie a frappé trop jeune. Mais la relève est assurée; à la première grande génération de cinéastes, a déjà succédé l'équipe de ceux qui sont nés après la Deuxième Guerre mondiale, dont Pierre Hébert, Johanne Prégent, Jean-Claude Lauzon, etc.

Le Québec est connu pour la participation des femmes dans tous les milieux de travail. Elles ont également su s'imposer dans le monde du cinéma: aux noms déjà cités, on pourrait au moins ajouter Brigitte Sauriol, Sophie Bissonnette, Francine Allaire et Sylvie Groulx.

Le milieu du cinéma montréalais compte aussi un certain nombre d'anglophones de talent (Robin Spry); plusieurs autres réalisateurs, bien installés au Québec, sont nés à l'extérieur et sont venus de pays francophones (Frédéric Back) ou non francophones (Michael Rubbo, Paul Tana).

Les cinéastes, tant les femmes que les hommes, ne sauraient réaliser leurs œuvres sans l'appui d'un producteur. On retrouve souvent les mêmes noms à la production qu'à la réalisation ou à la scénarisation. Après ses premiers films à succès, Denis Héroux a coproduit *La guerre du feu* de J.-J. Annaud et *Atlantic City* de Louis Malle. Justine Héroux, sa femme, et ses frères sont également dans la production. D'autres noms sont un peu moins connus. C'est pourtant grâce à Rock Demers que les «Contes pour tous» récoltent des prix et sont distribués tout autour du monde. Il a reçu en 1987 un des prix du Québec et un Génie à Toronto pour «sa formidable contribution à l'industrie cinématographique canadienne».

Roger Frappier, pour sa part, commence à s'imposer à l'échelle internationale. À côté de ces producteurs privés et de plusieurs autres dont Pierre Gendron, René Malo (J. P. Lefebvre a toujours insisté pour associer sa liberté de réalisateur à sa liberté de production), existent aussi les producteurs associés de près ou de loin à l'ONF ou à l'OFQ et qui font une cohorte imposante. Le travail du producteur est essentiel à la réalisation d'un film: ce qui peut arriver de plus démoralisant à un réalisateur est de se faire lâcher en cours de travail par un producteur qui, soudain, lui retire sa confiance. Léa Pool a gardé un souvenir amer des premiers temps de la réalisation de *À corps perdu.*

LES ACTEURS

Ceux-ci sont mieux connus parce que ce sont eux qui font le contact avec le public. Ce sont souvent les mêmes que l'on voit sur les planches des nombreux théâtres, Marie Tifo, Germain Houde, Gabriel Arcand, Monique Mercure, Rémy Girard, Guy Lécuyer, Luce Guilbault, Pierre Curzi, Louise Turcot, Louise Marleau, etc. Claude Jutra a souvent joué dans ses propres films ou ceux des autres.

Certaines jeunes femmes dont le talent a été reconnu à l'étranger ne tournent plus au Québec. On les voit dans des productions françaises ou états-uniennes: Carole Laure, Francine Racette, Gabrielle Lazure et Alexandra Stewart ont suivi les traces de Geneviève Bujold. Certains acteurs sont aussi devenus cinéastes ou producteurs,

Pierre Curzi et Marie Tifo dans *Pouvoir intime* d'Yves Simoneau.

photo: ACPQ.

passant ainsi de l'autre côté de la caméra, comme Micheline Lanctôt, Paule Baillargeon, Marcel Sabourin et Jean Beaudry.

LES LIEUX DE RECHERCHE ET LES ÉVÉNEMENTS

C'est à l'Université Concordia[11], à l'Université de Montréal et à l'Université Laval à Québec qu'ont commencé la réflexion et la recherche universitaires sur les études cinématographiques. Plus spécialisés à Concordia, ces programmes d'études ont éveillé l'intérêt de presque tous les établissements universitaires. Au moment de la création des cégeps (vers 1967), on offrait déjà un cours de cinéma dans chaque établissement; c'est dire que l'on a compris au Québec l'importance de cet outil de communication.

La Cinémathèque québécoise[12] est la mémoire du cinéma québécois. On y publie de précieux outils de référence: *Les dossiers de la cinémathèque* et *Copie Zéro*. Il y a là une excellente bibliothèque et des personnes-ressources inépuisables qui connaissent le milieu mouvant du cinéma depuis des années et assurent à Montréal la constitution des archives de demain. On y a adjoint un Musée du cinéma.

On a beaucoup parlé du rôle de l'Office national du film dont les équipes françaises reçoivent et forment des cinéastes, les aident financièrement en passant des commandes précises. Radio-Canada et Radio-Québec ont aussi des rôles d'encadrement et de production importants. L'Office du film du Québec a des moyens plus modestes à la mesure des contribuables. Le Québec créait un Institut québécois du cinéma (1977) qui avait pour rôle de conseiller le ministre et qui était au provincial le pendant de l'organisme fédéral, SDICC. L'IQC s'est occupé d'investissements dans les domaines connexes du cinéma et de la télévision mais aussi de distribution, et a créé aussi un fonds de développement (bourses et aide à la scénarisation). La Société générale des industries culturelles (SOGIC) a, depuis 1988, un mandat provincial clair concernant, entre autres, le milieu du cinéma et de la télévision.

Tous les ans a lieu à Montréal le Festival des films du monde ainsi que le Festival international du nouveau cinéma et de la vidéo qui permettent aux amateurs de se tenir au courant de ce qui se fait ailleurs. Quant à la diffusion du film québécois, les Rendez-vous du cinéma québécois sont aussi un moment choisi de l'année pour stimuler les créateurs et présenter au public des films qui restent trop peu longtemps dans le circuit commercial et deviennent par conséquent difficiles à visionner. De par le monde, il se fait un bon travail de diffusion dans les délégations générales du Québec ou les ambassades du Canada. Des Semaines du cinéma québécois ont déjà eu lieu en bien des endroits, mais l'impact en est trop souvent limité à quelques amoureux du film, ou à cette malheureuse semaine trop courte pour faire apprécier la diversité du cinéma québécois.

Il semble bien que l'audiovisuel soit le moyen de communication de masse que privilégiera le siècle prochain. On trouve parfois la télévision en marche quinze heures par jour dans des foyers de milieux très différents. Déjà les vidéos[13] ont créé un marché d'avenir et quelques vidéastes (Luc Bourdon, Josette Bélanger) se spécialisent maintenant dans cette forme d'expression

qui permet une tout autre approche du sujet qu'une caméra de cinéma. Les qualités du cinéma québécois sont prometteuses dans tous les domaines, sa jeunesse, l'engagement des réalisateurs, le souci du réalisme visuel qui entraîne une qualité certaine des images sur le plan technique, une grande sincérité sur le plan du contenu, et une qualité d'émotion qui se manifeste également dans les films d'animation. Montréal a un rôle de pointe dans ce dernier type de production.

Le cinéma québécois n'est pourtant pas sans problèmes dans le domaine du long métrage. On s'est souvent plaint de la désaffection du public. Cela tient sans doute à ce que la production de la décennie soixante avait laissé l'impression que le film québécois était un peu «intellectualisant», se voulant porteur d'un message, réalisé à petit budget et relevant d'un cinéma de la parole plus que de l'action[14]. Le long métrage souffre alors de sa propre durée. Jusqu'au début des années quatre-vingt, le didactisme alourdissait encore trop de productions qui, par ailleurs, souffraient de budgets trop minces, cantonnant de bons cinéastes à des moyens modestes avec lesquels ils faisaient parfois des miracles.

Économiquement, des priorités flagrantes empêchent l'État et les investisseurs privés de consacrer tous les efforts qu'il faudrait à cette industrie culturelle, au grand dam de ceux qui en vivent, alors qu'avec le cinéma récent renaît dans le public comme chez les réalisateurs le goût du spectacle (*Fantastica* et *Au clair de la lune* sont des réalisations baroques, fantaisistes et surréalistes. Patrick Straram parle

Claude Jutra, Jacques Gagnon et Jean Duceppe. Tournage de Mon *oncle Antoine* de Claude Jutra.

photo: ONF, Archives publiques du Canada

«d'écriture carnavalesque»; on est alors à l'opposé du cinéma direct des années soixante).

Un autre problème évident est celui de la diffusion: les circuits commerciaux sont américains et éliminent rapidement ce qui ne fait pas de recette, ce qui accentue l'hégémonie culturelle des États-Unis, la circulation Nord-Sud se faisant d'ailleurs au détriment de la circulation Est-Ouest, à l'intérieur même du Canada. Par ailleurs, le film francophone européen a lui aussi la cote du public québécois sans qu'il soit question de réciprocité, tant au cinéma qu'à la télévision.

Malgré ces difficultés réelles, une vie intense et une créativité continue caractérisent cette forme d'expression culturelle qui a encore d'immenses possibilités à exploiter. La qualité incontestable et la diversité de la production sont la preuve que le Québec a déjà sa place dans le monde du septième art.

Notes

1. Les Génies correspondent un peu au Canada à ce que sont les Oscars aux États-Unis avec cette différence que les Génies ne sont attribués qu'à des films canadiens.

2. Voir le chapitre 3, «La langue». À noter également le fait que les films américains doublés en français doivent l'être nécessairement en France par des artistes français. Le contentieux qui existe à ce sujet entre la France et le Québec n'est pas encore réglé à la satisfaction des acteurs québécois qui se voient ainsi écartés de ce lucratif gagne-pain.

3. La pièce de théâtre qu'on avait tirée de ce fait divers fut jouée 6000 fois en 30 ans

de 1920 à 1950 et rejouée avec succès en 1984.

4. Du moins au début. Vers 1965, on assiste à un véritable exode des cinéastes de l'organisme fédéral. La montée du nationalisme au Québec n'était évidemment pas dans les vues de l'ONF. Des maisons privées naissent (Nova-Films, les Films Cénatos), même à Québec (Ciné Clique en 1969).

5. Elle s'occupe de production, de participation canadienne à des manifestations internationales et permet le développement d'un cinéma industriel parallèlement au cinéma gouvernemental de l'ONF. Distribution et exploitation restent cependant sous contrôle étranger.

6. Et des 10 ou 15% qui avait voté Non parce qu'ils pensaient que tous les autres auraient le courage qui leur avait manqué pour voter Oui.

7. La préparation d'un coulibiac de saumon retient leur attention, au même titre que les aléas des aventures personnelles et sentimentales de chacun. Ni plus lâches, ni plus débauchés que d'autres, ils constituent en quelque sorte le prototype d'un certain homme occidental, nanti, raffiné, mais aux prises avec l'individualité du plaisir. La convivialité du groupe, tout à la fois faite de séduction, d'amitié et de trahison, semble le dernier refuge où va se nicher, finalement, la quête du sens.

Après Le confort et l'indifférence, le Déclin confirme les talents d'observateur de Denys Arcand et son aisance à filmer une société tout en suivant un fil conducteur discrètement métaphorique. Le film a remporté huit Génies en 1987.

8. Arthur Lamothe est originaire de France, ce qui lui a peut-être donné plus de recul pour apprécier à sa juste valeur la culture montagnaise. Carcajou et le péril blanc, Innu Asi/La terre de l'homme, Mémoire battante, etc.

9. Kaj Pindal, Co Hoedeman, Bretislav Pojar, pour ne nommer que quelques-uns des réalisateurs de l'ONF, rappellent un des mérites du cinéma d'animation qui est la communication immédiate par l'image, la plupart du temps sans l'aide de mots. La barrière de la langue étant supprimée, la production est facile à vendre dans tous les pays du monde, à commencer par le Canada où l'on se comprend enfin sans traducteur.

10. C'est dans cette ville que l'on envisage la tenue annuelle systématique d'un Festival international de films par ordinateur.

11. Où se trouve le Conservatoire d'art cinématographique qui a fusionné en 1988 avec l'Institut canadien du film à Ottawa sous le nom de Cinémathèque Canada.

12. L'organisme s'est appelé La Cinémathèque canadienne de 1964 à 1971.

13. Le Vidéographe assure depuis près de 20 ans la diffusion internationale de la vidéographie québécoise.

14. Le cinéma québécois était perçu comme dévalorisant parce qu'il réfléchissait dans une économie nord-américaine l'image du Québécois «né pour un petit pain».

Bibliographie

Livres

BONNEVILLE, Léo, Le cinéma québécois par ceux qui le font, Montréal, Éditions Paulines, 1979.

COULOMBE, Michel, JEAN, Marcel, Le dictionnaire du cinéma québécois, Montréal, Boréal, 1988.

HOULE, Michel, JULIEN, Alain, Dictionnaire du cinéma québécois, Montréal, Fides, 1978.

JUTRAS, Pierre, BEAUCLAIR, René, sous la direction de, Annuaire du cinéma québécois, Montréal, Cinémathèque québécoise, 1988.

LAFRANCE, André, avec la collaboration de Gilles MARSOLAIS, Cinéma d'ici, Montréal, Leméac, 1973.

LAMONDE, Yvan, HÉBERT, Pierre-François, Le cinéma au Québec, essai de statistique historique 1896 à nos jours, IQRC, 1979.

LEVER, Yves, Histoire générale du cinéma au Québec, Montréal, Boréal, 1988.

PAGEAU, Pierre, LEVER, Yves, Cinémas canadien et québécois, Montréal, Collège Ahuntsic, 1977.

TADROS, Jean-Pierre, Le cinéma au

Québec: bilan d'une industrie, Montréal, 1975.

VERONNEAU, Pierre, sous la direction de, *et al.*, *Les cinémas canadiens*, Montréal, la Cinémathèque québécoise, Paris, L'Herminier, 1978.

Collections

Cinéastes du Québec, Montréal, Conseil québécois pour la diffusion du cinéma, monographies sur des cinéastes.

Les dossiers de la Cinémathèque, numéros 3 et 7: «Histoire du cinéma au Québec».

N.B.: A voir à Montréal: la Cinémathèque québécoise.

Périodiques

24 images, Longueuil, trimestriel, depuis 1979.

La revue de la Cinémathèque québécoise, Montréal, Cinémathèque québécoise, 5 fois l'an, 1989, (succède à Copie Zéro, 38 numéros en une dizaine d'années).

Séquences, Montréal, depuis 1955, trimestriel, puis bimestriel.

Numéros spéciaux

Cinémaction, un numéro spécial (40), «Aujourd'hui le cinéma québécois», Paris, 1986.

Dérives, un numéro spécial (52), «Le cinéma québécois, nouveaux courants, nouvelle critique», Montréal, 1986.

Québec français, un numéro spécial (51), «Le cinéma québécois», Québec, oct. 1983.

Catalogues et répertoires

Catalogue annuel de l'Office national du film.

Catalogue des documents audiovisuels 1983, Québec.

Répertoire 1986, les films et les vidéos du gouvernement du Québec.

Répertoire des documents audiovisuels sur l'art et les artistes québécois, par René Rozon, Montréal, ministère des Affaires culturelles, 1980.

Filmographie

Les films ci-dessous ont été retenus en fonction des perspectives dégagées pour le présent ouvrage, ainsi que pour leurs qualités d'ordre proprement cinématographique. Le nombre d'astérisques indique un ordre de préférence personnel en fonction des deux critères ci-dessus.

À tout prendre**, Claude JUTRA, prod.: R. HERSHORN-CASSIOPÉE, n. b., 100 min, 1963.
  Trois protagonistes interprètent leur propre personnage. Un des premiers films de fiction nés sous la Révolution tranquille.

Bach et Bottine**, André MELANÇON, prod.: «la Fête» (R. DEMERS), 35 mm, coul., 96 min, 1986.
  Charmante fiction: une petite fille de la campagne arrive en ville. étonne son copain de jeux citadins et, à onze ans, essaie d'organiser sa vie. Melançon sait admirablement diriger les enfants qui jouent merveilleusement bien.

Bûcherons de la Manouanne***, Arthur LAMOTHE, ONF, n. b., 28 min, 1962.
  La vie quotidienne des travailleurs dans un chantier forestier. Un classique du cinéma direct, très émouvant.

Le chat dans le sac***, Gilles GROULX, ONF, n. b., 74 min, 1964.
  Par le cinéma direct, Gilles Groulx saisit sur le vif les incertitudes d'une génération qui se cherche. Œuvre dense et sensible.

Le confort et l'indifférence***, Denys ARCAND, 16 mm, coul., 109 min, 1981.
  Après l'échec du référendum de 1980, un cinéaste fait un constat d'une vérité quelque peu cruelle sur le Québec dont se contentent certains Québécois.

Le corbeau et le renard***, Francine DESBIENS, Pierre HÉBERT (ONF), coul., 2 min, 1969.
  Un bijou de relecture à la québécoise de la fable de la Fontaine.

Crac***, Frédéric BACK, Radio-Canada, coul., 15 min, 1981. Oscar du meilleur court métrage en 1982.
  Histoire et société du Québec en quinze

minutes de dessin animé sans un mot mais combien évocatrices.

La cuisine rouge*, Paule BAILLARGEON, et Frédérique COLLIN, prod.: Anastasie, coul., 82 min, 1979.

En parallèle, deux univers, celui des hommes et celui des femmes.

Le déclin de l'empire américain***, Denys ARCAND, prod.: René MALO, Roger FRAPPIER, 35mm, coul., 102 min, 1986.

Dans un milieu intellectuel aisé, hommes et femmes parlent de leurs rapports entre eux. Film dont le succès mérité stigmatise une certaine société occidentale. Dialogues bien menés, images fort belles, acteurs excellents, mise en scène efficace.

Elvis Gratton***, Pierre FALARDEAU, Julien POULIN, Assoc. coop. de prod. audiovisuelles, coul. 29 min, 1981.

Court métrage de fiction mettant en scène un brave banliusard de Montréal qui imite Elvis Presley. Un cas de colonisation culturelle.

Françoise Durocher, waitress***, André BRASSARD, ONF, coul., 29 min, 1972.

Un certain joual et l'impossibilité de communiquer efficacement dans le milieu défavorisé des serveuses de restaurant. Dialogues (?) empruntés aux pièces de Michel Tremblay.

J.A. Martin, photographe**, Jean BEAUDIN, ONF, coul., 101 min, 1977.

Au début du siècle, un photographe itinérant emmène dans sa tournée sa femme qui sent que c'est le moyen de rapprocher les deux solitudes qu'ils incarnent. Beaux paysages; excellente mise en scène; très bons acteurs.

Jean Carignan, violoneux***, Bernard GOSSELIN, ONF, coul., 88 min, 1975.

Yehudi Menuhin admirait cet autodidacte du violon, virtuose des rythmes de reel et de gigue. Un témoignage inoubliable d'un art populaire traditionnellement québécois.

Jésus de Montréal, Denys ARCAND, prod.: Rogier FRAPPIER et Pierre GENDRON, 1989, prix du Jury et Prix œcuménique au Festival de Cannes 1989.

Journal inachevé*, Marilù MALLET, l'Atalante et Radio-Québec, coul., 48 min, 1982.

Journal d'une cinéaste chilienne exilée à Montréal; l'état de choc culturel.

Marc-Aurèle Fortin**, André GLADU, Nanouk films, coul., 57 min, 1983.

Documentaire, avec recours à la fiction, sur l'un des grands peintres québécois. Mon Oncle Antoine***, Claude JUTRA, prod.: Marc BEAUDET, ONF, coul., 104 min, 1971.

La vie d'un petit village minier dans les années quarante à travers la vision d'un jeune garçon qui devient adulte. Vie rurale, hiver, magasin général.

Notes sur un triangle**, René JODOIN, ONF, coul., 5 min, 1966.

Film d'animation (découpages de papiers colorés) pour démontrer la mathématique du triangle. Adéquation images/musiques remarquable.

La nuit de la poésie**, Jean-Claude LABRECQUE et Jean-Pierre MASSE, ONF, coul., 111 min, 1970.

Excellente anthologie «live» de la poésie québécoise du moment.

Op Hop hop op**, Pierre HÉBERT, ONF, n. b., 3 min, 1965.

En grattant directement la pellicule, le cinéaste fait varier 24 images (positives et négatives) et travaille à partir du phénomène de résistance rétinienne. (c.f. Blinkity blank, de McLaren).

Pas de deux**, Norman McLAREN, ONF, n. b., 13 min, 1968.

Deux danseurs des Grands ballets Canadiens éclairés latéralement sur un fond noir dansent devant un cinéaste qui joue avec les images, démultipliant les mouvements, utilisant la surimpression et le ralenti. Superbe film d'animation.

Le paysagiste***, Jacques DROUIN, ONF, n. b., 8 min, 1976.

Remarquable travail d'animation sur l'écran d'épingles Alexïeff-Parker: voyage dans le secret d'une vie intérieure: beau et dense.

Percé on the rocks**, Gilles CARLE, ONF, coul., 9 min, 1964.

Amusante façon de raconter l'histoire de ce joli village touristique de Gaspésie et d'inviter à la visiter.

Pour la suite du monde***, Pierre PERRAULT et Michel BRAULT, prod. Fernand DANSEREAU, ONF, n. b., 105 min, 1963.

Un classique du genre cinéma-direct, tourné à l'île-aux-Coudres dont les habitants retrouvent le plaisir de la pêche au marsouin, ce qui ne leur a pas fait oublier leur tradition orale.

Les raquetteurs**, Gilles GROULX et Michel BRAULT, prod.: Louis PORTUGAIS, ONF, n. b., 15 min, 1958.

Reportage sur un congrès de raquetteurs, par l'équipe française de l'ONF à ses débuts, et aux débuts du «direct».

Tony de Peltrie*, Pierre LACHAPELLE, Philippe BERGERON, *et al.*, coul., 8 min, 1985.

Film d'animation produit par ordinateur.

Voisins**, Norman McLAREN, ONF, coul., 8 min, 1952.

Fable contre la violence avec des personnages réels que le cinéaste anime par pixillation.

Le vieux pays où Rimbaud est mort**, Jean-Pierre LEFEBVRE, coul., coprod. franco-québécoise, 113 min, 1977.

Abel va en France à la recherche de ses racines et constate combien il est différent des Français d'aujourd'hui. Mosaïque d'humour où tendresse et tragédie se côtoient.

Vol de rêve*, P. BERGERON, Nadia et Daniel THALMANN, coul., HEC-Montréal, 13 min, 1982.

Film d'animation qui prouve qu'ordinateur et poésie peuvent faire bon ménage.

Un zoo la nuit***, Jean-Claude LAUZON, prod.: Roger FRAPPIER et Pierre GENDRON des productions OZ, 115 min, 1987.

Drogue, homosexualité, violence et la rencontre d'un fils et de son père par-delà les problèmes de la vie. Scénario habile, bons acteurs.

50 ans***, Gilles CARLE, ONF, coul., et n. b., 3 min, 1989.

Produit pour le cinquantième anniversaire de l'ONF, a obtenu un prix prestigieux à Cannes.

16
De l'oral
à l'écrit

Page précédente: En-tête du premier
numéro de *La Gazette de Québec*; bilingue,
dirigé par deux Anglais (noter la devise et
les armes de la vignette), c'est le premier
journal canadien.

photo: Société canadienne du microfilm.

Le premier rôle d'une langue est d'être un outil de communication, et la communication orale est la première façon d'entrer en relation avec l'autre. Elle exige évidemment la présence physique de l'autre, du moins l'exigeait-elle avant les développements de la technologie moderne. Ce type de rapport suffit en général à combler les besoins essentiels. Il permet en outre de transmettre des coutumes, des croyances et des comportements. Le besoin d'écrire vient plus tard; le message alors ne s'adresse pas à une personne présente mais veut établir une communication avec un être connu mais absent, ou inconnu. En fait, ce dernier lecteur possible est présent dans l'esprit du scripteur, parfois inconsciemment. Il arrive également que l'on écrive pour soi-même, la démarche d'écriture étant alors à rapprocher du plaisir que l'homme a toujours trouvé à transformer la matière; le langage est un matériau superbe par les infinies possibilités de transformation qu'il offre à celles et ceux qui ont l'art et la patience de le manier pour «le plaisir du texte».

Étant donné les circonstances historico-politiques qui ont présidé au développement de la colonie française, puis la longue gestation qui a mené à la naissance du Québec, la tradition orale est restée longtemps la plus forte; les 65 000 colons français restés au Canada se sont trouvés dans l'obligation d'assurer la survivance de leur langue, c'est-à-dire en même temps d'une culture et d'une tradition qui leur étaient déjà spécifiques. Pour des raisons socio-économiques, l'oral resta longtemps le moyen premier — et souvent le seul — de communiquer. C'est ainsi

qu'au XIXe siècle cette tradition orale s'affirme et se développe au même rythme que lui impose la croissance démographique. L'écrit existe dès les débuts de la colonie certes, et se développe aussi, mais lentement et souvent dans des domaines moins spécifiquement littéraires. Le journalisme, par exemple, et l'histoire sont les premiers genres d'écrits à se diffuser au XIXe siècle; la poésie aussi avait ses adeptes mais il faudra attendre presque la Deuxième Guerre mondiale pour que l'urgence «d'écrire le Québec» investisse tous les secteurs de ce que l'on nomme littérature. À partir des années soixante, on assistera à une accélération du mouvement qui, obéissant à une progression géométrique, aboutit à l'épanouissement d'une littérature québécoise dynamique.

LA TRADITION ORALE

Au tout début de la colonie, les «habitants» n'avaient en général guère eu l'occasion d'apprendre à lire ou à écrire. Leur premier mouvement était déjà de se mettre au français, cette langue de l'administration (sise en Île-de-France) qui différait quelque peu du patois utilisé en Picardie, en Normandie et, à plus forte raison, du breton. Les habitants restent isolés longtemps, l'administration insiste même pour que le défrichage et l'installation se fassent en suivant, et non plus dans l'éparpillement des débuts. Jusqu'à la Conquête, les conditions de vie dans le milieu rural ne laissent pas beaucoup de loisirs: de nombreux conflits compliquent la vie des fermiers; on n'a pas grand temps pour aller à l'école, quand il y a une école, ou quand passe un maître, ou lorsque le curé — s'il y en a un — prend en charge l'éducation de ses ouailles. Vers la fin du Régime français, les choses vont mieux pour les habitants: une plus grande aisance permet de recevoir ses voisins et de se distraire en groupe. Les soldats qui logent l'hiver chez l'habitant par billet sont souvent méridionaux; ils aiment à parler, à chanter et à s'amuser; nombre de chansons folkloriques tiennent d'ailleurs leur origine des provinces ensoleillées de la métropole, d'où venaient les soldats au milieu du XVIIIe siècle. C'est de là que datent ces soirées campagnardes où la tradition orale partage avec la danse et les jeux de cartes le temps dévolu au divertissement. Ce type de veillée qui va devenir fréquent après la Conquête va, par voie de conséquence, développer fortement une tradition orale, surtout en milieu rural. Les Anglais s'installent en ville et refoulent, en quelque sorte, les Québécois dans des paroisses où se développe une vie de voisinage renforcée encore par le climat social. On peut imaginer que le désir de se rencontrer, de communiquer avec son voisin, pour naturel qu'il fût, était augmenté du fait que l'on ressentait un isolement physique et moral. Dans cette conjoncture, le personnage du quêteux devient alors le lien avec le monde inconnu qui commençait avec la paroisse voisine: colporteur de nouvelles, il savait l'importance de l'oral et devenait conteur à la veillée.

Par résistance au conquérant, on s'oppose aussi à son désir de scolari-sation, en anglais, et l'analphabétisation gagne du terrain: le peuple utilise donc presque exclusivement l'oral. Une pétition présentée au gouvernement en 1827 recueillait 87 000 signatures dont 78 000 étaient des croix. Du côté de l'élite qui reprenait force et confiance en elle-même, on apprit à ne pas négliger la pratique de l'oral, bien au contraire. Les collèges, depuis le XIXe siècle, formaient principalement des jeunes gens pour des professions libérales: des juristes, des hommes politiques, des enseignants dont la profession s'appuie précisément sur le bel usage de la parole. Et que dire des médecins — sorciers et chamans d'autrefois — qui savent depuis toujours l'importance du verbe pour diagnostiquer, guérir, ou en donner l'illusion?

LES GENRES

Après la Conquête, la veillée, qui avait commencé vers 1830 sous la forme que nous connaissons, se répand un peu partout. Ce sont des moments privilégiés de communication dans la détente: on y trouve diverses formes de tradition orale qui, en se transmettant de génération, constitueront une véritable littérature orale.

Le conte

Le conte est un récit en prose, d'aventures imaginaires. Le but premier est de distraire la compagnie. Le conte met en scène des êtres vraisemblables qui font des choses étonnantes, voire impossibles. Le pauvre hère devient riche parce que sa jument se met à «crotter» de l'or. L'invraisemblance a droit de cité («d'être citée»): elle permet l'évasion, elle incarne les rêves de l'auditoire. Les animaux parlent et agissent comme des êtres humains et souvent mieux; la fantaisie, l'humour, le fantastique sont au rendez-vous pour dépayser l'auditeur, l'arracher en somme à son réel quotidien ennuyeux.

Le rôle du conteur en est un d'animateur: il doit sentir son auditoire et réagir en fonction de celui-ci; il possède un fonds de récits commun à des quantités de locuteurs qu'il arrange à sa guise, le rallongeant en inventant des épisodes, en faisant une digression ou en coupant court soudain au déroulement de l'histoire s'il lui apparaît qu'il est temps d'y mettre fin. Celle-ci est morale en général: Cendrillon épouse son prince, l'ogre est tué par le chat qui a chaussé des bottes de sept lieues. Et cette conclusion doit tomber à point pour produire son effet sur l'auditoire. Le conteur québécois reste logique même dans la fantaisie la plus drôle; le bon sens terrien prédomine. La sexualité, sujet tabou dans la vie quotidienne, est très présente dans les multiples versions québécoises des contes types. Ce bon sens peut nous paraître sujet à caution: le bon roi protège son bon peuple, le méchant est toujours puni… En fait, le conte transmet les valeurs de l'idéologie dominante dans lesquelles l'auditoire se retrouve: les héros sont souvent des fermiers, de pauvres artisans, de belles jeunes filles à marier — que l'on marie contre leur gré.

Pourtant, curé et conteur ne s'aimaient pas. L'un reprochait-il à l'autre d'avoir la même bouche d'or? En fait, tous deux remplissaient le besoin de croire qui est en chaque personne. Par la religion, l'être humain se soumet à une force supérieure; par la magie, il reconnaît qu'il existe une force impossible à contrer et inexplicable. Par l'invention verbale du récit, la communication est encore amplifiée et peut être sans limites (Ben Benoît a conté à Luc Lacourcière pendant deux ans d'affilée). L'imaginaire québécois est étonnamment fertile: on a dénombré plus de 10 000 contes enregistrés au CÉLAT[1].

Le diable fait partie des adversaires auxquels le héros doit s'opposer (dragon, géant, ogre ou sorcière) dont les pouvoirs surnaturels autorisent toutes les audaces du conteur. Le merveilleux chrétien permet de faire triompher Dieu qui récompense ou punit: ainsi, l'héroïne qui est prête à danser avec le diable plutôt que de coiffer Sainte-Catherine ira en enfer.

La légende

La légende est, elle aussi, un récit populaire, mais contrairement au conte qui ne donne à ses héros ni date ni milieu précis, la légende se veut basée sur un fait ou sur un personnage réel. Les héros de légende sont soit des saints, soit des héros historiques que la distance et l'imagination embellissent, et dont on amplifie les faits. Par exemple, au Québec, Dollard Des Ormeaux et Madeleine de Verchères sont des personnages de légende. Ils ont incontestablement existé, mais les faits sur lesquels est fondée leur gloire n'ont-ils pas acquis au fil du temps un côté sublime que l'histoire n'a pas forcément réussi à prouver?

La légende aide à comprendre des choses mystérieuses, des phénomènes

Canot d'écorce qui vole d'Henri Julien. Dessin à la plume, c.1900.

photo: Musée du Québec: 34 602 D, Patrick Altman.

naturels: la nuit, porteuse d'inquiétudes, fait naître des êtres fabuleux (loup-garou, lutins qui tressent la queue des chevaux); la mort, autre mystère que nul n'est revenu éclaircir profite de la nuit (cette mort de la lumière) pour animer des fantômes (feux-follets ou âmes des trépassés) qui convainquent de l'existence d'un monde surnaturel dans lequel Dieu et le diable ont bel et bien leur place.

Aubert, le passeur, avait décidé de traverser le fleuve, de Québec à Lévis, au moment de la débâcle: un bloc de glace avait renversé sa chaloupe, un autre l'avait décapité alors qu'il était agrippé à sa chaloupe retournée. On voit quel sort la légende peut faire à cet imprudent qui aura sans doute dit bien haut avant de partir que ni Dieu ni diable ne l'empêcheraient de traverser; de nos jours encore, on peut apercevoir sa tête condamnée à flotter sur une glace éternelle.

Un des bons exemples d'adaptation de la tradition française reste la chasse-galerie. Dans le légendaire européen (français, anglais) un noble, le Sieur de Galery, était condamné à chasser à courre éternellement dans les airs après sa mort parce qu'il avait chassé le dimanche au lieu de s'acquitter de ses devoirs religieux. Le légendaire québécois transforme cette histoire à l'usage des «forestiers perdus dans la solitude de la Gatineau, de la Mauricie ou d'ailleurs, désireux d'aller voir leurs blondes dans les paroisses d'en-bas» (R.-L. Séguin). Honoré Beaugrand fait raconter par le conteur Jos le Couque[2] l'aventure qui lui est arrivée vers 1823 dans un camp de bûcherons du haut de la Gatineau: nous sommes à la veille du jour de l'An, les hommes ont pris un coup ou deux, peut-être trois; Jos s'endort et se fait réveiller par Baptiste qui lui décrit les conditions de cette envolée fantastique:

Aller à Lavaltrie et revenir dans six heures; voyager au moins à 50 lieues à l'heure quand on sait manier l'aviron: respecter certaines conditions: ne pas prononcer le nom de Dieu pendant le trajet, ne pas prendre de boisson en route, ne pas accrocher la croix des clochers, faire un serment au diable lui promettant de lui vendre son âme si les conditions ne sont pas respectées; prononcer les paroles magiques qui font lever le canot dans les airs.

[Après être passé par la Gatineau et la rivière Outaouais qui servirent de guide pour descendre jusqu'au lac des Deux-Montagnes, l'équipage diabolique descend] «raser Montréal»... «Attendez un peu! cria Baptiste. Nous allons raser Montréal, et nous allons effrayer les coureux qui sont encore dehors à cette heure-citte». En effet nous apercevions déjà les lumières de la grande ville, et Baptiste, d'un coup d'aviron, nous fit descendre à peu près au niveau des tours de Notre-Dame.

HONORÉ BEAUGRAND,
La Chasse-Galerie,
Légendes canadiennes (1900)

On nomme les gens, on localise le camp, la ville où l'on va rencontrer des filles, des «guidounes»; tout cela ajoute de la crédibilité à l'aventure et fait rêver l'auditoire qui sait bien pourtant que les malheureux voyageurs n'ont pas bougé de leur lit de sapinage[3] et se sont réveillés le lendemain matin avec un mal aux cheveux terrible. Et comme, le petit caribou[4] aidant, ils ne se souviennent plus comment ils y sont arrivés, l'imagination a pris le relais de la mémoire défaillante.

Des légendes naissent et prennent de l'ampleur au Québec. L'admiration que les exploits font naître dans l'esprit et la langue du peuple fabrique des héros

comme Jos Monferrand, cageux de l'Outaouais[5] et défenseur des Canadiens. Il se battit seul, une fois, contre 15 *shriners* — Orangistes irlandais avec qui les conflits étaient fréquents — et une autre fois, se servant de l'un d'eux qu'il avait attrapé par les jambes pour assommer les autres, il en mit 50 en déroute. Plus à l'est, dans la région du Saguenay et dans Charlevoix, c'est le personnage d'Alexis le Trotteur qui fait partie de l'imaginaire collectif. Les anecdotes à son sujet se multiplient: la vitesse de ses déplacements stupéfie; il court plus vite qu'un cheval, fait 160 milles à la course dans sa journée pour participer aux élections. Comme ses exploits sont à la limite de l'explicable, son personnage est aussi perçu à la limite de l'humain. Tantôt on le prend pour un chien «court sur pattes et faisant 18 pieds au pas», tantôt pour un cheval avec ses «narines très échancrées» et le hennissement qu'il imitait admirablement[6]. Voici comment un informateur racontait avec ses mots, à Conrad Laforte, les exploits d'Alexis:

ALEXIS LE TROTTEUR

Monsieur Price s'est levé puis a poigné son fouet. Il avait deux chevaux qui étaient attelés en tandem. Son fouet était assez long pour attraper celui-là qui était en avant. Les chevaux ont pris le chemin puis ça descendait. Alexis, de temps en temps, se mettait les mains sur le derrière du traîneau de monsieur Price. Quand ils ont pris le Saguenay, là, Monsieur Price l'a pas invité pour embarquer, comme de raison. Toujours qu'ils se sont repassés pour monter en haut. Alexis se laissait reculer un arpent, deux arpents, puis il partait et allait faire une grande tournée en s'en venant passer en avant des chevaux de Monsieur Price. Puis il prenait un cheval par la bride et il trottait avec le cheval comme ça. Rendu à l'Éternité

[village du Saguenay], Monsieur Price a arrêté ses chevaux. Il dit à Alexis:
— Comment tu me demandes pour me laisser monter tranquille à Grande Baie?
Il dit:
— Donnez-moi cinq piastres. Monsieur Price. Monsieur Price a fourré la main dans sa poche puis il a hâlé cinq piastres et lui a donné. Alexis a pas passé par en arrière, il a sauté en avant des chevaux, puis il a monté à la Grande Baie. Quand Monsieur Price est arrivé à la Grande Baie, Alexis avait dîné et il était en train de fumer sa pipe.

Le lendemain matin, ils ont été contraints de sortir les deux chevaux de Monsieur Price avec un autre cheval, ils étaient morfondus, ils étaient raides des quatre pattes...

[...]

Il était parti à sept heures le matin et il était arrivé à quatre heures moins le quart le soir? Oui. Ça faisait une bonne run. D'ici, du village de Mistassini à aller à Chicoutimi, il y a cent vingt milles (200 km). Partir de chez les Pères, il y a bien encore une douzaine de milles de plus, je pense. Aller à la Grande Baie, il y a encore quinze, seize milles (24 km, 26 km). Ça lui faisait à peu près cent cinquante milles (248 km) dans une journée. Il pouvait faire plus que ça. C'est pas tous les chevaux de route qui font cent milles (160 km) par jour, hein!

Tiré d'un article de Conrad Laforte dans *Nord*, n° 7.

Le fonds de légendes canadiennes a tant marqué l'ensemble du peuple que les artistes s'en servent pour leur œuvres d'art. Henri Julien (1852-1908) dessine et peint des chasse-galerie par dizaines. Il illustre dans *L'almanach du peuple* des légendes racontées par Benjamin Sulte et plusieurs autres. Alfred Laliberté (1878-1953) sculpte 30 œuvres de bronze représentant des légendes qui sont pour lui, au même titre que les coutumes et les métiers, un hommage à la société de son époque. Philippe Aubert de Gaspé raconte plusieurs légendes dans ses *Anciens Canadiens*.

Louis Fréchette (1839-1908), de l'École littéraire et patriotique de Québec.

photo: Archives nationales du Québec à Québec: GH 570-34, collection initiale.

Honoré Beaugrand, Louis Fréchette, Pamphile Lemay, Joseph-Charles Taché, entre autres, veilleront à préserver par écrit les contes et légendes dont ils avaient senti combien ils imprégnaient la mentalité populaire. Ces écrivains du XIXe siècle assuraient aussi les générations futures d'un bagage précieux. Au XXe siècle, Marius Barbeau, Luc Lacourcière et les archives de folklore de l'Université Laval et toute l'équipe du CÉLAT, le père Germain Lemieux à l'Université de Sudbury, continuent dans cette quête de documents sonores que les circonstances socio-politiques ont contribué à sauver jusqu'à ce que l'image de la télévision ait investi une culture jusqu'alors à dominante orale.

Le langage populaire — comptines enfantines, formules de jeux de société — se transmet aussi de génération en génération:

Un, deux, trois, quatre,
Ma petite vache a mal aux pattes,
Tirons-la par la queue,
Elle ira bien mieux,
Dans un jour ou deux.

Les sobriquets dont on affuble les autres, par dérision semble-t-il, se transmettent aussi par la tradition orale; les habitants de Mont-Joli qui se faisaient traiter de «Mangeux de charbon» se vengent en appelant les villageois de Price, un village de compagnie forestière qui n'est pas bien loin, les «mangeux de bran de scie» (sciure de bois).

Ce qui apparaît curieux cependant, c'est qu'au fil du temps le sens péjoratif qui était explicite au début s'émousse peu à peu et qu'à l'heure actuelle, le beauceron est fier d'être un jarret noir. L'injure du citadin de Québec envers le gars de la campagne est maintenant loin dans les esprits. Le bleuet du Lac-Saint-Jean est, lui aussi, fier d'être ainsi assimilé à l'une de ses richesses naturelles. Ces deux sobriquets régionaux sont d'ailleurs donnés à des habitants de deux régions particulièrement typées qui revendiquent la fierté d'appartenance à leur région au même titre qu'au pays.

La mentalité collective s'exprime dans les dictons, proverbes et locutions populaires. On y retrouve un fond de sagesse populaire que l'expérience a donné aux anciens. «En mars, la nouvelle neige vient chercher l'ancienne»; on prodigue des conseils dont on soup-

çonne l'origine: «l'argent du diable vire en son». Pour oublier qu'on était «né pour un petit pain», on «se mouillait le canayen» avec un ou deux verres de petit whisky blanc. Pas étonnant qu'après, on «grimpe dans les rideaux» pour un oui ou pour un non, à moins que la sagesse populaire ne souffle: «Y a rien là». Au Québec, quand on prend sa retraite, «on accroche ses patins».

Bien établi en France, la chanson traditionnelle[7] passe l'océan et trouve en Canada une terre d'élection où elle fera naître des quantités de versions. Au XIXe siècle, bûcherons et forestiers fabriquent à leur tour des chansons qui expriment bien l'enthousiasme du départ pour le camp ou la grande fatigue d'un hiver au chantier.

Voici l'hiver arrivé
Les rivières sont gelées
C'est le temps d'aller au bois
Manger du lard et des pois!
Dans les chantiers nous hivernons (bis)...
[...]
Quand ça vient sur le printemps
Chacun craint le mauvais temps
On est fatigué du pain
Pour du lard on n'en a point
Dans les chantiers Ah n'hivernons plus!
(bis)

Les voyageurs, habiles canotiers, qui pouvaient avironner pendant des milles et douze heures par jour au minimum et qui devaient portager des charges incroyables, possédaient également un répertoire dont le rythme soutenait le travail d'équipe, à contre-courant ou dans un lac interminable.

Ces deux corps de métier avaient eux aussi leurs veillées, parfois leurs dimanches à étirer[8]; et c'était encore l'occasion pour un conteur, pour un chanteur ou pour un gigueur de démontrer ses talents en divertissant un auditoire toujours prêt à échapper pour un moment à une dure réalité.

Discours politiques et sermons dominicaux pouvaient être des morceaux de bravoure, si l'on en juge par les rares traces et les quelques témoignages qu'il en reste. Lafontaine, Papineau, Laurier, Henri Bourassa et, tout récemment, René Lévesque, sont quelques exemples de cette tradition de l'éloquence, à quoi formaient les collèges classiques.

LES GRANDS COURANTS D'UNE LITTÉRATURE QUI S'ÉCRIT

Sous le Régime français, les premiers établissements scolaires se constituent de petites bibliothèques avec des ouvrages apportés ou envoyés de France. Il n'y avait pas de presses sur place; le roi en avait interdit l'installation dans la colonie. Toutefois, deux sortes d'écrits émergent de cette période: les lettres et les récits de voyage.

Les fondateurs écrivent en France, d'où on leur demande de raconter par le menu la vie incroyable qu'ils mènent ici. Mère Marie de l'Incarnation écrit à son fils[9] et sublime toutes ses difficultés dans des écrits mystiques qui atteignent à des sommets du genre. Les Jésuites envoient chaque année des *Relations*, sorte de journal qui, publié en France, suscite la générosité des donateurs: le document est passionnant et le talent de conteur du père Paul Lejeune s'assaisonne d'humour. Un peu plus tard, Madame Bégon brosse dans ses lettres à son fils le tableau d'une société citadine qui semble fort heureuse de son sort.

En outre, les administrateurs et surtout les voyageurs publient en France à leur retour des récits de voyage (Cartier, Champlain, Marc Lescarbot, La Hontan, le frère Sagard) auxquels il faut ajouter Pierre Boucher, qui mourut à Boucherville en 1717, après avoir publié une *Histoire véritable et naturelle des mœurs et productions du Pays de la Nouvelle-France, vulgairement dite le Canada*, dans laquelle on sent les préoccupations de l'administrateur colonial:

L'air y est extrêmement sain en tout temps, mais surtout l'hiver: on voit rarement des maladies en ces pays ici; il est peu sujet aux bruines et au brouillard; l'air y est extrêmement subtil. À l'entrée du golfe et du fleuve, les bruines y sont fréquentes à cause du voisinage de la mer: on y voit fort peu d'orages.

Les Anglais nos voisins ont fait d'abord de grandes dépenses pour les habitations là où ils se sont placés; ils y ont jeté force monde, et l'on y compte à présent cinquante mille hommes portant les armes: c'est merveille de voir leur pays à présent; l'on y trouve toutes sortes de choses comme en Europe et la moitié meilleur marché. Ils y bâtissent quantité de vaisseaux de toutes façons; ils y font valoir les mines de fer; ils ont de belles villes, il y a messagerie et poste de l'une à l'autre; ils ont des carosses comme en France; ceux qui ont fait les avances trouvent bien à présent leurs comptes; ce pays-là n'est pas autre que le nôtre: ce qui se fait là se peut faire ici.

PIERRE BOUCHER DE BOUCHERVILLE, 1664

Après la Conquête, mais avant l'Union, le désir naturel de communiquer entre francophones fait naître le journalisme. Si la *Gazette de Québec* est bilingue (1764), la *Gazette littéraire* de Montréal est décidément française (1778); quant au *Canadien* (1806), il affiche déjà des couleurs résolument nationales (Pierre Bédard, comme ses autres fondateurs, était d'ailleurs membre de l'Assemblée).

Dans ces journaux paraissaient de courts poèmes de circonstance (comme *La bataille de Châteauguay*, de Joseph Mermet). Il faut attendre 1830 pour que paraisse à Québec, sous la plume de Michel Bibaud, un premier recueil d'*Épîtres, satires, chansons, épigrammes et autres pièces de vers* (il y affirmait d'entrée de jeu ses prétentions littéraires: «Si je ne suis Boileau, je serai Chapelain».)

Après l'Union, la rébellion des Patriotes (1837-1838) avait laissé des marques profondes qui ne s'effaceront pas de la mémoire collective de sitôt. Lord Durham, un peu grossièrement, avait prédit un avenir peu prometteur pour ce «peuple sans histoire et sans littérature». Se levèrent pour le contredire, François-Xavier Garneau qui écrit *L'histoire du Canada* et Benjamin Sulte *L'histoire des Canadiens français* parmi d'autres historiens. Comme Garneau est libéral, l'Église s'émeut de cet esprit frondeur et réagit à son tour par la plume de deux clercs dont le plus connu est l'abbé Henri-Raymond Casgrain (qui publiera plusieurs biographies et occupera la scène jusqu'au début du XXᵉ siècle). On doit à Laurent-Olivier David des témoignages sur ses contemporains, Louis-Joseph Papineau par exemple, et des essais historiques (*Les Patriotes*).

Vers 1860, quelques hommes de lettres prennent l'habitude de se réunir dans la librairie de Crémazie, Côte-de-la-Fabrique à Québec. L'abbé Casgrain, conteur d'abord et un tantinet théoricien[10], anime ce groupe de personnes où dominent les poètes. C'est l'École littéraire et patriotique de Québec d'où se détache Louis Fréchette, qui touche à plusieurs domaines dont la poésie et veut suivre les traces de Victor Hugo (*La voix d'un exilé*, *La légende d'un peuple*). Le romantisme d'Octave Crémazie (*Le drapeau de Carillon*) correspondait à celui des œuvres qu'apportait *La Capricieuse*, le premier vaisseau français à entrer dans le Saint-Laurent en 1855. Le même romantisme imprègne l'œuvre de Fréchette et de ses commensaux, William Chapman et Pamphile Le May. Tous ne poursuivront pourtant pas avec la grandiloquence de Fréchette le chant des héros nationaux mis à la mode par l'Histoire. Ainsi Alfred Garneau, plus effacé, reste plus simple.

Les tout premiers récits sont des romans d'aventures fantastiques et de brigands. Le premier roman publié au Québec semble être *L'influence d'un livre ou le chercheur de trésor* (1837) de Philippe Aubert de Gaspé fils. Joseph Doutre fit imprimer ensuite (1844) ses *Fiancés de 1812* qu'il vendit par souscription en plusieurs livraisons.

En 1846 paraissent cependant les premiers romans de mœurs terriens, *La terre paternelle* de Patrice Lacombe et *Charles Guérin* de Pierre-J.-O. Chauveau. Vers 1860, le roman à caractère historique et social prend le pas sur les romans d'aventures. Les romanciers «appartiennent tous à la même école… Leur manière est la même, ou à fort peu d'exception près… [Ils] se complaisent dans les beautés de détail, loin du tracas

Philippe Aubert de Gaspé, père, 1786-1871, romancier et seigneur de Saint-Jean-Port-Joli.

photo: Archives nationales du Québec à Québec: GH 571-26, collection initiale.

et des incidents tragiques... Développant des passions douces (de préférence) aux passions violentes... Le bonheur domestique et champêtre est pour eux la plus haute expression du bonheur sur la terre[11].» Antoine Gérin Lajoie, dans *Jean Rivard, le défricheur canadien*, tombe tout à fait dans les vues de l'Église qui défend la vocation agricole du pays. Elle fait bientôt fermer l'Institut canadien (sa bibliothèque recèle les œuvres dangereuses des auteurs français du siècle). Aussi, le roman s'orientera-t-il dans le sens voulu par les clercs.

On se passionne pour le passé, que la mode de l'histoire ranime de feux toujours nouveaux. Philippe Aubert de Gaspé, le père, écrit *Les Anciens Canadiens* (1863), roman de mœurs historique où les scènes du temps de la Conquête sont ponctuées de légendes et de descriptions typées, comme la débâcle des glaces au printemps. Aubert de Gaspé est un habile conteur; son œuvre aura un succès retentissant chez les critiques et les pédagogues.

Laure Conan se démarque de ces courants nationalistes pour écrire un roman très personnel (*Angéline de Montbrun*, 1884), tout intérieur, qui révèle un peu de ce mystère et de ces contradictions qui agitent l'âme humaine.

La fin du siècle voit apparaître une quantité de revues et de journaux reflétant les principales options politiques. *La Minerve* (Montréal) est inféodée au Parti conservateur, comme *Le Courrier du Canada* dans la capitale. Le Parti libéral peut compter sur *L'Union libérale*; l'aile radicale du parti s'appuie sur *Le Pays*, dont l'équipe vient de l'Institut canadien, et, plus tard, sur *La Patrie*. Le seul journal véritablement indépendant est *La Vérité* que le talent et la ténacité de Jules-Paul Tardivel réussissent à maintenir. Seul écrivain québécois à vivre de sa plume au XIXe siècle, Arthur Buies, contrairement à Tardivel et à Thomas Chapais, fait scandale par ses articles et pamphlets; il dénonce le cléricalisme: le milieu ne pouvait lui être favorable, même si on l'a reconnu depuis comme «le prince des chroniqueurs canadiens». Le journalisme connaîtra son apogée dans le dernier quart du siècle.

À la fin du XIXe siècle, les manifestations littéraires sont de plus en plus nombreuses. Une tradition d'éloquence s'est affirmée, elle continuera à le faire. On a publié en quelque 32 recueils des contes et des légendes auxquels il faut en ajouter quantité d'autres parus dans les journaux et les revues de la fin du siècle. C'est le début d'une littérature originale.

Quant aux genres plus traditionnels, ils ne semblent guère se démarquer des modèles imposés. On se défie des écrivains français de l'heure, des exagérations des romantiques, des romans dangereux. L'auteur de *La terre paternelle* résume bien dans sa conclusion les sentiments des romanciers québécois du temps:

> Quelques-uns de nos lecteurs auraient peut-être désiré que nous eussions donné un dénouement tragique à notre histoire: ils auraient aimé à voir nos acteurs disparaître violemment de la scène, les uns après les autres, et notre récit se terminer dans le genre terrible, comme un grand nombre de romans du jour. Mais nous les prions de remarquer que nous écrivons dans un pays où les mœurs en général sont pures et simples et que l'esquisse que nous avons essayé d'en faire eût été invraisemblable et même souverainement ridicule, si elle se fut terminée par des meurtres, des empoisonnements et des suicides. Laissons aux vieux pays que la civilisation a gâtés, leurs romans ensanglantés, peignons l'enfant du sol tel qu'il est, religieux, honnête, paisible de mœurs et de caractère, jouissant de l'aisance et de la fortune, sans orgueil et sans ostentation, supportant avec résignation et patience les plus grandes adversités: et quand il voit arriver sa dernière heure, n'ayant d'autre désir que de pouvoir mourir tranquillement sur le lit où s'est endormi son père, et d'avoir sa place près de lui au cimetière, avec une modeste croix de bois pour indiquer au passant le lieu de son repos.

PATRICE LACOMBE, 1846

Pendant toute la première moitié du XXe siècle, on tient à «bien» écrire: on s'applique à imiter le «beau parler français», tout en rejetant les sujets audacieux et les situations immorales du roman et du théâtre de France. La société québécoise est alors, à de rares exceptions près, encadrée par l'Église qui a su asseoir son autorité en littérature comme ailleurs. On voit cependant poindre des écrivains dont la personnalité littéraire se précise. Le mouvement s'accélère après les années soixante pour acccompagner la société québécoise moderne dans sa prise de conscience. Le goût s'affine, le niveau intellectuel s'élève, les besoins culturels du public restent timides, mais ceux des écrivains vont bien au-delà de ces modestes aspirations. C'est vers la fin des années soixante que s'affirme l'autonomie de la littérature québécoise.

Les genres marginaux prédominants au siècle précédent perdent de l'importance en regard de la littérature. Le journalisme permet à Jules Fournier et à Olivar Asselin de se faire un nom. L'histoire garde de nombreux adeptes: le chanoine Lionel Groulx y trouve matière à aviver la flamme nationaliste des années trente (*Notre maître le passé*); l'éloquence est localisée à l'Assemblée législative ou à la Chambre des communes, au prétoire ou à la chaire; les étudiants s'y préparent par des parlements; le peuple se retrouve encore dans des assemblées contradictoires. La critique reste dans l'ensemble très inféodée à l'Église et ses critères sont d'ordre moral et religieux plus que littéraires, exception faite, par exemple, pour Louis Dantin, un critique en avance sur son époque.

LE ROMAN

Ce siècle, a-t-on dit, est le siècle du roman. Après les essais de modeste envergure du siècle précédent, *Maria Chapdelaine* crée une onde de choc: Louis Hémon, venu de France et mort prématurément en 1913, écrit ce livre avec respect et tendresse: pour ses compatriotes surpris et enchantés, il dévoile la fresque d'une terre française vivante, en dehors de la France[12]. Des Canadiens en sont agacés: le père Chapdelaine avec son désir fou de «faire de la terre neuve», n'est-il pas marginal en matière d'agriculture? Maria incarne des valeurs sûres: religion, mariage avec le bon voisin plutôt qu'avec un coureur de bois ou un homme des villes américaines, continuité du travail de la terre. Mais, pour un Québécois, le point de vue de Louis Hémon risque de figer l'image du Québec dans une légère mais sournoise distorsion. Pourtant les voix du Québec qui parlaient à Maria sur le ton de la persévérance sont entendues par Félix-Antoine Savard qui, débutant son roman par la reprise des paroles mêmes de l'héroïne de Louis Hémon, fait une œuvre vraiment québécoise, *Menaud, maître-draveur* (1937). Ce roman de la résistance s'insère dans une période marquée par le roman du terroir, dont il reste pour le lecteur moderne un spécimen très intéressant.

Le terroir

Tandis que le puissant appel de la terre canadienne, celle de l'Ouest[13], sera entendu par d'autres Français, Georges Bugnet, Maurice Constantin-Weyer,

Mgr Félix-Antoine Savard, 1896-1982; homme de lettres polyvalent, il fut également un formateur (et doyen de la faculté des lettres de l'Université Laval) et il sut rester foncièrement près des gens de Charlevoix dont il fut l'un des pasteurs.

photo: Service des ressources pédagogiques, Université Laval.

Marie le Franc, la terre québécoise est le personnage principal de nombreux romanciers du Québec, Claude-Henri Grignon, Germaine Guèvremont, Ringuet (pseudonyme de Philippe Paneton). Ils ne font cependant pas précisément des œuvres vouées à l'idéalisation de la vie rurale. Avant eux, un fort courant agriculturiste avait vu naître, avec le *nihil obstat* qui s'imposait, des œuvres qui vantaient cette «belle et bonne terre québécoise». Ils seront plus réalistes.

Albert Laberge réagira avec férocité contre cette vision idyllique soigneuse-

DE L'ORAL À L'ÉCRIT   417

ment entretenue par ceux qui y trouvaient leur compte: les personnages de *La Scouine* (1918) font peur; ils ne sont ni beaux ni bons puisque la misère les a réduits à une drôle de jeunesse ou à une vieillesse horrible.

La ville

Depuis le début du siècle, la population du Québec s'urbanisait, mais nul n'avait encore songé à utiliser la ville comme centre et moteur d'une intrigue romanesque. Jean-Charles Harvey, avec ses *Demi-Civilisés* en 1934, jette un pavé dans une mare tranquille; les réactions des autorités sont violentes: ostracisé en chaire, il est renvoyé du *Soleil* dont il était le rédacteur en chef. Dix ans plus tard, Roger Lemelin devient célèbre en choisissant la basse-ville de Québec comme cadre de ses romans (*Au pied de la pente douce*, et *Les Plouffe*). Gabrielle Roy, venue de son Manitoba natal, s'installe à Montréal, y situe, dans un des quartiers populaires, *Bonheur d'occasion* (1945). (Elle se souviendra de l'Ouest canadien dans d'autres romans et nouvelles.) Avec ces deux auteurs, la ville met de côté le décor paisible et rural d'une nation qui ne l'est plus.

Après eux, Yves Thériault, André Langevin, Gérard Bessette, Claire Martin pourront trouver leurs personnages parmi les citadins des grandes ou des petites villes.

LA POÉSIE

Après l'École littéraire de Québec s'organise dans la métropole l'École littéraire de Montréal. Le groupe fonctionne comme un véritable cénacle, avec travail en commun et séances publiques. L'école dure une trentaine d'années. (Il en sortira deux recueils de *Soirées*.) Parmi d'autres poètes presque tous plus mûrs que lui, Émile Nelligan est l'incarnation du poète maudit: Irlandais par un père qu'il détestait, Canadien par une mère qu'il vénérait, il exprime cette déchirure profonde dans de beaux poèmes aux accents émouvants. À vingt ans, il sombre dans la folie et cesse d'écrire. Sa sensibilité lui avait soufflé les accents prémonitoires du «Vaisseau d'or».

Ce fut un grand Vaisseau taillé dans l'or massif:
Ses mâts touchaient l'azur, sur des mers inconnues;
La Cyprine d'amour, cheveux épars, chairs nues,
S'étalait à sa proue, au soleil excessif.

Mais il vint une nuit frapper le grand écueil.
Dans l'océan trompeur où chantait la Sirène,
Et le naufrage horrible inclina sa carène
Aux profondeurs du gouffre, immuable cercueil.

Ce fut un Vaisseau d'Or, dont les flancs diaphanes
Révélaient des trésors que les marins profanes,
Dégoût, Haine et Névrose, entre eux ont disputé.

Que reste-t-il de lui dans la tempête brève?
Qu'est devenu mon cœur, navire déserté?
Hélas! Il a sombré dans l'abîme du Rêve!...

Un véritable élan poétique souffle sur cette période (Bussières, Gill, Lozeau) qui a assimilé les mouvements européens des XVIIIᵉ et XIXᵉ siècles. Paul Morin, Jean-Aubert Loranger seront des puristes ayant tendance à s'éloigner du champ clos d'un nationalisme étroit pour embrasser un universalisme systématique. Le courant régionaliste est représenté par Alfred Desrochers («je suis un fils déchu de race surhumaine») ou Robert Choquette, qui ne dédaigne pas la magnifique nature nord-américaine chantée avant lui par Fréchette et Charles Gill. Jean Narrache (pseudonyme de Émile Coderre) sera le seul à s'inspirer de thèmes plus triviaux: chômage, crise économique se disent en langue populaire volontiers oralisée.

Les quatre grands aînés

Juste avant la Deuxième Guerre mondiale, les poètes vont amener, chacun à leur façon, la poésie québécoise à maturité. Hector de Saint-Denys Garneau (1912-1943) est mort seul, comme il avait vécu; *Ses regards et jeux dans l'espace* (1937) délaissent le vers traditionnel pour recourir au vers libre auquel des images simples et neuves et un sens inné du rythme donnent une véritable grandeur. Sa cousine, Anne Hébert (née en 1916), très solitaire elle aussi, commence à publier une œuvre poétique dépouillée, sans être austère; elle s'est par la suite consacrée essentiellement au roman. Rina Lasnier (née en 1915) manie un verbe plus abondant et, dans une œuvre importante, fait appel à une dimension spirituelle qui rappelle un peu Péguy ou Claudel. Alain Grandbois (1900-1975), à qui les voyages ont donné tout un éventail d'images colorées, aborde les grands thèmes universels avec un souffle puissant et original, l'amour («Noces»), la fuite du temps («Fermons l'armoire aux sortilèges»).

L'ÂGE DE LA PAROLE

À partir de 1953, l'Hexagone[14] devient un lieu de rencontre et d'édition. Les poètes prennent la parole pour dire un pays qui prend forme. Ils veulent le nommer et en prendre possession par la parole: ils le présentent dans l'angoisse d'une poésie jeune et qui se sent concernée au plus haut point par la difficulté d'être, et d'être Québécois.

Gaston Miron est l'infatigable animateur de l'Hexagone. *L'homme rapaillé* paraît en 1970[15] et révèle au monde des lettres un très grand poète de la francophonie, et profondément Québécois dans ses images comme dans ses douloureux tiraillements:

> Dans les lointains
>
> Dans les lointains de ma rencontre des hommes
> le cœur serré comme les maisons d'Europe
> avec les maigres mots frileux de mes héritages
> avec la pauvreté natale de ma pensée rocheuse
>
> j'avance en poésie comme un cheval de trait
> tel celui-là de jadis dans les labours de fond
> qui avait l'oreille dressée à se saisir réel
> les frais matins d'été dans les mondes brumeux

«Miron-le-magnifique» sera de toutes les prises de position, de tous les combats qui secouent le Québec, de la crise d'octobre au Référendum en passant par la loi 101: sa route semble

Gaston Miron.

photo: Kéro.

tracée très droit vers l'essentiel: «Je me remis à courir mes milles de poésie.» N'écrivait-il pas déjà en 1957:

> Néanmoins, et c'est énorme, il existe un mouvement poétique pluriel où se fait sentir une première densité collective... Mais notre tellurisme n'est pas français et, partant, notre sensibilité, pierre de touche de la poésie; si nous voulons apporter quelque chose au monde français et hisser notre poésie au rang des grandes poésies nationales, nous devrons nous trouver davantage, accuser notre différenciation et notre pouvoir d'identification. Sans cesser d'écrire en un français de plus en plus correct, voire de classe internationale. Nous aurons alors une poésie très caractérisée dans son inspiration et sa sensibilité, une poésie canadienne d'expression française et, si nous savons aller à l'essentiel, universelle...

(recours didactique)

Sous sa bannière, la poésie québécoise s'est hissée au premier plan, et est devenue autonome. Les années cinquante et soixante verront l'émergence de plusieurs poètes de grande qualité. La littérature québécoise moderne suivra l'exemple de la poésie. Le titre d'un volume de Gérard Bessette sur la littérature des années soixante représentait bien la situation de l'heure: *Une littérature en ébullition*[16].

À partir de 1960, la prise de conscience des Québécois se traduit naturellement par une expression littéraire plus intense et plus variée. Pendant la première décennie, le mouvement commencé dans les années cinquante s'accélère mais c'est surtout pendant les années soixante-dix que la littérature québécoise s'épanouit d'une façon spectaculaire.

L'INSTITUTION LITTÉRAIRE

Au cours des trente dernières années, le Québec s'est doté d'ailleurs d'institutions solides: l'État a participé à ce qu'il est convenu d'appeler les «industries culturelles»; les grandes villes se sont dotées de maisons d'édition; les librairies se sont multipliées, même très loin du grand centre culturel que devient Montréal. On fonde des revues sur tous les sujets, l'actualité littéraire comme la décoration, le sport ou la cuisine. La revue annuelle *Livres et auteurs québécois*, créée en 1963, dure une vingtaine d'années; *Liberté*, en revanche, continue à être publiée; d'autres prennent la relève: *Lettres québécoises*, *Spirale*, *Nuit blanche*, ainsi que les revues littéraires des universités (*Études littéraires*, *Études françaises*, *Voix et images*). Les journaux, en particulier *Le Devoir*, *La Presse*, *Le Soleil*, ont au moins un supplément littéraire et artistique par semaine. Un imposant groupe de recherche de l'Université Laval publie un *Dictionnaire des œuvres littéraires du Québec* en cinq tomes. Les Salons du livre se multiplient, attirent des foules, donnent des prix, encouragent les jeunes auteurs à leur premier ouvrage.

Dans cette appropriation d'une culture qui se vit, tous les genres littéraires ou presque prennent soudain de l'expansion: 800 nouveaux titres par an. Les critiques, ayant de plus en plus de tribunes pour exercer leur plume, raffinent leur jugement, deviennent plus exigeants (Gilles Marcotte, Jean Éthier-Blais) et, du même coup, agissent sur la production et la diffusion de la littérature. L'essai se diversifie: philosophie, histoire culturelle collective (Guy Rocher, Jean Rioux, Jean Bouthillette, Jean Larose) ou personnelle (Pierre Vadeboncoeur), sociologie (Gérard Bergeron) théorie de la littérature, de la musique (Fernand Ouellette), de l'art (Robert Marteau).

France Théoret.
photo: Micheline Dejordy.

LES FEMMES

Les femmes ne sont pas en reste: l'écriture féminine, déjà bien représentée dès les années soixante (Claire Martin, Marie-Claire Blais), s'engage dans une perspective résolument féministe: Nicole Brossard, Madeleine Gagnon, Denyse Boucher, Francine Noël, France Théoret, Yolande Villemaire, Louky Bersianik, Jovette Marchessault sont des écrivaines qui projettent une image de la femme québécoise bien différente de celle à laquelle deux siècles avaient donné un rôle et une image que certains pouvaient croire immuables. Il est d'ailleurs curieux de constater l'absence des femmes dans les essais qui traitent d'idéologie jusque dans les années quatre-vingt.

LE JOUAL

Vers les années soixante, les écrivains se posent la question fondamentale de la langue dans laquelle ils écrivent pour dire un pays nord-américain, pour rester fidèles à eux-mêmes, ne doivent-ils pas privilégier une langue d'ici et carrément écrite en joual? La revue *Parti pris* prône l'utilisation du joual en littérature[17]. Cette position intellectuelle répond à un besoin social. Pourtant, Michel Tremblay soutenu par le metteur en scène André Brassard, qui sait littérairement en tirer parti, met trois ans à persuader une compagnie théâtrale de jouer sa pièce écrite en 1965, *Les belles-sœurs*[18]. Sur le plan

Michel Tremblay (à droite) travaille avec le metteur en scène André Brassard au spectacle *Albertine en cinq temps* (1985).

photo: *Gracieuseté de la Société du Grand Théâtre de Québec.*

littéraire et dramatique, Michel Tremblay, renouvelant la langue et le jeu théâtral, exprime par là même et admirablement la désarticulation d'une société qu'il juge «sans hommes», comme sont ses drames. *La duchesse de Langeais*, qui met en scène un travesti, dénonce encore plus crûment la pseudo-virilité du joual, cette «sexualité linguistique dépravée qui cache mal l'impuissance politique» (L. Mailhot). «On est un peuple qui s'est déguisé pendant des années pour ressembler à un autre peuple... on a été travestis pendant trois cents ans» (M. Tremblay). Il continuera sa recherche dans des romans à saveur populiste qui obtiennent un grand succès.

Pendant une petite dizaine d'années, on fera des nouvelles ou des romans en joual, dont les plus remarqués ont été de Jacques Renaud, *Le cassé,* et d'André Major, *Le cabochon.* L'écriture poétique utilise aussi le joual. Un historien de la littérature explique ce phénomène: «L'École de *Parti pris* recourt au joual comme à une structure de décomposition qui dénonce l'abâtardissement culturel, social, politique. Aucune intention pittoresque; l'utilisation du langage populaire est systématique, massive, historique et critique. Il ne s'agit pas d'institutionnaliser une nouvelle langue, ni un dialecte, ni un patois, mais un accent, une prononciation, un certain lexique; il est un état, pauvre, mou et souffrant, du français, une sous-langue, a-t-on dit, la langue en partie défaite d'un peuple défait[19].» Une tentative faite par un éditeur pour publier des livres pour enfants en joual se solde par un échec après un tollé de la part des éducateurs.

La chanson, le monologue fourniront le plus d'exemples de l'usage du joual. Il ne faut cependant pas le confondre avec le français québécois, dont les particularités sont surtout lexicales. En ce qui concerne le théâtre, Jean Barbeau, Jean-Claude Germain, Robert Gurik, Robert Lepage, André Ricard ont chacun leur façon personnelle de dire la dramaturgie québécoise.

LE THÉÂTRE

Le théâtre requiert peut-être plus particulièremnt le contexte d'une certaine urbanité. Or les villes québécoises restent essentiellement habitées, jusqu'en 1940, par des ruraux transplantés qui ne sont pas encore «arrivés en ville». Les débuts du théâtre tiennent un peu de l'initiation, d'autant plus que l'institution religieuse ne voit pas d'un trop bon œil de telles activités qui peuvent mettre en question la morale et les bonnes mœurs. C'est pourtant un clerc, le père Legault, qui fondent les Compagnons du Saint-Laurent d'où sortira toute une génération de gens de théâtre accomplis, comédiens, metteurs en scène, décorateurs (Jean-Louis Roux, Denise Pelletier, Jean Gascon, etc.). On y joue le grand répertoire français. Les spectateurs sont des étudiants, des intellectuels, des professionnels. Les gens du peuple préfèrent le vaudeville et l'opérette que l'on continue à présenter avec un succès en déclin depuis l'avènement du cinéma.

En 1948, Gratien Gélinas, lui-même un comédien remarquable, présente *Tit-Coq*, la première œuvre dramatique majeure originale au Québec, si l'on excepte les pièces de Fréchette ou des exercices à saveur didactique ou anecdotique (on se souvient du succès de *La petite Aurore l'enfant martyre*). *Tit-Coq* est une œuvre à saveur populiste. Le spectateur moyen s'identifie parfaitement à ce «vrai canadien» astucieux, rieur et plein d'humour, «né pour un petit pain» mais sachant comment on se sort du pétrin. Gratien Gélinas a dirigé la Comédie canadienne où il a présenté des pièces de Marcel Dubé et de Jacques Ferron.

Les troupes de théâtre, parfois éphémères mais souvent de haut calibre, s'organisent lentement et introduisent un répertoire international plus moderne. Ainsi, le Rideau Vert (Yvette Brind'Amour et Mercedes Palomino) créant *Huis clos* de Sartre. Encore en activité aujourd'hui, le Rideau Vert a présenté un répertoire extrêmement varié, allant du «boulevard français» aux classiques espagnols, invitant même à l'occasion de grands noms français comme Madeleine Renaud, à se produire sur leur scène de la rue Saint-Denis (*Ah! les beaux jours* de Beckett, par exemple). C'est également au théâtre du Rideau Vert que Françoise Loranger a présenté sa pièce, *Une maison, un jour.*

Le Théâtre du Nouveau-Monde, fondé par Jean Gascon et Jean-Louis Roux, est toujours en activité lui aussi. La compagnie, constituée de comédiens souvent exceptionnels (Albert Millaire, Guy Hoffmann, Geneviève Bujold, etc.) a présenté du Molière naturellement, mais aussi Claudel, Brecht, Musset, Shakespeare, Strindberg, O'Neill et quelques auteurs québécois dont Jacques Languirand. Sous la direction de Jean-Louis Roux, la compagnie a pris un tour plus social. Ce dernier est pourtant le meilleur spécialiste de Claudel au Québec et sa mise en scène du *Soulier de satin* (donnée au Gesù) reste mémorable. Après le départ de Jean-Louis Roux, handicapé par des problèmes financiers récurrents, le TNM s'est dirigé vers les grands succès confirmés de Broadway, *Equus*, *Amadeus*, avant de reprendre dernièrement une direction artistique mieux alignée avec celle de ses fondateurs: Racine, Genet, Shakespeare et des auteurs québécois.

Dès le début des années soixante, le théâtre amateur a connu un succès certain au Québec. Jean-Guy Sabourin et ses Apprentis-sorciers, dans leur minuscule théâtre de la Boulangerie, ont monté le grand répertoire engagé comme *Les bas-fonds* de Gorki, du théâtre d'avant-garde, *La visite de la vieille dame* de Dürrenmatt, et des soirées poétiques (*Au nom de la rose* de Pierre Perrault). Le groupe a éclaté ensuite en différentes petites compagnies qui ont survécu quelques saisons. Les gouvernements encourageaient ce genre d'activité avec un Festival du théâtre amateur où s'est révélé, entre autres, André Brassard.

Le théâtre d'avant-garde a été surtout représenté par l'Egrégore, fondé par Françoise Berd, en compagnie de jeunes metteurs en scène (comme Jean Pagé, Roland Laroche) et du peintre Mousseau qui y introduisait l'esprit des automatistes.

L'évolution générale du Québec d'après les années soixante a modifié considérablement les données du monde théâtral québécois. La création de classe de théâtre dans l'institution académique, l'apparition de l'École

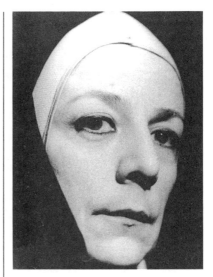

Françoise Berd.

photo: Service des archives de l'UQAM, Fonds du théâtre de l'Egrégore (102 P).

nationale de théâtre en plus des conservatoires de Québec et de Montréal, la pression des dramaturges pour voir jouer leurs pièces, la modification du goût et de la sensibilité apportés par les expérimentations artistiques des années soixante-dix (la «performance», le grand spectacle de Rock'n roll, l'agit-prop, etc.) et, en général, le décloisonnement des genres, sont autant de raisons qui expliquent le remarquable essor de ce genre. Gilles Pelletier au Gesù, Jean Duceppe, Paul Charbonneau ont contribué à former un public sans lequel le théâtre ne saurait exister.

Le Théâtre d'Aujourd'hui s'est voué au seul théâtre québécois.

Une troupe comme l'Eskabel, fondée par Jacques Crête et André-A. Larocque, a largement modifié le paysage théâtral québécois dans le sens

Le Dortoir de Gilles Maheu, production de Carbone 14 (1989).

photo: Yves Dubé.

moderniste, en adaptant très librement et avec inventivité des textes de tous genres, notamment *La belle bête* de Marie-Claire Blais.

Carbone 14, fondé et dirigé par Gilles Maheu, a obtenu la reconnaissance artistique et la faveur du grand public québécois et international par des représentations plastiquement remarquables comme *Le rail*, *Le dortoir* ou une adaptation de la *Hamlet Machine* de Heiner Müller. Formé par Decroux au mime, animateur de théâtre de rue, Gilles Maheu est un exemple typique d'un théâtre québécois où l'architecture théâtrale, la scénographie, la musique, le mot comme objet s'organisent dans un ensemble unifié, spectaculaire et dramatique.

Le «théâtre d'été» est un phénomène particulier dont l'ampleur stupéfie. Il en existe des dizaines. On y présente des spectacles bon enfant, souvent proches du vaudeville, dans une ambiance estivale qui attirent un grand public à la recherche d'une soirée délassante. Dans ce domaine, la création collective eut également ses heures de gloire, comme *Broue*[20] dont le succès a été fabuleux.

Le théâtre est un lieu privilégié pour l'analyse de la culture québécoise. C'est là, en effet, que l'oral s'affronte à l'écrit de la façon la plus visible. Le dramaturge québécois est obligé de faire face à une double nécessité: celle d'un style écrit, qui est propre à tous les écrivains, et celle de rejoindre directement un public qui s'attend à s'identifier, par l'accent et les particularismes du vocabulaire québécois, aux personnages et à l'action qu'on lui propose de partager. Il s'agit de réinventer un langage qui soit tout en même temps écrit et parlé. Il n'est pas impossible que l'importance prise par les formes dramatiques non verbales dans les récentes années soit l'expression de la difficulté qu'ont les créateurs à résoudre ce dilemme. Il est trop tôt pour pouvoir tirer des conclusions d'une expérience qui a lieu sous nos yeux en ce moment et dont les répercussions se font sentir sur la télévision, la radio et même le cinéma.

LE ROMAN

Si les grands noms comme Gabrielle Roy, Germaine Guèvremont, Félix-Antoine Savard, Anne Hébert continuent d'être au sommet de la pyramide littéraire, le roman se renouvelle et se modernise avec Jacques Ferron, André Langevin, Andrée Maillet, qui a dirigé la revue *Amérique française*, ancêtre de *Liberté*. Certains écrivains ne sont pas sans s'inspirer du «nouveau roman». Gérard Bessette obtient un grand succès avec *Le libraire*. Jacques Godbout commence une carrière brillante.

Jacques Hébert fonde les Éditions du Jour où il rassemble de jeunes auteurs dont la plupart continuent leur carrière aujourd'hui: Roch Carrier, Jacques Poulin, Victor-Lévy Beaulieu, Jean-Marie Poupart, etc. Ce sont pourtant les éditions Pierre Tisseyre qui publieront l'un des romanciers les plus étudiés de cette «génération des années soixante»: Hubert Aquin.

On assistera à une sortie en force de la littérature québécoise hors les murs. Les éditeurs français s'intéressent particulièrement à quatre écrivains qu'ils lancent dans la «course au Prix» littéraire: Marie-Claire Blais avec *Une saison dans la vie d'Emmanuel* (Grasset), Hubert Aquin avec *Prochain épisode* (Laffont), Réjean Ducharme avec *Le nez qui voque* (Gallimard) et Jean Basile avec *La jument des Mongols*

Marie-Claire Blais.
photo: Robert Barzel.

(Grasset). C'est Marie-Claire Blais qui obtient le prix Médicis[21]. Cette génération d'écrivains est, à des degrés divers, réaliste et engagée socialement. Elle est soutenue par des critiques d'importance comme Gilles Marcotte et Jean Éthier-Blais.

Les années soixante-dix ne sont pas seulement celles des grands mouvements séparatistes québécois. Ce sont aussi les années de la contre-culture où se forment certains écrivains de la plus jeune génération dont Yolande Villemaire est un exemple parmi d'autres avec un gros roman, *Vava*[22]. On redécouvre l'Amérique comme territoire et Kerouac devient un emblème du Franco-Américain qui inspire de nombreux livres. La génération du «baby boom» revendique sa place et se définit par rapport aux aînés des années soixante. Les romanciers se font poètes ou inversement. Ils cherchent une nouvelle forme «contemporaine» et cosmopolite. En regard de cette fiction expérimentale, la littérature québécoise connaît ses premiers grands succès commerciaux avec des romans bien construits, vivants dans la veine du «best seller» comme *Le matou* d'Yves Beauchemin[23], *Les filles de Caleb* d'Arlette Couture[24] ou *Maryse* de Francine Noël.

La littérature pour enfants et adolescents prend de l'allant. De même la science-fiction.

La littérature périodique humoristique s'est complètement renouvelée avec *Croc*, née en 1978 comme un canular et qui est devenue un succès commercial exceptionnel grâce à son humour acidulé, parfois cinglant, qui s'attaque à tous les travers et à tous les tabous.

LA POÉSIE

La poésie, si remarquable au Québec, reste vivante et suit les traces des «poètes de l'Hexagone»: Fernand Ouellette, Jean-Guy Pilon, Paul-Marie Lapointe, Roland Giguère, etc. La poésie québécoise (avec la peinture qui lui est souvent associée, comme dans le cas de Roland Giguère) est l'un des déclencheurs de la Révolution tranquille. *L'Ode au Saint-Laurent* de Gatien Lapointe remportera un succès considérable. Dans la veine «joualisante», il faut nommer Gérald Godin et Michel Garneau, homme de théâtre par ailleurs.

La production poétique n'a pas cessé et s'est largement diversifiée. C'est la

Le poète Pierre Morency, que ses émissions à la radio, entre autres sur les oiseaux, ont fait connaître du grand public.

photo: Anne-Marie Guérineau.

poésie radicale d'un Denis Vanier ou d'une Josée Yvon, les travaux formalistes d'une Nicole Brossard, d'un François Charron ou d'un très jeune, Michael Deslile, ou bien encore la poésie mystique, dans la lignée de Rina Lasnier, de Jean-Marc Fréchette.

De nombreuses maisons d'édition restent actives dans le domaine de la poésie: Les Écrits des forges, à Trois-Rivières, fondée par Gatien Lapointe, à Montréal, Les Herbes Rouges, La Nouvelle Barre du jour, Triptyque, Le Norois, etc. et naturellement les éditions de l'Hexagone sous la direction d'Alain Horic qui succède à Gaston Miron.

LA QUESTION COMMERCIALE

Le seul problème qui touche de près tous les gens de lettres est celui de la diffusion. La production est considérable — comme le territoire couvert —, par rapport à la population et aux possibilités des librairies: il est très onéreux de constituer des stocks qui mobilisent capitaux et espace. Et le public a d'autant plus de mal à trouver un ouvrage que la production est abondante. Cela s'aggrave encore si l'on considère le Québec à l'échelle de la francophonie. Alors que l'on trouve facilement les auteurs français un peu partout, il est difficile de se procurer un roman québécois à Paris et utopique de tenter de le faire en Afrique. C'est un problème qui déborde le cadre du Québec et touche toute la francophonie.

RADIO ET TÉLÉVISION

En 1912, la radio de langue française commence ses émissions à Montréal (CKAC), puis gagne les régions. Cela permet aux gens des paroisses ou des quartiers des villes — jusqu'alors restés fermés sur eux-mêmes — de s'ouvrir à ce qui se passe à l'extérieur. Les Québécois accueillent très favorablement cette invention qui ne dépayse pas des groupes sociaux encore tout imprégnés de tradition orale. Certaines émissions de radio dureront plusieurs dizaines d'années — phénomène assez particulier au Québec — *Les belles histoires des pays d'en haut, Les joyeux troubadours* (30 ans).

Des traditions se créent: *Chez Miville, Jeunesse d'aujourd'hui Jazz soliloque, Le cabaret du soir qui penche*; Maryvonne Kendergi, Guy Maufette, Gilles Archambault enchantent — au sens fort du terme — un public réceptif et prêt à apprendre. La puissance de la radio devient évidente pendant la Deuxième Guerre mondiale; certains hommes politiques savent se servir à l'occasion de ce nouveau pouvoir qu'est l'information médiatisée.

C'est aussi par la radio que la chanson québécoise gagne en popularité. Le Québec innove en confiant certaines de ces émissions, non plus à un seul animateur, mais à une équipe rassemblée autour d'un meneur de jeu. Celui-ci, entouré de gens, dont il sait faire valoir le talent, recrée en studio le caractère non conformiste des conversations de tous les jours. L'équipe peut inviter les auditeurs à participer à l'émission, que ce soit par le biais de la ligne ouverte ou se déplacer en bloc et réaliser l'émission en direct à partir d'un lieu public. L'interaction entre les gens de radio et le public reste impressionnante encore de nos jours malgré l'invasion de la télévision.

En 1952, on assiste aux débuts de la télévision canadienne en français, «Radio-Canada». Dès la suite des années cinquante, la télévision prend une telle envergure au Québec qu'elle devient un phénomène d'ordre culturel et social de première grandeur. Cinq ans après sa fondation, tous les foyers, à de rares exceptions, ont l'œil rivé parfois plusieurs heures par jour sur l'un des petits écrans qu'ils possèdent; il n'est pas rare de voir la T.V. allumée dès l'aube jusque tard dans la nuit même si les spectateurs potentiels ne sont pas toujours passivement assis devant l'écran cathodique.

Le Québec, plus vite que tout autre pays francophone, s'est mis à l'heure des médias audio-visuels: Michel Tremblay raconte que sa vocation d'écrivain est née alors qu'il livrait des poulets «barbecue» sur le plateau Mont-Royal, parce qu'il s'imaginait qu'une caméra de télévision était au bout de la rue et le filmait, ce qui, par ricochet, lui donna à lui, devenu pendant ses livraisons un personnage imaginaire, le don d'observer le «vrai monde» qu'il transformera en personnages de théâtre et de roman.

Outre les téléromans nombreux dont est friand un public qui trouve plus facile de voir la fiction que de la lire, d'intelligentes émissions de commentaires (*Le Point*, etc.) sont animées par des gens de métier, femmes et hommes de haut calibre que se disputent les réseaux de télévision (Pierre Nadeau, Michèle Viroly, Claire Lamarche, sans oublier René Lévesque en son temps). Janette Bertrand n'hésite pas à aborder des sujets très délicats par le biais d'un repas-entrevue hebdomadaire (ex-prisonniers en cours de réinsertion sociale, ex-membres de sectes, etc.). Une grande majorité de foyers sont «câblés», ce qui leur donne accès à une quantité phénoménale de chaînes, dont celles des États-Unis. Les émissions de variété retiennent les spectateurs à la maison, parfois loin des salles de spectacle. Le magnétoscope a forcé les salles de cinéma à changer leur mode de présentation (nombreuses salles de capacités diverses sous un même toit et rotation rapide des nouveautés suivant l'achalandage).

Radio-Québec, à la mesure de moyens plus modestes que la télévision canadienne et que les réseaux privés, a réussi des séries remarquables: *Octopuce* a mis l'informatique à la portée de tous; *Le 60-80* a fait revivre à chacun deux décennies qui ont compté dans l'histoire du Québec.

La télévision — c'est un lieu commun — est un moyen d'avoir le monde à sa portée: *Le sel de la semaine*, du grand vulgarisateur scientifique que fut Fernand Seguin, a contribué de façon évidente au divertissement et à l'éducation des masses. Selon cet animateur qui savait communiquer un enthousiasme renforcé d'une culture étendue (avec Jean Rostand, par exemple)[25], il y eut deux grands événements au Québec: «l'arrivée de Jacques Cartier… et la naissance de Radio-Canada».

Pierre Nadeau.
photo: Télé-Métropole.

ET LA TRADITION ORALE?

Le papier ne coûte pas cher au Québec — peut-on penser, devant l'épaisseur des journaux et la prolifération des publications — c'est aussi ce que pensent les éditeurs français à qui l'on propose des coéditions. La quantité de tous ces écrits aurait-elle relégué au fond des garde-robes — la sagesse populaire dit qu'une chose rangée est une chose perdue — cette fascinante tradition orale qui fit le bonheur d'une dizaine de générations?

Ces longues fréquentations ont porté fruit et les traces en sont encore très visibles en bien des domaines. Le Québécois adore parler pour le plaisir — fait de civilisation d'origine bien française. On le rencontre dans les couloirs des organismes publics ou para-publics une tasse de café à la main, en train de faire des sparages. S'il n'est pas dans le couloir, vous le trouverez probablement en réunion (il n'existe malheureusement pas de statistiques sur le pourcentage de temps passé en réunion). Pendant de longues années, le Canada — et au Canada le Québec — a détenu le record d'occupation au téléphone — il est vrai que les communications urbaines sont comprises dans l'abonnement. La radio offre nombre d'émissions de tribunes téléphoniques et rappellent que la chanson québécoise ne manque ni de souffle, ni de «punch». Les téléromans de la télévision sont l'exemple flagrant de la prédominance du dialogue sur l'action: assis dans leur salon, ou dans leur cuisine, les protagonistes du petit écran discourent au nez et à la barbe des spectateurs assis dans leur salon ou dans leur cuisine. En effet, on adore manger au Québec. L'art de la bonne chère est aussi une composante de la culture; dès 1604, Champlain n'avait-il pas fondé en Acadie un «Ordre du Bon Temps[26]»?

Dans le domaine du spectacle, on a déjà noté la prédilection du Québec pour l'art vocal. À partir de l'exemple du Grand Cirque Ordinaire, on s'est longtemps adonné à la création collective au théâtre, sans jamais atteindre cependant à ce moment de grâce qu'était *T'es pas tannée, Jeanne d'Arc* (1969-1970). On trouve d'ailleurs ce côté fortement théâtralisé dans les spectacles du Cirque du Soleil — sans animaux — dont la carrière est exceptionnelle au Québec, au Canada et aux États-Unis[27].

Les monologuistes continuent d'avoir grand succès à chaque apparition. Yvon Deschamps, Sol, Daniel Lemire, sont adulés et portés aux nues par la faveur populaire. L'émission comique du samedi soir à la télévision de Radio-Canada se termine toutes les semaines par une parodie de conteur désopilante et très révélatrice («Ti-Blanc LeBrun, conteur du bas du Fleuve»).

On a vu des imitateurs remarquables (Jean-Guy Moreau, André-Philippe Gagnon) déclencher les rires d'un auditoire très divers. Toujours chez les amuseurs publics, Rock et Belles Oreilles, le groupe Sanguin, Ding et Dong conjuguent l'humour à tous les temps et sur tous les tons. On parle à leur sujet de charisme; le rire aussi est une manifestation orale. Le Québec sait rire de lui-même.

Yvon Deschamps.

photo: Société du Grand Théâtre de
Québec.

Conférence de presse au Cercle
universitaire, 14 août 1959; de gauche à
droite: Marcel Dubé, Francine Larochelle-
Roy, journaliste, Jean-Louis Roux, Roger
Lemelin et Louis Morisset.

De la poésie dite et écrite, du théâtre
à texte au théâtre sans mots, du monologue au cirque, du roman au mime,
l'oral et l'écrit se conjuguent aujour-
d'hui pour exprimer, de plus en plus,
les réalités et l'authenticité de la culture
québécoise. De française qu'elle fut à
l'origine, la littérature au Québec s'est
transformée en terre nord-américaine.
Elle est devenue spécifique tout en conservant son support premier, la langue
française. Reflet d'une civilisation
toujours fragile, elle n'est pas sans problème (la dénatalité actuelle, entre
autres, risque de freiner la croissance
de l'industrie du livre comme de toute
l'économie). Sa grande force a été d'intégrer la tradition de la parole (méditer-
ranéenne et française) à la propension
américaine au mouvement et à l'action.
Ayant su se dégager de l'attrait pas-
séiste du terroir sans renier les forces
vives de la tradition orale, elle a montré
au cours des vingt dernières années sa

capacité d'expansion et de diversification. Le temps n'est plus où l'on parlait d'une littérature française du Canada, puis d'une littérature canadienne de langue française — éventuellement canadienne-française. Il existe une littérature québécoise, distincte et solide, une des plus vivantes de la francophonie.

Notes

1. Centre d'études sur la langue, les arts et les traditions populaires des francophones en Amérique du Nord (Université Laval, Québec).

2. Le cuisinier (en anglais «cook») était décidément un homme puissant dans les camps de bûcherons.

3. Les matelas des lits étaient souvent faits de branches de sapin.

4. Le petit caribou est une boisson faite de deux tiers de vin de baies sauvages et d'un tiers d'alcool blanc.

5. Voir p. 67.

6. Et voilà comment la légende, dont le point de départ est un réel fantastique, peut aboutir dans l'imaginaire populaire à une représentation totalement irréaliste: le loup-garou n'est-il pas l'image du très vieux dicton: l'homme est un loup pour l'homme?

7. Voir le chapitre 13, «La chanson».

8. Une pancarte indiquait dans un chantier: «Le travail du dimanche est interdit sauf s'il est commandé par les autorités.»

9. Elle avait été mariée, puis veuve, avant d'entrer en religion. Son fils entra en religion également.

10. Passablement moralisateur, il donne les grandes lignes de la mission de la littérature canadienne: «Heureusement que, jusqu'à ce jour, notre littérature a compris sa mission, qui est de favoriser les saines doctrines, de faire aimer le bien, admirer le beau et connaître le vrai, de moraliser le peuple ouvrant son âme à tous les nobles sentiments, en murmurant à son oreille, avec les noms chers à nos souvenirs, les actions qui les ont rendus dignes de vivre, en couronnant leurs vertus de son auréole, en montrant du doigt les sentiers qui mènent à l'immortalité.»

11. Edmond Lareau, *Histoire de la littérature canadienne*, Montréal, 1874.

12. Si ce roman a acquis une telle célébrité, il le doit bien sûr à ses qualités, mais aussi au fait qu'il arrivait à un bon moment, celui où l'Europe s'enorgueillissait de ses nouvelles possessions coloniales qui allaient devenir des empires, en Afrique et en Asie.

13. C'est précisément en allant vers l'Ouest que Louis Hémon fut frappé par le train qu'il attendait.

14. Ils avaient été six à fonder cette maison qui continue à publier dans un esprit de continuité et d'ouverture.

15. Ce poète-éditeur avait édité bien d'autres poètes sans songer seulement à publier ses propres poèmes.

16. Montréal, Hurtubise, 1968.

17. Voir chapitre 3, «La langue».

18. Comédie tragique, *Les belles-sœurs* sont la mise en scène de la vie quotidienne de femmes d'un quartier populaire, perturbée par le cadeau insolite d'une boîte d'un million de timbres-primes qu'elles doivent coller sur des carnets. C'est l'occasion de faire éclater sur la scène la médiocrité d'une vie que reflète un nouveau langage théâtral.

19. Laurent Mailhot, *La littérature québécoise*, coll. «Que sais-je?», Paris, PUF, 1974.

20. La «broue» est la mousse qui se forme sur un verre de bière. La pièce se passe dans une taverne. En dix ans, le spectacle a attiré plus de 1 400 000 spectateurs en 1600 représentations, et généré des millions de dollars.

21. Gabrielle Roy avait reçu le prix Fémina pour *Bonheur d'occasion* en 1947 et Antonine Maillet, une Acadienne, recevra le prix Goncourt en 1979 pour *Pélagie-la-Charrette*.

22. *Vava* est un gros roman où l'on trouve l'intérêt de cette époque pour les philosophies orientales, les drogues, les voyages, la libération sexuelle.

23. *Le matou* tire 800 000 exemplaires au Québec et en France.

24. *Les filles de Caleb* tire 300 000 exemplaires pour les deux tomes au Québec seulement.

25. Il abordait avec un égal bonheur les sujets et les personnes les plus divers; on le vit très rarement dérouté: à cet égard, son émission avec Jack Kérouac reste un exemple isolé.

26. Le Québec actuel regorge de remarquables restaurants. Les fêtes d'autrefois étaient prétextes à de longs préparatifs: tourtières et cretons pouvaient attendre au frais l'arrivée de la parenté le jour de l'An ou à l'occasion d'autres réjouissances familiales. Aujourd'hui, Québec, Montréal et, depuis peu, les relais-auberges disséminés un peu partout rivalisent d'invention et de finesse pour flatter le palais et délier langues et bourses. Il n'est pas de meilleurs restaurants en Amérique du Nord; Québec est bien la «capitale de la gastronomie nord-américaine».

27. De 1984 à 1988, 770 000 spectateurs, 160 représentations à Los Angeles de septembre 1987 à mars 1988; 320 tonnes de matériel, budget 1988: près de 10 millions de dollars. Dans certaines villes on vendait les billets 200$ au marché noir.

Bibliographie

Histoires de la littérature, dictionnaires, répertoires.

FORTIN, Marcel, LAMONDE, Yvon, RICARD, François, *Guide de la littérature québécoise*, Montréal, Boréal, 1988.

GRANDPRÉ, Pierre de, sous la direction de, *Histoire de la littérature française du Québec*, Montréal, Beauchemin, réimp. 1971-1973.

LEMIRE, Maurice, sous la direction de, *Dictionnaire des œuvres littéraires du Québec*, Montréal, Fides, de 1978 à 1987.

MAILHOT, Laurent, *La littérature québécoise*, Paris, PUF, 1974, (coll. Que sais-je?).

TOUGAS, Gérard, *Histoire de la littérature canadienne-française*, Paris, PUF, 1964.

PONTAUT, Alain, *Dictionnaire critique du théâtre québécois*, Montréal, Leméac, 1972.

Anthologies

DOAT, Jean, *Anthologie du théâtre québécois*, Québec, Éd. Laliberté, 1973.

ÉMOND, Maurice (dir.) et al., *Anthologie de la nouvelle et du conte fantastique québécois au XXᵉ siècle*, Montréal, Fides, 1987.

HARE, John, *Anthologie de poésie québécoise du XIXᵉ siècle*, Montréal, Hurtubise-HMH, 1979.

LE BEL, Michel, PAQUETTE, Jean-Marcel, *Le Québec par ses textes littéraires, 1534-1976*, Montréal, France-Québec/Fernand Nathan, 1979.

MAILHOT, Laurent, NEPVEU, Pierre, *La poésie québécoise: anthologie*, Montréal, Hexagone, 1981.

MARCOTTE, Gilles, sous la direction de, *Anthologie de la littérature québécoise*, en 4 vol., Montréal, La Presse, 1978.

Passe-Partout, 12 numéros, choix de poèmes, Saint-Constant, Éd. Passe-Partout, 1965.

ROUSSEAU, Guildo, *Préfaces des romans québécois du XIXᵉ siècle*, Sherbrooke, Naaman, 1970.

ROYER, Jean, dir., *Anthologie de poésie contemporaine québécoise*, Montréal/Paris, L'Hexagone/La Découverte, 1987.

ROYER, Jean, *Le Québec en poésie*, Paris, Gallimard (Folio Junior), 1987.

À l'écoute de la littérature

Contes d'amour et d'enchantement du Québec, présentation et choix de textes: André Vanasse (1 livre et 3 cassettes), Laval, Éd. Mondia, 1989.

Poésies, contes et nouvelles du Québec, choix de textes et commentaires d'Aurélien Boivin (1 livre et 2 cassettes), Laval, Éd. Mondia, 1987.

Études sur la littérature

BLAIS, Jacques, *De l'Ordre et de l'Aventure, la poésie au Québec de 1934 à 1944*, Québec. PUL, 1975.

BOURASSA, André-G., *Surréalisme et*

littérature québécoise, Montréal, Éd. L'Étincelle, 1977.

DIONNE, René, sous la direction de, Le Québécois et sa littérature, Sherbrooke et Paris, Éd. Naaman et ACCT, 1984, 458 p.

(18 chercheurs dont Laurent Mailhot, Robert Vigneault, Jean Duberger, G. Poulin, Pierre Nepveu, Jacques Michon).

DUCROCQ-POIRIER, Madeleine, Le roman canadien de langue française de 1860 à 1958: recherche d'un esprit romanesque, Paris, Nizet, 1978.

DUMONT, Fernand, FALARDEAU, Jean-Charles, dir., Littérature et société canadiennes-françaises, Québec, PUL, 1969.

FALARDEAU, Jean-Charles, Notre société et son roman, Montréal, HMH, 1967.

GAY, Paul, Notre roman, panorama littéraire du Canada français, Montréal, Hurtubise-HMH, 1973.

GODIN, Jean-Cléo, MAILHOT, Laurent, Le théâtre québécois contemporain, Montréal, PUM, 1973, réédité en 2 tomes par la Bibliothèque québécoise, Montréal, 1988.

LEGRIS, Renée, et al., Le théâtre au Québec, 1825-1980, Montréal, Éd. VLB, 1988.

LEMIRE, Maurice, Les grands thèmes nationalistes du roman historique canadien-français, Québec, PUL, 1970.

MAUGEY, Axel, Poésie et Société au Québec (1937-1970), Québec, PUL, 1972.

MARCOTTE, Gilles, Le roman à l'imparfait, Montréal, La Presse, 1976.

MARCOTTE, Gilles, Le temps des poètes, Montréal, HMH, 1969.

MARCOTTE, Gilles, Une littérature qui se fait, Montréal, HMH, 1962.

ROBIDOUX, Réjean, RENAUD, André, Le roman canadien-français du vingtième siècle, Ottawa, Presses de l'Université d'Ottawa, 1966.

WYCZYNSKI, Paul, dir., Archives des lettres canadiennes-françaises, nos 1-5, Ottawa, Presses de l'Université d'Ottawa.

Collectif, Romanciers du Québec, Québec, Éd. Québec français, 1980.

Revues

Arcade (écriture de femmes); Estuaire (poésie); Études françaises, Études littéraires (discours critique); Les Herbes rouges (aventure en écriture); Imagine (science-fiction); Jeu (théâtre), Lettres québécoises; Lurelu (littérature de jeunesse); Nuit blanche, Passages; Solaris (science-fiction, fantastique); Stop (création, courts textes de fiction); Trois (écriture et érudition); Urgences (création); Voix et images (discours critique).

Tradition orale

Le CÉLAT (Centre d'études sur la langue, les arts et les traditions populaires des francophones en Amérique du Nord) de l'Université Laval à Québec a des archives de contes et de légendes, dont certains ont été publiés par Conrad LAFORTE, Jean-Claude DUPONT, Jean DUBERGER.

Le père LEMIEUX (Université de Sudbury, en Ontario) a publié déjà 22 volumes intitulés Les Vieux m'ont conté.

BOIVIN, Aurélien, Le conte fantastique québécois au XIXe siècle. Introduction et choix de textes, Montréal, Fides, 1987.

DEMERS, Jeanne, et al., Conte parlé, conte écrit, Montréal, PUM, 1976.

GUILBEAULT, Nicole, Henri Julien et la tradition orale, Montréal, Boréal Express, 1980.

Filmographie

L'ONF a produit des multimédias pour illustrer des contes.

Il y a une série de films d'animation faits à partir de légendes des Inuit et des Amérindiens.

Ça parle au diable, Bellemaire, Bouchard, Geoffrion, coul., 1972, 50 min.

L'ONF a fait des films sur des auteurs (Marcel Dubé, Hubert Aquin, Félix-Antoine Savard, Fernand Ouellette, Germaine Guèvremont, Louis Hémon, Roch Carrier, etc.), des films sur des poètes (Claude Gauvreau, Félix Leclerc, Gaston Miron, Gatien Lapointe, Gilles Vigneault, Jean-Guy

Pilon, Nicole Brossard, Paul Chamberland,
Saint-Denys Garneau, Yves Préfontaine,
Suzanne Paradis, Marie Uguay, etc.).

— *La nuit de la poésie* (27 mai 1970),
Jean-Claude Labrecque, Jean-Pierre Masse,
ONF, coul., 1970, 112 min.

L'ONF a également à sa disposition des
extraits de cette nuit de la poésie, par
poète.

Tableau synoptique
Le Québec: quelques faits de civilisation

HORS QUÉBEC	HISTOIRE	CULTURE ET SOCIÉTÉ
Vers 1200 av. J.-C. Les Phéniciens, puis les Grecs utilisent l'écriture alphabétique.	**2000 à 1000 av. J.-C.** Époque pré-dorsetienne. Les premiers occupants du pays habitent le nord (particulièrement la baie d'Ungava). On les appelle aujourd'hui les Inuit.	Les Dorsétiens chassaient les oiseaux, les petits mammifères marins et terrestres. Très nomades, munis d'un outillage primitif.
	1000 av. J.-C. à 1500 ap. J.-C. Époque dorsetienne: les Amérindiens, eux, s'installent plus au sud. Leur mode de vie et leurs outils demeureront sans changement majeur jusqu'à l'arrivée des Européens.	Les Thuléens, eux, chassèrent les gros morses, la baleine et les gros mammifères.
Vers 800. Charlemagne, roi des Francs, crée les écoles.		
	Vers 1000. Les Vikings explorent les côtes de Terre-Neuve, du Labrador et du Québec.	
	Vers 1500. Les Basques viennent pêcher et chasser les baleines (pour l'huile) le long de la Côte-Nord.	Les Amérindiens de l'époque archaïque pratiquaient la cueillette, la pêche et la chasse avec des outils simples mais ingénieux. La première innovation fut la poterie puis, entre 500 et 800 après J.-C., la culture du maïs.
1434. Gutenberg invente l'imprimerie.		
1492. Christophe Colomb découvre un nouveau continent.		
	1534. Premier voyage de Jacques Cartier.	Premier hiver en terre canadienne: le scorbut fait des ravages et Cartier lui découvre un premier remède.
	1535-1536. Deuxième voyage de Jacques Cartier (jusqu'à Montréal).	Il emmène des Amérindiens en France. Mais l'or et les diamants rapportés par Cartier ne sont que mica et pyrite de fer.

HORS QUÉBEC	HISTOIRE	CULTURE ET SOCIÉTÉ
	1541-1542. Troisième voyage de Jacques Cartier.	
	1542-1543. Voyage de Roberval.	Hivernage désastreux. En plus de 375 ans d'histoire de la ville de Québec, on ne retrace que deux ou trois hivers sans neige persistante. Le froid s'y ajoutant, certains hivers furent extrême-ment durs.
	Fin XVIᵉ s., début XVIIᵉ s. Les premiers colons.	À l'arrivée des premiers colons, les Iroquois et les Hurons de la plaine du Saint-Laurent ont atteint un certain raffinement de culture, tandis que les Algon-quins, les Cris et les Montagnais demeurent à un niveau plus rudimentaire. Dans l'ensemble, c'est une civilisation d'une dizaine de siècles qui avait perpétué ces coutumes. Tout à coup, la flèche côtoie le fusil...
	1604. De Monts et Champlain s'installent en Acadie. Fondation de Port-Royal. C'est le premier établissement français en Amérique.	Marc Lescarbot ouvre une librairie à Port-Royal.
	1608. Champlain fonde Québec sur l'emplacement d'un site amérindien portant le nom de Stadaconé.	
		1615. Arrivée des Récollets, missionnaires religieux qui continueront leur œuvre pendant près de deux siècles.
		1625. Arrivée des Jésuites.
		1627. Richelieu fonde la Compagnie des Cent Associés, chargée de mettre en valeur la colonie par l'économie et la colonisation.
	1629-1632. Les frères Kirke occupent Québec.	
	1634. Laviolette fonde Trois-Rivières.	
		1635. Mort de Champlain, premier gouverneur de la Nouvelle-France.
		1639. Les Augustines fondent l'Hôtel-Dieu de Québec. Elles établissent leur premier couvent à Sillery, aux abords de Québec.

HORS QUÉBEC	HISTOIRE	CULTURE ET SOCIÉTÉ
	1642. Maisonneuve et Jeanne Mance fondent Ville-Marie sur l'île de Montréal.	
1643-1715. Règne de Louis XIV, en France.		
		1645. La Compagnie des Habitants récupère le monopole de la traite des fourrures. C'est un commerce florissant. Tous les chapeliers d'Europe recherchent le castor du Canada pour en faire les fameux chapeaux à huit reflets.
		1648-1649. Huit missionnaires sont massacrés par les Iroquois. Canonisés en 1930, ils sont connus sous le nom de saints Martyrs canadiens.
		1657. Radisson et Des Groseillers découvrent la haute vallée du Mississipi.
	1663. La Nouvelle-France devient colonie royale.	**1659.** Fondation de l'Hôtel-Dieu de Montréal.
		1663. Fondation du Séminaire de Québec, la première institution d'enseignement en Amérique du Nord.
		1669. Mgr de Laval crée une école d'arts et métiers à Saint-Joachim.
1670. Dom Pérignon invente le champagne.		
	1672. Louis de Buade de Frontenac devient gouverneur de la Nouvelle-France.	**1672-1673.** Jolliet et le père Marquette descendent le Mississipi.
1685. Naissance de Jean-Sébastien Bach et de Haendel.		
1687. Newton explique le principe de la gravitation universelle (Cambridge).		
1689-1697. Guerre de la ligue d'Augsbourg contre Louis XIV.	**1689-1697.** Première phase de la lutte entre l'Angleterre et la France.	**1689.** On commence à creuser le canal de Lachine sur l'île de Montréal pour éviter les rapides du Sault-Saint-Louis.
		1690. Phipps échoue dans son siège de Québec défendu par Frontenac. Mgr de Saint-Vallier publie le premier *Catéchisme*.

HORS QUÉBEC	HISTOIRE	CULTURE ET SOCIÉTÉ
	1701. Grande paix de Montréal avec les Iroquois.	
1703-1713. La guerre de Succession d'Espagne oppose la France à l'Angleterre, entre autres.		
	1713. Le Traité d'Utrecht cède l'Acadie, Terre-Neuve et la baie d'Hudson aux Anglais.	
1715-1774. Règne de Louis XV en France.		
	1718. Les frères Le Moyne (d'Iberville et de Bienville) fondent la Nouvelle-Orléans.	
	1731-1738. Les La Vérendrye découvrent la Saskatchewan, puis les Rocheuses.	
		1737. Les Forges du Saint-Maurice commencent à fonctionner. Les La Vérendrye établissent dans l'Ouest un réseau de postes de traite des fourrures.
1740-1748. La guerre de Succession d'Autriche oppose la France, entre autres, à l'Autriche et à l'Angleterre.	La Paix d'Aix-la-Chapelle rend Louisbourg et l'île du Cap-Breton à la France.	
1742. Le Suédois Ander Celsius crée le célèbre thermomètre (de 0° à 100°). Le Québec adoptera ce système plus de deux siècles plus tard.		
		1755. Le Grand Dérangement déporte des milliers d'Acadiens dont beaucoup iront jusqu'en Louisiane. Leurs descendants seront les «cadiens» ou «cajuns».
1756-1763. Guerre de Sept ans, surtout coloniale, au Canada et aux Indes, entre la France et l'Angleterre.	Les champs de bataille cette fois-ci sont nettement dans les colonies, en Inde et au Canada.	
1757. William Pitt au pouvoir en Angleterre (jusqu'en 1761, puis de 1803 à 1806).		
	1759. Siège et perte de Québec.	
	1763. Par le Traité de Paris, le Canada passe à l'Angleterre.	
		1764. Fondation de *La Gazette de Québec*.

HORS QUÉBEC	HISTOIRE	CULTURE ET SOCIÉTÉ
1770. Naissance de Beethoven (m. en 1827).		
		1773. L'ordre des Jésuites est aboli. Il avait été supprimé en France en 1764.
	1774. Acte de Québec.	
1776. Déclaration d'indépendance des Treize colonies américaines.	**1776.** Invasion américaine. Montgomery et Arnold son défaits à Québec. Montréal est occupé par les Américains.	
		1778. Publication de La Gazette littéraire de Montréal.
	1784. Par le traité de Versailles, l'Angleterre cède aux États-Unis le territoire situé au sud des Grands Lacs.	**1784.** Des Loyalistes passent des États-Unis au Canada. On ouvre à la colonisation les premiers cantons (1792).
1788. Fondation du quotidien *The Times* à Londres.		
1789. Révolution en France.	**1791-1840.** Le Canada est divisé en deux provinces dotées chacune d'un parlement (parmi les premiers au monde).	
	1792. Un Canadien français est président de l'Assemblée du Bas-Canada.	
		1796. Ouverture de la bibliothèque publique de Montréal.
		1800. La Compagnie du Nord-Ouest emploie 1200 voyageurs et interprètes canadiens (de langue française). Des prêtres français, exilés en Angleterre, viennent s'installer au Canada.
1801. Chateaubriand décrit le Mississipi dans *Atala*.		
1802. Naissance de Victor Hugo.		
1803. La Louisiane est vendue aux États-Unis.		**1803.** On installe la première usine de pâtes et papiers dans les environs de Montréal.
		1805. On fonde *Le Canadien*, journal qui défend les intérêts du Parti canadien.
1812. Guerre anglo-américaine.		
	1813. Salaberry gagne la Victoire de Châteauguay contre les Américains revenus envahir le Canada.	

HORS QUÉBEC	HISTOIRE	CULTURE ET SOCIÉTÉ
1821. Mort de Napoléon, interné à Sainte-Hélène depuis 1815.	**1814-1838.** Louis-Joseph Papineau est chef du Parti canadien qui deviendra le Parti patriote.	**1821.** Fondation de l'Université McGill à Montréal. Elle s'établira sur le site actuel en 1929.
1822. Le Français Nicéphore Niepce invente la photographie.		
		1826. Naissance de Charles Baillairgé, architecte et mathématicien (m. en 1906).
		1831. Lancement à Québec du premier bâteau à vapeur qui a traversé l'Atlantique.
		1832. Une des pires saisons pour les immigrants. Le choléra fait des ravages sur les vaisseaux. L'épidémie atteint Québec et Montréal. À la mi-juin, chaque ville dénombre 100 décès par jour.
		1833. L'esclavage est aboli dans les colonies anglaises.
	1834. L'assemblée du Bas-Canada vote les *92 Résolutions* (portant entre autres sur la questions des subsides et sur la responsabilité gouvernementale).	**1834.** Premières manifestations de la fête nationale. Fondation de la Société Saint-Jean-Baptiste. Abolition du français dans les actes civils.
1837-1901. Règne de la reine Victoria en Angleterre.	**1837-1838.** Rébellion des Patriotes.	
	1838. Déclaration d'indépendance du Bas-canada.	
	1840. Acte d'Union du Haut et du Bas-Canada. Les Canadiens obtiennent un gouvernement responsable (suites du rapport Durham, 1839).	**1840 à 1929.** Émigration massive des Canadiens français vers les États-Unis.
1841. Balzac publie «La comédie humaine».		**1841-1842.** Arrivée des Oblats et retour des Jésuites.
		1842. Charles-Odilon Beauchemin fonde à Montréal la librairie et la maison d'édition qu'on connaît aujourd'hui.
1844. G. et P. Brown fondent à Toronto un journal de combat, *The Globe*.	**1844-1857.** Montréal est la capitale du Canada.	**1844.** Fondation de l'Institut canadien à Montréal et en 1848 à Québec. Ouverture des librairies Garneau et Crémazie à Québec.

HORS QUÉBEC	HISTOIRE	CULTURE ET SOCIÉTÉ
		1845. François-Xavier Garneau publie son *Histoire du Canada*.
		1847. Immigration de nombreux Irlandais.
		1852. Fondation de l'Université Laval.
1853. Découverte de l'aspirine.		
		1854. Abolition de la tenure seigneuriale.
1855. L'équilibriste français Charles Blondin traverse sur une corde les chutes du Niagara.		**1855.** Arrivée à Québec de *La Capricieuse*, premier navire français à naviguer sur le Saint-Laurent depuis 1763.
1859. Premier puits de pétrole aux États-Unis.	**1857.** Ottawa devient la capitale du Canada.	
		1860. On construit le pont Victoria à Montréal.
1863. Première automobile à pétrole.		**1863.** Philippe Aubert de Gaspé écrit *Les anciens Canadiens*.
1867. Marx publie *Le capital*.	**1867.** Quatre provinces canadiennes se confédèrent: Nouveau-Brunswick, Nouvelle-Écosse, Ontario et Québec.	
		1868. Les Zouaves vont à la rescousse du pape.
	1869. Soulèvement des Métis à la rivière Rouge. Création du Manitoba.	**1869.** Joseph-Elzéar Bernier devient, à 17 ans, capitaine de navire et amène une cargaison de bois en Angleterre. Il sera célèbre par la suite comme explorateur polaire et permettra au Canada de s'étendre dans l'Arctique.
	1870. Le Manitoba entre dans la Confédération.	**1870.** Un incendie ravage la région du lac Saint-Jean, de Saint-Félicien à Chicoutimi (forêts, cultures, villages).
	1871. La Colombie-Britannique entre dans la Confédération.	
		1872. Emma Lajeunesse, dit Albani, chante au Covent Garden de Londres, puis sur les plus grandes scènes lyriques mondiales.

HORS QUÉBEC	HISTOIRE	CULTURE ET SOCIÉTÉ
	1873. L'Île-du-Prince-Édouard entre dans la Confédération.	
		1874. Prudent Beaudry, frère de Jean-Louis Beaudry, maire de Montréal, est élu triomphalement maire de Los Angeles. Il sera réélu plus tard par acclamation.
1876. A.G. Bell invente le téléphone. **1877.** Le poète Charles Cros invente un procédé d'enregistrement et de reproduction des sons sur son phonographe. À sa suite, Edison enregistre des sons sur son phonographe.		
		1878. L'Université Laval ouvre une filiale à Montréal, filiale qui deviendre en 1920 l'Université de Montréal.
		1879. Inauguration du tronçon ferroviaire Québec – Montréal – Ottawa. • Honoré Beaugrand fonde le journal *La Patrie* avant de devenir maire de Montréal • Joseph-Claver et Samuel-Marie Casavant fondent à Saint-Hyacinthe la plus célèbre entreprise de facture d'orgues au Canada. Ce sont les fils de Joseph Casavant, qui exerçait déjà le métier de facteur d'orgue. • À Montréal, on commence à réglementer le hockey, sport nationale d'origine amérindienne. 1880. Louis Fréchette (École littéraire et patriotique de Québec) est honoré par l'Académie française. • Calixa Lavallée compose le *Ô Canada*.
1880. La bicyclette se modernise.		
		1881. Naissance de celui qui deviendra le Géant Beaupré (2,5 m). **1883.** Eugène-Étienne Taché, architecte, ajoute une devise aux armes du Québec: «Je me

HORS QUÉBEC	HISTOIRE	CULTURE ET SOCIÉTÉ
		souviens».
		1884. Fondation du journal *La Presse*, le quotidien français le plus diffusé sur le continent nord-américain.
	1885. Deuxième soulèvement des Métis (à Batoche, Saskatchewan). Louis Riel est pendu.	**1886.** Mgr Taschereau, archevêque de Québec, devient le premier cardinal canadien. • Georges-Émilie Amyot fonde à Québec une fabrique de corsets qui, avant 1911, se sera développée au point de pénétrer les marchés étrangers de façon spectaculaire et unique dans le monde occidental de cette époque.
	1887. Honoré Mercier devient premier ministre du Québec (jusqu'en 1891).	**1887.** Une première locomotive va de Montréal jusqu'à Vancouver.
1888. L'inventeur écossais Dunlop fabrique le premier bandage pneumatique pour roue de véhicule. **1889.** Eiffel construit à Paris la tour qui porte son nom.		
1899. Les troupes canadiennes participent à la guerre des Boers.	**1896-1911.** Sir Wilfrid Laurier est premier ministre du Canada.	**1899.** Nelligan, dans une des soirées de l'École littéraire de Montréal, lit sa «Romance du vin». Peu après, il sombre dans la folie.
		1900. Fondation de la première caisse populaire Desjardins à Lévis, en face de Québec.
		1900-1920. La prohibition de l'alcool s'étend à toute la province, sous l'initiative du clergé d'abord, puis de l'État, avec des dérogations diverses. Le gouvernement Taschereau tranchera et «nationalisera» ce commerce lucratif.
		1901. Fondation de l'Orchestre Symphonique de Québec.
	1905. L'Alberta et la Saskatchewan entrent dans la Confédération.	
		1906. Ernest Ouimet ouvre le premier cinéma à Montréal, le Ouimetoscope.

HORS QUÉBEC	HISTOIRE	CULTURE ET SOCIÉTÉ
1908. Sir Baden Powell fonde le scoutisme. **1909.** Le Français Louis Blériot est le premier aviateur à traverser la Manche.		
		1910. Henri Bourassa fonde le quotidien *Le Devoir*, à Montréal. • Le Frère André établit sur le mont Royal l'Oratoire Saint-Joseph, qui deviendra un haut lieu de pélerinage.
		1911. Marie Gérin-Lajoie est la première femme «bachelier» du Québec. Elle arrive en tête de tous les candidats. • Premier Congrès de la langue française, à Québec. • Marius Barbeau commence à enregistrer chants et contes sur un phonographe (à cylindre) d'Edison.
1914-1918. Première Guerre mondiale. **1917.** Révolution d'Octobre en Russie.		**1917.** Le gouvernement fédéral donne le droit de vote aux femmes. • Inauguration du Pont de Québec dont la travée centrale était tombée deux fois pendant la construction.
	1918. Quatre morts à Québec pendant une manifestation contre la conscription.	
		1922. Fondation de la première station radiophonique de langue française à Montréal: CKAC. • École des beaux-arts de Montréal.
1924. André Breton publie son premier *Manifeste du surréalisme*.		
	1927. Le Conseil privé de Londres attribue le Labrador à Terre-Neuve.	
1929-1930. La grave crise économique née aux États-Unis touche tout l'Occident.		
		Vers 1930. La Bolduc crée un type de chansons populaires unique au Québec (rythmes de gigue, entre autres), pendant que Jean Lalonde et Jean

HORS QUÉBEC	HISTOIRE	CULTURE ET SOCIÉTÉ
		Sablon chantent, au micro, des mélodies langoureuses.
		1930. Le ténor québécois Raoul Jobin entre à l'Opéra de Paris.
		1932. Joseph-Armand Bombardier et Edmond Fontaine construisent le premier modèle de motoneige à hélice.
1936. Léon Blum, chef du Parti socialiste français, crée le Front populaire. **1938.** Le docteur Norman Bethune, chirurgien de Montréal, devient l'aviseur médical de l'armée de Mao-Tsé-Toung. • On fabrique le nylon. **1939-1945.** Deuxième Guerre mondiale.	**1935.** Fondation de l'Union nationale. **1936-1959.** Duplessis est premier ministre du Québec (sauf 1939-1944).	**1936.** À Clermont, dans Charlevoix, Laure Gaudreault fonde le premier syndicat d'enseignantes du Québec.
		1940. Le Québec donne le droit de vote aux femmes.
	1942. Formation du Bloc populaire canadien (André Laurendeau).	
		1944. Création d'Hydro-Québec. • Victor Barbeau fonde l'Académie Canadienne-française.
		1945. Gabrielle Roy écrit *Bonheur d'occasion* (Prix Fémina).
1947. Les premiers disques souples à microsillons apparaissent. **1948.** Mort de Ghandi.		**1948.** L'Assemblée législative adopte le drapeau fleurdelisé. • *Refus global*, manifeste artistique et littéraire révolutionnaire, est publié par le peintre Paul-Émile Borduas, appuyé par d'autres cosignataires du monde des arts et des lettres.
	1949. Terre-Neuve entre dans la Confédération.	**1949.** Grève de l'amiante.

HORS QUÉBEC	HISTOIRE	CULTURE ET SOCIÉTÉ
Vers 1950. Le chanteur Elvis Presley, la cantatrice Maria Callas et le compositeur Pierre Schaeffer découvrent les possibilités infinies du studio d'enregistrement.		
		1952. Débuts de la télévision canadienne de langue française, diffusée depuis sous la curieuse dénomination de «Radio-Canada». Selon la boutade du grand vulgarisateur scientifique que fut Fernand Seguin, il y eut deux grands événements au Canada (et au Québec): «l'arrivée de Jacques Cartier... et la naissance de Radio-Canada».
		1953. Fondation des éditions de l'Hexagone.
		1958. Une équipe de cinéastes francophones entre à l'Office national du film.
	1960-1966. Jean Lesage et le Parti libéral au pouvoir.	**1960.** Le frère Untel publie ses *Insolences*.
		1962. Nationalisation de l'électricité: Hydro-Québec possède 50 centrales.
		1963. Le Front de libération du Québec dynamite la statue de la reine Victoria à Québec.
	1964. Création du ministère de l'Éducation.	
		1965. Marie-Claire Blais remporte le Prix Médicis avec *Une saison dans la vie d'Emmanuel*. • Première ligne au monde de transport d'électricité à 735 kilovolts.
		1966. Société de Musique contemporaine de Québec.
	1967. Visite du général de Gaulle.	**1967.** Exposition universelle à Montréal.
		1967-1968. Mise en place des institutions prônées par le rapport Parent (sur l'éducation): cégeps et Université du Québec.

HORS QUÉBEC	HISTOIRE	CULTURE ET SOCIÉTÉ
	1968. René Lévesque fonde le Parti québécois. • Élu chef du Parti libéral, P.E. Trudeau devient premier ministre du Canada.	**1968.** «L'osstid'cho» lance Robert Charlebois et crée un nouveau son français d'Amérique dans la chanson (avec Mouffe, Louise Forestier et Yvon Deschamps). • On joue *Les belles-sœurs*, trois ans après que Michel Tremblay eût écrit la pièce.
1969. Les premiers cosmonautes marchent sur la lune.	**1970.** Événements d'octobre (enlèvement de James Cross, enlèvement puis mort de Pierre Laporte, manifeste du FLQ, Loi des mesures de guerre, arrestations multiples).	**1970.** Première Nuit de la poésie au Gesù à Montréal. • Gaston Miron publie *L'homme rapaillé*. **1977.** Loi 101. Charte de la langue française. **1982.** Frédéric Back reçoit l'Oscar du court métrage pour *Crac*. Il en recevra un deuxième en 1988 pour un autre court métrage, *L'homme qui plantait des arbres*. **1987.** La ville de Québec est déclarée, par l'Unesco, comme faisant partie du «patrimoine mondial». **1988.** Le jeune Québécois Pascal Marchand, installé en Bourgogne, produit un des plus grands vins de France, un Pommard dont les bouteilles se vendent 51$ dans les magasins de la Société des alcools du Québec.

Bibliographie générale sélective

Ouvrages

BAILLARGEON, Jean-Paul, sous la direction de, *Les pratiques culturelles des Québécois. Une autre image de nous-mêmes*, Québec, IQRC, 1986.

BOISMENU, Gérard, MAILHOT, Laurent, ROUILLARD, Jacques, *Le Québec en textes*, Anthologie 1940-1986, Montréal, Boréal, 1986.

BOUCHARD, Jacques, *Les 36 cordes sensibles des Québécois d'après leurs six racines vitales*, Montréal, Éd. Héritage, 1978.

DION, Léon, *Québec 1945-2000*, Québec, PUL, 1987, tome I: *À la recherche du Québec*.

DIONNE, René, sous la direction de, *Le Québec et sa culture*, Sherbrooke, Naaman, 1984.

DUMONT, Fernand, *Le sort de la culture, positions philosophiques*, Montréal, L'Hexagone, 1987.

DUMONT, Fernand, *La vigile du Québec*, Montréal, HMH, 1971.

DUMONT, Micheline, JEAN, Michèle, LAVIGNE, Marie-C., STODDART, Jennifer, *L'histoire des femmes au Québec*, Montréal, Les Quinze, 1982.

DUPAYS, Jean, *Abécédaire québécois*, Montréal, Boréal, 1988.

LAROSE, Jean, *La petite noirceur*, Montréal, Boréal, 1987.

LE BEL, Michel, PAQUETTE, Jean-Marcel, *Le Québec par ses textes littéraires (1534-1976)*, Montréal et Paris, France-Québec et Nathan, 1979.

LESSARD, Michel, MARQUIS, Huguette, E*ncyclopédie des antiquités du Québec*, Montréal, Éd. de l'Homme, 1971.

MÉNARD, Guy, *Jamädhlavie*, Montréal, Boréal, 1989.

MEYER, Philippe, *Québec*, Paris, Le Seuil, 1980, (coll. Petite planète).

MORISSET, Gérard, *Coup d'œil sur les arts en Nouvelle-France*, Québec, 1941.

OSTIGUY, Jean-René, *Esthétiques modernes au Québec 1916-1946*, Ottawa, GNC, 1982.

PRÉVOST, Robert, *Le petit dictionnaire des citations québécoises*, Montréal, Libre Expression, 1988.

RIOUX, Marcel, *Les Québécois*, Paris, Le Seuil, 1975, (coll. Microcosmos).

ROBERT, Guy, *Art actuel au Québec depuis 1970*, Montréal, Iconia, 1983.

ROBERT Guy, *L'art au Québec depuis 1940*, Montréal, La Presse, 1973.

SIMARD, Jean, *Les arts sacrés au Québec*, Boucherville, Éd. de Mortagne, 1989.

SIMARD, Sylvain, *Mythe et reflet de la France*, Ottawa, Presses de l'Université d'Ottawa, 1987.

TARD, Louis-Martin, *Au Québec*, Paris, Hachette (Guides bleus), 1976.

TREMBLAY, Marc-Adélard, *L'identité québécoise en péril*, Sainte-Foy, Éd. Saint-Yves, 1983.

Le Québec, Texte de Paule BEAUGRAND-CHAMPAGNE, Québec, MRI-Éd. officiel du Québec, 1984.

Trois générations d'art québécois, 1940-1950-1960, Montréal, ministère des Affaires culturelles, 1976, 135 p.

Les publications de l'Institut québécois de recherche sur la culture (IQRC), Québec.

Périodiques

L'Action nationale, Montréal, mensuel, depuis 1933.

L'Actualité, Montréal, mensuel, depuis 1976.

Cahiers (arts visuels au Québec), Montréal, trimestriel, depuis 1979.

Cap-aux-Diamants, (revue d'histoire du Québec), Québec, trimestriel, depuis 1986.

Continuité: le patrimoine en perspective (suite de *Conservation*, 1980 à 1982), Québec, trimestriel, depuis 1982.

Dérives (revue interculturelle et multidisciplinaire), Montréal, trimestriel, depuis 1975.

Forces, Montréal, Hydro-Québec, trimestriel, depuis 1967, dont le numéro 84 (hiver 89) porte sur «les créateurs, forces vives de notre société».

Inter (avant-garde de l'art actuel), d'abord Intervention, 1978 à 1983, Québec, trimestriel, depuis 1984.

Liberté (vie culturelle), Montréal, six numéros par an, depuis 1959.

Parachute (art contemporain), Montréal, trimestriel, depuis 1975.

Possibles (sur la question du Québec), Montréal, trimestriel, depuis 1976, (dont un numéro spécial «Langue-culture à vendre», printemps-été 1987).

Québec français, Québec (Association québécoise des professeurs de français), trimestriel, depuis 1971 (+ un numéro de lancement en 1970).

Québec-Science (d'abord publié sous le titre *Le jeune scientifique*, 1962 à 1969), Québec, PUQ, onze numéros par an, depuis 1969.

Recherches sociographiques, Québec, PUL, tri-annuel, depuis 1960.

Spirale (production culturelle, Québec et monde), Montréal, neuf numéros par an, depuis 1979.

Vice-Versa (magazine transculturel, publication trilingue), Montréal, six numéros par an, depuis 1983.

Vie des Arts (arts visuels anciens et contemporains), Montréal, trimestriel, depuis 1956.

Numéros récents de revues étrangères

Autrement, n° 60, «Québec», mai 1984.

Le Magazine littéraire, «spécial Québec», 1986.

Sources diverses

Annuaire du Canada, Ottawa, Statistiques Canada, annuel, depuis 1905.

Annuaire du Québec, Québec, Bureau de la Statistique, annuel, depuis 1914 (jusqu'à 1981).

BESSETTE, Émile, HAMEL, Réginald, MAILHOT, Laurent, *Répertoire pratique de littérature et de culture québécoises*, Montréal, FIPF, 1982.

Catalogue, Office national du film du Canada, annuel, et *Répertoire des Multimédia* (diapositives, films).

Catalogue des documents audio-visuels, Québec, ministère des Communications, 1983. Devient *Les films et les vidéos du Gouvernement du Québec*, 1986.

Les catalogues de Musées (ex.: Musée du Québec, Musée des Beaux-Arts de Montréal, Musée d'Art contemporain de Montréal, ou de collectionneurs comme Lavalin).

Découvrir le Québec, un guide culturel, Québec, Éd. Québec français, 1987.

Dictionnaire biographique du Canada, Québec, PUL, 1966.

GAUVIN, Lise, MAILHOT, Laurent, *Guide culturel du Québec*, Montréal, Boréal Express, 1982.

LAHAISE, Robert, *Civilisation et vie quotidienne en Nouvelle-France* (1000 diapositives, commentaires et bibliographie), Montréal, Guérin, 1973.

ROZON, René, *Répertoire de documents audio-visuels sur l'art et les artistes québécois*, Montréal, ministère des Affaires culturelles et ministère des Communications, 1980.

TURCOTTE, Denis, BOUCHER, Monique, sous la direction de, *Le Québec à votre portée* (adresses utiles), Québec, Alliance Champlain, 1988.

TABLE DES MATIÈRES

DEUXIÈME PARTIE

Achevé Imprimerie
d'imprimer Gagné Ltée
au Canada Louiseville